S0-BJZ-225

Buch

So beginnen Alpträume: Eine Frau verläßt ihr Haus und findet sich wenig später auf den Straßen Bostons wieder – blutbefleckt, die Taschen voller Geld, ohne Erinnerungsvermögen. Nach einem Tag des Umherirrens sucht sie schließlich Hilfe. Bei der ärztlichen Untersuchung wird sie erkannt, und man holt ihren Mann, einen angesehenen Kinderarzt, zu Hilfe. Doch der ist ihr fremd – wie alles aus ihrem bisherigen Leben. Schon bald fühlt sie sich als Gefangene im eigenen Haus, von der Außenwelt abgeschirmt, auf Medikamente gesetzt. Will ihr Mann sie in den Wahnsinn treiben? Woran soll sie sich nicht erinnern? Und warum? Wo ist ihre Tochter? In ihr wächst der furchtbare Verdacht, daß sie einem teuflischen Plan ausgeliefert ist.

Autorin

Joy Fielding, 1945 in Kanada geboren, gehört zu den unumstrittenen Spitzenautorinnen Amerikas. Alle ihre Bücher waren Bestseller, und mit ihrem Psychothriller "Lauf, Jane, lauf!" gelang ihr der große internationale Durchbruch. Joy Fielding lebt mit ihrem Mann und zwei Töchtern in Toronto, Kanada, und in Palm Beach, Florida.

Außerdem im Goldmann Verlag erschienen:

Schau dich nicht um. Roman (43087)
Ein mörderischer Sommer. Roman (42870)
Lebenslang ist nicht genug. Roman (42869)
Sag Mami Good Bye. Roman (42852)
Flieh, wenn du kannst. Roman (43262)
Am seidenen Faden. Roman (44370)
Zähl nicht die Stunden. Roman (45405)
Nur wenn du mich liebst. Roman (45642)
Schlaf nicht, wenn es dunkel wird. Roman (46173)
Tanz, Püppchen, tanz. Roman (geb. 31059)

JOY FIELDING

Lauf, Jane, lauf!

Roman

Aus dem Amerikanischen
von Mechtild Sandberg-Ciletti

GOLDMANN

Die amerikanische Originalausgabe
erschien unter dem Titel »See Jane Run«
bei William Morrow and Company, Inc., New York

Mix
Produktgruppe aus vorbildlich
bewirtschafteten Wäldern und
anderen kontrollierten Herkünften

Zert.-Nr. SGS-COC-1940
www.fsc.org

Verlagsgruppe Random House FSC-DEU-0100
Das FSC-zertifizierte Papier *München Super* für Taschenbücher
aus dem Goldmann Verlag liefert Mochenwangen Papier.

47. Auflage
Deutsche Erstveröffentlichung

Umschlaggestaltung: Design Team München
Umschlagfoto: Barth
Satz: IBV Satz- und Datentechnik GmbH, Berlin
Druck und Bindung: GGP Media GmbH, Pößneck
Lektorat: Kattrin Stier/AK
Herstellung: Peter Papenbrok
Printed in Germany
ISBN: 978-3-442-41333-1

www.goldmann-verlag.de

Für Warren
und für
Shannon und Annie

1

An einem Nachmittag im Frühsommer ging Jane Whittaker zum Einkaufen und vergaß, wer sie war.

Sie stand an der Ecke Cambridge und Bowdoin Street mitten in Boston und wurde sich plötzlich ohne jede Vorwarnung bewußt, daß sie zwar genau wußte, *wo* sie war, aber keine Ahnung hatte, *wer* sie war. Sie wußte, daß sie auf dem Weg ins Lebensmittelgeschäft war, um Milch und Eier zu besorgen. Die brauchte sie für den Schokoladenkuchen, den sie backen wollte; *warum* sie ihn hatte backen wollen und für *wen*, konnte sie aber nicht sagen. Sie wußte genau, wieviel Gramm Schokoladenpulver das Rezept vorschrieb, aber ihr eigener Name fiel ihr nicht mehr ein. Sie konnte sich auch nicht erinnern, ob sie verheiratet oder alleinstehend, verwitwet oder geschieden, kinderlos oder Mutter von Zwillingen war. Sie wußte weder ihre Größe noch ihr Gewicht noch ihre Augenfarbe. Sie wußte ihren Geburtstag nicht und nicht ihr Alter. Sie konnte die Farben der Blätter an den Bäumen benennen, aber sie konnte sich nicht erinnern, ob sie blond oder brünett war. Sie wußte, wohin sie wollte, aber sie hatte keine Ahnung, woher sie kam.

Der Verkehrsstrom in der Bowdoin Street floß langsamer und kam zum Stillstand. Rechts und links lösten sich Menschen von ihrer Seite, wie von einem Magneten zur anderen Straßenseite hinübergezogen. Sie allein stand wie festgewachsen, nicht imstande, einen Schritt zu tun, kaum fähig zu atmen. Vorsichtig, bewußt langsam, den Kopf im Kragen ihres Trenchcoats versteckt, blickte sie verstohlen erst über die eine, dann über die andere Schulter. Passanten schossen an ihr vorbei, als sei sie gar nicht vorhanden, Männer und Frauen, deren Gesichter keinerlei äußere Zeichen von Selbstzweifel zeigten, deren Schritt kein Zögern verriet. Sie allein stand völlig still, nicht willens – nicht fähig –, sich zu bewegen. Sie nahm Geräusche wahr – Motorengebrumm, Hupen, das Gelächter von Menschen, den Klang ihrer Schritte, der abrupt abbrach, als die Autoschlangen sich wieder in Bewegung setzten.

Sie hörte das giftige Flüstern einer Frau – »diese kleine Nutte«, zischte sie – und glaubte einen Moment lang, die Frau spräche von ihr. Aber sie war offenkundig im Gespräch mit ihrer Begleiterin, und keine der beiden schien sich auch nur im geringsten bewußt, daß sie neben ihnen stand. War sie unsichtbar?

Eine irrwitzige Sekunde lang dachte sie, sie wäre vielleicht tot, so wie in einer dieser alten *Twilight Zone* Episoden, in der eine Frau sich mutterseelenallein irgendwo auf einer nächtlichen Straße wiederfindet und verzweifelt bei ihren Eltern anruft, nur um von ihnen hören zu müssen, daß ihre Tochter bei einem Autounfall ums Leben gekommen sei und was ihr überhaupt einfiele, sie mitten in der Nacht aus dem Schlaf zu reißen? Aber dann bestätigte die Frau, deren Mund sich eben noch geringschätzig um das Wort ›Nutte‹ gekräuselt hatte, ihre Existenz mit einem freundlichen Lächeln, wandte sich wieder ihrer Begleiterin zu und ging mit ihr über die Straße.

Tot war sie also offensichtlich nicht. Und unsichtbar auch nicht. Wieso konnte sie sich an etwas so Blödsinniges wie eine Szene aus *Twilight Zone* erinnern, aber nicht an ihren Namen?

Neue Menschen sammelten sich um sie und warteten, mit den Schuhspitzen aufs Pflaster trommelnd, ungeduldig darauf, die Straße überqueren zu können. Wer auch immer sie war, sie war nicht in Begleitung. Es war niemand da, bereit, ihren Arm zu nehmen; niemand, der besorgt von der anderen Straßenseite herüberspähte und sich wunderte, wieso sie zurückgeblieben war. Sie war allein, und sie wußte nicht, wer sie war.

»Bleib ruhig«, flüsterte sie sich zu und suchte im Klang ihrer

Stimme nach einem Fingerzeig, aber selbst die Stimme war ihr fremd. Sie verriet nichts über Alter oder Personenstand, ihr Akzent war nichtssagend, bemerkenswert allenfalls der Unterton der Panik. Sie hob eine Hand zum Mund und sprach hinein, um nicht unnötig aufzufallen. »Keine Panik. In ein paar Minuten ist alles wieder klar.« War es eine Gewohnheit von ihr, mit sich selbst zu sprechen? »Alles schön der Reihe nach«, fuhr sie fort und fragte sich, was das bedeuten sollte. Wie sollte sie der Reihe nach vorgehen, wenn sie völlig im dunkeln tappte? »Nein, das stimmt nicht«, korrigierte sie sich. »Einiges weißt du. Du weißt sogar eine ganze Menge. Überleg mal«, ermahnte sie sich lauter und sah sich sofort hastig um, aus Angst, jemand könnte sie gehört haben.

Eine Gruppe von vielleicht zehn Personen bewegte sich auf sie zu. Die wollen mich holen und dorthin zurückbringen, von wo ich entsprungen bin, war ihr erster und einziger Gedanke. Aber dann begann die Führerin der Gruppe, eine junge Frau Anfang Zwanzig, in dem vertrauten breiten Bostoner Tonfall zu sprechen, der ihrer eigenen Stimme merkwürdigerweise fehlte, und sie erkannte, daß sie für diese Leute ebenso belanglos war wie zuvor für die beiden Frauen, deren Gespräch sie mitangehört hatte. War sie überhaupt für jemanden von Belang?

»Sie sehen«, sagte die junge Frau, »Beacon Hill ist ein Viertel, von dem aus die Bewohner bequem zu Fuß zur Arbeit gehen können. Es galt lange Zeit als das beste Wohnviertel der Stadt. Seine steilen Straßen sind mit Kopfstein gepflastert, und die Bauten, die sie säumen, sind teils private Stadthäuser aus Backstein, teils kleinere Mietshäuser, deren Erbauung in den zwanziger Jahren des vergangenen Jahrhunderts begann und bis zum Ende des Jahrhunderts fortgesetzt wurde.«

Alle nahmen die privaten Stadthäuser aus Backstein und die kleinen Mietshäuser gebührend zur Kenntnis, dann fuhr die junge Frau in ihrem sorgfältig eingeübten Vortrag fort. »Eine

Anzahl der größeren und eleganteren Häuser ist in den letzten Jahren wegen der Wohnungsknappheit und der explodierenden Immobilienpreise in Eigentumswohnanlagen umgewandelt worden. Beacon Hill war früher eine Hochburg der Yankees, auch heute leben hier noch viele der alten Bostoner Familien, aber mittlerweile sind Mitbürger jeglicher Herkunft willkommen – vorausgesetzt, sie können die Hypotheken beziehungsweise die Mieten bezahlen.«

Mildes Gelächter und eifriges Nicken quittierten ihre Worte, ehe die Gruppe Anstalten machte weiterzugehen. »Entschuldigen Sie, Madam«, sagte die Führerin, wobei sie die Augen weit öffnete und den Mund zu einem übertrieben breiten Lächeln verzog, so daß ihr Gesicht einem dieser sonnengelben Smilie-Anstecker glich. »Ich glaube, Sie gehören nicht zu unserer Gruppe?« Die Feststellung kam als Frage heraus, bei der sich die letzten Worte parallel zu den Mundwinkeln der Sprecherin aufwärts schwangen. »Wenn Sie sich für einen Stadtrundgang interessieren, sollten Sie sich an den Bostoner Verkehrsverein wenden. – Madam?«

Die Strahlefrau war in ernster Gefahr, ihre gute Laune zu verlieren.

»Der Verkehrsverein?« fragte sie die junge Frau, deren selbstverständlicher Gebrauch der Anrede ›Madam‹ die Vermutung nahelegte, daß sie sie für mindestens dreißig hielt.

»Gehen Sie die Bowdoin Street in südlicher Richtung bis zur Beacon Street – am State House vorbei, das ist das mit der goldenen Kuppel. Da ist es dann gleich. Es ist leicht zu finden.«

Hast du eine Ahnung, dachte sie, während sie der Gruppe nachsah, die die Fahrbahn überquerte und in der nächsten Seitenstraße verschwand. Wo ich mich nicht mal selbst finden kann!

Einen Fuß zaghaft vor den anderen setzend, als wate sie durch unbekannte und möglicherweise gefährliche Gewässer, ging sie die Bowdoin Street hinunter. Sie achtete kaum auf die ehrwürdigen Bauten aus dem vergangenen Jahrhundert, sondern konzentrierte sich auf den Weg, der vor ihr lag. Sie überquerte die Derne Street, dann Ashburton Place, alles ohne Zwischenfall, aber keine der Straßen und auch nicht das State House, das plötzlich vor ihr aufragte, weckten irgendeine Ahnung, wer sie sein könnte. Sie bog in die Beacon Street ein.

Vor ihr dehnte sich, genau wie die Strahlefrau verheißen hatte, der Boston Common. Ohne dem Granary-Friedhof Beachtung zu schenken, auf dem, wie sie sich ohne Mühe erinnerte, Berühmtheiten so unterschiedlicher Natur wie Paul Revere und Mother Goose ihre Gräber hatten, eilte sie am Besucherzentrum vorbei zum Park und wußte instinktiv, daß sie das in der Vergangenheit viele Male getan hatte. Die Stadt Boston war ihr nicht fremd, ganz gleich, wie fremd sie selbst sich war.

Sie merkte, wie ihr die Knie weich wurden, und dirigierte sich zu einer Bank, auf der sie sich niedersinken ließ. »Keine Panik«, wiederholte sie mehrmals laut, sprach die Worte wie ein Mantra vor sich hin, da sie wußte, daß niemand nahe genug war, sie zu hören. Dann begann sie eine lautlose Rekapitulation aller ihr bekannten – wenn auch größtenteils unwichtigen – Fakten. Es war Montag, der 18. Juni 1990. Die Temperatur, für die Jahreszeit ungewöhnlich kühl, lag bei 68 Grad Fahrenheit. 32 Grad Fahrenheit war der Gefrierpunkt von Wasser. Bei 100 Grad Celsius konnte man ein Ei kochen. Zweimal zwei war vier; vier mal vier war sechzehn; zwölf mal zwölf war 144. Das Hypotenusenquadrat war gleich der Summe der Kathetenquadrate. $E = mc^2$. Die Quadratwurzel aus 365 war ... sie wußte es nicht, aber irgend etwas sagte ihr, daß das ganz in Ordnung war – sie hatte es nie gewußt. »Keine Panik«, hörte sie sich von neuem sagen, während sie die Falten aus ihrem beigefarbenen Mantel strich und schlanke Oberschenkel unter ihren Händen fühlte. Die Tatsache, daß sie ein wahrer Quell an nutzlosen Informationen war, beruhigte sie; wenn ein Mensch solches Wissen behalten konnte, dann mußte er sich irgendwann auch seines eigenen Namens erinnern können. Sie würde sich erinnern. Es war lediglich eine Frage der Zeit.

Ein kleines Mädchen kam mit ausgebreiteten Armen über die Wiese auf sie zugelaufen, gefolgt von ihrer behäbigen schwarzen Kinderfrau. Flüchtig schoß ihr die Frage durch den Kopf, ob das *ihr* kleines Mädchen sein könnte, und sie streckte unwillkürlich die Arme aus. Aber die Kinderfrau zog die Kleine hastig weg und schleppte sie mit einem argwöhnischen Blick zur Bank zu den Schaukeln in der Nähe. Habe ich Kinder? überlegte sie und fragte sich, wie eine Mutter ihr Kind vergessen könnte.

Sie blickte auf ihre Hände. Ein Ring am Finger würde ihr wenigstens verraten, ob sie verheiratet war. Aber ihre Hände waren schmucklos, wenn auch am Ringfinger ihrer Linken eine dünne Linie zu erkennen war, vielleicht ein Zeichen, daß dort früher ein Ring gesessen hatte. Sie musterte die Stelle genau, aber es ließ sich nicht mit Sicherheit feststellen. Ihr fiel auf, daß der dezente korallenrote Nagellack stellenweise abgeblättert und ihre Fingernägel bis zum Fleisch hinunter abgenagt waren. Sie senkte den Blick zu ihren Füßen. Sie hatte flache, cremefarbene Lackschuhe an, von denen der rechte etwas eng war und an der großen Zehe drückte. Sie zog ihn aus, erkannte den Namen Charles Jourdan auf der Innensohle, stellte fest, daß er Größe 38 hatte, und schloß daraus, daß sie wahrscheinlich mindestens einsfünfundsechzig groß war. An der Art, wie ihre Arme an ihrem Körper entlangglitten, spürte sie trotz des zugeknöpften Mantels, daß sie schlank war. Was sonst wußte sie über sich selbst, abgesehen von der Tatsache, daß sie weißer Hautfarbe und weiblichen Geschlechts und, wenn die Strahlefrau und die Haut ihrer Hände ein Indiz waren, deutlich über zwanzig Jahre alt war?

Zwei Frauen kamen vorüber, eingehakt, große Handtaschen baumelten an ihrer Seite. Meine Handtasche! dachte sie voller

Erleichterung und tastete nach einem Riemen über der Schulter. Die Handtasche würde ihr alle Fragen beantworten – wer sie war, wo sie lebte, welche Lippenstiftfarbe sie trug. Sie würde eine Brieftasche mit ihren Papieren enthalten, den Führerschein, die Kreditkarten. Sie würde ihren Namen und ihre Adresse wieder wissen, ihren Geburtstag, was für einen Wagen sie fuhr – wenn sie überhaupt Auto fuhr. In ihrer Handtasche steckten alle Geheimnisse ihres Lebens. Sie brauchte sie nur zu öffnen.

Sie brauchte sie nur zu finden.

Hastig schob sie den Fuß wieder in den Schuh, lehnte sich an die stumpfgrünen Leisten der Parkbank und blickte der Tatsache ins Gesicht, vor der sie in ihrer Angst bisher beharrlich die Augen verschlossen hatte – daß sie gar keine Handtasche hatte. Die Ausweispapiere, die sie vielleicht zu Beginn dieser verwirrenden Odyssee bei sich gehabt hatte, waren jetzt nicht mehr in ihrem Besitz. Nur um ganz sicher zu sein, um sich zu vergewissern, daß sie die Tasche beim Hinsetzen nicht achtlos hatte fallen lassen, sah sie sich aufmerksam zu ihren Füßen um. Sie ging sogar mehrmals um die Bank herum, wodurch sie erneut den argwöhnischen Blick der schwarzen Kinderfrau auf sich zog, die ihren kleinen Schützling auf der Schaukel anstieß. Sie lächelte der dunkelhäutigen Frau zu, fragte sich, was sie überhaupt zu lächeln hatte, und wandte sich ab. Als sie einige Sekunden später wieder hinübersah, war die Kinderfrau dabei, das laut protestierende Kind vom Schaukelplatz wegzuziehen. »Siehst du, du hast ihr angst gemacht«, sagte sie laut zu sich selbst und tastete automatisch ihr Gesicht nach Spuren von Entstellungen ab. Sie fand keine, versuchte jedoch weiter wie eine Blinde mit den Fingern in ihrem Gesicht zu lesen.

Es war schmal und oval, mit hohen Wangenknochen, die vielleicht eine Spur zu stark hervorsprangen, und kräftigen, ungezupften Augenbrauen. Die Nase war klein, und die Wimpern waren von Tusche verklebt. Vielleicht, dachte sie, hatte sie sich die Augen gerieben und dabei die Tusche verschmiert. Vielleicht hatte sie geweint.

Mit einem Ruck straffte sie die Schultern, sprang auf und rannte aus dem Park. Ohne auf das Rotlicht zu achten, lief sie durch den Verkehr zu einer Bank an der Ecke Beacon Street. Sie klopfte so kräftig an die Glastür, daß sie die Aufmerksamkeit des Filialleiters auf sich zog, eines vorzeitig kahlen jungen Mannes, dessen Kopf im Verhältnis zu seinem Körper um einige Nummern zu groß schien. Sie hielt ihn für den Filialleiter, weil er einen Anzug mit Krawatte trug und das einzige männliche Wesen in einem Raum voller Frauen war.

»Tut mir leid«, sagte er freundlich, wobei er die Tür gerade so weit aufzog, daß er seine große Nase durch den Spalt stecken konnte, »aber es ist nach vier. Wir schließen um drei.«

»Wissen Sie, wer ich bin?« fragte sie verzweifelt, erstaunt über die Frage, die sie gar nicht hatte stellen wollen.

Das Stirnrunzeln des Mannes verriet, daß er ihre Frage als eine Forderung nach Sonderbehandlung auslegte. »Es tut mir wirklich leid«, sagte er, einen Anflug unmißverständlicher Schärfe in der Stimme. »Wir sind gern bereit, Sie zu bedienen, wenn Sie morgen wiederkommen.« Dann lächelte er ein abschließendes Lächeln, das jede weitere Diskussion verbat, und kehrte zu seinem Schreibtisch zurück.

Sie blieb an der Glastür stehen und starrte in den Schalterraum, bis die Frauen drüben zu tuscheln begannen. Wußten sie, wer sie war? Wenn ja, so wurden sie ihres Anblicks bald müde und wandten sich, von ihrem wild gestikulierenden Chef angetrieben, wieder ihren Computern und Bilanzen zu. Sie schien für sie nicht mehr zu existieren.

Sie atmete ein paarmal tief durch, dann ging sie die Beacon Street hinunter zur River Street, zurück zu den von privaten Stadthäusern und kleinen Mietshäusern gesäumten Kopfsteinpflasterstraßen. Wohnte sie in einem dieser alten Häuser? Hatte sie genug Geld, um die Hypotheken beziehungsweise die Miete zu bezahlen? Arbeitete sie für ihren Lebensunterhalt, oder ließ sie andere für sich arbeiten? Vielleicht wohnte sie gar nicht in einem dieser edlen alten Häuser, sondern ging nur zum Putzen dorthin.

Nein, für eine Putzfrau war sie zu teuer gekleidet, und ihre Hände waren, wenn auch unbestreitbar ungepflegt, zu weich und zu glatt für jemanden, der körperliche Arbeit verrichtete. Vielleicht putzte sie diese Häuser nicht, sondern verkaufte sie. Vielleicht war sie hergekommen, um sich mit einem Interessenten zu treffen, um ihm ein kürzlich renoviertes Haus zu zeigen, und hatte – was? Einen herabfallenden Ziegelstein auf den Kopf bekommen? Unwillkürlich tastete sie ihren Kopf nach Beulen ab, fand keine, stellte nur fest, daß ihr Haar sich aus der Spange gelöst hatte und ihr nun in vereinzelten dünnen Strähnen in den Nacken hing.

Sie bog nach rechts in die Mt. Vernon Street ab, dann nach links in die Cedar Street, immer in der Hoffnung, daß irgend etwas ihrem Gehirn ein Startsignal geben würde. »Gebt mir doch bitte einen Anstoß«, flehte sie die baumbestandenen Straßen an, als sie an der Revere Street wiederum abbog und zur Embankment Road weiterging. Die Sonne war hinter einer dicken grauen Wolke verschwunden, und ihr war kalt, obwohl die Temperatur unverändert blieb. Sie erinnerte sich, daß der Winter verhältnismäßig mild gewesen war und die Experten einen weiteren heißen Sommer vorhersagten. Sie führten es auf den Treibhauseffekt zurück. Treibhaus. Treibgas. Ozonloch. Saurer Regen. Rettet den Regenwald. Rettet die Wale. Spart Wasser – duscht zu zweit.

Sie fühlte sich plötzlich völlig erschöpft. Die Füße taten ihr weh, die große Zehe ihres rechten Fußes war völlig taub. Ihr Magen knurrte. Wann hatte sie zuletzt etwas gegessen? Was aß sie übrigens gern? Konnte sie kochen? Vielleicht machte sie gerade irgendeine verrückte Diät, die ihr Hirn in Mitleidenschaft gezogen hatte. Oder vielleicht war sie high. Von Drogen. Oder von Alkohol. War sie betrunken? War sie jemals betrunken gewesen? Wie sollte sie merken, ob sie betrunken war oder nicht?

Sie bedeckte die Augen mit den Händen und wünschte sich den eindeutigen dumpfen Kopfschmerz, der einem Kater vorauszugehen pflegte. Ray Millands *Verlorenes Wochenende*, dachte sie und fragte sich, wie alt sie sein mußte, um sich an Ray Millands zu erinnern. »Helft mir doch«, flüsterte sie in ihre Hände. »Bitte, hilf mir doch einer.«

Reflexartig blickte sie auf ihr Handgelenk, um nach der Zeit zu sehen, und stellte fest, daß es fast fünf war. Seit beinahe einer Stunde irrte sie herum und hatte in der ganzen Zeit nichts gesehen, das ihr auch nur den geringsten Hinweis darauf geben konnte, wer sie war. Nichts erschien ihr vertraut. Niemand hatte sie erkannt.

Sie erreichte die Charles Street, eine bunte Vielfalt von Läden und Geschäften, das Lebensmittelgeschäft neben dem Juwelier, Haushaltswaren Tür an Tür mit Kunst und Antiquitäten. War sie auf dem Weg hierher gewesen, um ihre Milch und ihre Eier einzukaufen?

Ein Mann drängte sich an ihr vorbei und lächelte, aber es war das Lächeln, das am Ende eines anstrengenden Tages eine matte Seele mit der anderen tauscht, und sagte nichts von Bekanntschaft. Dennoch war sie versucht, den Mann festzuhalten und ihm ein Zeichen des Erkennens abzubetteln, wenn nötig eine Identität aus ihm herauszuschütteln. Aber sie ließ ihn unbelästigt vorübergehen, und die Gelegenheit war versäumt. Aber sie konnte ja auch nicht einfach wildfremde Menschen auf der Straße angehen. Die würden womöglich die Polizei holen und sie einsperren lassen. Schon wieder so eine Verrückte auf dem Selbstfindungstrip.

War sie vielleicht wirklich verrückt? Gerade aus einer Anstalt ausgebrochen? Aus dem Gefängnis? War sie auf der Flucht? Sie lachte über so viel Melodramatik. Wenn sie nicht schon verrückt gewesen war, bevor das alles angefangen hatte, würde sie es ganz bestimmt werden, ehe es vorüber war. Würde es überhaupt vorübergehen?

Sie stieß die Tür zu einem Tante-Emma-Laden auf und trat ein. Wenn sie in diesem Viertel wohnte, war es gut möglich, daß sie öfter hier einkaufte; oft genug hoffentlich, um dem Inhaber bekannt zu sein. Langsam ging sie zwischen den Regalen mit den Konserven auf ihn zu.

Der Inhaber, ein junger Mann mit Pferdeschwanz und schmalem Mund, war mit mehreren Kunden beschäftigt, von denen jeder behauptete, zuerst dagewesen zu sein. Sie stellte sich hinten an, hoffte auf einen Blick des Erkennens, wünschte sich inbrünstig ein freundliches »Hallo, Mrs. Smith. Ich komme sofort«. Aber sie hörte nur eine fremde Stimme, die eine Packung Zigaretten verlangte, und sah nur den mageren Rücken des Verkäufers, als dieser sich umdrehte, um die Zigaretten aus dem Regal zu holen.

Über die linke Schulter warf sie einen Blick auf eine Reihe unwahrscheinlich schöner junger Frauen, die sie von den Titelblättern diverser Zeitschriften anlächelten. Sie ließ sich hinüberziehen zum Zeitungsständer und starrte wie gebannt auf ein Gesicht von feuriger Schönheit. ›Cindy Crawford‹ stand in leuchtend pinkfarbenen Lettern neben dem Gesicht. ›Supermodel‹. Kein Zweifel, wer *sie* war.

Sie zog das Heft heraus und studierte das Gesicht des Models: braune Augen, braunes Haar, links von den leicht geöffneten Lippen ein Leberfleck, der sie von den Hunderten gleichermaßen hübscher Gesichter ringsum unterschied. So schön, dachte sie. So jung. So selbstsicher.

Wieder wurde ihr bewußt, daß sie keine Ahnung hatte, wie sie selbst aussah, keine Vorstellung, wie alt sie war. Sie umklammerte die Zeitschrift so fest, daß ihre Ränder sich nach innen bogen. »Hey, Lady!« Sie drehte sich um und sah den warnend wakkelnden Zeigefinger des Ladeninhabers. »Die Zeitschriften nur rausnehmen, wenn Sie sie kaufen wollen.«

Sie nickte schuldbewußt wie ein Kind, das beim Einstecken eines Kaugummis ertappt worden ist, und drückte die Zeitschrift an die Brust, als wäre sie ihr einziger Halt.

»Also, kaufen Sie sie oder nicht?« fragte der junge Mann. Die anderen Kunden waren gegangen, sie waren allein im Laden. Jetzt bot sich ihr die beste, vielleicht einzige Gelegenheit zur Konfrontation.

Sie stürzte zur Theke und sah, wie er hastig zurückwich. »Kennen Sie mich?« fragte sie, mit Mühe die Panik in ihrer Stimme unterdrückend.

Er musterte sie konzentriert, mit zusammengekniffenen Augen. Dann neigte er den Kopf zur Seite, so daß ihm der Pferdeschwanz auf die rechte Schulter hing, und ein Lächeln kroch ihm über den schmalen Mund und krümmte ihn leicht. »Sind Sie wer Berühmtes?« fragte er.

Sie sagte nichts, wartete mit angehaltenem Atem.

Er mißverstand ihr Schweigen als Bestätigung. »Ja, ich hab schon gehört, daß sie hier in Boston zur Zeit ein paar Filme machen«, sagte er und ging ein paar Schritte nach rechts, um sie im Profil zu begutachten, »aber ich geh selten ins Kino, und aus dem Fernsehen kenn ich Sie nicht. Spielen Sie in einer von den Seifenopern mit? Ich weiß schon, daß die Schauspieler immer in die Einkaufszentren kommen und so. Ich mußte mal mit meiner Schwester zu so 'ner Veranstaltung. Sie wollte unbedingt Ashley Abbot aus *Jung und Rastlos* sehen. *Jung und Nutzlos*, sag ich immer. Machen Sie da mit?«

Sie schüttelte den Kopf. Welchen Sinn hatte es, diese Farce weiterzuführen? Er kannte sie offensichtlich so wenig wie sie sich selbst.

Sie sah, wie sein Körper sich straffte, abweisend wurde. »Aber für die Zeitschrift müssen Sie trotzdem bezahlen, auch wenn Sie noch so berühmt sind. Sie macht zwei fünfundneunzig.«

»Ich – ich habe meine Handtasche vergessen«, sagte sie leise.

Jetzt sah der Mann ärgerlich aus. »Ja, glauben Sie vielleicht, nur weil Sie in irgendeiner blöden Fernsehserie mitspielen, können Sie ohne Geld rumlaufen? Bilden Sie sich ein, bloß weil Sie 'n ganz hübsches Gesicht haben, schenk ich Ihnen alles, was Sie haben wollen?«

»Nein, natürlich nicht...«

»Entweder Sie zahlen jetzt für das Heft, oder Sie verschwinden aus meinem Laden. Ich hab was Besseres zu tun, als meine Zeit mit Ihnen zu vertun. Und Leute, die mich verarschen, brauch ich schon gar nicht.«

»Das wollte ich doch gar nicht. Ehrlich.«

»Zwei Dollar fünfundneunzig«, sagte er wieder und hielt ihr die geöffnete Hand hin.

Sie wußte, sie hätte ihm einfach die Zeitschrift zurückgeben sollen, aber sie tat es nicht. ›Cindy Crawford‹ sah so schön aus, so glücklich, so verdammt selbstsicher. Hoffte sie vielleicht, daß etwas von dieser grenzenlosen Selbstsicherheit auf sie abfärben würde? In der Hoffnung, etwas Kleingeld zu finden, griff sie hastig in die Taschen ihres Trenchcoats, erst in die eine, dann in die andere, und konnte nicht glauben, was sie fand. Ihre Hand war voll knisternder neuer Hundert-Dollar-Scheine.

»Wau!« Der Mann hinter der Theke pfiff durch die Zähne. »Haben Sie vielleicht 'ne Bank ausgeraubt oder so was?« Dann: »Oder haben Sie die selbst gedruckt?«

Sie sagte nichts, starrte nur auf das Geld in ihrer Hand.

»Ist ja auch egal. Mit Hundert-Dollar-Scheinen kann ich jedenfalls nichts anfangen. Wenn ich Ihnen jetzt einen Hunderter kleinmach, hab ich nachher kein' Wechselgeld mehr. Wieviele von den Dingern haben Sie überhaupt?«

Sie spürte, wie der Atem in kurzen, flachen Stößen aus ihrer Brust herausgepreßt wurde. Was in aller Welt tat sie mit zwei Taschen voller Hundert-Dollar-Noten? Woher kam das viele Geld?

»Hey, alles in Ordnung, Lady?« Der Mann hinter der Theke sah ängstlich zur Tür. »Sie werden mir doch hier nicht umkippen?«

»Haben Sie eine Toilette?«

»Nur privat«, sagte er stur.

»Bitte!«

Die Verzweiflung in ihrer Stimme überzeugte ihn offenbar, denn er hob hastig den Arm und wies zu dem Lagerraum zu seiner Rechten. »Aber da hab ich gerade saubergemacht. Versauen Sie mir nicht den frisch geschrubbten Boden, wenn's geht.«

Sie fand die Toilette neben dem Lagerraum ohne Mühe. Es war eine enge Kammer mit einer alten Toilette und einem gesprungenen Spiegel über einem fleckigen Waschbecken. An den Wänden waren Kartons mit Vorräten gestapelt. Neben der Tür stand ein zur Hälfte mit Wasser gefüllter Eimer, daneben lehnte ein Schrubber.

Sie rannte zum Becken und drehte das kalte Wasser auf. Die Zeitschrift unter den Arm geklemmt, fing sie den eisigen Strahl mit beiden Händen und schwappte sich das Wasser ins Gesicht, bis sie das Gefühl hatte, wieder gerade stehen zu können, ohne ohnmächtig zu werden.

Langsam hob sie das Gesicht zum Spiegel und fuhr zurück. Die Frau, die sie anblickte, war eine Fremde. Nichts an ihren Zügen war auch nur vage vertraut. Sie betrachtete die helle Haut und die dunkelbraunen Augen, die kleine, etwas aufgeworfene Nase und den vollen Mund, der im gleichen Korallenton gemalt war wie ihre Nägel. Das braune Haar war vielleicht eine Nuance heller als die Augen, zu einem Pferdeschwanz zurückgebunden und von einer straßbesetzten Spange gehalten, die sich gelockert hatte und herauszufallen drohte. Sie zog sie ganz heraus, schüttelte den Kopf und sah, wie ihr Haar weich und locker auf ihre Schultern fiel.

Ein anziehendes Gesicht, dachte sie, es mit Abstand taxierend, als ziere es wie Cindy Crawfords das Titelblatt einer Zeitschrift. Ganz hübsch, hatte der junge Mann gesagt. Vielleicht etwas mehr. Es war makellos. Nichts war zu groß oder zu klein. Nichts stach unangenehm heraus. Alles war da, wo es sein mußte. Sie schätzte ihr Alter auf Mitte Dreißig und fragte sich gleich darauf, ob sie älter oder jünger aussah, als sie wirklich war. »Das ist alles so verwirrend«, flüsterte sie ihrem Abbild zu, das den Atem anzuhalten schien. »Wer bist du?«

»Ich kenne dich nicht«, antwortete ihr Spiegelbild, und beide Frauen senkten die Köpfe und starrten in das fleckige Becken aus weißem Porzellan.

»O Gott«, flüsterte sie, als eine Hitzewallung in ihr hochschoß. »Werd jetzt nicht ohnmächtig!« rief sie sich zu. »Werd jetzt bloß nicht ohnmächtig.«

Doch die Hitzewelle flutete durch ihren ganzen Körper, durch die Beine und den Magen in die Arme und den Hals, und staute sich in ihrer Kehle. Sie hatte das Gefühl, von innen heraus zu schmelzen, ein Gefühl, als würde sie jeden Moment in Flammen aufgehen. Wieder spritzte sie sich Wasser ins Gesicht, aber es kühlte sie nicht ab und machte sie nicht ruhig. Sie riß an den Knöpfen ihres Mantels, um ihrem Körper Luft zu geben, mehr Raum zum Atmen. Die Zeitschrift unter ihrem Arm fiel zu Boden, sie bückte sich hastig nach ihr und zog im Aufstehen ihren Mantel auseinander.

Sie holte tief Luft und erstarrte.

Langsam, wie eine Marionette, die von fremder Hand geführt wird, senkte sie in nahtloser Bewegung den Kopf zur Brust. Was sie sah – schon gesehen, aber nicht zur Kenntnis genommen hatte, als sie in die Knie gegangen war, um die Zeitschrift aufzuheben –, war ein schlichtes blaues Kleid, das vorn blutdurchtränkt war.

Sie schnappte erschrocken nach Luft, ein Laut wie der eines kleinen Tiers, das in eine Falle geraten ist. Der Schreckenslaut wurde zum Stöhnen und steigerte sich zum Entsetzensschrei. Sie hörte Schritte, Stimmen, sah sich umringt, überwältigt.

»Was ist hier los?« begann der Ladeninhaber und brach ab, ohne den Mund zu schließen.

»Um Gottes willen!« rief ein Junge, der neben ihm stand.

»Wahnsinn!« sagte sein Begleiter.

»Was haben Sie getan?« fragte der Mann mit dem Pferdeschwanz, während sein Blick durch die Kammer schweifte, zweifellos auf der Suche nach zerbrochenem Glas.

Sie sagte nichts.

»Jetzt hören Sie mal her, Lady«, begann er von neuem, während er gleichzeitig seine zwei halbwüchsigen Kunden von der Tür wegscheuchte. »Ich weiß nicht, was hier vorgeht, und ich will's auch nicht wissen. Verschwinden Sie aus meinem Laden, ehe ich die Polizei hole.«

Sie rührte sich nicht.

»Haben Sie nicht gehört, was ich gesagt hab? Ich hol die Bullen, wenn Sie nicht auf der Stelle abhauen.«

Sie starrte den verschreckten Ladeninhaber an, der plötzlich den Schrubber packte und damit auf sie losging, als wäre er ein Matador und sie der Stier. »Blut«, flüsterte sie und sah ungläubig an sich hinunter. Es war frisches Blut, sogar noch ein wenig feucht. War es ihr eigenes Blut oder das eines anderen? »Blut«, sagte sie wieder, als könnte die Wiederholung des Wortes alles ins Lot bringen.

»Sie haben genau zehn Sekunden, Lady, dann hol ich die Bullen. Ich will keine Scherereien. Ich will nur, daß Sie aus meinem Laden verschwinden.«

Ihr Blick ging zu ihm, und ihre Stimme war so leise, daß er sich vorbeugen mußte, um sie zu hören. »Ich weiß nicht, wohin«, sagte sie und spürte, wie sie zu schwanken begann.

»Nichts da, kommt nicht in Frage«, sagte der Mann hastig und hielt sie fest, ehe sie umfallen konnte. »In meinem Laden werden Sie nicht ohnmächtig.«

»Bitte«, stieß sie hervor und wußte selbst nicht, ob sie um Verständnis oder um Bewußtlosigkeit bettelte.

Der junge Mann war, obwohl weder sonderlich groß noch muskulös, überraschend kräftig. Er packte sie fest um die Taille und schleppte sie zur Tür. Dort machte er plötzlich halt und sah sich mißtrauisch um. »Ist das vielleicht so 'ne Show wie ›Vorsicht Kamera‹?« fragte er argwöhnisch, einen Unterton von Verlegenheit in der Stimme, als fürchte er, hereingelegt worden zu sein.

»Sie müssen mir helfen«, sagte sie.

»Und Sie müssen aus meinem Laden verschwinden«, entgegnete er wieder beruhigt und stieß sie hinaus. Sie hörte die Tür hinter sich zufallen und sah ihn zornig die Arme schwenken, um sie zu vertreiben.

»Mein Gott, was soll ich denn jetzt tun?« fragte sie die geschäftige Straße. Wieder übernahm der Puppenspieler das Kommando, knöpfte ihren Mantel zu, klemmte ihr die Zeitschrift unter den Arm, lenkte ihren Blick auf die Fahrbahn. Als ein Taxi sich näherte, wurde der Faden, der ihren rechten Arm dirigierte, mit einem Ruck in die Höhe gezogen. Das Taxi hielt am Straßenrand vor ihr an. Ohne weitere Überlegung zog sie die hintere Wagentür auf und stieg ein.

2

Sie hätte nicht sagen können, warum sie das Lennox Hotel wählte. Vielleicht weil es eines der ältesten Bostoner Hotels und daher kleiner und irgendwie echter als seine modernen Konkurrenten war oder vielleicht weil schöne Erinnerungen an frühere Aufenthalte noch in ihrem Unterbewußtsein verankert waren; sie wußte es nicht. Es war sogar möglich, daß sie hier schon als Gast eingetragen war, sagte sie sich hoffnungsvoll, als sie zum Empfang ging und, wie zuvor in dem kleinen Laden, um ein Lächeln des Wiedererkennens betete.

Sie mußte warten. Vor ihr war ein Ehepaar mit seinen zwei kleinen Söhnen, flachsköpfigen kleinen Teufeln in Matrosenanzügen, die ihrer Mutter am Rockzipfel hingen und laut klagend dem ganzen Foyer ihr Ungemach mitteilten.

»Ich hab Hunger«, rief der Kleinere, vielleicht vier Jahre alt, und zog seiner Mutter den Rock bis über das Knie in die Höhe, als hätte er die Absicht hineinzubeißen.

»Ich will zu McDonald's«, assistierte sofort der Bruder, der höchstens ein Jahr älter war.

»McDonald's, McDonald's!« Mit diesem Schlachtruf tobten sie um ihre hilflosen Eltern herum, die sich alle Mühe gaben, so zu tun, als wäre alles in bester Ordnung.

»Laßt Mama und Papa erst mal ein Zimmer nehmen, dann suchen wir uns ein schönes Restaurant, hm?« sagte die junge Mutter flehentlich und fixierte ihren Mann mit einem Blick, der ihn drängte, schneller zu machen.

»McDonald's! McDonald's!« schallte es augenblicklich.

Aber dann waren die Formalitäten endlich erledigt, die ganze Familie wurde von einem fürsorglichen Pagen zum wartenden Aufzug geführt, und über das Foyer legte sich wieder die Aura eines vornehmen Hotels europäischen Stils.

»Kann ich Ihnen behilflich sein, Madam? – Madam?«

»Oh, entschuldigen Sie«, sagte sie, als sie merkte, daß der junge Mann am Empfang sie meinte. »Ich hätte gern ein Zimmer.«

Er begann schon in seinen Computer zu tippen. »Für wie lange?«

»Ich weiß nicht genau.« Sie räusperte sich einmal, dann noch einmal. »Für wenigstens eine Nacht. Vielleicht zwei.«

»Ein Einzelzimmer?« Er spähte an ihr vorbei, um zu sehen, ob sie allein war, und sie drehte automatisch den Kopf.

»Ja, ein Einzelzimmer. Bitte.« Denk an deine Manieren, sagte sie sich und hätte beinahe gelacht.

»Ich habe ein Zimmer«, sagte der junge Mann, den Blick auf den Bildschirm gerichtet, »zu fünfundachtzig Dollar. Es ist in der achten Etage, Nichtraucher, mit Doppelbett.«

»Wunderbar.«

»Und wie bezahlen Sie?«

»Bar.«

»Bar?« Zum ersten Mal sah der junge Mann sie direkt an. Nie zuvor hatte sie Augen von einem so intensiven Blau gesehen. Glaubte sie jedenfalls. Mit Sicherheit konnte sie es nicht sagen. Gott allein wußte, was sie alles in ihrem Leben gesehen hatte.

»Ist Ihnen Barzahlung nicht recht? Nehmen Sie kein Bargeld?«

»Doch, doch, natürlich. Es kommt nur selten vor, daß jemand bar bezahlt. Die meisten Leute zahlen mit Kreditkarten.«

Sie nickte stumm, dachte, daß sie in ihrem anderen Leben zweifellos auch zu diesen Leuten gehörte, und fragte sich, wie ein Mensch so unglaublich blaue Augen haben konnte.

»Ist etwas nicht in Ordnung?« fragte der junge Mann irritiert.

»Oh, entschuldigen Sie«, stammelte sie. »Es sind nur ihre Augen. Sie sind so unwahrscheinlich blau.« Dumme Gans, sagte sie sich, der Junge glaubt wahrscheinlich, du willst ihn anmachen.

»Ach, das sind gar nicht meine«, erwiderte er fröhlich und wandte sich wieder seinem Bildschirm zu.

»Wie bitte?« Der Verdacht rührte sich in ihr, daß sie von einem anderen Stern gekommen sei.

»Das sind Kontaktlinsen«, erklärte er unbekümmert. »Zwei Nächte, sagten Sie?«

Es bereitete ihr große Mühe, dem Gespräch zu folgen. Die Panik, die während der Taxifahrt allmählich nachgelassen hatte, kehrte wieder. »Ja, höchstens zwei Nächte.« Und dann? Wohin sollte sie gehen, wenn sie dann immer noch nicht wußte, wer sie war? Zur Polizei? Warum war sie nicht gleich dorthin gegangen?

»Bitte füllen Sie mir das noch aus.« Der junge Mann schob ein Blatt Papier über den Tisch. »Name, Adresse und so weiter«, erläuterte er, als er ihre Verwirrung sah. »Ist Ihnen nicht gut?«

Sie holte tief Atem. »Ich bin sehr müde. Ist das denn notwendig?« Sie stieß das Blatt Papier über den Tisch zurück.

Jetzt zeigte er Verwirrung. »Tut mir leid, aber wir brauchen wenigstens Name und Adresse.«

Ihr Blick huschte vom Gesicht des jungen Mannes zur Drehtür und blieb schließlich an der Zeitschrift hängen, die sie immer noch fest in den Händen hielt. »Cindy«, sagte sie allzu laut. Dann noch einmal, leiser, sicherer: »Cindy.«

»Cindy?«

Sie nickte und sah zu, wie er widerstrebend einen Stift nahm und den Namen auf die Karte schrieb.

»Und der Nachname?«

Warum tat er ihr das an? Hatte sie ihm nicht gesagt, sie sei müde? Hatte er nicht begriffen, daß sie bar zahlte? Warum mußte er nach Dingen fragen, die ihn gar nichts angingen? Sie dachte an das junge Paar und seine beiden kleinen Söhne, die nach McDonald's gebrüllt hatten. Kein Wunder, daß die Jungen quengelig und ungeduldig gewesen waren. Hatte er diesen Leuten auch so zugesetzt?

»McDonald!« sagte sie, ohne zu überlegen. »Cindy McDonald.« Noch einmal holte sie Luft, ehe sie fortfuhr. »Memory Lane 123 – New York.«

Bei dem Wort *Memory* stockte seine Hand, und sie mußte sich auf die Lippe beißen, um das aufkommende hysterische Gelächter zurückzuhalten. Aber dann war das Formular ausgefüllt, sie brauchte nur noch zu unterschreiben und zu bezahlen. Sie sah, wie ihre Hand den fremden Namen unten auf das Blatt setzte, und war angenehm überrascht von Schwung und Kraft ihrer Unterschrift. Dann griff sie in ihre Manteltasche, zog zwei knisternde Hundert-Dollar-Scheine heraus und bemühte sich, nichts von ihrer Erheiterung über das sichtliche Unbehagen des jungen Mannes merken zu lassen.

»Gepäck?« Sein resignierter Ton verriet, daß er die Antwort schon wußte. Als sie den Kopf schüttelte, zuckte er auch nur die Achseln und reichte ihr zusammen mit dem Wechselgeld ihren Zimmerschlüssel. »Ich wünsche Ihnen einen angenehmen Aufenthalt. Wenn wir noch irgend etwas für Sie tun können, lassen Sie es uns wissen.«

Sie lächelte. »Worauf Sie sich verlassen können.«

Sobald sie die Zimmertür hinter sich geschlossen hatte, schleuderte sie die Zeitschrift auf das breite Bett, zog den Mantel aus und ließ ihn zu Boden fallen. Der Anblick des Blutes auf ihrem Kleid traf sie mit einer Gewalt, als hätte man ihr eine überreife Tomate ins Gesicht geworfen. »O Gott, nein!« stöhnte sie. »Das ist ja furchtbar!«

Sie riß und zerrte an dem Kleid wie ein Tier, das in einer Schlinge hängt. Im nächsten Moment lag es auf dem Boden, und sie suchte an ihrem Körper nach Verletzungen.

Es waren keine zu sehen.

»O Gott, was hat das zu bedeuten? Was hat das zu bedeuten?«

Mit heftiger Bewegung drehte sie sich um, als könnte sie die

Antwort irgendwo innerhalb dieser blau-weiß gemusterten Wände finden. Aber die Wände sprachen nur von freundlich geblümter Behaglichkeit, von Blut und Verwundung sagten sie nichts. »Wessen Blut ist das, wenn es nicht meines ist?«

Sie lief zum Kleiderschrank, riß ihn auf und sah ihr angstvolles Gesicht im großen Spiegel an der Innenseite der Tür. »Wer bist du, verdammt noch mal? Und wessen Blut ist das an deinem Kleid?«

Die Frau im Spiegel sagte nichts, äffte sie nur stumm nach, während sie an ihrem Körper nach Spuren von Verletzungen suchte. Auf ihren Armen entdeckte sie zwar ein paar blaue Flecke, aber das war auch alles.

Hastig hob sie die Arme hinter den Rücken und öffnete den Verschluß ihres fleischfarbenen Büstenhalters, warf ihn weg und starrte auf die kleinen Brüste, die da recht stolz aus der Verhüllung sprangen. Flüchtig fragte sie sich, ob sie an diesen Brüsten je ein Kind gestillt hatte. Eigentlich ein ganz hübscher Busen, dachte sie, bewußt bemüht, sich durch Konzentration auf alltägliche Einzelheiten eines alltäglichen Lebens zu beruhigen. Würde solche Konzentration sie schließlich in ihr eigenes alltägliches Leben zurückführen?

Nein. Der eigentlich ganz hübsche Busen sagte ihr nichts. Nicht, ob je ein Säugling an ihm gelegen hatte; nicht, wann er zum ersten Mal die zärtliche Berührung eines Mannes gespürt hatte; nicht einmal, ob er je bewundert worden war. Sie stieß ein kurzes Lachen spöttischer Geringschätzung aus; sie war offensichtlich nahe daran durchzudrehen. Da stand sie in einem Hotelzimmer mitten in Boston, einer Stadt, die sie kannte, ohne zu wissen, wie sie dahingekommen war, hatte die Taschen voller Geld und das Kleid voller Blut und hatte nichts Besseres zu tun, als im Spiegel ihren nackten Busen anzugaffen und sich zu fragen, ob er je bewundert worden war.

Und warum nicht? dachte sie, faßte das Gummiband ihrer

Strumpfhose und zog sie zusammen mit dem beigefarbenen Bikinihöschen herunter, um ihren nackten Körper in Augenschein zu nehmen. Was hoffte sie von ihm zu erfahren?

Gute Figur, stellte sie fest, während sie sich von allen Seiten betrachtete. Straff, muskulös, beinahe knabenhaft. Die Waden waren gut entwickelt, die Beine kräftig und wohlgeformt, der Bauch flach, die Taille nicht übermäßig betont. Mehr ein Kinderkörper als ein Frauenkörper, trotz ihres Alters. Ein Körper, der ganz bestimmt nicht auf der Titelseite einer Zeitschrift landen würde, dachte sie mit einem Blick auf das Heft auf dem Bett. Cindy Crawford starrte sie mit einer Mischung aus Mitleid und Nachsicht an. Ja, werd nur grün vor Neid, schien sie zu sagen, und die Frau vor dem Spiegel nickte in Anerkennung der Niederlage.

Sie griff nach dem blauen Kleid zu ihren Füßen und mied dabei sorgfältig das blutgetränkte Vorderteil. Konnte das Kleid ihr etwas verraten? Dem Etikett nach war es Größe 36, reine Baumwolle, ein Modell von Anne Klein. Es hatte einen runden Kragen und große weiße Knöpfe bis zur Taille, einen schlichten, leicht ausgestellten Rock, und war vermutlich so übertrieben teuer gewesen, wie es übertrieben einfach war. Wer immer sie auch war, sie hatte offensichtlich genug Geld, um sich das Beste zu leisten.

»Das Geld!« Sie rannte zu dem achtlos hingeworfenen Mantel und zog mit nur einem flüchtigen Gedanken daran, was für einen lächerlichen Anblick sie bieten mußte, die Scheine aus den tiefen Taschen. Das Reservoir an Hundert-Dollar-Noten schien unerschöpflich zu sein. Wieviel Geld hatte sie bei sich? Woher hatte sie es? »Was tue ich mit dem vielen Geld?« fragte sie laut, während sie die Scheine ordentlich auf dem Bett auszulegen versuchte.

Überrascht stellte sie fest, daß die meisten Scheine sauber gebündelt waren, wie direkt von der Bank. Aber wieso und warum? War es möglich, daß sie tatsächlich eine Bankräuberin war? Das sie bei einem Raubüberfall mitgemacht, das Geld eingesteckt hatte und mit fremdem Blut bespritzt worden war, als irgend etwas schiefgegangen war? War es möglich, daß sie einen Menschen erschossen hatte?

Eine tiefe Angst packte sie. Denn es erschien ihr möglich. Es erschien ihr möglich, daß sie fähig sein könnte, einen Menschen zu töten. »O Gott, o Gott«, stöhnte sie und rollte sich auf dem königsblauen Spannteppich zusammen wie ein kleines Kind. Hatte sie wirklich bei einem Raubüberfall einen unschuldigen Menschen getötet? Und war sie allein gewesen, oder hatte sie einen Komplizen gehabt? War sie vielleicht eine moderne Bonnie, der ihr Clyde abhanden gekommen war?

Sie hörte sich lachen, und das Gelächter trieb sie wieder in die Höhe. Obwohl es ihr durchaus möglich erschien, daß sie jemanden getötet hatte, erschien ihr die Vorstellung, sie könnte an einem Banküberfall teilgenommen haben, schlicht lachhaft. Da hätte sie schon in auswegloser Verzweiflung sein müssen. Und was konnte eine teuer gekleidete Frau Anfang bis Mitte Dreißig in solche Verzweiflung treiben, daß sie sogar zu töten bereit war?

Sie brauchte ihr Gedächtnis nicht, um sich diese Frage zu beantworten. Ein Mann konnte einen zu solcher Verzweiflung treiben. Und was für ein Mann? fragte sie sich, ohne auf diese Frage eine Antwort zu erwarten.

Mit zitternder Hand fuhr sie sich durch das schweißfeuchte Haar. Sie neigte sich wieder über das Bett, auf dem ordentlich im Karree aufgereiht neun Bündel Geldscheine lagen. Sie nahm das erste Bündel, zog die Heftklammer ab, die die Scheine zusammenhielt, und begann zu zählen. Sie zählte sie alle durch und stellte fest, daß jedes Bündel aus zehn Hundert-Dollar-Noten bestand. Neun Bündel zu je zehn Hundert-Dollar-Scheinen, das machte neuntausend Dollar. Zählte man das Geld dazu, das sie für Taxi und Hotel ausgegeben hatte, und die losen Hunderter, so kam man auf etwas über neuntausendsechshundert Dollar.

Was hatten fast zehntausend Dollar in ihren Manteltaschen zu suchen?

Sie merkte plötzlich, daß ihr kalt war und sie auf den Armen eine Gänsehaut hatte. Sie stand auf, ging um das Bett herum und hob den Mantel vom Boden auf. Sie sah das getrocknete Blut an seinem Innenfutter, als sie hineinschlüpfte und die Hände in die Taschen steckte. Sie fand noch ein paar Scheine darin und warf sie zu dem Rest des Geldes aufs Bett.

An einem der Scheine haftete ein Zettel. Sie nahm ihn und glättete ihn und war froh, daß sie zum Lesen offensichtlich keine Brille brauchte. Sie erkannte die kraftvollen, flüssigen Züge auf dem Zettel wieder; sie waren von derselben Hand geschrieben, die unten am Empfang das Anmeldeformular unterzeichnet hatte. Sie selbst hatte also die wenigen, allem Anschein nach belanglosen Wörter niedergeschrieben, die sie nun vor sich hatte. Aber wann? Solche Zettel konnten sich wochen-, ja monatelang in vergessenen Manteltaschen herumtreiben. Es war unmöglich festzustellen, wann sie diesen hier geschrieben hatte. ›Pat Rutherford, Z. 31, 12.30‹, stand da, und darunter, ›Milch, Eier‹. Was hatte das zu bedeuten?

Nun, offensichtlich, daß sie Milch und Eier gebraucht hatte – sie war ja zum Einkaufen unterwegs gewesen, als ihr Gedächtnis plötzlich ausgesetzt hatte, aber wie lange war es her, daß sie losgegangen war? – und eine Verabredung mit einer Person namens Pat Rutherford gehabt hatte. Aber wer zum Teufel war Pat Rutherford?

Sie sprach den Namen mehrmals mit wachsender Frustration vor sich hin. War Pat Rutherford ein Mann oder eine Frau? Vielleicht war sie selbst Pat Rutherford. Aber weshalb hätte sie ihren eigenen Namen und eine Zimmernummer auf einen Zettel schreiben und einstecken sollen? Doch höchstens, wenn sie häufiger an diesen Gedächtnisstörungen litt und die Erfahrung sie gelehrt hatte, immer einen Zettel mit ihrem Namen bei sich zu tragen, damit sie sich jederzeit ihrer Identität vergewissern konnte. Klar, und sich mit sich selbst verabreden konnte! Schluß mit dem Quatsch.

Hatte sie die Verabredung eingehalten? Hatte sie Pat Rutherford zur vereinbarten Zeit aufgesucht, knapp zehntausend Dollar kassiert und den oder die Unglückliche dann getötet? War das Pat Rutherfords Blut auf ihrem Kleid? Hatte sie Pat Rutherford erpreßt? Oder hatte Pat Rutherford *sie* erpreßt? War sie völlig übergeschnappt? Woher kamen diese Hirngespinste?

»Pat Rutherford, wer bist du?«

Sie fand in der Nachttischschublade ein Telefonbuch von Boston und blätterte zu R: Raxlen, Rebick, Rossiter, Rumble, seitenweise Russels, Russo, Rutchinski, endlich Rutherford, eine halbe Seite Rutherfords allein im Stadtgebiet. Es gab einen Paul und zwei Peter, aber niemanden namens Pat, allerdings drei unerklärte P.'s. Sie spielte mit dem Gedanken, bei jeder dieser Nummern anzurufen, und verwarf ihn gleich wieder. Was würde sie denn zu Mr./Mrs./Miss P. Rutherford sagen? Guten Tag, Sie kennen mich wahrscheinlich nicht, ich kenne mich ja selbst nicht, aber haben wir uns vielleicht irgendwann in der letzten Zeit mittags um halb eins in Zimmer 31 getroffen? Und habe ich Sie bei dieser Zusammenkunft zufällig schwer verletzt?

Absurd.

Sie packte das Telefonbuch wieder weg. »So, und was mach ich jetzt?« fragte sie laut, den Blick zur Zimmerdecke gerichtet. Sie war todmüde und hungrig. »Geh ich zur Polizei, oder versuche ich, dieser Geschichte selbst auf den Grund zu kommen? Mach ich mich auf den Weg zur nächsten Irrenanstalt, oder nehm ich erst mal ein Bad? Soll ich gleich was unternehmen oder lieber bis morgen warten? Was soll ich tun?« Zerstreut blätterte sie in der großen Speisekarte des Etagenservice. »Im Zweifel erst mal was essen«, hörte sie sich antworten.

Sie hatte keine Ahnung, wo sie diese Weisheit herhatte, aber die Lösung war nicht schlecht. Sie griff zum Telefon, wählte den Etagenservice und bestellte sich ein Steak und einen großen Salat. Sie brauchte nur einen Moment, um die ihr gestellten Fragen zu beantworten: Das Steak halb durch, zur gebackenen Kartoffel saure Sahne, statt Wein lieber Mineralwasser. Vegetarierin war sie offenbar nicht, und sie konnte nur hoffen, daß sie nicht an irgendwelchen seltsamen Lebensmittelallergien litt. Für solche Komplikationen war sie jetzt viel zu hungrig.

Zwanzig Minuten, hatte man ihr gesagt. Zwanzig Minuten, um sich frisch zu machen. Sie hängte ihren Mantel über einen hohen gradlehnigen Stuhl und ging in das weiß gekachelte Bad.

Wie schön wäre es, einfach zu verschwinden, dachte sie, während ihr das Wasser aus der Dusche über das Gesicht strömte. Mein Geist ist sowieso schon weg; dann nehmt doch auch meinen Körper. Was immer ich getan habe, wer immer ich sein mag, vielleicht ist es besser, es nicht zu wissen. Vielleicht bin ich so besser dran. Vielleicht ist das, wovor ich davongelaufen bin, von solcher Art, daß es gut ist, ihm für immer fernzubleiben.

Sicher würde man sie vermissen. Sicher suchte man sie, auch wenn man so wenig wie sie wußte, wo man suchen sollte. Ihre Eltern oder ihr Mann, wenn sie einen hatte; ihr Chef oder jemand, der für sie arbeitete; ihr Lehrer oder ihre Schüler; ihre Freunde oder ihre Feinde; vielleicht sogar die Polizei! Ganz bestimmt suchte man sie. Warum ging sie nicht einfach zur Polizei? Dann würde sie schon sehen.

Weil sich bis morgen früh alles geklärt haben wird, sagte sie sich und sprang aus der Dusche, als sie es draußen klopfen hörte. Rasch wickelte sie sich in ein Badetuch, zog ihren Mantel darüber und ging zur Tür. Sie wußte, wer es war, fragte aber dennoch, mit heiserer, kaum hörbarer Stimme.

»Der Etagenkellner«, kam die Antwort wie erwartet.

»Einen Augenblick.« Ihre Stimme war jetzt fester, bestimmter.

Gerade als sie die Hand nach der Tür ausstreckte, fiel ihr Blick auf das Geld auf dem Fußende des Betts. Sie erstarrte. Einen Moment lang dachte sie daran, alles einfach so zu lassen, wie es war, dem ahnungslosen Kellner zu öffnen und ihn das bestellte Essen zum Tisch gegenüber vom Bett bringen zu lassen und sich anzusehen, wie er beim Anblick des vielen Geldes reagierte, das da so lässig vor ihm ausgebreitet lag. Würde er so tun, als wäre das Geld gar nicht da oder als wäre es das Normalste von der Welt, in einem Hotelzimmer fast zehntausend Dollar auf dem Bett herumliegen zu lassen? Machten das nicht alle Gäste so?

Es klopfte ein zweites Mal. Wie lange hatte sie hier dumm herumgestanden? Sie wollte auf ihre Uhr sehen, entsann sich vage, daß sie die Uhr mit dem Kleid abgelegt hatte, und erinnerte sich, daß das Kleid immer noch in einem blutbetränkten Bündel auf dem Boden lag. »Eine Sekunde«, rief sie, hob das Kleid auf und warf es in den Kleiderschrank. Sie legte die Uhr wieder an, zog das Badetuch unter dem Mantel heraus und warf es über die Geldbündel. Im letzten Moment nahm sie sich noch einen der losen Scheine.

Außer Atem, als hätte sie gerade einen Marathonlauf hinter sich, erreichte sie die Tür, zog sie mit Anstrengung auf und ließ den älteren Mann herein. Ihr Blick flog unruhig zwischen ihm und dem Bett hin und her, aber wenn er ihre Nervosität bemerkte oder sich wunderte, daß sie einen Mantel trug, obwohl sie darunter offensichtlich klatschnaß war, verlor er kein Wort darüber, und sein Blick blieb unverwandt auf den Servierwagen gerichtet, den er vor sich herschob.

»Wo hätten Sie es gern?« fragte er in angenehm nichtssagendem Ton.

»Gleich hier.« Sie wies auf den Schreibtisch am Fenster, erstaunt, wie leicht ihr die Worte über die Lippen kamen.

Er stellte das Tablett mit dem Essen auf den Schreibtisch, sie drückte ihm die zerknitterte Hundert-Dollar-Note in die Hand und sagte, es sei gut so. Er zögerte und blickte dann mißbilligend zum Bett.

Ihr wurde so mulmig, daß sie sich am Schreibtisch festhalten mußte, um nicht umzukippen. Hatte er das Geld bemerkt?

»Ich schicke Ihnen jemand, der das Bett aufschlägt«, sagte er.

»Nein!« rief sie so schrill, daß sie beide zusammenzuckten. Sie räusperte sich, hörte sich lachen, etwas davon murmeln, daß sie zu arbeiten habe und ungestört sein wolle. Er nickte, steckte das Geld ein und zog sich ziemlich eilig zurück.

Sie wartete, bis sie ganz sicher war, daß er weg war, ehe sie die Tür noch einmal öffnete und das Schild ›Bitte nicht stören‹ hinaushängte. Dann kehrte sie zum Schreibtisch zurück, hob den silbernen Deckel von der Schale mit ihrem Abendessen und setzte sich. Aber schon nach wenigen Bissen überwältigte sie die Müdigkeit, und sie torkelte schwindlig vor Erschöpfung zum Bett. Ohne sich die Mühe zu machen, das Geld wegzuschieben oder den Mantel auszuziehen, schlug sie den Überwurf zurück und kroch unter die schwere blaue Decke. Morgen früh, dachte sie vor dem Einschlafen noch, wenn ich aufwache, ist bestimmt wieder alles in Ordnung.

Aber als sie am folgenden Morgen um sechs die Augen öffnete, hatte sich nichts geändert. Sie hatte noch immer keine Ahnung, wer sie war.

3

Die erste Stunde war die schlimmste. Bei der Erkenntnis, daß die angeblich belebenden Kräfte des Schlafs nichts dazu getan hatten, ihr Gedächtnis zu beleben, wurde ihr so flau, daß sie nur noch ins Bad taumeln konnte, um das bißchen Essen, das sie am Abend hinuntergewürgt hatte, wieder von sich zu geben. Als das

Frühstück kam – frischer Orangensaft, Croissants und Kaffee –, sah sie, daß eine Zeitung mit auf dem Tablett lag. Ihr Blick flog zwischen Zeitung und Fernsehapparat hin und her und verweilte bei keinem.

Wovor hatte sie Angst? Fürchtete sie ernstlich, ihr Bild auf der Titelseite wiederzufinden? Glaubte sie etwa, man habe sie für eine Talkshow zum Thema des Tages erkoren?

Noch immer in der ängstlichen Erwartung, sich ihrem eigenen Konterfei gegenüberzusehen, zwang sie sich, den Fernseher einzuschalten. Aber sie bekam nur eine hübsche Blondine Mitte Zwanzig zu sehen, die die Nachrichten in so frischfröhlichem Ton vortrug, daß ihr gleich wieder übel wurde, und die mit keinem Wort eine hübsche Brünette Anfang bis Mitte Dreißig erwähnte, die verschwunden war; dafür berichtete ein Mann aus Nord Carolina, er hätte Elvis gesehen, als er den Mülleimer ausleerte.

Und auch die Morgenzeitung brachte nichts: keinen Hinweis auf eine aus dem Gefängnis entflohene Strafgefangene, kein Wort von einer geistesgestörten Patientin, die sich davongemacht hatte. Man suchte keine Zeugin in Verbindung mit irgendeinem unerquicklichen Vorfall und wußte nichts von einer Frau zu berichten, die sich im Schock vom Ort eines schweren Unfalls entfernt hatte. Es stand überhaupt nichts in der Zeitung.

Wenn sie gar nicht aus Boston stammte, dachte sie, wenn sie nun aus einem anderen Teil des Landes kam und nur in Boston gestrandet war, dann bestand für die Lokalblätter ja auch kein Grund, über sie zu berichten. Aber das Blut auf ihrem Kleid war noch feucht gewesen, als sie es entdeckt hatte, und das konnte nur bedeuten, daß das, was sich ereignet hatte, was immer es gewesen sein mochte, nicht allzu weit entfernt und vor nicht allzu langer Zeit geschehen sein mußte.

Sie erinnerte sich an den Zettel, den sie in ihrer Tasche gefunden hatte – ›Pat Rutherford, Z. 31, 12.30‹. Stand vielleicht über diese Person etwas in der Zeitung? Sie las das Blatt noch einmal durch und fand nichts. Wenn das Blut auf ihrem Kleid von Pat Rutherford stammte, dann hatte sich Pat Rutherford entweder in aller Stille und Unauffälligkeit wieder erholt oder lag noch immer irgendwo unentdeckt.

Da aus der Zeitung offensichtlich nichts zu erfahren war, konzentrierte sie sich auf den Fernsehapparat, schaltete von einem Programm zum anderen, sprang zwischen *Good Morning America* und der *Today Show* hin und her. Sie erfuhr, daß es Fachleute gab, die Wissenswertes über geschlagene Lesben und kleptomane Transvestiten zu berichten wußten, daß es ein wahres Heer junger Mädchen gab, die vor ihrem dreizehnten Geburtstag nicht nur ein, sondern mehrere Kinder geboren hatten, und daß es eine erschreckende Menge von Ehemännern gab, die keine Lust hatten, mit ihren Frauen zu schlafen. Sie erfuhr das alles von Leuten, die endlos darüber redeten und irgendwelchen Moderatoren im Fernsehen ihr Herz ausschütteten.

Sie dachte schon daran, beim Sender anzurufen. Ich habe eine super Idee für eine Show, würde sie sagen: Frauen, die *nicht wissen*, ob sie geschlagene Lesben oder kleptomane Transvestiten sind, die *nicht wissen*, wieviele Kinder sie vielleicht bis zu ihrem dreizehnten Lebensjahr zur Welt gebracht haben, die keine Ahnung haben, ob ihre Ehemänner öfter als zweimal im Jahr mit ihnen schlafen. *Frauen, die nicht wissen, wer sie sind.* Alter Hut, konnte sie die Leute vom Sender sagen hören. Solche Frauen gibt's doch wie Sand am Meer.

Vielleicht, stimmte sie zu. Aber wieviele von ihnen haben fast zehntausend Dollar in den Manteltaschen und die Kleider voller Blut?

Ja, warum haben Sie das denn nicht gleich gesagt? hörte sie die Moderatoren in erregtem Einklang gurren. *Reiche, blutbefleckte Frauen, die nicht wissen, wer sie sind!* Mann, das ist eine Idee, die wirklich noch nicht da war.

Den Talkshows folgten Spielsendungen, dann kamen die Seifenopern. Die Bilder schicker und gepflegter Männer und Frauen flimmerten über den Bildschirm, und eine sonore Männerstimme kündete den Auftritt der *Jungen und Rastlosen* an. Jung und nutzlos, hörte sie den jungen Mann im Tante-Emma-Laden sagen, als sie sich zurücklehnte, um sich die Sendung anzusehen. Wer waren all diese problembeladenen schönen Menschen, und wieso waren sie am hellichten Nachmittag so aufgedonnert?

Widerstrebend holte sie ihr eigenes Kleid aus dem Schrank und betrachtete das blutdurchtränkte Vorderteil wie ein modernes Kunstwerk, vielleicht von Jackson Pollock. Aber es sagte ihr genausowenig wie ein abstraktes Bild. Heftig knüllte sie das Kleid zusammen und schleuderte es an die Wand. Wie zum Hohn entfaltete es sich im Herabfallen wieder. Sie kehrte zu ihren Platz am Fußende des Bettes zurück und starrte blind vor sich hin, bis die schräg durch das Fenster einfallenden Sonnenstrahlen ihr sagten, daß es Abend war.

Die Nachrichten um halb sieben meldeten neue Probleme, aber immer noch nichts von einer verschwundenen Frau mit Blut auf dem Kleid und viel Geld in den Taschen.

»Wer bin ich?« rief sie, schaltete zornig den Fernsehapparat aus und bestellte sich beim Etagenservice ein Abendessen, wobei sie sich über die Unverwüstlichkeit ihres Appetits wunderte. »Was ist mir passiert? Wo habe ich mein Leben hingepackt?«

Zu Beginn des nächsten Tages wußte sie, daß sie sich auf die Suche machen mußte.

Copley Place ist ein beeindruckender Komplex von Büro- und Geschäftsbauten am Copley Square, dem Herzen der Back Bay. Es gibt dort ein großes Hotel, mehrere gute Restaurants und über hundert Läden und Kaufhäuser, die über zwei Ebenen verteilt sind.

Aber sie war nicht beeindruckt. Sie war verängstigt.

Unter dem Mantel nur die Unterwäsche, die bloßen Füße in die engen Schuhe gezwängt, näherte sie sich dem ultramodernen Kaufhaus am Ende des Einkaufszentrums. In der Hand hielt sie eine Plastiktüte für schmutzige Wäsche aus dem Hotel, die mit sauberen Bündeln von Hundert-Dollar-Scheinen gefüllt war. Unter dem Geld lag ein zweiter Wäschebeutel, der ihr blutverschmiertes Kleid enthielt.

»Kann ich Ihnen vielleicht helfen?«

Sie sah sich um, entdeckte, daß sie irgendwie in die Abteilung für Damenbekleidung gelangt war, und nickte der vogelähnlichen Frau an ihrer Seite zu. Wenn sie jetzt etwas gebrauchen konnte, dann Hilfe.

»Ich brauche ein paar neue Sachen«, sagte sie in täuschend ruhigem Ton. »Ich habe überhaupt nichts anzuziehen.«

Die Verkäuferin beugte sich interessiert vor. »Sie brauchen eine neue Garderobe?« fragte sie eifrig.

»Nein, ich brauche nur etwas für heute.«

Die Hoffnung auf eine dicke Provision erlosch im hageren Vogelgesicht der Frau. »Möchten Sie sich etwas Elegantes ansehen oder eher etwas Sportliches?« fragte sie zurückhaltend, als wäre sie nicht sicher, ob sie vielleicht zum besten gehalten wurde.

»Sportlich. Hosen vielleicht und einen leichten Pulli.«

»Dann kommen Sie bitte mit.« Die Frau führte sie in einen Teil der Etage mit einer verlockenden Auswahl an Sommersachen. »Welche Größe?«

Sie hielt den Atem an, während sie versuchte, sich an die Größe des blauen Kleids zu erinnern. »Sechsunddreißig?«

»Tatsächlich?« Die Frau musterte ihren Mantel so scharf, als könne sie durch ihn hindurchsehen. »Ich hätte auf vierunddreißig getippt.«

»Da haben Sie vielleicht recht. Ich habe in den letzten Tagen wahrscheinlich etwas abgenommen.«

»Gratuliere! Ich weiß, wie mühsam das sein kann. Ich selbst habe mein Leben lang nie mehr als fünfundvierzig Kilo gewogen, aber meine Tochter, die Ärmste, sie schlägt nach der väterlichen Seite der Familie und muß ständig aufpassen. Sie können wirklich froh sein.«

So albern es war, sie war beinahe stolz.

»Und jetzt gönnen Sie sich eine Belohnung, hm?« fuhr die Verkäuferin fort. »Recht haben Sie. Die haben Sie sich verdient. Aber viel mehr sollten Sie nicht mehr abnehmen, finde ich. Wenn man als Frau ein gewisses Alter überschritten hat, sieht man mit ein paar Pfund mehr besser aus.« Sie nahm eine beigefarbene Hose von einem Ständer und einen kurzärmeligen cremefarbenen Baumwollpulli mit braunen Blumen auf einer Seite von einem anderen. »Gefällt Ihnen das?«

Gefiel es ihr?

»Probieren Sie die Sachen doch einfach mal an. Dann wissen wir gleich besser, wonach wir suchen.«

Sie nickte, nahm Hose und Pulli und folgte der Frau zu den Kabinen.

»Ich bin gleich hier draußen, wenn Sie mich brauchen sollten.«

Sie trat in die kleine Kabine und zog den Vorhang fest zu, ehe sie ihren Mantel ablegte. Dann schlüpfte sie in die beigefarbene Hose, Größe vierunddreißig, und zog den hellen, kurzärmeligen Pulli über den Kopf. Sie bekam die Hose ohne Mühe zu; der Pulli fiel locker und bequem von ihren Schultern. Sie trat einen Schritt zurück und musterte sich im Spiegel. Gar nicht übel. Die Verkäuferin hatte einen guten Blick.

»Na, wie sieht's aus?« rief die Frau von der anderen Seite des Vorhangs.

»Gut«, antwortete sie und trat in ihren neuen Sachen aus der Kabine. »Ich nehme beides. Könnten Sie bitte die Schildchen abschneiden?«

»Sie wollen es gleich anlassen?«

Sie nickte. »Wenn es geht...«

Die Frau zuckte die Achseln. »Und wie wollen Sie bezahlen?«

»Bar.«

»Das habe ich mir fast gedacht.« Die Frau ging mit ihr zu einer Theke und zog einen Quittungsblock heraus. »Ich habe schon ewig keine Barzahlung mehr gehabt. Hoffentlich weiß ich überhaupt noch, wie das geht.« Sie sah sich unruhig um. »Ach, ich glaube, Sie haben Ihre Handtasche in der Kabine liegengelassen...«

»Ich habe keine Handtasche.«

Der Frau schien der Atem zu stocken.

»Ich habe Geld.« Sie tippte auf ihre Plastiktüte. »Ich habe nur keine Handtasche. Ich brauche eine neue.«

Die Verkäuferin bemühte sich nach Kräften, die Plastiktüte nicht anzustarren. »Sie brauchen anscheinend eine ganze Menge Sachen.«

»Ja, das stimmt.«

»Da sind Sie hier richtig. Handtaschen bekommen Sie im Erdgeschoß gleich neben der Kosmetikabteilung. – So, das macht zweihundertsiebenunddreißig Dollar und achtundzwanzig Cents.«

Sie griff langsam in die Plastiktüte und holte drei Hundert-Dollar-Noten heraus. Die Verkäuferin beobachtete sie mit aufgerissenen Augen, wandte dann hastig den Blick ab, wechselte und sah zu, wie das Wechselgeld in die Plastiktüte wanderte. Dann schnitt sie ohne weiteren Kommentar die Schilder von den neu gekauften Sachen. Sie hatte sich offensichtlich entschieden, lieber nicht wissen zu wollen, was da eigentlich vorging.

»Wie gesagt, Handtaschen gibt es im Erdgeschoß gleich neben der Kosmetikabteilung«, rief die Verkäuferin ihr nach, als sie ging.

Die folgende Stunde verbrachte sie mit Einkaufen. Erst vertauschte sie die Charles-Jourdan-Schuhe gegen offene Leinensandalen, erstand einen neuen Büstenhalter und ein Höschen in blaßrosa Seide, eine elegante kleine Handtasche aus cremefarbenem Leder, eine dunkelblaue Geldbörse und eine Sonnenbrille mit Schildpattgestell. Es ging alles ein wenig langsam, weil sie bar zahlte, was man hier längst nicht mehr gewöhnt war. Dann wanderte sie weiter in die Kosmetikabteilung, wo die eifrige junge Verkäuferin sie zum Kauf eines pfirsichfarbenen Rougepuders und eines persischrosa Lippenstifts überredete und ihr zum Schluß noch eine Wimperntusche mit Zobelhärchen aufschwatzte.

Mit ihren Einkäufen beladen verzog sie sich in die Toilette, schloß sich in einer der Kabinen ein, zog sich aus und vertauschte ihre Unterwäsche mit den zartrosa Dessous, die sie gerade gekauft hatte. Nachdem sie Hose und Pulli wieder angezogen hatte, steckte sie mehrere Scheine aus der Plastiktüte in die neu erstandene Geldbörse und verstaute die zusammen mit der neuen Sonnenbrille in der neuen Handtasche. Sie wickelte die alte Unterwäsche in ihren Mantel und trat aus der Kabine. Mit einem verlegen lächelnden Blick auf die blauhaarige alte Dame, die gerade vor dem Spiegel ihre Zahnprothese zurechtschob, ging sie zum Abfalleimer und warf das Kleiderbündel hinein.

Dann stellte sie sich neben die Frau vor den Spiegel, und trug mit leichten Pinselstrichen das Rougepuder auf ihre Wangen auf und sah zu, wie ihre unansehnlichen Wimpern sich mit Hilfe der Tusche zu exotischer Üppigkeit entfalteten. Der rosa Lippenstift wirkte auf ihren Lippen ähnlich spektakulär.

»Das ist ja eine wunderschöne Farbe«, sagte die blauhaarige Frau. »Wie heißt der Ton?«

Sie sah auf die Unterseite des Stifts. »Alles rosig«, las sie vor.

»Wie wahr«, sagte die Frau und verschwand.

»Wie wahr«, wiederholte sie und dachte dabei nicht an ihre Lippen, sondern an ihr Dilemma. »Wie wahr.«

Sie war erstaunt, wie gut sie die Stadt kannte. Sie wußte genau, wo alles war, ob sie zu Fuß gehen konnte oder den Bus nehmen mußte, ob es sich lohnte, ein Taxi zu nehmen. Sie fühlte sich zu Hause in dieser Stadt, und doch war ihr nicht ein einziges bekanntes Gesicht begegnet, keiner hatte sie angehalten, nichts von allem, was sie sah, hatte Anstoß zu einer bestimmten Erinnerung oder Reaktion gegeben. Sie fühlte sich anonym und allein wie ein Kind, das sich verlaufen hat und seit Tagen darauf wartet, von seinen nachlässigen Eltern abgeholt zu werden.

Sie kam an einem Zeitungskiosk vorbei, aber sie wußte schon, daß auch diesmal in der Zeitung nicht ein Wort über sie verloren wurde. Sie wurde nicht nur von keinem Menschen gesucht, es schien überhaupt niemand zu wissen, daß sie verschwunden war. »Alles rosig«, murmelte sie vor sich hin, als sie sah, daß sie vor dem Greyhound Busbahnhof gelandet war.

Sie ging hinein, drängte sich zwischen Menschen zum hinteren Teil der Halle durch, um die Tüte mit ihrem blutigen Kleid und dem größten Teil des Geldes in eines der Schließfächer zu sperren. Aber gerade, als sie die Münzen in den Zahlschlitz werfen wollte, bemerkte sie ein Schild, das besagte, daß die Schließfächer nach vierundzwanzig Stunden geleert wurden. Sie mußte sich etwas anderes suchen.

»Entschuldigen Sie«, sagte sie zu einem älteren Mann in tadellos gebügelter blauer Uniform. »Kann ich hier irgendwo für länger als vierundzwanzig Stunden etwas deponieren?«

»Gehen Sie rechts den langen Gang runter«, sagte er ihr, mit dem Arm den Weg weisend.

Die Plastiktüte leicht von sich abhaltend, als enthielte sie blutige Körperteile und nicht nur ihr blutiges Kleid, folgte sie dem langen Gang.

»Ich möchte das in die Aufbewahrung geben«, sagte sie zu der Frau, die mit gelangweiltem Gesicht hinter der Theke saß und in einer Zeitschrift blätterte.

Die Frau blickte nicht einmal auf. »Zwanzig Dollar Hinterlegungsgebühr.«

Erst als sie die Zwanzig-Dollar-Note über den Tisch schob, klappte die Frau widerwillig ihre Illustrierte zu und schrieb eine Quittung aus, ehe sie nach vorn kam und ihr einen Schlüssel in die Hand drückte.

»Man braucht zwei Schlüssel«, erklärte sie mit Automatenstimme, während sie ihr zu den Schließfächern vorausging. »Den einen bekommen Sie. Den anderen behalten wir. Aber man braucht beide, um das Fach zu öffnen. Verlieren Sie ihn also nicht. Rückerstattung oder Nachzahlung bei Abholung.«

Sie nickte und stieß schnell die Plastiktüte in das jetzt offene Schließfach. Sie sah, daß ihre Hände zitterten, und fragte sich, ob auch die Frau es bemerkt hatte. Würde sie es heimlich der Polizei melden? Verdächtig aussehende Frau mit zitternden Händen hinterlegt gerade verdächtig aussehendes Paket in Schließfach 362. Aber seien Sie vorsichtig. Sie scheint irgendwas auf dem Gewissen zu haben.

Es spielte keine Rolle. Sie hatte sowieso beschlossen, zur Polizei zu gehen. Sie hatte den Entschluß am Morgen gefaßt, als ihr endlich aufgegangen war, daß ihr Zustand vielleicht länger andauern würde, als sie zunächst geglaubt hatte. Sie konnte nicht noch einen weiteren Tag in diesem Niemandsland herumtappen. Wenn sie selbst nicht herausbekommen konnte, wer sie war, dann mußte sie sich von anderen helfen lassen, ganz gleich, wodurch ihr Zustand ausgelöst worden war, ganz gleich, woher das Blut auf ihrem Kleid kam, ganz gleich, wer ihr die Taschen mit Hundert-Dollar-Scheinen vollgestopft hatte. Was auch immer geschehen war, wessen auch immer sie schuldig war, es konnte nicht schlimmer sein als dies – dieses Nichtwissen.

Doch sie hatte sich überlegt, daß es vielleicht besser war, nicht gleich alles Beweismaterial zu übergeben. Die Polizei hätte zunächst einmal nur das viele Geld und das Blut gesehen, und man hätte es den Leuten nicht einmal verübeln können. Sie selbst hatte sich ja genauso irreführen lassen.

Nein, bevor sie die Sache komplizierte, indem sie der Polizei Beweise ihrer Schuld vorlegte, wollte sie wissen, welchen Verbrechens sie schuldig war, wenn überhaupt. Wenn sie gleich mit einer Tüte voll Geld und einem Kleid voller Blut ins Revier marschierte, würden die dort in Panik geraten, wie sie selbst in Panik geraten war. Es war besser, diese Dinge zunächst für sich zu behalten. Alles schön der Reihe nach. Und an erster Stelle in dieser Reihe stand die Notwendigkeit herauszufinden, wer zum Teufel sie eigentlich war.

Sie wartete, bis die Frau wieder hinter ihrer Theke und in die Zeitschrift vertieft war, ehe sie einen ihrer neuen Schuhe auszog, die Innensohle zurückklappte und den Schließfachschlüssel darunter schob. Sie zog die Innensohle wieder nach vorn und schlüpfte wieder in den Schuh. Es fühlte sich merkwürdig an, unrecht, wie so häufig bei Geheimnissen. Aber sie würde sich schon daran gewöhnen.

Sie warf die Quittung in einen Abfallkorb, an dem sie vorüberkam, und ging schnell aus der Halle hinaus. Während sie, verwundert über ihren unverwüstlichen Appetit, noch überlegte, ob sie irgendwo rasch etwas essen sollte, sah sie den jungenhaften Polizisten an der Ecke Stuart und Berkeley Street. Weg war der Appetit.

»Entschuldigen Sie«, begann sie zaghaft und vorsichtig. »Können Sie mir vielleicht helfen?«

4

»Okay, bleiben Sie ganz locker. Es tut nicht weh.«

»Was passiert denn jetzt?«

»Nur eine kleine Untersuchung. Nein, bleiben Sie ruhig liegen. Ich verspreche Ihnen, es tut überhaupt nicht weh. Versuchen Sie, sich zu entspannen. In zehn Minuten ist es vorbei.«

Sie war im Städtischen Krankenhaus Boston, einem 450-Betten-Krankenhaus vornehmlich für Sozialfälle und Mittellose. Die Polizei hatte sie hierher gebracht, nachdem festgestellt worden war, daß sie nicht auf der Fahndungsliste und auch nicht auf der Vermißtenliste stand. Sie hatten ihre Fingerabdrücke genommen, die nach Washington geschickt werden sollten, und ein Foto von ihr gemacht, das sie der Presse übergeben wollten; aber vorher sollte sie im Krankenhaus untersucht werden. Sie gaben dem Städtischen Krankenhaus den Vorzug vor dem elitären Allgemeinen Krankenhaus von Massachusetts, da sie sich sagten, daß jemand, der ohne Identität war, wahrscheinlich auch keine Krankenversicherung hatte.

Die Polizeibeamten ließen sie in der Obhut eines nervösen Assistenzarztes zurück, der aus ihr ebensowenig klug wurde wie sie selbst. Er stellte ihr die gleichen Fragen, die schon die Polizei ihr gestellt hatte. Wann haben Sie gemerkt, daß Sie eine Gedächtnisstörung haben? Wo genau befanden Sie sich? Wohin sind Sie gegangen? Hatten Sie getrunken? Können Sie uns irgend etwas über sich selbst sagen? Sie antwortete, so gut sie es vermochte.

Dann begann der Assistenzarzt, sie zu untersuchen. Zunächst wollte er feststellen, ob ihre Pupillen auf Licht reagierten. Das taten sie. Also ging er weiter zu Blutdruck und Puls, die beide in Ordnung waren. Er ließ ihren Urin untersuchen und tastete ihren Kopf nach äußeren Verletzungen ab. Nachdem er festgestellt hatte, daß alle Befunde normal waren, holte er den Stationsarzt, einen bärtigen und eisern humorlosen jungen Mann, der aussah, als hätte er noch nie in seinem Leben gelächelt, und dem auch in der Tat im Lauf der halben Stunde, die er für seine Untersuchung brauchte, kein einziges Lächeln entschlüpfte.

Auch Dr. Klinger, wie er sich ernst und gemessen vorstellte, prüfte ihre Pupillen, ihren Puls und ihren Blutdruck. Danach ordnete er eine ganze Batterie von Blutuntersuchungen an. Als sie fragte, wozu die gut seien, erklärte er mit einem merklichen Anflug von Ungeduld, man wolle versuchen, diverse körperliche Ursachen ihrer Amnesie auszuschließen. Als sie ihn drängte, sich genauer auszudrücken, reagierte er gereizt, als sei die Antwort selbstverständlich, und sagte, es ginge ihnen darum, Alkohol, Drogen, Aids und tertiäre Syphilis als Ursachen ihres Zustands auszuschalten. Sie riß erschrocken die Augen auf. An tertiäre Syphilis hatte sie überhaupt nicht gedacht.

»Glauben Sie im Ernst, ich könnte Syphilis haben?« Sie fand die Vorstellung beinahe erheiternd.

»Nein, eigentlich nicht«, antwortete er, und es hörte sich an, als mache ihm das Sprechen Mühe. »Wenn Sie schwarz wären, hielte ich es eher für möglich.«

Die gedankenlose Grausamkeit seiner Bemerkung empörte sie. Ich bin nur deshalb ein Kuriosum für sie, weil ich eine Weiße bin, dachte sie. Wäre meine Haut schwarz, würde man mich als Trinkerin oder Drogensüchtige oder Syphilitikerin im letzten Stadium abtun, die ihre Krankheit durch ihre Promiskuität selbst verschuldet hat. Unwillkürlich ballte sie die Hand unter ihrer Handtasche zur Faust. Am liebsten hätte sie sie dem ehrenwerten Doktor ins Gesicht gedonnert.

»Was untersuchen Sie noch?«

Sein Ton war trocken, unpersönlich. »Wir machen eine Reihe von Stoffwechseluntersuchungen, um Störungen der Schilddrüse, der Nieren und der Leber auszuschließen. Ebenso chemische Störungen und Vitaminmangel.«

»Und wie lange wird das dauern?«

»Die Ergebnisse müßten in ungefähr einer Stunde da sein. Inzwischen machen wir ein EEG.«

»Da werden mir doch ein Haufen Drähte in den Kopf gesteckt?«

Er würdigte sie erst einer Antwort, als die Drähte in angemessenen Abständen in ihrer Kopfhaut befestigt waren.

»Beim EEG werden die Hirnströme aufgezeichnet. Anormalitäten werden sofort sichtbar. Aber ich glaube nicht, daß wir bei Ihnen etwas finden werden.«

»Warum sagen Sie das?«

Er zuckte nur wortlos die Achseln.

»Sie halten mich für eine Alkoholikerin, nicht wahr?«

»Ich halte das für eine Möglichkeit.«

Sie war jetzt so zornig, daß es sie all ihre Beherrschung kostete, nicht vom Untersuchungstisch zu springen und ihm an die Gurgel zu gehen. Behandelte er alle seine Patienten mit dieser rücksichtslosen Geringschätzung?

»Wenn ich Alkoholikerin wäre«, sagte sie langsam, nachdem sie ihren Zorn hinuntergeschluckt hatte, »wären dann jetzt nicht Entzugserscheinungen bei mir feststellbar? Ich habe seit zwei Tagen nur Mineralwasser getrunken, und es hat mir überhaupt nichts ausgemacht.«

»Es hat wenig Sinn, herumzuspekulieren. Warten wir doch einfach, bis wir die Ergebnisse der Blutuntersuchungen bekommen.«

Schieben wir dir doch einfach so ein Reagenzglas mit Blut in den verklemmten Arsch, du eingebildeter, hochnäsiger Heini, dachte sie.

Das EEG zeigte, daß ihre Hirnströme absolut normal waren. Dr. Klinger zog ein Mündchen der Selbstzufriedenheit. »Und jetzt?« fragte sie, während er einige, zweifellos unleserliche Notizen auf seine Agenda warf.

»Wir warten auf die Ergebnisse der Bluttests«, sagte er wie zuvor. »In der Zwischenzeit spreche ich mit Dr. Meloff wegen eines CT's.«

Er hatte ihr den Rücken zugewandt und war schon halb aus dem Zimmer, während er sprach, so daß sie erst verstand, was sie vorhatten, als Dr. Meloff es ihr einige Zeit später erklärte.

Dr. Meloff, ein Neurologe, wurde hinzugezogen, als die Blutuntersuchungen keine Hinweise auf Schilddrüsen-, Leber- oder Nierenstörungen zeigten, keine chemischen Störungen, keinen Vitaminmangel, keine Spur von Alkoholismus, Drogenmißbrauch, AIDS, Syphilis oder anderen gehirnschädigenden Krankheiten. Er war ein gutaussehender Mann mit vollem dunklen Haar, das an den Schläfen zu ergrauen begann, und einem natürlichen Lächeln, das gut zu seiner ungezwungenen Art paßte.

»Ich bin Dr. Meloff«, sagte er, während er ihre Karte ansah und den Kopf schüttelte. »Sie sind also heute nicht ganz auf dem Posten, hm?« meinte er mit einem leichten Lachen.

Sie mußte ebenfalls lachen.

»Das ist schon besser«, sagte er und prüfte ihre Pupillen wie vor ihm der Assistenzarzt und der Stationsarzt. Dann drehte er ihren Kopf hin und her. »Wer bin ich?« fragte er beiläufig.

»Dr. Meloff«, antwortete sie automatisch.

»Gut. Folgen Sie mit den Augen meinem Finger.« Er zog mit dem Finger einen Pfad durch die Luft. »Gut. Jetzt hier herüber.« Sein Finger entfernte sich aus ihrem Gesichtsfeld. »Nein, nicht den Kopf bewegen. Genau. Gut. Sehr gut.«

»Was ist sehr gut?«

»Auf den ersten Blick scheint organisch alles in Ordnung zu sein. Sie erinnern sich nicht an Schläge auf den Kopf? Oder an einen Sturz?« Seine Finger tasteten ihre Kopfhaut ab, massierten ihren Nacken.

»Nein, nichts. Zumindest kann ich mich nicht erinnern.«

»Und woran *können* Sie sich erinnern?«

Sie stöhnte. »Muß ich das alles noch mal wiederholen? Ich hab es doch schon der Polizei erzählt und den anderen Ärzten. Es steht bestimmt irgendwo auf dem Krankenblatt...«

»Tun Sie mir den Gefallen.«

Er sagte es so freundlich, daß sie nicht widerstehen konnte. Der gute Dr. Klinger kann sich von diesem Mann eine Scheibe abschneiden, dachte sie und bemerkte, daß Klinger das Zimmer verlassen hatte.

»Über mich selbst weiß ich überhaupt nichts«, erklärte sie Dr. Meloff. »Ich weiß nur, daß ich plötzlich an der Ecke Cambridge und Bowdoin Street stand und nicht wußte, was ich da zu suchen hatte, wie ich hingekommen war und wer ich war. Ich hatte keine Papiere bei mir; ich war allein, ich wußte nicht, was ich tun sollte. Erst bin ich ein paar Stunden herumgeirrt, dann habe ich mir ein Zimmer im Lennox Hotel genommen.«

»Unter welchem Namen?«

»Ich hab mir einen ausgedacht.« Sie zuckte die Achseln. »Cindy McDonald. Die Polizei hat ihn schon überprüft. Es gibt mich nicht.«

Er lächelte. »Oh, es gibt Sie. Sie sind vielleicht ein bißchen zu dünn, aber es gibt Sie. Wer bin ich?«

»Dr. Meloff.«

»Gut. Sie sind also ein paar Tage im Lennox Hotel geblieben und dann zur Polizei gegangen?«

»Ja.«

»Wie haben Sie das Hotel bezahlt?«

»Ich fand etwas Geld in meinen Manteltaschen«, antwortete sie und hätte beinahe gelacht.

»Warum sind Sie nicht sofort zur Polizei gegangen?«

Sie holte tief Atem, um sich für die Lüge zu wappnen, die folgen würde. Auf der Polizei hatte man ihr die gleiche Frage gestellt. Sie gab dem Arzt dieselbe Antwort, die sie den Beamten gegeben hatte. »Ich war so durcheinander«, begann sie. »Ich glaubte fest, daß mein Gedächtnis gleich wiederkommen würde. Ich weiß eigentlich nicht, warum ich nicht sofort zur Polizei gegangen bin«, schloß sie und sah dabei die ordentlichen kleinen Bündel von Hundert-Dollar-Noten und ihr blutdurchtränktes Kleid vor sich. Sie wußte es genau.

Wenn er an ihrer Antwort Zweifel hatte, so gab er es nicht zu erkennen. »Aber an die Ereignisse der letzten Tage können Sie sich ohne weiteres erinnern?«

»Ja.«

»Wie steht es mit aktuellen Ereignissen? Wissen Sie, wer Präsident ist?«

»Ich weiß, wer Präsident ist«, sagte sie, »aber ich weiß nicht, ob ich ihn gewählt habe.«

»Stehen Sie auf.« Er half ihr vom Untersuchungstisch. »Schließen Sie die Augen und versuchen sie, auf einem Bein zu stehen. Gut. Jetzt auf dem anderen. Wer bin ich?«

»Dr. Meloff. Warum fragen Sie mich das dauernd? Ich kann mich an jeden erinnern, nur nicht an mich selbst.«

»Sie können die Augen wieder aufmachen.«

Sie tat es und begegnete dem unfreundlichen Blick Dr. Klingers. »Die Patientin kann jetzt zum CT«, sagte er, als wäre sie gar nicht da.

Dr. Meloff nahm ihren Arm. »Ist gut, Herr Kollege«, sagte er und führte sie aus dem Untersuchungsraum. »Ich begleite Mrs. McDonald zum Röntgen.«

Mit einem Lächeln der Erleichterung trat sie mit ihm in den Korridor hinaus.

Die Röntgenabteilung befand sich im Souterrain des Krankenhauses. Die Patienten, denen sie in den tristen Gängen begegneten, wirkten ängstlich und verwirrt, das Personal wirkte zerstreut, übermüdet, überarbeitet. Alle sahen sie aus, als wünschten sie, irgendwo anders zu sein, ganz gleich, wo.

In dem Raum, in dem sie untersucht werden sollte, stand in der Mitte ein massiges tunnelähnliches Monster. Man wies sie an, sich auf einem langen, schmalen Tisch niederzulegen, der in das Monster eingefahren werden sollte. Sie mußte die Arme dicht am Körper halten und ganz still liegen. Eine Assistentin griff ihr ins Haar, um festzustellen, ob sie Haarnadeln darin hatte, und gab ihre Handtasche einer Schwester.

»Was passiert denn jetzt?« Ihre Stimme klang ziemlich jämmerlich.

»Okay, bleiben Sie ganz locker. Es tut nicht weh.«

»Aber was machen Sie?«

»Nur eine kleine Untersuchung.«

Sie fuhr in die Höhe, um zu protestieren.

»Nein, bleiben Sie ganz ruhig liegen. Ich verspreche Ihnen, es tut nicht weh. Versuchen Sie, sich zu entspannen. In zehn Minuten ist es vorbei.«

»Und dann?« fragte sie, als sie schon in die Maschine hineingeschoben wurde.

»Ganz still liegen«, mahnte die Assistentin. »Schließen Sie die Augen. Machen Sie ein kleines Nickerchen.«

»Wir sehen uns in zehn Minuten«, rief Dr. Meloff, als die Dunkelheit sich wie eine weiche Decke über ihr Gesicht senkte.

Ihr Körper vibrierte zum leisen Summen der Maschine, während sie Zentimeter um Zentimeter tiefer in den Tunnel hineinglitt. Sie hätte gern die Augen geöffnet und sich umgesehen, getraute sich aber nicht. Sie konnte sich nicht erinnern, ob man ihr gesagt hatte, sie solle die Augen geschlossen lassen. Sie konnte nur die Ermahnung hören, still zu liegen.

Rühr dich nicht, flüsterte sie lautlos. Halt den Kopf ganz still. Hab keine Angst. Hab keine Angst. Hab keine Angst.

Es sind ja nur zehn Minuten, versuchte sie sich zu trösten und hätte am liebsten laut geschrien. Nur zehn Minuten, dann bist du wieder raus aus diesem verdammten Ding. Zehn Minuten würde sie es ja wohl aushalten können. Zehn Minuten waren eine winzige Zeitspanne gemessen an der Ewigkeit. Zehn Minuten war wirklich nicht zuviel verlangt.

Zehn Minuten waren eine Ewigkeit; eine endlose Folge von Sekunden, die man durchstehen mußte. Niemals hätte sie diesen Untersuchungen zustimmen sollen. Sie hätte gar nicht erst hierher kommen sollen. Sie hätte überhaupt nicht zur Polizei gehen sollen. Sie hätte im Lennox Hotel bleiben sollen, bis ihr das Geld ausgegangen wäre und sie keine andere Wahl mehr gehabt hätte.

Sie hätte davonlaufen sollen, verschwinden. Wieviele Menschen gab es schon, denen die Chance geboten wurde, ein ganz neues Leben anzufangen? Mancher wäre bereit, für eine solche Chance zu töten! Und sie – hatte sie dafür getötet?

Nein, sagte sie sich, fang nicht wieder an nachzugrübeln. Jetzt nicht. Sie mußte aufhören, sich den Kopf zu zerbrechen, wer sie vielleicht war und was sie vielleicht getan hatte. War das nicht der Grund, weshalb sie hier war? Damit die Leute hier ihre Fragen beantworten konnten?

Wieso war es überhaupt so ungeheuer wichtig zu wissen, wer man war? Man brauchte doch nur die unzähligen Menschen auf dieser Welt anzusehen, die genau wußten, wer sie waren, und dabei todunglücklich waren. Nein! Sie hatte die Chance bekommen, von vorn anzufangen, und hatte sie achtlos und gedankenlos zusammen mit ihrem Mantel und ihrer Unterwäsche auf den Müll geworfen. Und jetzt steckte sie fest. Steckte mitten in irgendeiner monströsen Maschine, die ihre Innereien fotografierte und zweifellos auch in ihre Seele linste. Steckte mitten in einem Geheimnis, das wahrscheinlich am besten ungelöst blieb.

Keine Panik, sagte eine feine Stimme immer wieder. In ein paar Minuten ist es vorbei.

Was ist vorbei? fragte sie die Stimme. Was ist dann vorbei?

Ruhig. Ruhig. Reg dich nicht auf. Mach dich nicht verrückt. Du bekommst höchstens Ärger, wenn du dich aufregst.

Was soll das heißen? Was für Ärger? Wieso bekomme ich Ärger, wenn ich mich aufrege?

Laß locker. Versuch, ganz ruhig zu bleiben. Du weißt doch, daß es gar nichts bringt, die Beherrschung zu verlieren.

Woher weiß ich das? Woher weißt *du* das? Wer bist du?

Die Stimme ging im Summen der Maschine unter. Sie hörte nichts mehr als Stille, fühlte sich in den Mutterleib zurückversetzt, als treibe sie in einem Zwischenzustand dahin und warte darauf, geboren zu werden. Hinter ihren geschlossenen Lidern sah sie Farben, große Kleckse in Violett und Lindgrün. Sie spielten vor ihren Augen wie in einem Kaleidoskop, kamen explosionsartig auf sie zu und zogen sich in die Dunkelheit zurück, nur um Sekunden später von neuem zu erscheinen. Folge uns, winkten sie. Wir führen dich durch die Finsternis.

Sie folgte ihnen, bis sie vom blendenden Licht einer strahlenden Sonne verschluckt wurden, und sie selbst sich in einem, wie ihr schien, tropischen Regenwald wiederfand. Große Blätter hingen feucht von exotischen Bäumen herab, unter denen sie durch wuchernden Dschungel stolperte. Die Erde schien an ihren Beinen emporzuwachsen. War sie im Begriff zu versinken? War sie in Flugsand geraten?

Ein leichter Wind umfächelte ihren Kopf, drohte sich um ihren Hals zu legen wie eine Boa Constrictor, löste sich dann plötzlich auf, verlor seine Kraft, verflüchtigte sich. Sekunden später trat er als stetiges Summen wieder in Erscheinung, aber nicht länger bedrohlich. Sie merkte, daß ihr Körper plötzlich aus dem engen Schacht befreit war.

»Na bitte. War das nun so schlimm?«

»Dr. Meloff?«

Er lächelte. »Und dabei habe ich Sie nicht einmal gefragt, wer ich bin.«

Verwirrt setzte sie sich auf. Wo war sie? Genauer – wo war sie gewesen? »Ich muß eingeschlafen sein.«

»Na wunderbar. Sie hatten wahrscheinlich ein bißchen Ruhe nötig.«

»Ich hatte einen ganz merkwürdigen Traum.«

»Wenn man bedenkt, was im Moment in Ihnen vorgeht, ist das nicht sehr verwunderlich.« Er tätschelte ihre Hand. »Die Schwester bringt Sie jetzt wieder nach oben. Ich werde inzwischen versuchen, die Ergebnisse der Untersuchung auszuwerten. Ich komme gleich nach.«

Knapp eine Stunde später kam er mit der Nachricht, daß alles normal und in Ordnung sei.

»Und wie geht es jetzt weiter?«

»Das weiß ich selbst noch nicht«, antwortete er, und sie lachte, dankbar für seine Aufrichtigkeit.

»Sie haben meine Frage vorhin nicht beantwortet«, sagte sie. Er zog eine Augenbraue hoch. »Ich meine, warum Sie mich dauernd fragen, wer Sie sind.«

»Ich wollte prüfen, ob Sie vielleicht an einer Krankheit leiden, die man Korsakoff-Syndrom nennt«, antwortete er etwas verlegen.

»Das klingt wie ein Buch von Robert Ludlum.«

Er lachte. »Stimmt. Haben Sie was von ihm gelesen?«

»Ich weiß nicht.«

»War nur eine Frage.«

»Und was ist dieses Korsakoff-Syndrom?«

»Es geht mit Gedächtnisverlust einher. Der Patient kann sich von einer Minute zur nächsten an nichts mehr erinnern und fabuliert daher ständig.«

»Er fabuliert? Sie meinen, er lügt?« Er nickte. »Fabulieren«, sagte sie. »Ein hübsches Wort.«

»Ja, nicht wahr?« stimmte er zu. »Jedenfalls, nennt man dem Patienten seinen Namen, und zwei Minuten später hat er ihn vergessen und denkt sich darum irgend etwas aus.«

»Aber warum denn?«

»Menschen, die an einer Amnesie leiden, finden es oft nützlich, anderen das Ausmaß ihrer Störung nicht preiszugeben. Auf diese Weise können sie alles mögliche über sich selbst erfahren, ohne daß die anderen etwas merken.«

»Das hört sich nach Schwerarbeit an.«

»Niemand hat behauptet, daß es eine Lappalie ist zu vergessen, wer man ist.«

Sie lächelte. »Und Sie sind zu dem Schluß gekommen, daß ich nicht am Korsakoff-Syndrom leide?«

»Ich würde sagen, wir können Mr. Korsakoff vergessen. Im übrigen stellt sich diese Störung meist im Zusammenhang mit Alkoholmißbrauch ein, und den haben wir definitiv ausgeschlossen.«

»Was haben Sie denn nicht ausgeschlossen?«

»Ich kann nur vermuten – und es ist wirklich nur eine Vermutung«, betonte er, »daß Ihre Amnesie auf ein seelisches Trauma zurückzuführen ist.«

»Sie halten mich für verrückt?«

»Das habe ich nicht gesagt.«

»Aber Sie meinen, es spielt sich alles nur in meinem Kopf ab«, sagte sie beinahe zornig.

»Ich meine, daß Sie möglicherweise an einem nichtpsychotischen Syndrom leiden.«

Sie spürte, wie sie ungeduldig wurde. »Würden Sie bitte Klartext mit mir reden, Dr. Meloff?«

Er wählte seine nächsten Worte mit Bedacht. »Jeder Mensch hat eine Angstgrenze. Wenn diese Grenze überschritten wird, flüchten sich manche Menschen in einen plötzlichen Gedächtnisverlust. Man nennt das eine hysterische Amnesie. Dieser Zustand ist meist durch den Zwang davonzulaufen charakterisiert. Wenn die Lebenssituation allzu belastend wird, entzieht sich der Betroffene durch Flucht.«

»Aber Dr. Meloff, unzählige Menschen leben tagtäglich unter

schwersten seelischen Belastungen. Die laufen doch auch nicht einfach davon und vergessen, wer sie sind.«

»Manche schon. Andere bekommen einen Nervenzusammenbruch, schlagen ihre Kinder, haben Affären, rauben eine Bank aus, bringen vielleicht sogar jemanden um. Die Hysterie hat viele Erscheinungsformen.«

Sie schaute zur Zimmerdecke hinauf, unterdrückte ein paar unerwünschte Tränen und sah vor sich das Bild ihres blutbespritzten Kleides. »Sie halten mich also für eine Hysterikerin?«

»Zwischen einem Hysteriker und jemandem, der an einer hysterischen Amnesie leidet, besteht ein gewaltiger Unterschied. Die hysterische Amnesie ist ein Schutzmechanismus, eine Überlebensstrategie, wenn Sie so wollen. Es geht dabei um den Verlust der Erinnerung an eine bestimmte Zeitspanne im Leben eines Menschen, eine Zeitspanne, die häufig mit starken Gefühlen von Angst oder Wut oder mit tiefer Scham und Demütigung verbunden ist.«

»Das klingt, als hätten Sie das eben nachgelesen.«

Er lachte ein wenig. »Ich habe mich auf dem Weg hierher mit einem unserer Psychiater unterhalten.«

»Vielleicht sollte *ich* mich lieber mal mit dem Psychiater unterhalten.«

Er nickte zustimmend. »Zuerst würde ich gern noch einige Untersuchungen machen. Nur um ganz sicherzugehen, daß wir nichts übersehen haben.«

»Was für Untersuchungen?«

»Ich dachte an einige weitere Gehirnuntersuchungen. Es gibt da beispielsweise eine, bei der das Gehirn im Unterschied zum CT mit Hilfe eines Magneten abgebildet wird. Dann gibt es den sogenannten BEAM-Test, eine Computeranalyse der Gehirntätigkeit, die dem EEG recht ähnlich ist. Und schließlich käme auch noch ein PET in Frage, das ist eine Positronen-Emissions-Tomographie, bei der unter Einsatz von radioaktivem Material der

Glukoseumsatz im Gehirn gemessen werden kann. Das wäre so ziemlich alles«, sagte er lächelnd.

»Und wenn die Ergebnisse dieser Untersuchungen in Ordnung sind?«

»Dann könnten wir noch eine Rückenmarkspunktierung vornehmen, um festzustellen, ob wir es mit einer Infektion des Nervensystems zu tun haben, und vielleicht ein Arteriogramm der zum Gehirn führenden Gefäße.«

»Oder wir könnten mich einfach zum Psychiater schicken«, meinte sie. Diese Alternative erschien ihr plötzlich sehr verlokkend.

»Oder wir könnten Sie einfach zum Psychiater schicken, ja«, stimmte er zu.

»Und was könnte der Psychiater mit mir anfangen? Ich meine, ich habe schließlich nichts zu offenbaren.«

Und das Geld? Und das Blut auf deinem Kleid? hörte sie irgendwo in ihrem Kopf eine Stimme und wehrte sie mit einem kurzen Kopfschütteln ab.

»Es wird Sie vermutlich einer Reihe psychologischer Tests unterziehen«, antwortete Dr. Meloff.

»Noch mehr Tests«, murrte sie.

»Tja, darin sind wir eben Meister.«

»Und wie lange soll das alles dauern?«

»Kommt ganz darauf an, wie schnell es sich arrangieren läßt. Aber mit ein paar Tagen müssen Sie schon rechnen.«

Sie stöhnte.

»Was ist denn? Haben Sie es so eilig?«

»Ja, ich hatte gehofft, in ein paar Tagen wäre dieser Alptraum längst vorbei.«

Er trat neben sie und nahm ihre Hand. »Das ist ja auch nicht ausgeschlossen.« Sie sah ihn erwartungsvoll an. »Bei der hysterischen Amnesie, wenn wir es hier mit einer zu tun haben, kann die Rückwende jederzeit eintreten. Und ich habe nie von einem

Fall gehört, bei dem dieser Zustand länger als zwei Monate anhielt.«

»Zwei Monate?«

»Diese Zustände geben sich im allgemeinen so plötzlich, wie sie auftreten, meist innerhalb weniger Tage oder Wochen.« Er gab ihr einen leichten Klaps der Ermunterung auf die Hand. »Kommen Sie, lassen wir die Ratespiele. Es ist gescheiter, wir nehmen gleich die notwendigen Untersuchungen in Angriff.« Er beugte sich zu einem Sessel hinüber und nahm von dort eine Zeitschrift, die jemand liegengelassen hatte. »Entspannen Sie sich, lesen Sie nach, was in der Welt passiert, die Sie vielleicht vergessen haben.« Er warf einen Blick auf das Datum auf dem Titelblatt der Illustrierten. »Hm, lesen Sie nach, was vor anderthalb Jahren passiert ist. Wenn ich wiederkomme, machen wir ein Quiz.«

Sie blieb in ihren neuen Kleidern, mit ihrer neuen Handtasche auf dem Schoß auf dem Untersuchungstisch sitzen, spürte den Druck des Schlüssels, den sie unter der Innensohle ihres neuen Schuhs verborgen hatte, an ihrem nackten Fuß und fragte sich, ob sie Dr. Meloff die ganze Wahrheit sagen solle. Ob sie ihm von dem Geld erzählen solle. Von dem Blut an ihrem Kleid. Das würde seine Theorie von der hysterischen Amnesie sicherlich untermauern. Und dann? Würde er schnurstracks zur Polizei gehen, oder war er an seine ärztliche Schweigepflicht gebunden? Was würde sie denn erreichen, wenn sie ihm ihr Herz ausschüttete? Doch nur, daß sie sich hinterher etwas erleichtert fühlen und vielleicht um eine Rückenmarkspunktierung und ein Arteriogramm herumkommen würde.

War das nicht Grund genug?

Mit einem tiefen Seufzer beschloß sie, Dr. Meloff reinen Wein einzuschenken, sobald er zurückkam. Inzwischen würde sie tun, was er vorgeschlagen hatte, und ihre Bekanntschaft mit der nicht allzu fernen Vergangenheit auffrischen, um ihr Erinnerungsvermögen zu prüfen.

Sie blätterte in den abgegriffenen Seiten der Illustrierten, grinste über ein Foto Dan Quayles bei einem Besuch in Latein-Amerika, versenkte sich einen Moment lang in den intensiven Blick von Tom Cruises blauen Augen, lächelte über die Gewagtheit der einst hochmodischen Entwürfe von Christian LaCroix. Und dann bemerkte sie plötzlich eine junge Frau, die an der offenen Tür stand und sie anstarrte. Sie ließ die Zeitschrift zu Boden fallen.

»Entschuldigen Sie«, sagte die junge Frau im blütenweißen Kittel und bückte sich hastig, um die Illustrierte aufzuheben. »Ich dachte schon vorhin, als ich vorbeikam, daß wir uns kennen, aber ich war mir nicht sicher. Sie erinnern sich wahrscheinlich nicht an mich –«

»Wer sind Sie?« unterbrach sie ungeduldig.

»Dr. Irene Borovoy. Wir sind uns vor gut einem Jahr im Kinderkrankenhaus begegnet. Ich war Assistenzärztin bei Ihrem Mann.« Sie brach abrupt ab und fragte leicht verlegen. »Sie sind doch Dr. Whittakers Frau? Jane Whittaker? Ich irre mich doch nicht?«

»Jane Whittaker«, wiederholte sie zögernd.

»Ihr Mann ist ein wunderbarer Mensch.«

»Jane Whittaker«, sagte sie wieder und lauschte dem Klang des unbekannten Namens nach.

»Kümmert sich jemand um Sie, Mrs. Whittaker?« fragte Dr. Borovoy besorgt. »Geht es Ihnen gut?«

Sie blickte in die klaren blauen Augen der jungen Ärztin. »Jane Whittaker«, sagte sie nachdenklich.

5

Sie wartete auf den Mann, der behauptete, ihr Ehemann zu sein, und im Augenblick noch mit Ärzten und Polizeibeamten sprach.

»Jane Whittaker«, sagte sie wieder, in der Hoffnung, daß sich der Name durch ständige Wiederholung einen Weg in ihr Gedächtnis bahnen und die Mauern des Vergessens sprengen würde. Aber die Worte klangen hohl und hatten keine Resonanz. Sie vibrierten nur so lange in ihrem Kopf, wie sie brauchte, um sie auszusprechen, dann verflüchtigten sie sich, ohne eine Spur zu hinterlassen. Sie brachten keine Offenbarung, keine plötzliche Erleuchtung. Sie lösten keine Emotionen aus, nur ein verwunderliches Gefühl der Gleichgültigkeit. »Jane Whittaker«, flüsterte sie, jede Silbe in die Länge ziehend, und fühlte nichts dabei. »Jane Whittaker.«

Wie passend, daß sie ausgerechnet Jane hieß. Das war doch der Name, den man unbekannten weiblichen Leichen zu geben pflegte, die man im Bostoner Hafen treibend fand? Unbekannten Frauen, die ermordet auf der Straße gefunden wurden. *Jane Doe*, das war doch der Name, der auf jeder Musterkreditkarte stand. »Jane Doe«, flüsterte sie.

Oder wie wäre es mit Jane Eyre, die auf das Erscheinen des geheimnisvollen Mr. Rochester wartet? Ob der Mann, der ihr Ehemann zu sein behauptete, einen ebenso dramatischen Auftritt hinlegen würde wie jener Gentleman, der hoch zu Roß herangaloppiert war, nur um dann vor den Augen seiner verwirrten Heldin vom Pferd zu stürzen und sich den Knöchel zu verstauchen? Würde er ebenso groß und dunkel und streng sein? Und würde sie ihn vielleicht so wenig erkennen, wie Jane Eyre die zukünftige große Liebe ihres Lebens erkannt hatte?

Und wie wäre es mit der anderen Jane, Lady Jane Grey, kindliche Anwärterin auf den englischen Thron, die enthauptet worden war, nachdem sie den Versuch gemacht hatte, jemand zu sein, der sie nicht war.

Oder Jane, die auf der Suche nach Tarzan durch den Urwald irrte: ›Ich Tarzan, du Jane‹. War das vielleicht die Erklärung für ihren seltsamen Traum beim CT? Hatte ihr Unbewußtes ihr über die Dschungelsymbolik den Weg zu sich selbst zeigen wollen? *Du Jane.* War es wirklich so einfach?

Du Jane. Such, Jane. Lauf, Jane, lauf.

Sie unterdrückte den plötzlichen Impuls, aus ihrem Sessel aufzuspringen und davonzulaufen, sich in die sichere Anonymität des Lennox Hotels zu flüchten und unter der Bettdecke zu verstecken. Ihre Tage in Gesellschaft der *Jungen und Rastlosen* zu verbringen, die langen Abende mit Johnny Carson und David Letterman. Sie wollte den Mann nicht sehen, der behauptete, ihr Mr. Rochester zu sein. Michael Whittaker, hatten sie ihr gesagt. Ein Arzt, hatten sie beeindruckt berichtet und sie mit neuem Respekt angesehen. Ein angesehener Kinderchirurg.

Sie zwang sich, im Sessel sitzenzubleiben. Wohin hätte sie denn auch fliehen können? Saßen nicht im Nebenzimmer die Polizei, die Ärzte und ihr Mann beisammen, um ihre Vergangenheit zu sezieren und über ihre Zukunft zu entscheiden? Wie hatte sie erwarten können, zu diesen Entscheidungen hinzugezogen zu werden, da sie doch so eindeutig alle Verantwortung für ihr eigenes Leben abgeschüttelt hatte? Da sie sich doch entschieden hatte, die Realität hinter sich zu lassen und ihr Heil in hysterischer Flucht zu suchen.

»Ach, verdammt!« rief sie laut und sah sich sofort schuldbewußt um. Aber niemand hatte sie gehört. Sie war allein im Zimmer, schon seitdem ein Polizeibeamter gemeldet hatte, Dr. Whittaker sitze im Wartezimmer, und die Ärzte hinausgegangen waren und sie wiederum zur nicht Existierenden reduziert hatten. Wenn dieser Mann mich nicht kennen sollte, bin ich dann weniger real? fragte sie sich unwillkürlich.

Was war er für ein Mensch, dieser Dr. Michael Whittaker, anerkannter Kinderchirurg, den alle Welt zu kennen und zu bewundern schien? Die Mediziner sprachen seinen Namen mit Respekt, nein, geradezu ehrfürchtig aus. Selbst Dr. Klingers steinernes Gesicht hatte einen Anflug von Wohlwollen gezeigt, und Dr. Meloff hatte augenblicklich entschieden, alle weiteren Untersuchungen aufzuschieben, bis er Gelegenheit gehabt hatte, mit dem hochgeachteten Kollegen zu sprechen.

»Ihr Mann ist ein wunderbarer Mensch«, hatte Dr. Irene Borovoy noch einmal beteuert, ehe sie losgelaufen war, um Dr. Meloff zu holen. Das schien die einhellige Meinung aller zu sein: daß sie mit einem wunderbaren Menschen verheiratet war. Wirklich, sie konnte sich glücklich schätzen.

Aber wieso trug sie nicht seinen Ring?

Es wäre doch normal gewesen, sagte sie sich, daß sie, wenn sie in der Tat die Ehefrau des bekannten Kinderchirurgen Michael Whittaker war, den Beweis dafür am Ringfinger ihrer linken Hand tragen würde. Aber ein solcher Beweis war nicht vorhanden. Abgesehen von ihrer Armbanduhr trug sie überhaupt keinen Schmuck. Höchstwahrscheinlich war also Dr. Michael Whittaker nicht ihr Ehemann. Er hatte ja auch bei der ersten Kontaktaufnahme vor mehreren Stunden zunächst behauptet, seine Frau sei verreist, zu Besuch bei ihrem Bruder in San Diego.

Ein Bruder in San Diego? überlegte sie verwundert. War das möglich? War sie auf der Fahrt zu ihm gewesen und unterwegs überfallen worden, beraubt und brutal mißhandelt? Vielleicht – nur erklärte das leider nicht, wie das Geld am Ende in *ihre* Taschen gekommen war und das fremde Blut auf ihr Kleid.

Ein Bruder. Ein Bruder und ein Ehemann. Zwei zum halben Preis. Aber zu welchem Preis?

Es klopfte, und die Tür ging auf. Dr. Meloff kam herein. Ihm folgten mehrere Polizeibeamte. Sie lächelten, aber sie sahen ernst aus. Sie lächeln mit ernster Miene, dachte sie, und erwiderte unwillkürlich das Lächeln. Sie hatte so viele Fragen, daß sie nicht wußte, welche sie zuerst stellen sollte. Also sagte sie gar nichts.

»Sie sind Jane Whittaker«, klärte Dr. Meloff sie freundlich und behutsam auf, und ihr schossen die Tränen in die Augen. »Ihr Mann wartet im Nebenzimmer auf Sie. Meinen Sie, Sie sind einer Begegnung jetzt gewachsen?«

Sie brauchte ihre ganze Kraft zum Sprechen, und selbst dann mußte Dr. Meloff sich ihr zuneigen, um ihre Worte hören zu können. »Sind Sie sicher? Wie können Sie es mit solcher Gewißheit sagen?«

»Er hat Fotos mitgebracht. Außerdem Ihren Paß und Ihre Heiratsurkunde. Sie sind es, Jane. Es gibt keinen Zweifel.«

»Ich dachte, Dr. Whittakers Frau wäre zu Besuch bei ihrem Bruder in San Diego.«

»Ja, das dachte er auch. Aber offenbar ist sie dort nie erschienen.«

»Hätte mein Bruder ihn dann nicht sofort angerufen? Ich meine, wenn ich schon vor ein paar Tagen eigentlich in San Diego hätte ankommen müssen?...«

Einer der Polizeibeamten lachte.

»Sie sind die reinste Detektivin«, sagte Dr. Meloff. »Officer Emerson hat die gleiche Frage gestellt.«

»Auf die er offensichtlich eine einleuchtende Antwort hatte«, meinte sie.

»Sie wollten Ihren Bruder mit Ihrem Besuch überraschen. Ihr Bruder erfuhr erst von Ihrer Absicht, ihn zu besuchen, als Ihr Mann bei ihm anrief, um zu fragen, ob Sie angekommen seien.«

Einen Moment war es still. »Dann bin ich also wirklich diese Jane Whittaker«, sagte sie beinahe resigniert.

»Ja, Sie sind wirklich Jane Whittaker.«

»Und mein Mann wartet im Nebenzimmer.«

»Er kann es kaum erwarten, Sie zu sehen.«

»Wirklich?«

»Er ist selbstverständlich sehr besorgt.«

Sie hätte beinahe gelächelt.

»Er war so sicher, daß Sie in San Diego sind.«

»Und jetzt ist er sicher, daß ich hier bin. Vielleicht irrt er sich dieses Mal auch.«

»Er irrt sich nicht.«

»Was hat er über mich gesagt?« fragte sie, um die unvermeidliche Konfrontation hinauszuzögern und um nicht so völlig im dunklen zu tappen.

»Ich finde, Sie sollten lieber mit ihm selbst sprechen.« Dr. Meloff wandte sich zur Tür.

»Bitte!« rief sie, und bei ihrem dringlichen Ton blieb er stehen. »Ich kann noch nicht.«

Dr. Meloff kam wieder zu ihr. »Jane«, sagte er beruhigend, »Sie brauchen keine Angst zu haben. Er ist Ihr Mann. Und er liebt Sie sehr.«

»Aber was ist, wenn ich ihn nicht erkenne? Wenn ich ihn anschaue, so wie ich jetzt Sie anschaue, und nur einen Fremden sehe? Haben Sie eine Ahnung, was für Angst mir diese Vorstellung macht?«

»Kann es denn viel schlimmer sein, als in den Spiegel zu sehen?« fragte er logisch, und sie hatte keine Erwiderung darauf. »Wollen Sie es jetzt versuchen, Jane? Ich finde, es ist nicht fair, ihn viel länger warten zu lassen.«

»Aber Sie bleiben, ja? Sie lassen uns nicht allein!« Die letzten Worte klangen wie ein Befehl.

»Ich bleibe, bis Sie mich bitten zu gehen.« Er wandte sich wieder zur Tür.

»Dr. Meloff!« Er drehte sich um. »Ich wollte Ihnen nur danken.«

»Es war mir ein Vergnügen.« Er schwieg einen Moment, dann sagte er: »Ich bin immer für Sie da, Jane.«

Dann öffnete er die Tür und trat in den Korridor hinaus. Sie wartete mit angehaltenem Atem, sprang auf, setzte sich hastig wieder, sprang von neuem auf, lief zum Fenster hinüber und blieb dort stehen. Die Polizeibeamten beobachteten sie mit freundlicher Neugier von der anderen Seite des Raumes.

»Nur keine Angst, Mrs. Whittaker«, sagte Officer Emerson. »Er ist wirklich ein sehr netter Mann.«

»Ja, aber wenn ich ihn nun nicht erkenne?« fragte sie angstvoll. »Was ist, wenn ich ihn nicht erkenne?«

Sie erkannte ihn tatsächlich nicht.

Der Mann, der vor Dr. Meloff ins Zimmer trat, war ihr völlig fremd. Er war vielleicht vierzig Jahre alt, groß, sicher einen Meter achtzig, schlank, mit ziemlich langem, hellen Haar, das früher, als er noch ein Kind war, sicher blond gewesen war. Selbst der Ausdruck ängstlicher Besorgnis auf seinem Gesicht konnte nicht verbergen, daß er sehr gut aussah, die Augen graugrün, der Mund voll und klar gezeichnet. Das Ebenmaß seiner Züge wurde einzig gestört von der Nase, die ein wenig schief war. Diese kleine Unvollkommenheit machte ihn menschlicher und augenblicklich sympathisch. Er war kein Adonis. Sie brauchte keine schöne Helena zu sein.

Er lief mit ausgestreckten Armen auf sie zu, ganz instinktiv. Ebenso instinktiv wich sie vor ihm zurück. Er blieb abrupt stehen. »Entschuldige«, sagte er hastig, und ihr fiel auf, daß seine Stimme zärtlich und fest zugleich war. »Ich bin nur so froh und erleichtert, dich zu sehen.« Er hielt inne. Sein Blick glitt von ihrem verängstigten Gesicht zu Boden. »Du erkennst mich nicht, nicht wahr?« sagte er, und sie hörte die Tränen in seiner Stimme.

»Ich möchte ja gern«, erwiderte sie leise.

»Wir lassen Sie jetzt allein«, verkündete Officer Emerson und marschierte mit seinem Kollegen zur Tür.

»Vielen Dank für alles«, rief sie ihnen nach und fixierte Dr. Meloff mit flehendem Blick.

»Wenn Sie nichts dagegen haben«, sagte der, »bleibe ich noch ein paar Minuten.«

»Ja, ich glaube, das wäre eine Erleichterung für Jane«, meinte Michael Whittaker sofort. Er versuchte zu lächeln, und es gelang ihm beinahe. »Für mich ehrlich gesagt auch.« Er holte tief Atem. »Ich bin ziemlich nervös.«

»Warum bist *du* nervös?« fragte sie. Der Gedanke, daß er so aufgeregt und ängstlich sein könnte wie sie, war ihr gar nicht gekommen.

»Ich komme mir vor wie beim ersten Rendezvous«, antwortete er freimütig. »Und ich möchte unbedingt einen guten Eindruck machen.« Er lachte unsicher. »Ich dachte, ich wäre auf alles gefaßt«, fuhr er fort, »aber ich muß gestehen, ich habe keine Ahnung, wie ich mit dieser Situation umgehen soll.« Er blickte vom Boden auf und sah ihr in das angespannte Gesicht. »Ich weiß nicht, wie ich mich verhalten soll.«

»So etwas ist also noch nie vorgekommen.« Es war mehr eine Feststellung als eine Frage.

»Guter Gott, nein.«

»Und warum jetzt? Was glaubst du?«

Er schüttelte nur wortlos den Kopf.

Er war sportlich gekleidet, trug eine graue Hose und ein blaues Hemd mit offenem Kragen. Sie bemerkte, daß seine Schultern leicht nach vorn gekrümmt waren, vermutlich eine Folge langer angespannter Stunden am Operationstisch. Er stand mit hängenden Armen und schien nicht zu wissen, was er mit seinen Händen anfangen sollte. Chirurgenhände, dachte sie, als sie die sorgfältig gepflegten Nägel sah und sich vorstellte, wie diese langgliedrigen Hände geschickt und präzise am Operationstisch hantierten. Behutsame Hände, kräftige Finger. Ihr fiel plötzlich der schmale goldene Trauring an seiner linken Hand auf.

»Wieso trage ich keinen Ehering?« fragte sie unvermittelt und überraschte nicht nur ihn, sondern auch sich selbst mit der

Frage. »Ich meine, du trägst einen und ich nicht. Ich finde das ein bißchen merkwürdig...«

Er antwortete erst nach einer kurzen Pause. »Du trägst schon eine ganze Weile keinen Ehering mehr«, erklärte er langsam, während sie ihn forschend ansah. »Du hast plötzlich eine allergische Reaktion gegen das Gold entwickelt. Du bekamst unter dem Ring starken Juckreiz, und deine Haut war gerötet und rauh. Eines Tages hast du den Ring abgenommen und nicht wieder angelegt. Wir sprachen dauernd davon, daß wir dir einen anderen kaufen würden, etwas mit Brillanten – gegen Brillanten sei schließlich kein Mensch allergisch, sagten wir immer lachend –, aber irgendwie sind wir nie dazu gekommen. Um ehrlich zu sein, ich hatte das ganz vergessen.« Er schüttelte den Kopf wie erstaunt darüber, daß er so etwas hatte vergessen können.

»Du würdest dich wundern, was man alles vergessen kann«, sagte sie mit dem Bemühen, ihm aus der Verlegenheit zu helfen.

Er lachte, und plötzlich lachte sie auch.

»Das ist jetzt vielleicht für mich der richtige Moment zu verschwinden«, bemerkte Dr. Meloff, und sie nickte. »Geben Sie jemandem vom Personal Bescheid, wenn Sie gehen wollen. Ich würde mich gern noch von Ihnen verabschieden.«

»Er scheint ein sehr netter Mann zu sein«, bemerkte Michael, nachdem Dr. Meloff gegangen war.

Sie lächelte. »Genau das sagen sie alle von dir.«

Er seufzte. »Was kann ich tun, um dir Sicherheit zu geben, Jane? Sag mir, wie ich dir helfen kann.«

Sie entfernte sich vorsichtig vom Fenster und trat näher zu ihm, achtete jedoch darauf, ein paar Schritte Abstand zu lassen.

»Wie lange sind wir verheiratet?« fragte sie und kam sich dabei ungeheuer töricht vor.

»Elf Jahre«, antwortete er schlicht, ohne den Versuch, irgend etwas auszuschmücken. Das gefiel ihr.

»Wann haben wir geheiratet? Wie alt war ich damals?«

»Wir haben am 17. April 1979 geheiratet. Du warst dreiundzwanzig.«

»Dann bin ich jetzt also vierunddreißig?« fragte sie, obwohl die Antwort eigentlich auf der Hand lag.

»Du wirst am 13. August vierunddreißig. Möchtest du unsere Heiratsurkunde sehen?«

Sie nickte und trat noch etwas näher zu ihm, als er in die Tasche griff und die Urkunde herauszog.

»Da steht, daß wir in Connecticut geheiratet haben«, stellte sie fest und spürte die Wärme, die von seinem Körper ausging.

»Da kamst du her. Deine Mutter lebt noch dort.«

»Und mein Vater?«

»Dein Vater starb, als du dreizehn Jahre alt warst.«

Sie war plötzlich traurig, nicht weil ihr Vater gestorben war, als sie noch ein halbes Kind war, sondern weil sie keinerlei Erinnerung an ihn hatte. Sie fühlte sich doppelt verlassen.

»Und wie bin ich in Boston gelandet?«

Er lächelte. »Du hast mich geheiratet.«

Sie schwieg. Sie wollte jetzt noch nicht über ihr gemeinsames Leben mit ihm sprechen. Erst mußte sie mehr über sich selbst wissen, die Fakten verarbeiten, ein Gefühl für ihre eigene Geschichte bekommen.

»Möchtest du deinen Paß sehen?« fragte er und hielt ihn ihr hin, als wäre er ein Beweisstück und dieses Krankenhauszimmer ein Gerichtssaal.

Sie blätterte eilig das Büchlein durch, sah, daß sie mit Mädchennamen Lawrence geheißen hatte, daß ihre Personenbeschreibung sich mit dem deckte, was sie selbst über sich herausgefunden hatte, und die Fotografie, wenn auch wahrhaftig nicht schmeichelhaft – sie sah aus wie ein verschrecktes Huhn –, in der Tat ein Bild von ihr war.

»Hast du noch andere Fotos?« fragte sie, obwohl sie bereits wußte, daß er welche bei sich hatte.

Er zog mehrere Aufnahmen aus seiner Hosentasche. Sie neigte sich zu ihm hinüber, so daß ihre Arme einander berührten, als er ihr die Fotos zeigte.

Das erste Bild zeigte sie zusammen an einem Strand. Er war braungebrannt; sie nicht ganz so dunkel. Sie trug einen schwarzen Badeanzug, er eine schwarze Badehose, und beide sahen sie aus, als könnten sie kaum die Hände voneinander lassen.

»Wo ist das aufgenommen?« fragte sie.

»Auf Cape Cod. Nicht weit vom Haus meiner Eltern. Vor ungefähr fünf Jahren«, fügte er hinzu, als wüßte er, daß das ihre nächste Frage sein würde. »Da glaubten wir noch, daß die Sonne uns nur guttun kann. Dein Haar war damals ein bißchen länger. Und ich hab wahrscheinlich ein paar Pfund weniger gewogen.«

»Du siehst aber nicht aus, als hättest du zugenommen.« Sie war sofort so verlegen, als wäre sie zu persönlich geworden. Hastig wandte sie ihre Aufmerksamkeit dem zweiten Foto zu.

Arm in Arm standen sie lächelnd vor der Kamera, diesmal jedoch feierlich gekleidet, er im Smoking, sie in einem cyclamfarbenen Abendkleid.

»Das ist ein jüngeres Bild«, stellte sie fest.

»Ja, es wurde Weihnachten aufgenommen. Wir waren auf der Weihnachtsfeier des Krankenhauses.«

»Wir sehen sehr glücklich aus«, meinte sie halb verwundert.

»Wir waren auch sehr glücklich«, sagte er mit Betonung, und dann leiser: »Und wir werden es auch wieder sein.«

Sie schloß die Hände über den Fotografien und gab sie ihm zusammen mit der Heiratsurkunde und dem Reisepaß zurück. Dann ging sie zum Fenster zurück und sah einen Moment zur Straße hinunter, ehe sie sich wieder dem Fremden zuwandte, mit dem sie seit elf Jahren – allem Anschein nach sehr glücklich – verheiratet war.

»Ich bin also in Connecticut aufgewachsen«, sagte sie nach einer langen Pause.

»Ja. Du hast dort gelebt, bis du aufs College gegangen bist.«

»Was habe ich im Hauptfach studiert? Weißt du das?«

Er lächelte. »Natürlich weiß ich das. Anglistik. Du hast ein hervorragendes Examen gemacht.«

»Und danach?«

»Danach hast du festgestellt, daß gute Stellen für gute Anglistinnen ziemlich dünn gesät sind. Lehrerin wolltest du aber auf keinen Fall werden, darum hast du schließlich bei Harvard Press angefangen.«

»In Boston?«

»Nein, in Cambridge.«

»Warum bin ich nicht nach Connecticut zurückgegangen oder habe mir etwas in New York gesucht?«

»Hm, ich hoffe, daß ich damit etwas zu tun hatte.«

Sie wandte sich wieder dem Fenster zu, noch immer nicht bereit, mit ihm über ihr gemeinsames Leben zu sprechen.

»Und mein Bruder?« fragte sie.

Die Frage schien ihn zu überraschen. »Tommy? Was möchtest du wissen?«

»Wie alt ist er? Was macht er beruflich? Warum lebt er in San Diego?«

»Er ist sechsundreißig«, begann er ruhig, eine Frage nach der anderen beantwortend. »Er hat die Generalvertretung für eine Yachtfirma und lebt seit zehn Jahren in San Diego.«

»Ist er verheiratet?«

»Ja. Zum zweiten Mal. Seine Frau heißt Eleanor. Aber ich weiß nicht genau, wie lange die beiden verheiratet sind.«

»Haben sie Kinder?«

»Ja, zwei kleine Jungen. Es ist mir peinlich, aber ich muß gestehen, daß ich nicht weiß, wie alt sie sind.«

»Ich bin also Tante?«

»Richtig.«

»Was bin ich noch?« fragte sie plötzlich, ohne es zu wollen.

»Wie meinst du das?«

Sie schluckte, als könnte sie so die Frage, die sie hatte vermeiden wollen, zurücknehmen. »Ich bin Tante«, wiederholte sie und nahm dann ihren ganzen Mut zusammen. »Bin ich auch Mutter?«

»Ja.«

»O Gott!« stöhnte sie leise. Wie hatte sie vergessen können, daß sie ein Kind hatte? Was war sie für eine Mutter? »O Gott!« Sie fing an zu zittern, und der Kopf sank ihr auf die Brust.

»Ist ja gut. Ist ja gut«, flüsterte er, und seine Stimme war wie Balsam, der Schutz und Linderung brachte. Er legte ihr den Arm um die Schultern und richtete sie auf. Als sie den Kopf an seine Brust drückte, hörte sie sein erregtes Herzklopfen. Seine Angst war nicht geringer als ihre.

Ein paar Minuten lang ließ er sie ungestört weinen und streichelte ihren Rücken, als wäre sie ein Kind. Dann fragte sie: »Wieviele Kinder haben wir?« Aber ihre Stimme war so leise, daß sie sich räuspern und die Frage wiederholen mußte.

»Nur eines. Ein Mädchen. Emily.«

»Emily«, wiederholte sie und kostete den Namen auf der Zunge wie Wein. »Wie alt ist sie?«

»Sieben.«

»Sieben«, flüsterte sie staunend. »Sieben.«

»Sie ist im Augenblick bei meinen Eltern«, sagte er. »Ich hielt es für besser, daß sie bei ihnen bleibt, bis sich alles geklärt hat.«

»Oh, danke dir.« Aus Scham wurde Erleichterung. »Es wäre bestimmt nicht gut für sie, wenn sie mich so sähe.«

»Natürlich. Ich verstehe dich.«

»Es wäre doch schrecklich für sie, ihrer Mutter ins Gesicht zu sehen und zu wissen, daß ihre Mutter sie nicht erkennt. Etwas Beängstigenderes kann ich mir für ein Kind kaum vorstellen.«

»Mach dir keine Sorgen. Das ist alles geregelt«, beruhigte er sie. »Meine Eltern haben sie in ihr Sommerhaus mitgenommen.

Sie kann den ganzen Sommer dortbleiben, wenn wir das möchten.«

Sie räusperte sich wieder und wischte die Tränen von den Wangen. »Wann hast du das alles arrangiert?«

Er zuckte leicht die Achseln und breitete dabei die Hände aus. »Es hat sich eigentlich von selbst ergeben«, antwortete er wie in hilfloser Anerkennung der Tatsache, daß er im Augenblick über nichts in seinem Leben die Kontrolle hatte. »Wir hatten schon vereinbart, daß Emily bei meinen Eltern bleiben sollte, solange du in San Diego bist...«

»Sag mir mehr über mich selbst«, drängte sie.

»Was möchtest du denn wissen?«

»Das Gute«, antwortete sie augenblicklich.

Er zögerte nicht. »Hm, du bist intelligent, entschlossen, lustig –«

»Ich bin lustig?«

»Du hast einen köstlichen Humor.«

Sie lächelte dankbar.

»Du bist eine Meisterköchin, ein prima Kumpel und eine treue Freundin.«

»Das klingt zu schön, um wahr zu sein.«

»Du singst leidenschaftlich gern und leidenschaftlich falsch«, fügte er lachend hinzu.

»Ist das mein schlimmster Fehler?«

»Wenn du wütend bist, fliegen die Fetzen.«

»Ich bin unbeherrscht?«

Er grinste leicht verlegen. »Gelinde gesagt, ja.«

Sie brauchte einen Moment, um das zu verdauen, dann fragte sie: »Was ist meine Lieblingsfarbe? Was esse ich am liebsten?«

»Blau«, antwortete er, ohne zu zögern. »Alles Italienische.«

»Bin ich noch berufstätig? Du sagtest doch, ich hätte bei Harvard Press gearbeitet?« Die Fragen kamen jetzt rascher, eine schien die andere zu jagen.

»Du hast nach Emilys Geburt zu arbeiten aufgehört. Als Emily in den Kindergarten kam, konnte ich dich überreden, zwei Tage in der Woche bei mir in der Praxis zu arbeiten.«

»Bei dir in der Praxis?«

»Ja, dienstags und donnerstags. Du erledigst die Telefonate und die Korrespondenz und machst mir die Ablage.«

»Das klingt ja sehr anspruchsvoll.«

Sie hatte nicht sarkastisch sein wollen und war froh, daß er sich an ihrer Bemerkung nicht störte.

»Du hast die Arbeit hauptsächlich übernommen, damit wir beide mehr Zeit miteinander verbringen konnten. Ich habe eine sehr große Praxis und kann nicht jeden Tag pünktlich um fünf Schluß machen. Wir wollten nicht riskieren, daß wir uns auseinanderleben. Auf die Weise wußten wir, daß wir zwei Tage in der Woche auf jeden Fall zusammen sein können. An den anderen Tagen operiere ich.«

»Das klingt ja nach einer perfekten Ehe.«

»Na ja, nichts im Leben ist perfekt.« Er machte eine kleine Pause. »Wir hatten unsere Differenzen und Reibereien, genau wie alle anderen Ehepaare, aber insgesamt gesehen hatten wir, glaube ich, beide das Gefühl, daß unsere Beziehung etwas Besonderes war.«

Sie sehnte sich danach, ihm zu glauben. »Wo wohnen wir? In Beacon Hill?«

Er lächelte. »Nein, die Großstadt erschien uns für Kinder nicht gerade ideal. Wir haben ein sehr hübsches Haus in Newton.«

Sie wußte, daß Newton ein gepflegter Vorort von Boston war, mit dem Auto knapp zwanzig Minuten von der Stadtmitte entfernt.

»Hast du nicht Lust, nach Hause zu fahren?« fragte er.

»Jetzt?«

Er berührte leicht ihre Arme. Sie verspürte ein Kribbeln, das sich über ihre Haut bis in den Nacken fortpflanzte.

»Vertrau mir, Jane«, sagte er leise. »Ich liebe dich.«

Sie sah die Zärtlichkeit in seinem Gesicht, die Innigkeit seines Blicks, und wünschte sich, ihm sagen zu können, daß auch sie ihn liebte. Aber wie konnte sie einen Menschen lieben, den sie nicht kannte? Sie begnügte sich damit, ganz vorsichtig seine Lippen zu berühren. »Ich vertraue dir«, sagte sie.

6

»Tut mir leid, daß wir in diesen Stau geraten sind«, sagte er, als sei er für die endlose Schlange von Autos verantwortlich, die im Schneckentempo den Highway entlangkrochen.

»Wahrscheinlich hat es irgendwo da vorn einen Unfall gegeben«, meinte Jane sachlich. Was ihr wirklich durch den Kopf ging, verschwieg sie. Daß ihr alles willkommen war, was ihre Rückkehr in ihr bisheriges Leben verzögerte, ein Leben, für das sie noch immer überhaupt kein Gefühl hatte. Sie fing den verwunderten Blick auf, den er ihr bei dieser Bemerkung zuwarf. »Was ist?« fragte sie und fühlte sich von einer plötzlichen Angst gepackt, die sie nicht bestimmen konnte.

»Nichts«, antwortete er hastig.

»Doch, irgendwas ist. Ich hab es dir angesehen.«

Er schwieg, als konzentriere er sich auf den Verkehr. »Ich dachte nur gerade, unter normalen Umständen«, sagte er verlegen, »würdest du jetzt herüberlangen und kräftig auf die Hupe drücken.«

»Was! Ich würde dir einfach ins Steuerrad greifen und hupen, während *du* fährst?« fragte sie ungläubig.

»Es wäre nicht das erste Mal.«

»Bin ich denn so ungeduldig?«

»Manchmal schon. Wenn du irgendwohin wolltest, mußte es

immer ruckzuck gehen. Ein Stau hat dich jedesmal verrückt gemacht.« Er sprach in der Vergangenheit, als wäre sie tot.

»Und wieso hatte ich es immer so eilig?«

»So bist du einfach«, antwortete er, ins Hier und Jetzt zurückkehrend.

»Erzähl mir etwas von dir«, bat sie.

»Was möchtest du denn wissen?«

»Alles.«

Er lächelte, warm und entspannt. Sie musterte sein Gesicht, während er überlegte, wo er anfangen sollte. Im Profil war die leichte Schrägstellung seine Nase deutlicher zu erkennen, und seine Stirn war fast verdeckt von dem blonden Haar, das ihm ins Gesicht fiel. Es erweckte den Eindruck, als lege er nicht viel Wert auf sein Äußeres. Dennoch strahlte er eine natürliche Autorität aus, die, wie sie bereits erfahren hatte, anderen Respekt abforderte, ganz gleich, in welcher Situation. Er selbst schien sich dieser Gabe gar nicht bewußt zu sein, was sie vermutlich nur noch wirkungsvoller machte.

»Hm, laß mich überlegen«, sagte er, während er sich entspannt in die Lederpolster des schwarzen BMW lehnte. »Ich bin in Weston geboren und aufgewachsen. Das ist keine zehn Minuten von unserem heutigen Wohnort entfernt. Ich hatte eine glückliche Kindheit«, fügte er lachend hinzu. »Ist es etwa das, was du wissen möchtest?«

»Genau. Warst du ein Einzelkind?«

»Ich hatte einen Bruder.«

»Lebt er nicht mehr?«

»Nein, er starb, als ich noch auf der Highschool war. Im Grunde«, fuhr er fort, ehe sie weitere Fragen stellen konnte, »habe ich meinen Bruder nie gekannt. Er war vier Jahre älter als ich und kam schwerstbehindert zur Welt. Er mußte gleich nach der Geburt in ein Heim.«

»Oh, das tut mir leid.« Es tat ihr wirklich leid.

»Gott, das ist alles so lange her.« Er zuckte die Achseln. »Und wie gesagt, er gehörte eigentlich nie wirklich zu meinem Leben. Als ich zur Welt kam, hatten sich meine Eltern schon einigermaßen damit abgefunden, daß er niemals zu Hause leben würde. Sie konzentrierten ihre ganze Liebe und Zuwendung auf mich – ich wurde das typische Einzelkind, das alles bekommt, was es haben will.«

»Und dazu die Verantwortung für das Glück seiner Eltern«, sagte Jane.

Er betrachtete sie mit einer Mischung aus Erstaunen und Respekt. »Es ist beruhigend festzustellen, daß du dich in mancher Hinsicht überhaupt nicht verändert hast.«

»Wie meinst du das?«

»Genau das hätte die alte Jane gesagt.«

»Die alte Jane«, wiederholte sie nachdenklich und lachte nervös, weil sie nicht recht wußte, wie sie reagieren sollte. »Erzähl mir von deinen Eltern«, sagte sie.

»Mein Vater war ein brillanter Wissenschaftler.« Jetzt lachte er. »Gibt es überhaupt andere? Wie dem auch sei, er ist jetzt im Ruhestand, aber als ich noch ein Kind war, war er von seiner Arbeit völlig absorbiert. Ich kann mich nicht erinnern, daß er viel mit uns zusammen war. Dafür war meine Mutter eine richtige Glucke.« Einen Moment lang schien er sich in Erinnerungen zu verlieren. »Mein Vater sagte oft, wenn er meiner Mutter freie Hand gelassen hätte, hätte sie mich wahrscheinlich bis zu meinem fünften Lebensjahr gestillt.«

»Aber sie hat es nicht getan.«

»Nicht daß ich wüßte. Aber zusammen gebadet haben wir – bestimmt bis ich in der zweiten Grundschulklasse war.« Er grinste breit. »Daran erinnere ich mich genau.«

»Du solltest wahrscheinlich so lange wie möglich ihr Baby bleiben«, meinte Jane. »Wegen deines Bruders.«

»Ja, vermutlich hat uns sein Schicksal alle weit mehr beeinflußt, als uns klar war. Ich meine, ganz zweifellos ist mein Bruder der Grund dafür, daß ich Medizin studiert und mich dann auf Kinderchirurgie spezialisiert habe. Ich habe in meiner Praxis fast nur mit Kindern zu tun, die an schweren Behinderungen oder Mißbildungen leiden. – Kurz und gut«, fuhr er nach einer langen Pause fort, »ich wurde in Harvard angenommen und war überglücklich, weil das bedeutete, daß ich nicht in einen anderen Staat mußte. Harvard war schon teuer genug, obwohl ich sogar ein ganz gutes Stipendium bekam.« Unerwartet lachte er, sah einen Moment lang aus wie ein Teenager. »Hey, das ist richtig toll. Ich habe seit Ewigkeiten nicht mehr über das ganze Zeug gesprochen. Es ist, als fingen wir ganz von vorn an.«

»Erzähl mir von unserer ersten Verabredung. Wie haben wir uns kennengelernt?«

»Wir wurden verkuppelt.«

»Und von wem?«

»Ich nehme an, von gemeinsamen Freunden. Ja, stimmt, es war Marci Tanner. Die gute alte Marci. Würde mich interessieren, was aus ihr geworden ist. Als wir das letzte Mal von ihr hörten, hatte sie gerade das dritte Mal geheiratet und lebte irgendwo in Südamerika.«

»Und war es Liebe auf den ersten Blick?«

»Von wegen! Wir haben einander gehaßt! Gehaßt, verabscheut, verachtet.«

Sie wollte sich von ihrer Überraschung nichts anmerken lassen, aber es gelang ihr nicht. Instinktiv rückte sie näher zum Fenster, als wolle sie zu einem Mann, den sie damals auf den ersten Blick gehaßt, verabscheut und verachtet hatte, mehr Abstand gewinnen.

»Mir hatte gerade irgendein Mädchen das Herz gebrochen«, erklärte er, »und du hattest die Nase voll von überheblichen Medizinstudenten. Wir waren beide sehr mißtrauisch. Wir gingen auf eine Party. Ich weiß sogar noch, was du anhattest. Es war ein graues Kleid mit einer kleinen rosa Schleife am Kragen. Ich fand dich hinreißend. Aber da mir gerade erst ein anderes Mädchen, das ich auch hinreißend gefunden hatte, schnöde den Laufpaß gegeben hatte, wollte ich mich auf keinen Fall gleich in die nächste Romanze stürzen. Ich nehme an, ich habe das deutlich durchblicken lassen. ›Hallo, schönes Kind, ich bin Dr. Michael Whittaker und habe nicht die geringste Lust auf eine feste Beziehung. Du kannst mich von ferne bewundern, aber mach dir ja keine Hoffnungen...‹«

Sie lachte. »Irgendwie kann ich mir das bei dir nicht vorstellen.« Vom Klang seiner Stimme eingelullt, entspannte sie sich und rückte wieder näher an ihn heran.

»Über nichts konnten wir uns einig werden. Ich mochte Actionfilme; du gingst nur in ausländische Filme. Ich lebte von Bier und Salamibroten; du hattest lieber Wein und Käse. Du schwärmtest für klassische Musik; ich stand auf *Rhythm and Blues*. Du konntest stundenlang über Literatur reden, das einzige Buch, das ich kannte, war Grays ›Anatomie‹. Ich interessierte mich für Sport, und du konntest nicht mal einen Football von einem Basketball unterscheiden.«

»Aber irgendwie scheinen wir doch zu einer Einigung gekommen zu sein.«

»Es dauerte eine Weile. An dem ersten Abend damals haben wir beide nur darauf gelauert, daß der andere kräftig ins Fettnäpfchen tritt, damit wir dann Grund gehabt hätten, schleunigst das Weite zu suchen. Aber das passierte nicht. Irgendwann haben wir dann wohl oder übel miteinander getanzt, und ich glaube, da ist es passiert. Es war ein langsamer Tanz, irgend so ein alter Schmachtfetzen, und da sind wir anscheinend beide dahingeschmolzen.«

»Es lebe die Sentimentalität«, sagte sie lächelnd.

»Ja, aber das war nur der Anfang. Nach einer Weile stellte ich fest, daß ich auch mit Untertiteln leben konnte, und du entdecktest, daß Salamibrote gar nicht so übel schmecken. Als du schließlich sogar einen Puck von einem Baseball unterscheiden konntest, mußte ich dich einfach lieben. Und als ich kapiert hatte, daß es neben medizinischen Fachzeitschriften noch andere Literatur gibt, war's um dich auch geschehen.«

»Und da haben wir geheiratet und lebten glücklich und zufrieden bis an unser seliges Ende.«

»Ich hoffe, daß es so sein wird«, sagte er aufrichtig und neigte sich zu ihr, um ihre Hand zu nehmen, zog den Arm jedoch sofort wieder zurück, als er ihre Abwehr spürte. »Entschuldige«, sagte er. »Ich verspreche dir, ich werde dich nicht drängen.«

»Das weiß ich«, sagte sie. »Mir tut es auch leid. Ich möchte mich so gern erinnern können.« Sie sah zum Fenster hinaus und beobachtete eine Weile die entgegenkommenden Autos, die sie zügig passierten. »Ich möchte wissen, warum es auf unserer Seite nicht vorwärtsgeht.«

»Das werden wir bestimmt gleich wissen. Ich kann schon das Blaulicht sehen.« Er sah sie aufmerksam an, als suche er nach einer Reaktion.

»Was ist?« fragte sie wie zuvor, als sie den gleichen forschenden Blick von ihm aufgefangen hatte.

Er schüttelte den Kopf. »Nichts.«

»Na schön. Dann erzähl mir noch was.«

Er warf den Kopf zurück, als suche er an der Wagendecke nach Einfällen. »Also, du bist eine unheimlich engagierte Frau.«

»Wie meinst du das? Engagiert wofür?«

»In letzter Zeit ging es dir um die Umwelt und die Rettung der Regenwälder. Aber damit will ich nicht sagen, daß du zu den Leuten gehörst, die immer das aufgreifen, was gerade aktuell ist, um es dann sehr bald wieder fallenzulassen. So bist du nicht. Wenn dich etwas wirklich betrifft, dann engagierst du dich total. Wenn es darum geht, ein Unrecht gutzumachen, bist du immer da«, sagte er mit unverhohlener Bewunderung.

Augenblicklich sah sie vor sich ein blutbespritztes blaues Kleid und eine Plastiktüte voller Hundert-Dollar-Scheine. Hatte sie sich diese Gegenstände zugelegt, während sie damit beschäftigt gewesen war ›Unrecht gutzumachen‹? War sie vielleicht ein irregeleiteter moderner Robin Hood, der von den Reichen nahm, um den Armen zu geben?

»Und was tun wir so, wenn wir zusammen sind?« fragte sie, das blutige Bild verscheuchend.

»Wir spielen Tennis; wir gehen ins Kino; ins Theater; du hast mich sogar für klassische Konzerte begeistert. Wir treffen uns mit Freunden, und wenn wir die Zeit dazu haben, reisen wir gern...«

»Wohin?«

»Na ja, in den letzten zwei Jahren haben wir keinen richtigen Urlaub mehr gemacht, aber vor vier Jahren waren wir im Orient.«

»Waren wir auch mal im Dschungel?« fragte sie in Erinnerung an den merkwürdigen Traum, den sie bei der Untersuchung gehabt hatte.

»Im Dschungel?« Er schien verblüfft.

»Du sagtest doch, ich hätte mich für die Rettung der Regenwälder engagiert. Waren wir mal dort?«

»Ich glaube, du warst daran interessiert, sie zu *erhalten*, nicht, sie zu erforschen.«

Sie lächelte, während sie darüber nachdachte, was für seltsame Wege ihr Unbewußtes ging. Ein Interesse an der Erhaltung der Regenwälder hatte sich in einem ihrer Träume niedergeschlagen. Wenn ihr Unbewußtes solche relativ unbedeutenden Einzelheiten zutage förderte, würde es gewiß nicht lange dauern, ehe es Wesentliches an die Oberfläche stieß, vor allem wenn sie erst einmal in vertrauter Umgebung zurück war.

Sollte sie Michael von dem Geld und dem blutbespritzten Kleid erzählen? Sie hatte vorgehabt, mit Dr. Meloff darüber zu sprechen, aber in dem allgemeinen Wirbel nach ihrer Begegnung mit der jungen Ärztin, die sie erkannt hatte, hatte sich keine Gelegenheit mehr ergeben. Vielleicht wußte Michael etwas. Vielleicht war alles – so unwahrscheinlich das auch schien – ganz harmlos und hatte eine simple Erklärung. Vielleicht konnte er ihr helfen. Er war schließlich ihr Mann. Sie hatten ein gemeinsames Leben, sie hatten ein Kind zusammen. Er liebte sie. Daran hatte sie nicht den geringsten Zweifel. Warum also hatte sie sich ihm nicht anvertraut? Warum zögerte sie auch jetzt, es zu tun?

Sie wußte die Antwort, ohne sie formulieren zu müssen: Selbsterhaltungstrieb. Jetzt ging es erst einmal um sie selbst. Die Regenwälder würden warten müssen. Und Michael auch.

»Schau nicht hin«, sagte er.

Und wie ein Kind, dem man verbietet, einen fremden Menschen anzustarren, sah sie prompt hin. Drei Autos, mehrere Polizeifahrzeuge und ein Krankenwagen standen am Straßenrand. Sie sah im Vorbeifahren aufgeschlitztes Metall und gesplittertes Glas, einen jungen Mann, der, den Kopf in den Händen, auf dem Asphalt saß und weinte. Sie sah, wie eine Trage in den Krankenwagen geschoben wurde. Ein Polizeibeamter stand neben dem jungen Mann und versuchte, ihn in eines der wartenden Polizeifahrzeuge zu lotsen.

Der Verkehr kam zum Stillstand, als der Krankenwagen mit heulender Sirene anfuhr und davonbrauste. Der junge Mann ließ sich in einen der Polizeiwagen helfen, der danach ebenfalls abfuhr. Nur ein Polizeiauto blieb zurück, zweifellos um die Ankunft der Abschleppwagen zu erwarten. Jane fragte sich, wie es zu dem Unfall gekommen war und wieviele Menschen beteiligt gewesen waren, wieviele verletzt worden waren und wie sich dieser kurze Augenblick auf ihr Leben auswirken würde.

»Worüber denkst du nach?« fragte Michael, der sie angespannt beobachtete. Er machte ein Gesicht, als hätte er Angst, sie würde gleich aus dem Wagen steigen.

Sie sagte es ihm, und er schien erleichtert. Sie wollte ihn fragen, warum, überlegte es sich aber anders und fragte stattdessen: »Wo waren wir auf unserer Hochzeitsreise?«

Wenn er die Frage gerade in diesem Moment seltsam fand, so ließ er es sich nicht anmerken. »Auf den Bahamas«, antwortete er, den Blick auf die Straße gerichtet in der Erwartung, daß der Verkehr sich wieder in Bewegung setzen würde.

Ihre Phantasie zeigte ihr Bilder von weißen Sandstränden und glitzerndem blauen Wasser, von exotischen Fischen in leuchtenden Farben, die sich dicht unter der Wasseroberfläche tummelten, von flachen Häusern in Pastelltönen von Rosa und Gelb, von Liebespaaren, die eng umschlungen am Wasser entlangschlenderten.

Sie sah sich selbst in ihrem etwas biederen schwarzen Badeanzug, dem Foto entsprungen, das Michael ins Krankenhaus mitgebracht hatte. Und neben sich sah sie Michael, sah, wie sie Arm in Arm den Strand entlangliefen und sich dann in den kühlen weißen Sand warfen, um sich in enger Umschlingung darin zu wälzen.

Sie sah sich und Michael in ihrem Hotelzimmer, die Badesachen in einem hastig hingeworfenen Häufchen auf dem Boden. Sie sah das Bett, auf dem sie sich liebten, ihre schweißglänzenden Körper in rhythmischer Bewegung miteinander verschmolzen, und unwillkürlich stöhnte sie.

»Ist alles in Ordnung?« fragte er hastig.

Bitte frag mich jetzt nicht, woran ich gedacht habe, flehte ihr Blick, und er fragte nicht.

»Alles in Ordnung«, versicherte sie und versuchte, das Bild ihrer Umarmung wegzuzwinkern. Sie sah zum Seitenfenster hinaus und stellte überrascht fest, wie schnell sie jetzt fuhren.

Als könnte er ihre Gedanken lesen, sagte er: »In ein paar Minuten sind wir da.«

Sie wollte lächeln, aber ihre Lippen blieben starr. Neue Angst kroch durch ihren Körper wie ein eisiger Strom. Sie kroch ihr von der Brust in den Magen und den Darm, und einen Moment lang glaubte sie, sie müsse ihn bitten, am Straßenrand zu halten. Aber das Gefühl ging vorbei. Die Angst blieb.

»Erzähl mir von unseren Freunden«, sagte sie und hörte das Zittern in ihrer Stimme.

»Soll ich sie nach Beliebtheitsgrad aufzählen?« Er lachte, und sie lachte mit ihm, fand das einen herrlichen Einfall. »Okay, dann laß mal sehen. Die ersten auf der Liste wären Howard und Peggy Rose, die den Sommer über in Südfrankreich sind wie jedes Jahr. Dann kommen wahrscheinlich die Tanenbaums, Peter und Sarah, die wir beim Tennis jedesmal schlagen, die das aber immer sehr gelassen hinnehmen. Dann die Carneys, David und Susan – sie sind beide Ärzte, dann Ian und Janet Hart und Eve und Ross McDermott. Sagt dir irgendeiner dieser Namen etwas?«

Sie schüttelte den Kopf. »Und Freundinnen?« fragte sie.

»Meine oder deine?«

»Fangen wir mit meinen an«, meinte sie, sein Lächeln erwidernd. »Habe ich überhaupt welche?«

»Ein paar. Lorraine Appleby – du hast damals mit ihr zusammengearbeitet – und Diane – äh – ich kann mir ihren Nachnamen einfach nicht merken.«

Sie dachte an den Zettel, den sie in der Manteltasche gefunden hatte. »Ist auch eine Pat dabei?« fragte sie und wartete gespannt.

Er überlegte einen Moment. »Nein, von einer Pat weiß ich nichts«, sagte er dann. »Warum? Hat der Name Pat irgendeine Bedeutung für dich?«

»Nur ein Name«, log sie. Ein von meiner Hand geschriebener Name auf einem Zettel, den ich neben beinahe zehntausend Dollar in meiner Manteltasche fand. Ach, und mein Kleid war vorn ganz voll Blut, hatte ich vergessen, das zu erwähnen?

Er zuckte die Achseln, als sei eine Person namens Pat für sie beide nicht von Belang. Vielleicht hatte er ja recht. Wer konnte wissen, wie lange dieser Zettel schon in ihrer Manteltasche gesteckt hatte?

»Da vorn ist die Abfahrt.« Er wies auf das Schild der Gemeinde Newton, die, auf drei Seiten vom Charles River umflossen, aus vierzehn verschiedenen ineinander übergehenden Dörfern bestand. »Wir wohnen in Newton Highlands«, bemerkte er, als er vom Highway abbog. »Erkennst du irgend etwas wieder?«

Sie überlegte, ob sie vorgeben sollte, sie erkenne eine bestimmte Straße, hätte liebe Erinnerungen an einen gewissen hübsch angelegten Garten, verwarf diesen Gedanken jedoch mit einem Kopfschütteln, das eindeutig ›nein‹ sagte. Gar nichts erkannte sie wieder. Die Hartford Street sagte ihr so wenig wie die Lincoln und die Standish Street. Ein Garten sah aus wie der andere. Die Häuser, stattliche, schöne Bauten mit viel Holz, sprachen von Ruhe und Wohlstand. Nirgends ein Zeichen, was für Nöte und Sorgen sich vielleicht hinter ihren Türen verbargen. Sie war gespannt, ob sie ihre eigene Straße wiedererkennen, ob sie sich an das Haus erinnern würde, in dem sie wohnte. Ob ihr Unbewußtes ihr einen Anstoß geben würde wie mit den Regenwäldern.

»Hier ist unsere Straße«, sagte er und machte ihren Spekulationen ein Ende. Forest Street stand auf dem Straßenschild. Die Straße war ihr so unbekannt wie die anderen zuvor. Zu ihren beiden Seiten standen die nun schon vertrauten Holzhäuser, eins grau mit einer großen Glasveranda, ein anderes blau, fast ganz hinter einer Gruppe mächtiger alter Eichen versteckt.

»Da sind wir.« Er streckte den Arm aus. »Das dritte Haus nach der Ecke.«

Das dritte Haus nach der Ecke auf der linken Straßenseite war so stattlich und solide wie seine Nachbarn ringsum, einstöckig, weiß getüncht, mit einer doppelreihigen Rabatte roter und rosafarbener Geranien rechts und links der Haustür, was den Bilderbuchcharakter noch verstärkte. Alle Fenster hatten schwarze Läden und Blumenkästen mit roten und rosaroten Geranien. Eine kurze Treppe führte zur schwarzen Haustür hinauf, und links vom Haus befand sich eine Doppelgarage mit ebenfalls schwarzem Tor. Im oberen Stockwerk fiel ihr ein Buntglasfenster auf.

Ein schönes Haus in einer schönen Gegend. Ein gutaussehender, allgemein respektierter Ehemann, ein schwarzer BMW neuesten Baujahrs – sie hätte es schlechter treffen können.

Was also hatte sie veranlaßt, ihr Glück in der Flucht und im Vergessen zu suchen? Was hatte sie aus ihrem komfortablen Haus in dieser höchst komfortablen Gegend getrieben?

»Wer ist das?« fragte sie, als sie im Garten des Hauses gegenüber eine Frau in alten Bermudashorts sah, die dabei war, den Rasen zu wässern. Der Anblick von Michaels Wagen hatte die Frau so fasziniert, daß sie völlig vergaß, was sie tat, und den Schlauch direkt auf ihre eigene Haustür richtete.

Michael hob den Arm zu einer Geste, die Gruß und beruhigendes Abwinken zugleich war. Als wollte er die Frau wissen lassen, daß er alles im Griff hatte.

»Sie heißt Carole. Carole Bishop«, sagte er. »Sie ist mit ihrem Mann und ihren beiden Kindern vor ein paar Jahren aus New York hierhergezogen. Ihr alter Vater lebt auch noch bei ihnen. Leider ist ihr Mann letzten Herbst wieder ausgezogen.« Er steuerte den Wagen in die Einfahrt. »Das sagt dir wohl alles nichts?«

»Nein.«

»Du und Daniel habt jede Woche ein paarmal morgens zusammen gejoggt. Daniel ist ihr Mann. *War* ihr Mann«, korrigierte er sich. »Oder wird zumindest bald ihr Mann gewesen sein.«

»Ich jogge?«

»Ab und zu. Seit Daniel weggezogen ist, bist du allerdings nicht mehr viel gelaufen.«

»Warum hat sie uns so angestarrt?«

»Wie denn?«

»Ich glaube, du weißt genau, wie. Ich hatte den Eindruck, du wolltest ihr zu verstehen geben, daß alles in Ordnung ist.«

Er schüttelte den Kopf. »Dir entgeht aber auch gar nichts, hm?« In seinem Ton mischten sich Bewunderung und Erstaunen.

»Sie weiß wohl von meinem Verschwinden.«

»Ja, sie weiß Bescheid«, sagte er und betätigte die Fernsteuerung, die an der Sonnenblende seines Wagens befestigt war. Das Garagentor schwang langsam in die Höhe. Dahinter kam ein silbergrauer Honda Prelude zum Vorschein. Ihre Aufmerksamkeit wechselte von der Nachbarin zu dem Auto in der Garage.

»Ist das mein Wagen?«

»Ja.«

Sie hatte ihn also nicht irgendwo auf der Straße stehenlassen. Er war sicher und wohlbehalten zu Hause, so wie sie selbst eigentlich sicher und wohlbehalten hätte zu Hause sein müssen. Michael fuhr langsam in die Garage. Einen Moment lang hatte sie das Gefühl, in eine Gruft zu fahren.

»Hast du Angst?« fragte er.

»Ganz fürchterlich.«

Er nahm ihre Hand, und diesmal schreckte sie nicht zurück. »Laß dir einfach Zeit«, sagte er eindringlich. »Wenn du nichts wiedererkennst, dann mach dir deshalb kein Kopfzerbrechen. Ich bin ja da, und ich passe schon auf, daß dir nichts passiert.«

»Müssen wir schon reingehen?«

»Wir können hier sitzen bleiben, solange du willst.«

Ein paar Minuten lang saßen sie Hand in Hand schweigend nebeneinander, bis sie schließlich sagte: »Das ist ja lächerlich. Wir können nicht den ganzen Tag hier rumsitzen.«

»Was möchtest du denn tun?« fragte er.

»Ich will nach Hause«, antwortete sie.

7

Er stieß die Wohnungstür auf und wich zurück, um sie eintreten zu lassen. Aber sie zögerte; beinahe erwartete sie, er würde sie in die Arme nehmen und über die Schwelle tragen, wie sich das für ein jungverheiratetes Paar gehört, das zum ersten Mal sein neues Heim betritt.

In vieler Hinsicht war ihr genauso zumute. Sie hatte Herzklopfen vor nervöser Spannung und Aufregung, sie hatte Angst vor diesem ersten Schritt in eine unbekannte Welt. War es heute eigentlich noch Sitte, daß der junge Ehemann seine Frau über die Schwelle trug? Wahrscheinlich nicht, sagte sie sich, während sie im Gesicht des Mannes, mit dem sie seit elf Jahren verheiratet war, nach einem zärtlich beruhigenden Lächeln suchte und nicht enttäuscht wurde. Die Menschen waren heute viel zu verwöhnt, zu übersättigt und zu anspruchsvoll für so simple Vergnügen. Und nach allem, was sie in unzähligen Talkshows gehört und gesehen hatte, hatten die Frauen von heute weder den Wunsch noch das Bedürfnis, über irgendwelche symbolischen Schwellen getragen zu werden, und die Männer gar nicht die Kraft, ihr Gewicht auszuhalten.

»Was geht dir durch den Kopf?« fragte Michael. Seine Angst war spürbar, obwohl er sie zu verbergen suchte. »Möchtest du hineingehen?«

Jane atmete einmal tief durch und zwang sich, den Blick in das kleine Vestibül zu richten, dessen Tapete ein Muster aus zarten roten Streublumen hatte. Die Treppe, die nach oben führte, war weiß gestrichen und genau wie der Eingang mit einem blaßgrünen Teppich ausgelegt – insgesamt ein hübsches Entree. Es war ein einladendes Haus, das den Besucher freundlich empfing. Noch einmal holte sie Atem, wagte vorsichtig den ersten Schritt und trat ein.

Licht, war ihr erster Eindruck. Von überall schien es ins Haus zu strömen, durch die großen Fenster des Wohnzimmers zur Linken, durch die ebenso großen Fenster des Eßzimmers auf der rechten Seite, durch das riesige Oberlicht, das aus dem ersten Stockwerk hinunterblickte. Hinter der Treppe verengte sich der Eingang zu einem Flur, der zu den Räumen im hinteren Teil des Hauses führte.

Langsam ging Jane bis zur Mitte des Raumes und blieb mit zitternden Knien stehen.

»Wie wär's mit einem Rundgang«, meinte Michael, ohne zu fragen, ob sie irgend etwas wiedererkenne.

Sie nickte und folgte ihm in das geräumige Eßzimmer mit der rot-weiß gestreiften Tapete, die gewagt war, aber dennoch nicht aufdringlich wirkte. Der Eßtisch hatte eine lichtgrüne Marmorplatte, die acht Stühle darum herum hatten rot-weiß gestreifte Bezüge. In einer Glasvitrine glänzte ein Service aus feinem Porzellan mit einem rot-weißen Blumenmuster, und am großen Fenster standen mehrere üppige Grünpflanzen in orientalischen Töpfen.

»Es ist alles sehr schön«, sagte sie und fragte sich, ob sie diese Töpfe von ihrer Reise in den Orient mitgebracht hatten.

Das Wohnzimmer, in das Michael sie als nächstes führte, nahm die ganze Längsseite des Hauses ein. Eine chintzbezogene Couchgarnitur gruppierte sich vor dem großen offenen Kamin, neben dem rechts ein hohes Bücherregal stand, während links die Stereoanlage ihren Platz hatte. An der Wand gegenüber stand ein glänzendes Ebenholzklavier. Zögernd trat Jane näher, legte ihre Finger auf die Tasten und klimperte eine Melodie von Chopin.

Die zarten Klänge überraschten sie. Sie sah zu ihren Fingern hinunter, die sofort tolpatschig und vergeßlich wurden. Ihr Klavierspiel war offenbar eine Reflexhandlung, die näherer Betrachtung nicht standhalten konnte.

»Keine Sorge«, sagte Michael. »Das kommt schon wieder. Du darfst nur nicht ständig darüber nachdenken, was du tust.«

»Ich hatte keine Ahnung, daß ich Klavier spielen kann.« Ihre Stimme klang wehmütig.

»Du hattest als Kind Unterricht. Ab und zu setzt du dich hin und spielst dieses alte Stück von Chopin.« Er lachte. »Ehrlich gesagt hatte ich gehofft, daß es vergessen bleiben würde.« Sein Lächeln erlosch sofort. »Entschuldige. Ich wollte nicht schnoddrig sein.«

»Du brauchst dich nicht zu entschuldigen.« Ihr Blick fiel auf die Fotografien, die auf dem Klavier standen. Unter ihnen waren drei Gruppenaufnahmen von Kindern, die nach Größe in Reih und Glied aufgestellt waren und dem Fotografen zu Gefallen strahlend in die Kamera lächelten. Auf der kleinen Tafel, die einer der Jungen in der vorderen Reihe hielt, stand *Arlington Private School.* Zweifellos war unter diesen Kindern ihre Tochter.

»Weißt du, welche es ist?« fragte Michael, der anscheinend wieder einmal ihre Gedanken erraten hatte, und trat hinter sie. Sie fühlte seinen warmen Atem in ihrem Nacken.

Jane nahm einer der Aufnahmen zur Hand. Ihr Blick flog über die Lausbubengesichter der kleinen Jungen hinweg, um sich auf die strebsamer wirkenden kleinen Mädchen zu konzentrieren. Würde sie ihr Kind erkennen?

»Sie ist die zweite von links«, sagte Michael, ihrer Qual ein Ende bereitend. Er deutete auf ein zartes kleines Mädchen mit langem braunen Haar und großen Augen. Sie war ganz in Gelb gekleidet und schien ungefähr drei oder vier Jahre alt zu sein. »Das war im Kindergarten«, fuhr er fort. »Sie war damals vier.« Er nahm das nächste Foto, zeigte auf dasselbe kleine Mädchen, das diesmal in Rosa und Weiß gekleidet war und einen Pferdeschwanz trug. »Das war in der Vorschule.«

»Sie ist groß«, bemerkte Jane und hörte, wie brüchig ihre Stimme klang.

»Ja, sie muß immer in der letzten Reihe stehen. Hat sich nicht viel verändert seit unserer Kindheit.«

Sie nahm das dritte und letzte Bild, entdeckte diesmal ohne Mühe ihre Tochter, ganz in Schwarzweiß, mit offenem Haar, das Lächeln nicht mehr ganz so strahlend wie in den Jahren zuvor, der Blick eher befangen und scheu. Mein Kind, dachte Jane, aber sie fühlte nichts. Die sechsjährige Emily Whittaker war nichts weiter als eines von mehreren niedlichen kleinen Mädchen auf einem Klassenfoto. Die Erkenntnis trieb ihr die Tränen in die Augen.

»Wo ist das Foto von diesem Jahr?« fragte sie.

»Was?« Seine Stimme klang überrascht, beinahe erschrocken.

»Müßte nicht noch ein Bild da sein? Du hast doch gesagt, sie ist sieben. Da muß sie jetzt in der zweiten Klasse sein.«

»Ja, das stimmt, sie hat gerade die zweite Klasse beendet.« Sein Blick flog zu den Fotos auf dem Klavier. »Wir haben dieses Jahr anscheinend kein Klassenfoto bekommen«, sagte er langsam und nachdenklich. »Vielleicht war sie an dem Tag aus irgendeinem Grund nicht in der Schule.« Er zuckte die Achseln und nahm dann eine Fotografie zur Hand, die Emily bei einer Nikolausfeier zeigte. Jane bemerkte, daß seine Hand zitterte. »Das wurde vor ein paar Jahren aufgenommen. Und das hier«, fuhr er fort, als er ihr eine in Silber gerahmte Aufnahme reichte, »stammt vom vergangenen Juni.«

Jane starrte in die lächelnden Gesichter der drei Fremden: ihr Mann, ihre Tochter und sie selbst. Sie begann so heftig zu zittern, daß Michael ihr das Bild aus der Hand nahm und sie vom Klavier wegführte.

»Möchtest du dich hinlegen?« fragte er besorgt.

Das Angebot war verlockend, aber sie schüttelte den Kopf. »Zeig mir lieber den Rest des Hauses.«

Er legte ihr den Arm um die Taille und führte sie aus dem Wohnzimmer durch den Flur in den rückwärtigen Teil des Hauses. Sie kamen an einer Toilette und eine Reihe Einbauschränke vorüber, ehe sie die Küche erreichten, einen großen, sonnigen Raum mit Blick auf den Garten. Hier war alles weiß: ein runder weißer Tisch mit vier Stühlen; ein weiß gefliester Boden; weiß gestrichene Wände. Farbe lieferten einzig die grünen Bäume draußen und die bunten handgemalten Kacheln über dem Spülbecken und der Arbeitsplatte.

»Wie schön«, sagte sie und trat an das große Fenster, um in den Garten hinauszublicken. Auf der rechten Seite bemerkte sie eine Tür, die nach draußen führte, und mußte den Impuls niederkämpfen, hinzulaufen, sie aufzureißen und zu fliehen.

»Das ist noch gar nichts«, sagte er, und sie hörte an seiner Stimme, daß er lächelte. Durch eine Tür auf der linken Seite der Küche führte er sie in den nächsten Raum.

»Der Wintergarten der gnädigen Frau«, verkündete er stolz.

Sie trat in ein Wunderland aus Glas und Grün. »Wir haben das vor drei Jahren angebaut«, bemerkte er, während sie sich in der Mitte des Raumes langsam im Kreis drehte, um alles aufzunehmen.

»So einen schönen Raum habe ich noch nie gesehen«, sagte sie und wußte, daß es wahr war, ganz gleich, was sie sonst gesehen und vergessen haben mochte.

Sein Lächeln wurde noch breiter. »Das sagst du jedesmal, wenn du hier hereinkommst«, erwiderte er beinahe hoffnungsvoll.

Wer im Glashaus sitzt ..., dachte sie. Aber nein, in diesem Raum waren bestimmt niemals Steine geworfen worden. In einem Haus mit einem so schönen Zimmer konnte nichts Schlimmes oder Böses geschehen sein.

Die Süd- und Westwand waren ganz verglast; der Boden war ein Mosaik aus sehr kleinen schwarzen und weißen Fliesen; überall standen Grünpflanzen und Bäume in großen Tontöpfen. An der Nordwand – auf deren anderer Seite sich das Wohnzimmer befand – stand eine Hollywoodschaukel aus weißem Korbgeflecht mit grünen und weißen Kissen, flankiert von mehreren Korbsesseln und kleinen Glastischen.

Langsam näherte sich Jane der Schaukel und ließ sich hineinsinken. Während sie sich sachte darin wiegte, fragte sie sich, wie sie dieses Paradies auf Erden hatte vergessen können.

»Mein eigener privater Regenwald«, sagte sie laut und sah Michael beifällig lächeln.

»Die Erinnerungen kommen bestimmt wieder«, sagte er. Er setzte sich in den Sessel zu ihrer Rechten und streckte die langen Beine vor sich aus. »Du mußt dir nur Zeit lassen. Versuch, die Dinge nicht zu forcieren.«

»Hat Dr. Meloff dir etwas darüber gesagt, wie lange dieser Zustand anhalten kann?« Es hätte sie interessiert, ob der Arzt ihrem Mann mehr anvertraut hatte als ihr selbst.

»Er sagte mir, daß sich die hysterische Amnesie – wenn wir es hier mit so einem Fall zu tun haben – in den meisten Fällen spontan wieder gibt. Das könnte Stunden oder Tage dauern.«

»Oder Wochen oder Monate.«

»Daß es Monate anhält, ist unwahrscheinlich, aber es ist schon wahr, feste Regeln gibt es da nicht. Solche Zustände brauchen einfach ihre Zeit.«

»Ja, aber was hat diesen Zustand überhaupt ausgelöst?« Ihr Blick flog gehetzt durch den Raum, als könnten Pflanzen und Bäume unerwünschte Bilder von Blut und Geldscheinen ausblenden. »Ich verstehe das nicht. Ich meine, ich bin doch anscheinend eine Frau, die alles hat, was ihr Herz begehrt. Ich habe ein schönes Haus, einen Mann, der mich liebt, eine hübsche, gesunde Tochter. Wieso wollte ich das plötzlich alles vergessen? Was kann denn nur geschehen sein, das mich dazu trieb, so zu tun, als existiere das alles nicht?«

Michael schloß einen Moment die Augen und strich sich mit einem Finger über den Nasenrücken. Als er die Augen wieder öffnete, sah er sie an, als versuche er, ihre Stärke einzuschätzen, als überlege er, wieviel von der Wahrheit sie ertragen könne.

»Was ist?« fragte sie. »Woran denkst du? Warum sagst du es mir nicht?«

Augenblicklich sprang er auf und setzte sich zu ihr. Die Schaukel geriet unter seinem Gewicht in leichte Schwingungen.

»Ich denke, wir haben einen langen, schweren und verwirrenden Tag hinter uns, und ich bin müde. Ich finde, wir sollten die Dinge ruhen lassen, bis wir beide uns gründlich ausgeschlafen haben. Morgen haben wir zum Reden noch genug Zeit.«

»Dann ist also wirklich etwas«, beharrte sie.

Er tätschelte beruhigend ihre Hand. »Nein«, versicherte er. »Nichts.«

Draußen läutete es.

»Wer kann das sein?« fragte Jane.

Michael stand auf. »Ich glaube, ich ahne es.«

Widerstrebend folgte Jane ihm aus dem Wintergarten hinaus, durch die Küche zurück in den Flur. Sie blieb zurück, als er zur Haustür ging, und wartete im Schatten der Treppe, während er öffnete und zurücktrat.

»Wie geht es ihr?« fragte die Frau, die hereinkam.

»Sie ist durcheinander«, antwortete Michael und führte die Frau ins Wohnzimmer. »Sie erinnert sich an nichts.«

»Mein Gott! An gar nichts?«

Er schüttelte den Kopf.

»Hat sie sich hingelegt?«

»Nein, ich bin hier«, sagte Jane zu Carole Bishop, die immer noch die alten Bermudas anhatte, unter der ihre fleischigen Knie zu sehen waren.

Carole Bishop war etwa Mitte Vierzig, klein, sicher nicht größer als einen Meter fünfundfünfzig, und zu dick, sie gehörte zu den Frauen, für die vermutlich Wörter wie ›niedlich‹ oder ›herzig‹ erfunden worden waren. Sobald sie Jane sah, wich alle Farbe aus ihrem runden Gesicht, das einen Ausdruck zwischen Besorgnis und Ängstlichkeit zeigte.

Weiß sie nicht, was sie sagen soll? fragte sich Jane. Oder hat sie Angst vor dem, was ich sagen könnte?

»Michael hat mir von deiner Amnesie erzählt«, bemerkte sie und warf Michael einen hilfesuchenden Blick zu.

»Ich habe Carole vom Krankenhaus aus angerufen und ihr in aller Kürze erklärt, was los ist«, warf Michael schnell ein. »Ich habe sie gebeten vorbeizukommen.« Er hob die Hände in einer Geste der Hilflosigkeit. »Ich dachte, du würdest dich weniger bedroht fühlen, wenn noch jemand hier ist.«

Wieder schossen Jane die Tränen der Dankbarkeit in die Augen. »Ich fühle mich nicht bedroht«, sagte sie leise und wünschte sich, er nähme sie in die Arme.

»Ich kann mir vorstellen, daß dir das alles ziemlich angst macht«, meinte Carole.

»Es ist mehr Verwirrung als Angst«, sagte Jane. »Ich wollte nur, ich wüßte, *warum* das passiert ist.« Sie begann unruhig im Zimmer hin- und herzugehen. »Ich habe das Gefühl, wenn ich das erst einmal weiß, klärt sich alles andere von selbst.«

»Du kannst dich an gar nichts erinnern?«

»Nein.«

»Vielleicht kann ich dir helfen«, erbot sich Carole und zog Jane mit sich zum Sofa, wo sie sich mit ihr setzte. »Ich heiße Carole Bishop. Wir sind Nachbarn seit wir vor – wie lange ist das jetzt her?« Sie sah Michael an, der stehen geblieben war. »Drei Jahre?«

»Ungefähr, ja.«

»– seit wir vor ungefähr drei Jahren hierherzogen. Wir waren gerade erst eingezogen, da kamst du mit einem tollen Schokoladenkuchen zu uns, den du selbst gebacken hattest. Du sagtest, er wäre deine Spezialität. Es war wirklich der beste Schokoladenkuchen, den ich je gegessen habe, und ich hab weiß Gott mehr gegessen, als mir guttut. Du hast mir sogar das Rezept gegeben, und ich habe den Kuchen seitdem x-mal gebacken.« Sie schluckte mehrmals und starrte zu Boden, ehe sie fortfuhr. »Natürlich bin ich ziemlich allein, seit Daniel ausgezogen ist. Es ist erstaunlich, wie schnell die sogenannten guten Freunde verschwinden, wenn der Ehemann weggeht. Daniel war mein Mann«, fügte sie erklärend hinzu. »Du bist mehrmals in der Woche morgens mit ihm joggen gegangen. Weißt du davon noch irgend etwas?«

»Nein, nichts.«

»Ich wollte, ich könnte dieses Schwein so leicht vergessen.« Carole seufzte so tief, daß ihr üppiger Busen zitterte. »Er ist Ende Oktober ausgezogen. Ich konnte ihn partout nicht dazu überreden, die Kinder mitzunehmen«, scherzte sie. »Dann nimm wenigstens den Köter, habe ich ihn angefleht. Oder meinen Vater! Aber er meinte, wenn ich das Haus behalten wolle, wäre ich auch für das Inventar zuständig. Und das war's dann auch schon. Jetzt bist du auf dem laufenden.« Sie fuhr sich mit der Hand durch die kurzen blonden Locken. »Du kannst mir ruhig Fragen stellen, wenn du willst. Du siehst ja, daß ich nicht gerade eine reservierte Person bin. Ich habe keine Geheimnisse.«

Jane blickte auf Caroles Hände und bemerkte, daß die Frau noch immer Verlobungs- und Ehering trug. »Ich weiß nicht, was ich fragen soll«, gestand sie nach einer längeren Pause.

Carole sah von Jane zu Michael und dann zurück zu Jane. »Ich wollte dir nur sagen, daß ich jederzeit für dich da bin, wenn du etwas brauchst, wenn du irgendwelche Fragen hast...«

»Danke.«

»Eigentlich warst du mehr mit Daniel befreundet als mit mir«, fuhr Carole fort. »Aber du hast mir sehr geholfen, nachdem er gegangen war. Du hattest immer Zeit für mich. Ich konnte jederzeit zu dir kommen und mich bei dir ausweinen, wenn ich das Bedürfnis hatte. Schon deshalb sollst du wissen, daß ich jederzeit für dich da bin.«

»Danke«, sagte Jane wieder.

»Ich könnte euch etwas zu essen rüberbringen«, bot Carole an. »Ich hab viel zuviel gekocht. ›Im Zweifel erst mal was essen‹, sag ich immer.«

Jane starrte sie an.

»Was ist?« fragte Carole sofort. »Hab ich irgendwas gesagt?«

Jane konnte vor Erregung kaum noch stillsitzen. Michael lief zu ihr und kniete vor ihr nieder.

»Was ist, Jane?«

»Das, was Carole eben sagte«, erklärte Jane. Die Worte sprudelten ihr so hastig über die Lippen, daß sie kaum noch kenntlich waren und sie eine Pause einlegen, sich ein paar Sekunden Zeit nehmen mußte, um ihre Gedanken zu formulieren und dann von neuem zu beginnen. »Als ich im Lennox Hotel war und nicht wußte, was ich mit mir anfangen sollte, dachte ich plötzlich, ›Im Zweifel erst mal was essen‹. Es war so ähnlich, als hörte ich eine Stimme, die mir das sagte. Und ich überlegte, woher ich diesen Spruch hatte.«

»Mein Vermächtnis«, bemerkte Carole selbstironisch.

»Das ist ja großartig!« rief Michael und streichelte Jane behutsam den Kopf. »Das heißt doch, daß alles noch da drinnen ist, fest eingesperrt zur sicheren Aufbewahrung. Wir brauchen nur den richtigen Schlüssel zu finden.«

Jane lächelte zustimmend, beschwingt von plötzlicher Zuversicht.

»Okay, dann lauf ich schnell rüber und mach euch was zu essen zurecht«, sagte Carole.

»Für mich bitte nicht«, wehrte Michael ab. »Ich könnte jetzt keinen Bissen runterkriegen.«

»Ich auch nicht«, sagte Jane. Sie war zwar hungrig, aber zum Essen viel zu aufgeregt.

»Aber trotzdem vielen Dank«, fuhr Michael fort. »Es war nett von dir, es anzubieten.«

»Na, ihr könnt mich ja anrufen, wenn ihr es euch doch noch anders überlegen solltet. Zu essen hab ich immer genug im Haus.« Sie lachte, hart und ohne Heiterkeit. »Meine Kinder langen bei jeder Mahlzeit zu, als wären sie kurz vor dem Verhungern, und mein Vater gehört auch nicht zu den Leuten, denen im Alter der Appetit vergeht, ganz zu schweigen von unserem Köter, der sich einbildet, ein Mensch zu sein, und nur das frißt, was er uns essen sieht. Na ja, ich sollte mich wahrscheinlich nicht beklagen, wenigstens sind alle gesund, und die Kinder fahren ja demnächst ab ins Ferienlager. Also, wenn ihr später doch Hunger bekommen solltet, dann meldet euch.«

»Das werden wir tun.« Michael stand auf und ging zur Tür.

Carole nahm Janes Hand in die ihre und senkte die Stimme. »Du bist in guten Händen«, versicherte sie. »Du könntest dir keinen besseren Mann wünschen.« Sie kämpfte gegen plötzlich aufsteigende Tränen. »Es wird bestimmt alles wieder gut werden, Jane. Verlaß dich einfach auf Michael.«

Jane blieb reglos auf dem Sofa sitzen, während Carole mit Michael in den Flur hinausging.

»Du rufst an, wenn du mich brauchen solltest?« hörte sie Carole fragen, ehe die Haustür geschlossen wurde.

»Sie scheint sehr nett zu sein«, sagte sie, als Michael ins Wohnzimmer zurückkam.

»Ja, das ist sie.«

»Es ist sicher nicht einfach für sie, die Kinder und ihren alten Vater versorgen zu müssen.«

»Ja, sie hat's nicht leicht, ständig zwischen diesen beiden Polen jonglieren zu müssen.«

Jane nickte. Ihr fiel eine Episode aus einer Serie ein, die genau das zum Thema gehabt hatte – das Leben von Frauen, die, zwischen den Forderungen ihrer Kinder und den Bedürfnissen ihrer alten Eltern hin- und hergerissen, kaum zu sich selbst kamen. Gehörte auch sie zu diesen Frauen?

Ihr Vater war gestorben, als sie dreizehn Jahre alt gewesen war, hatte Michael ihr im Krankenhaus erzählt. Aber was war mit ihrer Mutter? Lebte sie noch in Connecticut, oder war sie vielleicht in die Gegend von Boston gezogen, um ihrer einzigen Tochter näher zu sein? Oder vielleicht hatte sie das sonnige Kalifornien vorgezogen, und Sohn Tommy war derjenige, der in der Zwickmühle zwischen Familie und Mutter saß.

Ja, so mußte es sein, sagte sie sich. Hätte ihre Mutter irgendwo in der Gegend gelebt, so hätte Michael bestimmt sie hergebeten und nicht Carole Bishop.

»Lebt meine Mutter noch in Connecticut?« fragte sie.

Doch Michael, der sich in einen Sessel gesetzt hatte, antwortete nicht, sondern starrte gedankenverloren zum Fenster hinaus.

»Michael?« sagte sie in der Annahme, er hätte sie nicht gehört. »Lebt meine Mutter noch in Connecticut?«

Er schüttelte den Kopf und drückte die gefalteten Hände an den Mund.

»Michael?«

Da erst sah er sie an, und sie begriff augenblicklich, daß ihre Mutter tot war. Dennoch fand sie es notwendig, die Worte auszusprechen. »Meine Mutter ist tot, nicht wahr?«

Er nickte. »Ja.«

»Wann ist sie gestorben?«

»Letztes Jahr.«

»Wie alt war sie?«

»Dreiundsechzig.«

»Das ist aber jung«, bemerkte sie, ohne die Spur einer inneren Verbundenheit zu dieser Frau zu fühlen, die sie geboren hatte und nun tot war.

»Ja«, stimmte er ihr zu.

»Woran ist sie gestorben? Hatte sie Krebs? Oder einen Schlaganfall?«

»Nein.«

»Woran dann?« Von einer diffusen Angst getrieben, rutschte sie zur Kante des Sofas vor.

Er zögerte nur kurz. »Sie hatte einen Unfall.«

»Was für einen Unfall?«

»Einen Autounfall«, wiederholte sie und dachte an den Unfall, den sie auf der Heimfahrt gesehen hatte, erinnerte sich des merkwürdigen Blicks, mit dem Michael sie angesehen hatte, als warte er auf ein Zeichen der Erinnerung von ihr, als versuche er, ihre Reaktion abzuschätzen. »Erzähl es mir.«

Er wandte sich ihr ganz zu, ehe er begann. »Deine Mutter war ein paar Wochen bei uns zu Besuch. Wir wollten sie eigentlich überreden, nach Boston zu ziehen, aber sie wollte nichts davon wissen. Sie behauptete, ihr Bridge-Klub in Hartford könnte sie nicht entbehren, und basta. Ende der Diskussion. Wenn man mit deiner Mutter debattierte, konnte man nie gewinnen.« Er lächelte flüchtig bei der Erinnerung. »Kurz und gut, eines Nachmittags wollte sie nach Boston hineinfahren, um noch ein paar Dinge einzukaufen, ehe sie wieder nach Hause fuhr, und du –« Er brach ab und begann von neuem. »Du hattest an dem Tag mit Emily zu tun, ich glaube, es ging um irgendein Schulprojekt...« Wieder verstummte er und setzte ein drittes Mal neu an. »Sie nahm deinen Wagen...«

»Meinen Honda?« Jane sah vor sich den silbergrauen Prelude, der in der Garage stand.

»Nein. Du hattest einen Volvo. Einen dunkelgrünen«, erläuterte er, ohne daß sie danach zu fragen brauchte. »Sie nahm deinen Wagen und fuhr los.« Wieder hielt er inne, nicht willens oder vielleicht auch nicht fähig, gleich fortzufahren. Jane war nicht sicher, ob er ihr oder sich selbst den Schmerz dessen, was kommen mußte, ersparen wollte.

»Weiter.«

»Es passierte gar nicht weit von hier. Sie war noch nicht einmal auf dem Highway. Irgend so ein Kerl überfuhr ein Stoppschild und brauste mit achtzig Sachen in ihren Wagen hinein. Sie war sofort tot.«

Er stand aus seinem Sessel auf und kam zu ihr. Sie sah, daß seine Augen feucht waren.

Ihr selbst schossen die Tränen in die Augen, aber nicht Tränen des Schmerzes, sondern des Zorns und der Frustration. Wie konnte sie etwas so Tiefgreifendes wie den Tod ihrer Mutter vergessen? Wieso ergriff die schlimme Geschichte, die Michael ihr eben erzählt hatte, sie überhaupt nicht?

Genau wie zuvor, als er vom Tod ihres Vaters gesprochen hatte, empfand sie nicht mehr als eine flüchtige Traurigkeit, wie man sie empfindet, wenn man vom Tod eines Freundes erfährt, zu dem man vor langer Zeit den Kontakt verloren hat.

»Habe ich mich mit meiner Mutter gut verstanden?«

Er nickte. »Du warst untröstlich nach ihrem Tod.«

Jane sprang plötzlich auf. »Ach, verdammt! Warum kann ich mich nicht erinnern?«

»Das wird schon kommen, Jane«, versicherte er, bemüht, sie zu beruhigen. »Wenn es an der Zeit ist...«

»Du hattest Angst davor, mir das zu erzählen«, sagte sie herausfordernd. »Warum?«

»Ich fürchtete, es würde dich aufregen.«

»Nein, das war es nicht. Bitte, sag mir die Wahrheit.«

Er sah zum Flur hinüber, als hoffte er, Carole Bishop würde wieder erscheinen, um ihm zu helfen. »Der Unfall«, sagte er stockend. »Er geschah vor fast genau einem Jahr.«

»Was willst du damit sagen? Glaubst du, der Jahrestag des Todes meiner Mutter könnte die Amnesie ausgelöst haben?«

»Ich halte es jedenfalls für eine Möglichkeit, ja. Du warst sehr erregt; du konntest nicht schlafen; du warst rastlos und unruhig. Das war der Grund, weshalb ich dir vorschlug, für ein paar Tage wegzufahren und deinen Bruder zu besuchen.«

Sie ließ sich das durch den Kopf gehen. Michael fand diese Erklärung offenbar einleuchtend. Der Jahrestag des Todes ihrer Mutter hatte bevorgestanden; sie war erregt und unruhig gewesen, mit der Erinnerung nicht fertiggeworden und hatte sich schließlich einfach ins Vergessen gerettet. Perfekt. Nur erklärte es nicht die Blutflecken auf ihrem Kleid und nicht die geldgefüllten Manteltaschen. Sie war plötzlich unglaublich müde.

»Ich glaube, du brauchst jetzt erst mal Ruhe«, sagte Michael fürsorglich. »Komm«, drängte er sanft, »ich pack dich ins Bett, hm?«

8

Er führte sie die Treppe hinauf zu ihrem Schlafzimmer.

Unter dem riesigen Oberlicht blieb sie stehen und blickte zum immer noch sonnigen Himmel hinauf. Dann sah sie auf ihre Uhr. Es war fast acht. Bald würde es dunkel werden. Der Mond, der jetzt nur ein bleicher Fleck auf strahlend blauem Hintergrund war, würde an Kraft und Farbe gewinnen und die Herrschaft übernehmen. Wo war die Zeit geblieben?

»Komm«, sagte Michael und schob sie sachte ins Schlafzimmer am Ende des Flurs.

»Was sind das hier für Zimmer?« Sie blieb vor der ersten Tür rechts der Treppe stehen.

»Machen wir doch unseren Rundgang morgen zu Ende.« Sein Ton war leicht, aber sie hörte eine ernstere Schwingung, als meine er, der Enthüllungen seien genug für diesen einen Tag, und fürchte, weitere könnten sich auf ihr unsicheres seelisches Gleichgewicht ungünstig auswirken.

»Ich möchte es aber gern jetzt wissen«, beharrte sie. »Bitte.«

Seine Stimme war sanft. »Wie du willst.«

Sie traten in ein mittelgroßes Gästezimmer, das ganz in Hellgrün und Gelb gehalten war. Dem breiten Himmelbett gegenüber stand eine große antike Kommode, über der ein goldgerahmter Spiegel hing. Jane kopfte leicht auf die unverkennbar alte und kostbare Quilt-Decke, die über dem Bett ausgebreitet war, mied den Blick in den Spiegel, berührte flüchtig die Kommode, als sie zu dem Fenster mit der Buntglasscheibe ging. Inmitten eines grün-roten Feldes stand hoch aufgebäumt ein weißes Einhorn. Ihr Blick folgte ihren Fingern, die die schwarzen Umrandungen des geschliffenen Glases nachzeichneten. Das Einhorn ist ein Märchenwesen, dachte sie und fragte sich, ob man dasselbe von ihr sagen könnte. Jane Whittaker ist ein Märchenwesen, wiederholte sie, und das Bild gefiel ihr.

Lautes Kreischen riß sie aus ihrer Vergangenheit. Durch die einfache Glasscheibe neben dem Buntglasfenster sah sie zwei junge Leute in jugendlichem Ungestüm aus dem Haus Carole Bishops stürmen.

»Andrew und Celine«, bemerkte Michael, der zu ihr ans Fenster getreten war. »Andrew ist vierzehn, Celine wird, glaube ich, im Herbst sechzehn. Sie waren früher öfter zum Babysitten bei uns.«

»Früher?«

»Sie haben immer weniger Zeit. Du weißt ja, wie junge Leute sind. Sie sind der Meinung, sie haben ein Recht auf ein Eigenleben.«

Jane lächelte und drückte die Stirn an die Fensterscheibe, die sich angenehm kühl anfühlte. In diesem Augenblick stolperte ein alter Mann in einem zerknitterten gestreiften Pyjama aus der Tür. Ihm folgte mit ohrenbetäubendem Gebell ein großer Hund. Beide rannten mitten in ein Beet farbenprächtiger Petunien an der Seite des Gartenwegs. Dann kam Carole Bishop aus dem Haus geschossen, packte den Hund beim Halsband und den alten Mann an der Schlafanzugjacke, als dieser davonzulaufen versuchte. Jane hörte selbst hier oben noch die Gereiztheit und die Resignation in Caroles Stimme. »Geh wieder ins Haus, Dad!« schrie sie laut, um das Hundegebell zu übertönen, während ihre beiden Sprößlinge vom Bürgersteig aus die Szene beobachteten und sich vor Lachen bogen.

»Er sieht aus wie ein Gefangener, der fliehen möchte«, bemerkte Jane voller Mitleid mit dem Alten.

»So fühlt er sich wahrscheinlich auch«, meinte Michael. »Es ist schon traurig. Carole bemüht sich wirklich. Aber manchmal ist nichts, was man tut, genug.«

Jane fragte sich, ob Michael von Carole sprach oder von sich selbst.

»Bitte, geh wieder ins Haus, Dad!« flehte Carole mit lauter Stimme. »Komm schon, du inszenierst hier einen Riesenauftritt. Willst du denn die ganzen Nachbarschaft unterhalten?« Als wäre sie plötzlich aufmerksam geworden, daß sie beobachtet wurde, sah Carole direkt zu dem Fenster im ersten Stock hinauf, an dem Jane stand. Hastig fuhr diese zurück, trat Michael auf den Fuß und fiel stolpernd an seine Brust.

»Oh, entschuldige.« Sie spürte den Schlag seines Herzens und wäre am liebsten so geblieben, um sich von seiner Kraft und Stärke tragen zu lassen.

»Du brauchst dich doch nicht zu entschuldigen.«

Jane ging zur Tür zurück, den Kopf starr geradeaus gerichtet, um nicht in den Spiegel sehen zu müssen, an dem sie vorüberkam.

»Jane, du brauchst vor Spiegeln keine Angst zu haben«, sagte Michael tröstend. »Du existierst wirklich. Du bist doch kein Vampir oder so was.«

Sie überquerte den Flur zum Zimmer auf der anderen Seite und nahm ein Bild von sich selbst mit, wie sie lange spitze Zähne in den nackten Hals eines hilflosen Opfers grub, dessen Blut sich auf ihr blaues Kleid ergoß.

»Dein Arbeitszimmer?« fragte sie, bemüht, sich auf den schweren Schreibtisch aus massivem Eichenholz, das grüne Ledersofa gegenüber, die Bücherregale voll medizinischer Fachbücher zu konzentrieren.

»Erraten.«

Jane strich mit der Hand über das feingemaserte Holz seines Schreibtischs. Auf der einen Seite stand ein Computer, dessen großer schwarzer Bildschirm sie anstarrte wie ein Gesicht, dem erst noch Züge gegeben werden mußten. Die Tastatur war fast ganz versteckt unter einem auseinandergefallenen Stapel loser Blätter. Unter einem aufgeschlagen daliegenden Fachbuch sah ein silberner Kugelschreiber hervor.

»Du steckst wohl mitten in einer Arbeit?«

»Ja, ich muß im Herbst bei einem Medizinerkongreß einen Vortrag halten und bin dabei, ein bißchen Ordnung in meine Gedanken zu bringen.«

»Eine schöne Hilfe bin ich dir. Geh ausgerechnet jetzt völlig aus dem Leim.«

»Hauptsache, du bist bei mir. Das ist mir Hilfe genug.«

Sie versuchte, im Spiegel des schwarzen Bildschirms sein Gesicht zu erkennen. »Bist du immer so nett?«

Sein Bild verschwand aus ihrem Blickfeld. Sie spürte die flüchtige Berührung seines Arms und sah ihn, als sie den Kopf drehte, neben sich stehen und zum Fenster hinaussehen.

»Aha!« sagte er. »Jetzt hat sie es doch geschafft, ihn ins Haus zu lotsen.«

Jane wandte sich dem Fenster zu und sah gerade noch, wie Carole Bishop ihren Vater und den Hund durch die offene Haustür schob, um sie dann mit Wucht zuzuschlagen. Ihre Kinder standen immer noch lachend draußen auf dem Gehweg.

»Die Frage war ernst gemeint«, sagte Jane zu Michael und hätte über die Verwirrung auf seinem Gesicht beinahe gelacht.

»Welche Frage?«

»Ob du immer so nett bist.« Sie wartete auf seine Antwort.

»Na, sagen wir mal, ich hab meine netten Momente.«

»Viele nette Momente, wie mir scheint.«

»Es ist nicht schwer, nett zu dir zu sein«, sagte er einfach.

»Hoffentlich ist das wahr.«

»Warum sollte es nicht wahr sein?«

Sie tat so, als wäre sie ganz gefesselt von Andrew und Celine Bishop, die jetzt ihren Beobachtungsposten vor dem Haus ihrer Mutter aufgaben und immer noch lachend die Straße hinunterrannten. »Wo ist Emilys Zimmer?« fragte sie, nachdem die beiden um die Ecke verschwunden waren.

»Neben unserem.«

Sie folgte ihm durch den Flur, an einem freundlichen gelbweißen Badezimmer vorbei zu zwei weiteren Räumen, die links von der Treppe lagen.

»Hatten wir einen Innenarchitekten?« fragte sie beiläufig, angetan von der heiteren Wärme, die alle Räume ausstrahlten.

»Eine ganz phantastische Innenarchitektin«, bestätigte er. »Sie heißt Jane Whittaker.«

Jane lächelte, voll törichten Stolzes auf ihr Werk, auch wenn sie sich nicht daran erinnern konnte, es geschaffen zu haben.

»Das ist Emilys Zimmer.« Er folgte ihr hinein, blieb aber an der Tür stehen. »Ist es nicht schön?«

Jane sah sich aufmerksam um: eine frische weißgrundige Tapete mit einem grünen Rankenmuster; ein Messingbett mit einer weißen Überdecke aus Baumwollspitze; ein Wäschekorb in Gestalt eines großen Känguruhs; Stofftiere und Puppen überall; ein kleiner Tisch mit Stühlen vor dem Fenster, das auf den Garten hinuntersah; eine Buntglasscheibe ähnlich der im Gästezimmer; auf dem Boden der gleiche blaßgrüne Teppich wie in den übrigen Räumen des Hauses. An der Wand gegenüber vom Bett hingen mehrere gerahmte Drucke impressionistischer Gemälde von Monet, Renoir und Dégas.

»Und das ist unser Zimmer.« Michael lotste sie so geschickt aus dem Kinderzimmer in ihr gemeinsames Schlafzimmer, daß sie sich des Wechsels kaum bewußt wurde.

Zaghaft betrat sie das Zimmer, plötzlich sehr bedacht darauf, dem Mann, dessen Bett sie elf Jahre lang geteilt hatte, nicht zu nahe zu kommen. Es war ein wohltuend ruhiger Raum in matten Grün- und Lilatönen. Das breite Himmelbett stand in der Mitte, rechts war das große Fenster, links ein langer Wandschrank mit Spiegeltüren, die das Grün des Gartens hereinholten, so daß man den Eindruck hatte, sich in einem Raum ohne Grenzen und Mauern zu befinden.

Jane fand es unmöglich, ihrem Spiegelbild auszuweichen. Obwohl sie sich anstrengte, sich ganz auf die Chagall-Lithographien zu konzentrieren, die die Wand gegenüber dem Bett schmückten, kehrte ihr Blick immer wieder zu den Spiegeln zurück.

»Was siehst du?« fragte Michael unerwartet, und sie sah sich zusammenzucken.

»Ein verängstigtes kleines Mädchen«, antwortete sie. Sie versuchte, sich ihrem Spiegelbild zu stellen, aber sie konnte es nicht. Beinahe zornig zog sie sämtliche Türen des langen Schranks auf und entledigte sich so wenigstens fürs erste ihres Bildes.

Die Kleider ihres vergangenen Lebens sprangen ihr entgegen. Sie betrachtete jedes einzelne Kleidungsstück, als wäre es ein kostbares Kunstwerk aus einer anderen Epoche. Sie ließ die Stoffe durch die Finger gleiten und las die Etiketten mit einer Aufmerksamkeit, als könnten sie ihr einen Hinweis auf ihre Geschichte geben. In den Schränken hingen vielleicht zehn Kleider, wahrscheinlich doppelt soviele Blusen, dazu Röcke und lange Hosen. Einige Stücke waren sehr modisch und elegant, andere wirkten viel zu mädchenhaft für eine Frau in ihrem Alter. Sie hatte beim Einkaufen offensichtlich ihre guten und ihre schlechten Tage.

Eine hohe Kommode mit Schubladen trennte ihren Kleiderschrank von dem ihres Mannes. Sie zog die Laden eine nach der anderen auf, bewunderte die zarte Unterwäsche aus Seide und Satin, schob hastig einen Strapsgürtel aus schwarzer Spitze nach hinten, ehe Michael ihn sah. Ziehe ich so was tatsächlich an? fragte sie sich beinahe peinlich berührt. Sie hatte Strumpfhosen angehabt, als sie sich in Bostons Straßen herumirrend wiedergefunden hatte. Vielleicht hatte sie ein Faible für Reizwäsche im Schlafzimmer. Wahrscheinlicher war, daß Michael ein Faible dafür hatte.

Sie senkte den Blick zum Schrankboden und zählte zwölf Paar Schuhe, ehe sie sich stark genug fühlte, ihn anzusehen. »Ich habe viele schöne Sachen«, sagte sie.

»Das finde ich auch«, stimmte er zu. »Die Sachen, die du jetzt trägst, kenne ich allerdings nicht.«

Jane blickte an den Kleidern hinunter, die sie an diesem Morgen gekauft hatte. »Ich auch nicht«, sagte sie und lachte.

»Bist du müde?«

Sie nickte. Sie konnte es kaum erwarten, ins Bett zu kriechen, aber sie war sich nicht sicher, ob sie Michael neben sich haben wollte.

»Mach dir keine Sorgen, Jane«, sagte er sofort. Er schien wirklich ein begabter Gedankenleser zu sein. »Ich schlafe im Gästezimmer, bist du es wieder anders willst.«

»Ich kann doch im Gästezimmer schlafen«, entgegnete sie rasch.

»Nein«, sagte er entschieden. »Das ist dein Zimmer.«

»Unser Zimmer«, korrigierte sie.

»Ja, bald wieder. Hab Vertrauen.« Er nahm ein langes weißes Baumwollnachthemd von einem Bügel. »Dein Lieblingsnachthemd.« Er legte es auf das Bett. »Zieh dich ruhig schon aus. Das Bad ist gleich nebenan.« Er wies auf eine Tür jenseits der Reihe offener Schranktüren. »Ich geh inzwischen runter und mach uns eine Tasse Tee.«

Er war weg, ehe sie sagen konnte, ach ja, das wäre schön.

Langsam ließ sie sich auf das Bett sinken, mit der einen Hand den Pfosten am Fußende des Betts umfassend, mit der anderen zu dem weißen Baumwollnachthemd greifend, das neben ihr lag. Sie musterte es aufmerksam, erstaunt, daß eine Frau, der es Spaß machte, sich in schwarzer Reizwäsche zu produzieren, an so einem jungfräulich keuschen Ding Gefallen finden konnte. Und es auch noch zu ihrem Lieblingsnachthemd erkoren hatte. »Ach was«, sagte sie schließlich laut. »Immer noch besser als im Mantel zu schlafen.«

Zwei Minuten später war sie aus ihren Kleidern und in das bodenlange Baumwollhemd geschlüpft. Nachdem sie die Schuhe ausgezogen hatte, hob sie kurz die Innensohle des rechten hoch und stellte mit Erleichterung fest, daß der Schlüssel zu ihrem Schließfach noch sicher und wohlbehalten in seinem Versteck lag. Sie hängte ihre neue Hose auf einen Bügel, legte den Pulli in eine Schublade mit einem Stapel anderer, und schob die Schuhe ganz hinten in den Schrank, ehe sie ins Badezimmer eilte, um sich das Gesicht zu waschen und die Zähne zu putzen.

Welche Zahnbürste ihre war, war nicht schwer zu erraten. Michael hatte bestimmt keine Vorliebe für Blaßrosa. Sie putzte sich die Zähne mit großer Gründlichkeit und schrubbte sich das Gesicht, bis es so rosig war wie ihre Zahnbürste. Dann nahm sie die Haarbürste vom Toilettentisch neben den beiden Waschbekken und bürstete sich das Haar, bis ihre Kopfhaut prickelte.

Im Schlafzimmer zurück, hockte sie sich unschlüssig auf die Bettkante. Am liebsten wäre sie gleich unter die Daunendecke gekrochen, aber Michael wollte ja noch mit ihr Tee trinken. Sie wußte nicht, was sie mit sich anfangen sollte. Unruhig glitten ihre Hände vom steifen weißen Baumwollstoff des Nachthemds zum Nachttisch neben dem Bett. Sie nahm den Wecker, sah nach, wie spät es war, obwohl sie das eigentlich gar nicht interessierte, schob das weiße Telefon nach hinten und zog es gleich wieder nach vorn, rieb mit einem Finger über den Porzellansokkel der Nachttischlampe, als glaubte sie, Aladins Wunderlampe vor sich zu haben.

Sie meinte, Michael die Treppe heraufkommen zu hören, aber als sie zur Tür blickte, sah sie niemanden. Sie stand auf, setzte sich wieder, richtete ihre Aufmerksamkeit erneut auf den Nachttisch. Sie überlegte, ob sie den Wecker stellen, die Lampe einschalten, telefonieren sollte, und zog schließlich, nur um irgend etwas zu tun, die obere Schublade des Nachttischs auf.

Sie sah es sofort und wußte auf Anhieb, was es war. Alle privaten Telefonbücher haben eine gewisse Ähnlichkeit. Dieses hier hatte die Größe eines Schulheftes und einen Stoffeinband mit Paisleymuster. Sie nahm es langsam heraus und kam sich dabei vor wie ein Hausgast, der heimlich schnüffelt. Sie legte es auf ihren Schoß und ließ es mehrere Sekunden ungeöffnet, ehe sie den Mut fand, einen Blick hineinzuwerfen. Nun stell dich doch nicht so an, sagte sie sich ungeduldig. Es ist doch dein Buch. Klapp es auf. Was ist denn los mit dir? Wovor hast du Angst? Es ist doch nichts weiter als ein Verzeichnis von Namen. Namen, die nichts bedeuten, sagte sie sich, während sie das Buch unter ›A‹ aufschlug. ›Lorraine Appleby‹, las sie und erinnerte sich, daß Michael sie ihr als eine ihrer Freundinnen genannt hatte. ›Arlington Private School‹, stand direkt darunter. Arlington Private School? Natürlich! Emilys Schule. Na bitte, ist doch ganz einfach, sagte sie sich mutiger werdend und blätterte zu B, wo sie auf den Namen ›Diane Brewster‹ stieß. Das mußte die andere Freundin sein, die Diane, deren Nachnamen sich Michael nicht merken konnte. Rasch hatte sie auch die anderen Namen gefunden, die er aufgezählt hatte: David und Susan Carney; Janet und Ian Hart; Eve und Ross McDermott; Howard und Peggy Rose; Sarah und Peter Tanenbaum. Alle waren sie da, schwarz auf weiß in alphabetischer Ordnung.

Sie fand einen Eintrag für ihren Bruder, Tommy Lawrence,

Montgomery Street, San Diego, und merkte, wie ihre Hände zu zittern begannen, als sie noch einmal zu ›R‹ blätterte.

Sie hatte ihn beim ersten Mal nicht gesehen, wieso also erwartete sie, ihn jetzt zu finden? Dennoch las sie die ganze Seite aufmerksam von oben bis unten, ohne Howard und Peggy Rose, die, wie sie sich erinnerte, in Südfrankreich Ferien machten, weitere Beachtung zu schenken. Die anderen Namen, die hier aufgeschrieben waren, kannte sie nicht. Sicherheitshalber sah sie auch noch unter ›Q‹ und ›S‹ nach, es hätte ja sein können, daß sie den Namen auf der falschen Seite eingetragen hatte, aber sie fand ihn nirgends. Wer immer Pat Rutherford war, er oder sie war allenfalls eine oberflächliche Bekanntschaft, nicht einmal bedeutsam genug, um in ihrem privaten Telefonbuch Platz zu finden.

Sie blätterte noch in dem Buch, als Michael zurückkam.

»Na, was Interessantes entdeckt?« fragte er und stellte das Tablett mit zwei Tassen Tee und einem Teller Kekse auf den kleinen runden Tisch beim Fenster.

Jane legte das Buch in die Schublade zurück und stand auf, um sich zu ihm an den Tisch zu setzen. Sie lehnte sich in ihrem Sessel zurück und nahm dankbar die Tasse entgegen, die er ihr reichte.

»Vielleicht sollte ich meinen Bruder anrufen«, sagte sie, nachdem die den ersten Schluck Tee getrunken hatte. »Er macht sich doch sicher Sorgen.«

»Das hab ich schon erledigt. Ich habe mit ihm gesprochen und ihm gesagt, daß alles in Ordnung ist. Es reicht, wenn du ihn morgen anrufst«, sagte er, und sie lächelte erleichtert. Sie fühlte sich noch gar nicht imstande, mit jemandem zu sprechen. Was hätte sie diesem Bruder, den sie nicht kannte und der am anderen Ende des Landes lebte, schon sagen können? ›Es geht uns prächtig – schade, daß du nicht hier bist‹? ›Schade, daß ich nicht weiß, wer du bist‹, wäre angemessener. Und würde ihn das nicht nur noch mehr beunruhigen, wenn er, wie sie vermutete, schon beunruhigt genug war? Nein, sie würde mit dem Anruf bei ihrem Bruder warten, bis sie sich wieder erinnerte, wer sie war. Und wenn er in der Zwischenzeit anrufen sollte, würde sie so tun, als kenne sie ihn. Sie würde einfach *fabulieren*.

»Der Tee schmeckt gut«, sagte sie und dachte, als sie sein Lächeln sah, wie leicht es war, ihn glücklich zu machen.

»Spezialität des Hauses. Hier, nimm die.« Er reichte ihr zwei kleine weiße Tabletten.

»Was ist das?«

»Ein leichtes Sedativum.«

»Ein Sedativum? Wozu? Ich habe keine Schlafprobleme.«

»Nur zur Entspannung.«

Jane musterte mit zusammengekniffenen Augen die zwei kleinen Tabletten, die schwer auf ihrer offenen Hand lagen. »Dr. Meloff hat aber nichts von einem Beruhigungsmittel gesagt.«

»Dr. Meloff hat es verschrieben«, erklärte er ohne eine Spur von Ungeduld oder Gereiztheit. »Sie sollen dir nur helfen, dich zu entspannen, Jane. Es ist ein ganz leichtes Mittel, wirklich. Ohne alle Nebenwirkungen.«

»Ich hab einfach was gegen Tabletten«, sagte sie.

Er lachte. »Ja, das weiß ich. Siehst du? Du bist schon auf dem Weg der Besserung. Sie wirken.«

Auch Jane lachte. Warum, fragte sie sich, mache ich es ihm so schwer? »Ich habe wahrscheinlich nur Angst, die Kontrolle zu verlieren«, bekannte sie, auf der Suche nach einer rationalen Erklärung für ihr Verhalten.

»Welche Kontrolle?« fragte er, und sie lachte wieder. Wie recht er hatte! Sie wußte nicht einmal, wer sie war, und da sprach sie von Kontrolle!

Ohne weitere Einwände schob sie die Tabletten in den Mund und spülte sie mit dem Rest ihres Tees hinunter.

»Iß doch ein Plätzchen«, drängte er. »Sie sind wirklich gut. Paula hat sie am Freitag gebacken.«

»Paula?«

»Paula Marinelli. Sie kommt ein paarmal in der Woche zum Saubermachen. Ich habe sie gebeten, jeden Tag zu kommen, bis es dir wieder besser geht.«

»Bis ich wieder weiß, wer ich bin, meinst du.«

»Okay, bis du wieder weißt, wer du bist«, stimmte er lachend zu.

Sie nahm einen großen Bissen von ihrem Plätzchen, und eine Kaskade von Bröseln rieselte auf den Teppich. »Ach du lieber Gott! Bin ich immer so ungeschickt?« Sie bückte sich hastig, um die Krumen aufzusammeln, und wurde von einem so heftigen Schwindel überfallen, daß sie beinahe das Gleichgewicht verloren hätte.

»Hoppla!«

Augenblicklich war er bei ihr, half ihr auf die Beine und führte sie zum Bett.

»Du mußt total erschöpft sein«, sagte er, während er die Daunendecke zurückschlug und ihr ins Bett half. »Die Wirkung der Tabletten ist das sicher noch nicht.«

»Ja, ich bin wirklich fertig«, bestätigte sie und schloß die Augen. Sie hatte zu lange gegen die Müdigkeit angekämpft und fühlte sich nun plötzlich von ihr überwältigt.

»Ruh dich aus. Schlaf schön«, sagte er leise und gab ihr einen Kuß auf die Stirn, als wäre sie ein kleines Kind. »Soll ich bei dir bleiben, bis du eingeschlafen bist?«

Sie lächelte mit Wohlbehagen. »Nein, nein, ist schon gut. Du hast sicher zu arbeiten.«

»Das kann warten.«

»Geh nur.« Ihre Stimme klang ihr fern und verschwommen. »Mir geht's gut.«

Sie spürte, wie er aufstand. »Vergiß nicht, wenn du etwas brauchst, dann ruf mich. Ich bin sofort da.«

Das weiß ich, dachte sie, war aber zu matt, um es zu sagen. Sie versuchte noch einmal zu lächeln, hoffte, daß es ihr gelang, den Mund in die entsprechende Form zu bringen, und gab dann der wohligen Schwere nach, die durch ihre Glieder zu ihrem Gehirn hinaufzog. Sie fühlte, wie Michael die Decke glättete und dann vom Bett wegtrat. Flüchtig öffnete sie noch einmal die Augen und schloß sie gleich wieder. Im nächsten Moment war sie eingeschlafen.

Sie träumte. Sie stand auf einer großen Wiese. Hinter ihr war ein niedriges Gebäude, es hätte ein Motel sein können, aber es hatte kein Schild, das darüber Aufschluß gab. Ein Motel ohne Namen, dachte sie und hörte Musik aus einem der Zimmer. Plötzlich war Michael neben ihr. Sie fühlte die beruhigende Berührung seiner Hände auf ihren bloßen Armen. »Hast du Lust auf einen Spaziergang?« fragte er.

Sie nickte und schmiegte sich an ihn.

»Nein! Nein!« schallte irgendwo hinter ihnen eine Stimme. »Du darfst da nicht gehen.«

»Wir können gehen, wo wir wollen«, entgegnete sie eigensinnig, bemüht, die Stimme zu erkennen.

»Nein.«

»Aber warum denn nicht?« rief sie ärgerlich. »Warum dürfen wir da nicht gehen?«

Erst Stille, dann wieder die Stimme. »Die Wiese ist voller Kobras.«

Sie wirbelte herum.

Michael war fort. Eine riesige Schlange, den Kopf auf langem Hals zum Angriff erhoben, lag zusammengerollt zu ihren bloßen Füßen. Sie fuhr erschrocken zurück und fiel in die Wiese, in der die Kobras warteten. Sie nahm wahr, daß sie sich wie auf Kommando alle gleichzeitig aufrichteten, ein Heer schwankender Leiber zwischen hohen gelblichen Gräsern, das ihr drohend näher rückte. Mit blitzschnellen Schlägen peitschten die Zungen der Schlangen ihre Beine, und sie sah, wie die Riesenschlange sich aufrichtete, um sie anzugreifen. Sie schrie laut.

Sie schrie laut.

»Jane!« hörte sie ihn rufen, wagte aber in ihrer Todesangst nicht, die Augen zu öffnen. »Jane! Was ist los? Jane! Du hast geträumt. Es war nur ein Alptraum. Komm, Jane, wach auf!«

Zaghaft öffnete sie die Augen, schlug aber sofort wie wild um sich, als er sie anfaßte.

»Jane! Ich bin's, Michael. Ich bin bei dir. Du brauchst keine Angst zu haben.«

Sie brauchte noch eine Minute, ehe sie sich beruhigen und die Kobras in die Geisterwelt verbannen konnte, in die sie gehörten; ehe sie sich klarmachen konnte, daß sie nicht ohne Hoffnung auf Rettung in einem gottverlassenen Motel ohne Namen saß, sondern zu Hause war, in ihrem eigenen Bett, sicher und geborgen.

»Ich hatte einen schrecklichen Traum«, begann sie mit kleiner Stimme. »Überall wimmelte es von Schlangen.«

»Aber jetzt sind sie weg«, tröstete er sie und nahm sie in die Arme. »Sie sind alle weg. Ich habe sie vertrieben.«

Sie klammerte sich an ihn. »Es war so echt. Ich hatte wahnsinnige Angst.« Sie merkte, daß sie von Kopf bis Fuß schweißgebadet war, und löste sich aus seinen Armen. »Ich bin klatschnaß.«

»Bleib liegen. Ich hole einen Waschlappen. Ich bin gleich wieder da.«

Immer noch zitternd unter den Nachwehen der Angst blieb sie im Bett sitzen, bis Michael zurückkam. Die Traumbilder begannen sich aufzulösen. Sie machte keinen Versuch, sie festzuhalten, wünschte vielmehr, sie würden sich so schnell wie möglich verflüchtigen. Aber das Gefühl nackter Angst, das sie im Traum gelähmt hatte, das Grauen, das sie beim Sturz unter die Giftschlangen überwältigt hatte, wurde sie nicht los. Sie schauderte voll Abscheu und Entsetzen.

»Atme tief durch«, riet Michael, während er ihr mit dem kühlen feuchten Lappen die Stirn wischte. »Ja, so ist es richtig. Schön durchatmen. Versuch, dich zu entspannen. Jetzt ist der Spuk vorbei.«

»Es war so fürchterlich.«

»Ich weiß.« Er sprach so sanft mit ihr, als wäre sie eine seiner kleinen Patientinnen. »Aber jetzt ist alles wieder gut.«

Sie sah, daß er nur eine Jeans anhatte. Wahrscheinlich hatte er sie in alle Eile übergezogen, als ihr Schrei ihn aus dem Schlaf gerissen hatte. Aus was für Träumen hatte sie *ihn* geholt, fragte sie sich, als sie sich in die Kissen zurücklegte und sich unter der kühlen Berührung des feuchten Waschlappens auf ihren Armen allmählich beruhigte.

Plötzlich spürte sie einen Stich und glaubte, die Schlangen wären in ihr Bett eingedrungen. Mit einem Aufschrei fuhr sie in die Höhe und sah gerade noch, wie die Viper sich eilig zurückzog.

»Es ist nur eine Spritze, damit du ruhig und ohne Alpträume schlafen kannst«, sagte Michael beruhigend. Er legte die Spritze aus der Hand und nahm sie wieder in die Arme. »Du brauchst dringend Schlaf, Jane.« Er küßte sie und strich eine feuchte Haarsträhne aus ihrer Stirn. »Das ist jetzt das Beste für dich.«

Sie nickte. Langsam ließ er sie in die Kissen niedersinken. Sie sah ihm im Halbdunkel ins Gesicht, sah die Angst und die Einsamkeit, die er so tapfer zu verbergen versuchte, und sehnte sich danach, die Arme nach ihm auszustrecken und ihn zu berühren, ihn an sich zu ziehen und sich von ihm halten zu lassen. Statt dessen fielen ihr die Augen zu. Sie wußte, daß er erst gehen würde, wenn sie fest eingeschlafen war, und sie bemühte sich krampfhaft, wach zu bleiben. Unter halb geschlossenen Lidern sah sie, wie er die Hand hob, um sich das Haar aus der Stirn zu streichen. Und da sah sie die lange frische Narbe, die sich unmittelbar oberhalb des Haaransatzes, der normalerweise von seinem Haar verborgen war, durch seine Kopfhaut zog.

Was ist das? wollte sie fragen, aber ihr Mund war wie ausgedörrt, und sie konnte kein Wort hervorbringen. Was hast du da für eine Verletzung am Kopf? wollte sie fragen, aber ehe sie die Worte herauspressen konnte, hüllte Dunkelheit sie ein, und sie fiel in den traumlosen Schlaf, den er versprochen hatte.

9

Sonnenschein sickerte durch die Ritzen der Fensterläden, als sie erwachte. Sie setzte sich langsam auf, lehnte sich auf die Ellbogen gestützt an das Kopfteil des Betts und wartete darauf, daß ihr Blick klar werden und das Summen in ihren Ohren aufhören würde. Sie schluckte mehrmals, um ihren Mund anzufeuchten, der so ausgetrocknet war, als hätte man einen Wattebausch in ihn hineingestopft. Dann schwang sie die Beine aus dem Bett, um aufzustehen.

Das Zimmer drehte sich; sie schwankte so heftig, daß sie zu stürzen fürchtete. Ihr Kopf erschien ihr ungeheuer schwer, ein Riesengewicht, das ihr gebrechlicher Körper kaum tragen konnte. Nieder mit Jane Whittaker, dachte sie, und ließ sich wieder auf das Bett zurückfallen.

Beide Hände auf die Bettkante gestützt, saß sie da und sah zu den Spiegeln hinüber. »Jane Whittaker«, sagte sie feierlich zu ihren schwankenden Spiegelbildern. »Wer zum Teufel bist du?«

Die Spiegelbilder schwankten noch stärker und entzogen sich ihrem Blick, als eine Welle von Schwindel und Übelkeit sie wieder in die Kissen zurückwarf. »Immer langsam voran«, ermahnte sie sich, wohl wissend, daß sie sonst überhaupt nicht auf die Beine kommen würde.

Sie stellte sich ein Gespinst von Spinnweben vor, das von der einen Seite ihres Gehirns zur anderen reichte, und sah sich mit der Hand in das Bild greifen, um sie alle wegzufegen. Aber sie wurden augenblicklich durch neue Spinnweben ersetzt, und ganz gleich, wie oft sie versuchte, sie wegzureißen, das Resultat war immer das gleiche.

Sie schüttelte den Kopf, als könne sie durch diesen Akt des Trotzes die Spinnweben zerreißen und sich von ihnen befreien, aber ihr wurde nur schwindlig, und sie mußte rasch die Augen schließen, um nicht ohnmächtig zu werden. Sie hatte den Eindruck, daß ihr Kopf völlig gefühllos war, betäubt, erstarrt. Er fühlte sich ungeheuer groß und weit an, mit giftigem Gas gefüllt, in Gefahr zu explodieren.

Mit geschlossenen Augen versuchte sie, Bestandsaufnahme zu machen: Ich bin in Jane Whittakers Haus, schlafe in Jane Whittakers Bett, Jane Whittakers Mann ist gleich nebenan, und das ist auch ganz in Ordnung so, weil ich selbst nämlich Jane Whittaker bin.

Sie hatte schließlich Beweise genug dafür. Michael hatte ihr ihren Paß und die Heiratsurkunde gezeigt. Sie hatte sich selbst auf den Familienfotos auf dem Klavier erkannt. Sie hatte sogar auf dem Klavier geklimpert, verdammt noch mal. Was für Beweise brauchte sie denn noch?

Gut, okay, sie war also Jane Whittaker, und Michael Whittaker, der gutaussehende und renommierte Kinderchirurg, war ihr liebender und treusorgender Ehemann. Sie hatte eine niedliche kleine Tochter, ein schönes Haus und massenhaft Freunde. Wieso fühlte sie sich angesichts all dieser erfreulichen Tatsachen plötzlich so deprimiert? Warum hätte sie sich am liebsten irgendwo verkrochen, um zu sterben?

Mit Schaudern erinnerte sie sich ihres Traums. Vor Schlangen hatte ihr immer gegraut. Sie rieb sich die Arme und spürte wieder den Einstich der Nadel, die unversehens ihre Haut durchbohrte. In der Erwartung, Michael an ihrem Bett zu finden, öffnete sie die Augen. Aber es war niemand da.

Er hatte ihr traumlosen Schlaf versprochen, und er hatte Wort gehalten. Sie war von Alpträumen verschont geblieben. Sie hatte tief geschlafen, ohne ein einziges Mal zu erwachen. Wieso fühlte sie sich so mies? Wieso hatte sie das Gefühl, ihr Kopf sei völlig zubetoniert?

Sie blickte zum Wecker auf dem Nachttisch und schaffte es mit Mühe, die Ziffern zu erkennen. »Zehn nach zehn!« rief sie ungläubig. Hatte sie tatsächlich mehr als zwölf Stunden geschlafen?

Sie nahm die Uhr und hielt sie sich dicht vor die Augen. Ja, es war eindeutig zehn nach zehn. Du lieber Himmel, der halbe Morgen futsch, dachte sie, fest entschlossen, sofort aufzustehen. Warum ich? fragte sie sich, als ihr bei dem Versuch aufzustehen der Fußboden entgegenzukommen schien. Hastig streckte sie den Arm aus. Ihre Hand stieß gegen etwas Kaltes, Glattes, das sie an eine Eisfläche erinnerte. Als sie den Blick hob, sah sie sich ihrem eigenen Bild gegenüber. Ihre rechte Hand deckte sich mit der im Spiegel, als wäre die Fremde im Spiegel ihr zu Hilfe gekommen und halte sie aufrecht.

Wo ist Michael? fragte sie sich, während sie ins Badezimmer wankte und sich auf die Toilette fallen ließ. Nicht einmal die Tür hatte sie geschlossen. Und wenn er jetzt hereinkam? Würde er in Verlegenheit geraten? Oder sie? Gehörten sie zu den Leuten, die immer peinlich darauf achteten, die Badezimmertür hinter sich zu schließen, oder ließen sie ungeniert alles offen, ohne sich darum zu kümmern, wer sie sah? Sie wußte es nicht; sie war zu benebelt, um sich ernsthaft Gedanken darüber zu machen. Sie würde es wahrscheinlich nicht einmal bemerken, wenn Michael jetzt hereinkommen sollte.

Aber es wunderte sie doch, daß er noch nicht gekommen war. Sie hatte damit gerechnet, ihn zu sehen, sobald sie die Augen öffnete. War sie enttäuscht? War das der Grund ihrer Niedergeschlagenheit?

Vielleicht war er unten und machte das Frühstück. Vielleicht verstand er sich aufs Kaffeekochen genauso gut wie aufs Teekochen. Vielleicht briet er Schinken und Eier, um sie ihr ans Bett zu bringen. Sofort hob sich ihre Stimmung, verdüsterte sich aber gleich wieder, als ihr klar wurde, wie abhängig sie sich bereits fühlte.

Sie betätigte die Toilettenspülung. Dieses Geräusch würde ihn doch bestimmt auf sie aufmerksam machen. Dann wusch sie sich Gesicht und Hände und spülte ihre Augen mit kaltem Wasser. Aber es war, als wären sie mit einem unsichtbaren Film überzogen. Sie konnte sie noch so oft mit dem Waschlappen ausreiben, die Nebelschleier ließen sich nicht wegwaschen.

Sie stellte mit Überraschung fest, daß sie trotz allem gar nicht so schlecht aussah. Das Haar fiel ihr glatt und glänzend auf die Schultern; ihr Teint war klar, wenn auch ein wenig bleich. Selbst die Schwellungen unter den Augen schienen geschrumpft zu sein. Sie putzte sich die Zähne und überlegte, ob sie sich ankleiden sollte. Aber sie war zu müde, um sich auch nur das Nachthemd über den Kopf zu ziehen; außerdem spielte es ja sowieso keine Rolle. Sie hatte nicht die Absicht auszugehen.

Mit einem energischen Ruck warf sie den Kopf zurück, um sich aus der Lethargie zu reißen, die ihren Körper gefangenhielt, aber durch die heftige Bewegung wurde ihr nur von neuem schwindlig. Mit Müh und Not schaffte sie es bis zum Bett und ließ sich darauf niederfallen.

»Ich bleib einfach noch ein paar Minuten liegen und ruh mich aus«, flüsterte sie in das lachsrosa Laken, das letzte, was sie sah, ehe sie in Bewußtlosigkeit versank.

Als sie die Augen wieder öffnete, war fast eine Stunde vergangen. »Du meine Güte«, murmelte sie, straffte die Schultern und stemmte sich in die Höhe. Als sie diesmal aufstand, blieb der Boden unter ihren Füßen ruhig. Die Schwindelgefühle waren weg, nur eine vage Niedergeschlagenheit war geblieben. Sie sagte sich, das sei immerhin besser als Angst und Schrecken. »Du machst Fortschritte«, sagte sie laut und sah ihr Spiegelbild lächeln.

In ungewollter Nachahmung Michaels strich sie sich eine Haarsträhne aus der Stirn und hielt abrupt inne, als sie sich an die frische Narbe erinnerte, die sie am vergangenen Abend an seinem Kopf gesehen hatte. Was hatte die Narbe zu bedeuten? Hatte sie überhaupt Bedeutung?

Vielleicht hatte er sich einer kleinen Operation unterziehen müssen. Vielleicht war er gestürzt und hatte sich den Kopf aufgeschlagen. Das Bild ihres blutverschmierten Kleides drängte sich ihr auf. Kopfwunden pflegten stark zu bluten. War es möglich, daß das Blut auf ihrem Kleid Michaels Blut war?

Sie verwarf den Gedanken so rasch, wie er gekommen war. Wenn das zuträfe, hätte Michael gewiß etwas gesagt, auch wenn er aus Angst, sie in neue Unruhe zu stürzen, mit allen Auskünften sehr zurückhaltend gewesen war.

Vielleicht hatte er gar keine Narbe. Vielleicht war es nur ihre Einbildung gewesen. Sie war fast hysterisch vor Angst aus ihrem Alptraum erwacht; sie war verwirrt, und es war dunkel gewesen. Wenn ihre Phantasie Wiesen voller Giftschlangen hervorbringen konnte, warum dann nicht auch eine Narbe, die gar nicht vorhanden war?

Wie auch immer, es war ein leichtes, die Wahrheit herauszufinden. Sie brauchte sich Michael nur genau anzusehen, und wenn die Narbe wirklich da war, würde sie ihn fragen, wie er zu ihr gekommen war. Ganz einfach. Das Leben war wirklich sehr einfach, wenn man erst einmal auf den Dreh gekommen war.

Sie ging zu den Fenstern hinüber, klappte die Läden auf, starrte in den Garten hinunter und fragte sich, wo Michael so lange blieb. Schlief er etwa noch?

Sie hörte ihren Magen knurren und lachte, froh, daß manches

sich niemals änderte. Nun, wenn Michael ihr das Frühstück nicht ans Bett brachte, mußte sie eben in die Küche hinuntergehen und es sich selbst machen. Vielleicht sogar *ihn* mit einem Frühstück im Bett überraschen.

Sie wandte sich zur Tür und schrie auf.

Die Frau, die dort stand, war jung und tief gebräunt. Sie war mittelgroß, vielleicht einen Meter fünfundsechzig, mit schwarzem Haar, das aus dem Gesicht gekämmt und im Nacken zu einem langen Zopf geflochten war. Sie war schlank, obwohl ihre Beine unter dem kurzen dunklen Jeansrock stämmig wirkten.

»Oh, das tut mir leid.« Ihre Stimme war erstaunlich kräftig. »Ich wollte Sie nicht erschrecken.«

Jane starrte die Frau an. Sie schätzte sie auf Ende Zwanzig. Das runde Gesicht war nicht hübsch im landläufigen Sinn. Man hätte es eher ›apart‹ genannt, unter Umständen sogar ›geheimnisvoll‹. Die Augen waren unergründlich und so dunkel wie das Haar, die Nase über dem großen, rot gemalten Mund war lang und schmal.

»Ich bin Paula«, sagte die Frau. »Paula Marinelli.« Sie wartete auf ein Zeichen des Erkennens. Als keines kam, fuhr sie zu sprechen fort. »Ich komme zweimal in der Woche zum Saubermachen. Dr. Whittaker wollte Sie eigentlich daran erinnern.«

»Ja, das hat er getan«, antwortete Jane, die sich verschwommen an das Gespräch erinnerte. »Sie müssen entschuldigen. Ich bin ein bißchen durcheinander.« Sie hätte beinahe gelacht über diese Untertreibung.

Paula Marinelli war sichtlich verlegen. »Dr. Whittaker sagte, daß Sie an einem Gedächtnisausfall leiden.«

»Aber nur vorübergehend«, versicherte Jane. »Jedenfalls hat man mir das gesagt.« Sie räusperte sich. »Wo ist mein Mann überhaupt? Schläft er noch?«

Paula wirkte ehrlich schockiert. »Aber nein! Dr. Whittaker ist heute schon in aller Frühe in die Klinik gefahren.«

»In die Klinik?«

»Ja. Ein Notfall.«

Jane nickte. »Ach so. Natürlich. Das kommt sicher ziemlich häufig vor.«

»Die Leute wollen alle nur zu Dr. Whittaker. Ein Wunder ist es nicht«, fügte Paula Marinelli mit leisem Stolz hinzu. »Er ist wirklich der beste.« Sie sah sich flüchtig im Zimmer um. »Soll ich Ihnen das Frühstück heraufbringen?«

»Nein, nein, ich möchte unten in der Küche essen.«

Paula musterte sie argwöhnisch. »Dr. Whittaker sagte aber, daß Sie möglichst viel Ruhe haben sollen.«

»Na, bis zur Küche hinunter werde ich es schon noch schaffen«, erwiderte Jane. »Wirklich. Ich fühle mich ganz wohl.«

Sie gingen nach unten.

»Machen Sie es sich bequem. Ich richte inzwischen das Frühstück«, sagte Paula und führte Jane zu einem der Küchenstühle.

»Aber ich kann Ihnen doch helfen.« Die Vorstellung, untätig dazusitzen und sich von der jungen Frau, die offensichtlich sehr tüchtig war, bedienen zu lassen, behagte Jane gar nicht. »Ich glaube, wie man Kaffee kocht, weiß ich noch.«

»Der Kaffee ist schon fertig«, sagte Paula und schenkte ihr ein. »Wie trinken Sie ihn?«

»Ich weiß nicht mehr genau«, antwortete Jane. »In den letzten Tagen habe ich ihn schwarz getrunken.«

»Gut, dann schwarz.« Paula stellte die dampfende Tasse vor Jane auf den Tisch und wartete auf weitere Anweisungen.

»Trinken Sie nicht auch eine Tasse?«

»Später vielleicht. Was möchten Sie dazu haben? Rührei? Toast? Corn Flakes?«

»Toast wäre schön«, sagte Jane, die der Frau möglichst nicht zur Last fallen wollte. »Und dazu ein Glas Orangensaft, wenn es keine Mühe macht.«

»Aber nein, natürlich nicht. Dazu bin ich doch da!«

»Um mir Orangensaft zu bringen?« Jane hoffte auf ein Lächeln der ernsthaften jungen Frau, aber Paula Marinelli verzog keine Miene. Vielleicht ist sie mit Dr. Klinger verwandt, dachte Jane, die sich an den humorlosen jungen Arzt im Krankenhaus erinnert fühlte.

»Um Ihnen behilflich zu sein.«

»Was tun Sie denn normalerweise, wenn Sie hier sind?« Jane trank einen Schluck Kaffee.

Paula stand schon an der Arbeitsplatte, schon zwei Scheiben Brot in den Toaster, goß ein großes Glas Orangensaft ein, stellte die Flasche in den Kühlschrank zurück, wartete, bis der Toast fertig war, bestrich die beiden Scheiben mit Butter und brachte alles zusammen mit mehreren Gläsern Marmelade zum Tisch.

»Meistens räume ich auf, mache die Wäsche und bügle«, antwortete sie. Sie blieb am Tisch stehen und wartete, bis Jane in ihren Toast biß. »Nehmen Sie keine Marmelade?«

Um einer Diskussion aus dem Wege zu gehen, griff Jane zur Orangenmarmelade.

»Warten Sie, ich mach das schon.« Paula nahm ihr das Messer aus der Hand und bestrich beide Toastscheiben mit einer dicken Schicht Marmelade. Jane sah ihr mit dem ohnmächtigen Zorn eines kleinen Kindes zu. Das kann ich doch selber, Mami, hätte sie am liebsten gesagt, aber sie unterließ es. Die junge Frau hatte offensichtlich ihre Anweisungen und war entschlossen, sie bis aufs i-Tüpfelchen zu befolgen. Wozu ihr das Leben schwermachen, da sie doch nur helfen wollte.

»Wie lange kommen Sie schon zu uns?« fragte Jane, als Paula begann, die sowieso schon blitzblanke Arbeitsplatte abzuwischen.

»Ein gutes Jahr.«

»Ich wollte, ich könnte mich erinnern.«

»Es ist ganz normal, daß Sie sich nicht an mich erinnern«, erklärte Paula. »Ich bin immer dienstags und donnerstags hier, wenn Sie Ihrem Mann in der Praxis helfen. Wenn ich morgens komme, sind Sie immer schon weg, und ich mache Schluß, ehe Sie zurück sind.«

»Aber ich habe Sie doch eingestellt«, meinte Jane.

»Nein, eingestellt hat mich Ihr Mann.«

»Mein Mann?« Jane war erstaunt. Sie hatte zwar noch immer keine Vorstellung von der Art der Beziehung zwischen ihr und Michael, dennoch fand sie es merkwürdig, daß er die Hausangestellten aussuchte.

»Ich lernte Ihren Mann im Krankenhaus kennen«, teilte Paula ihr in sachlichem Ton mit. »Er hat meine Tochter operiert.«

»Ach, Sie haben eine Tochter?«

»Ja. Christine. Sie wird jetzt bald fünf. Dank Dr. Whittaker.«

»Sie meinen, er hat ihr das Leben gerettet?«

»Sie hatte spinale Aneurysmen. Eines Tages, als sie unten im Hof mit den andern Kindern spielte, fing sie plötzlich furchtbar zu weinen an und jammerte, sie könne nicht mehr gehen. Ich raste mit ihr ins Krankenhaus, wo man die Aneurysmen feststellte. Ihr Mann operierte sie. Die Operation dauerte acht Stunden, und ein paar Tage lang schwebte sie in Lebensgefahr. Ohne Ihren Mann wäre sie gestorben.«

»Aber jetzt geht es ihr wieder gut?«

»Sie muß ein Stützkorsett tragen. Wahrscheinlich für immer. Aber sie läßt sich davon kaum einschränken. Noch Toast?«

»Wie bitte?«

»Ob Sie noch etwas Toast möchten?«

Jane sah mit Überraschung, daß sie beide Scheiben Toast aufgegessen hatte. »Äh – nein, danke. Es hat wunderbar geschmeckt.«

»Sie könnten aber leicht ein paar Pfund mehr vertragen.«

Jane blickte an sich hinunter, sah die Konturen ihrer Brüste unter dem weißen Baumwollnachthemd. Sie hätte wahrscheinlich einen Morgenrock anziehen sollen.

»Wo ist Ihre Tochter jetzt?« fragte sie mit einem Blick zum Flur, als erwarte sie, das Kind dort zu sehen.

»Meine Mutter kümmert sich um sie.«

»Damit Sie sich um mich kümmern können.«

»Das tue ich doch gern.«

»In ein, zwei Tagen komme ich hier bestimmt wieder allein zurecht.«

»Nein, nein. Ich bleibe, bis alles wieder normal ist«, erklärte Paula in einem Ton, der keinen Widerspruch duldete.

»Aber wie kam es eigentlich dazu, daß mein Mann Sie einstellte?« fragte Jane, zu ihrer ursprünglichen Frage zurückkehrend.

Paula räumte den Tisch ab und begann, das Geschirr abzuwaschen. »Ihr Mann«, sagte sie, während sie einen der Teller mehrmals mit klarem Wasser spülte, »ist sehr empfindsam für die Nöte anderer Menschen. Er wußte, daß ich Christines Operation niemals hätte bezahlen können. Darum veranlaßte er, daß der größte Teil der Kosten von einer wohltätigen Organisation übernommen wurde, mit der er zu tun hat. Und dann bot er mir die Arbeit hier bei Ihnen an.«

»Und Ihr eigener Mann? Konnte der nicht helfen?« fragte Jane, die genau spürte, daß Paula in Michael verliebt war, und ahnte, daß Michael von Paulas Gefühlen keine Ahnung hatte.

»Ich war nie verheiratet.« Paula machte sich daran, das Geschirr zu trocknen, das sie gerade gespült hatte. »Der Mann, mit dem ich zusammen war, wollte von Ehe und Kindern nichts wissen. Das ging ihm zu weit. Für mich kam ein Schwangerschaftsabbruch nicht in Frage. Ich bin streng katholisch erzogen worden. Ich behielt das Kind und habe mich seither mehr oder weniger allein mit ihr durchgeschlagen.« Paula warf Jane einen Blick zu, um ihre Reaktion festzustellen.

»Ich war in der Schule keine Leuchte«, fuhr sie fort, »und konnte froh sein, daß ich nach dem Abgang überhaupt eine Anstellung fand. Und nach Christines Geburt bekam ich keine Arbeit mehr. Ich lebte von Sozialhilfe, als Christine operiert werden mußte. Die meisten Ärzte hätten sie sich nicht einmal angesehen. Denen geht's doch allen nur darum, sich die Taschen zu füllen.«

Augenblicklich fielen Jane die Hundert-Dollar-Scheine in ihren eigenen Manteltaschen ein, und sie runzelte die Stirn.

»Oh, entschuldigen Sie«, sagte Paula sofort. »Sie haben wahrscheinlich viele Freunde, die Ärzte sind.«

»Sie brauchen sich nicht zu entschuldigen.«

»Ich wollte Ihnen auch nur sagen, wie großartig sich Ihr Mann mir gegenüber verhalten hat. Er hat mein Kind gerettet, und er hat mich gerettet. Er half mir, in einer Abendschule unterzukommen, und er besorgte Christine einen Platz in einer Sonderschule für behinderte Kinder. Er setzte durch, daß mein Name ganz oben auf die Liste kam.« Sie stellte das Geschirr in die Schränke. »Anfangs wartete ich immer auf den Haken bei der Sache. Ich konnte mir nicht vorstellen, daß jemand *so* nett ist und aus reiner Uneigennützigkeit hilft. Bin ja mal gespannt, was er dafür haben will, dachte ich. Aber der Haken zeigte sich nicht. Er wollte mir wirklich nur helfen. Er sagte, er sei ein überzeugter Anhänger dieser orientalischen Philosophie, die besagt, daß man für einen Menschen, dem man das Leben gerettet hat, auch in aller Zukunft verantwortlich ist.« Sie holte einmal tief Atem. »Er ist ein wunderbarer Mensch. Ich würde alles für ihn tun.«

»Wissen Sie, was er sich am Kopf getan hat?« hörte Jane sich fragen.

»Sie meinen die Narbe?«

Jane nickte.

»Eines von den Kindern hat was nach ihm geworfen«, erklärte Paula kopfschüttelnd. »Er hat einen Haufen Spielsachen in seinem Sprechzimmer. Puppen und Autos und so, damit die Kinder die Nervosität verlieren. Aber in dem Fall hat's anscheinend nicht gewirkt. Eins von den Kindern hat ein Spielzeugflugzeug nach ihm geworfen. So eins mit einer ganz spitzen Schnauze. Er sagte, er hätte es kommen sehen, aber er konnte nicht mehr schnell genug ausweichen. Es waren fast vierzig Stiche nötig, um die Wunde zu nähen.«

»Das klingt ja abscheulich.«

»Ja, aber Sie wissen ja, wie er ist. Von Jammern hält er nichts.«

Jane lächelte. Sie hoffte, Paula würde ihr noch mehr von dem Mann erzählen, mit dem sie verheiratet war. Es freute sie, Gutes über ihren Mann zu hören, nicht nur, weil es angenehm war festzustellen, daß sie mit einem sympathischen Mann verheiratet war, sondern auch, weil es umgekehrt bedeutete, daß sie selbst so übel nicht sein konnte, wenn ein solcher Mann sie liebte. Warum dann aber die Flucht und die Amnesie?

»Möchten Sie jetzt wieder rauf ins Bett?« fragte Paula.

Jane schüttelte den Kopf. »Ich möchte mich gern in den Wintergarten setzen.«

Paula stützte sie, als sie ins Nebenzimmer hinübergingen. Obwohl Jane sich kräftig genug fühlte, um den Weg allein zu machen, ließ sie es sich gefallen. Sie wußte, daß Protest zwecklos gewesen wäre.

Das Zimmer war so schön, wie sie es in Erinnerung hatte. Die Sonne schien ihr entgegenzukommen, um sie einzuhüllen und zu wärmen. Paula führte sie zur Hollywoodschaukel und half ihr so behutsam in die Polster, als wäre sie aus Porzellan.

»Ich hole Ihnen eine Decke«, sagte sie und war verschwunden, ehe Jane sie davon abhalten konnte.

Sie hatte eine Pflegerin, ob sie es wollte oder nicht. Sie würde umsorgt und bemuttert werden, ob es ihr gefiel oder nicht. Michael und Paula waren entschlossen, dafür zu sorgen, daß es ihr besser ging; sie gewöhnte sich besser daran. Je eher, desto besser. Besser heute als morgen.

So was Albernes, dachte sie und kicherte. Ich bin richtig blöd. Ich benehme mich wie eines von den Kindern, die zu Michael in die Praxis kommen; wie der Kleine, der ihm das Flugzeug an den Kopf geschmissen hat. Nur weil die Frau in Michael verliebt ist, muß sie mir doch nicht unsympathisch sein. Ich bin ein großes undankbares Kind, das nicht weiß, wie gut es ihm geht, das sich nicht erinnern kann, wie man sich verhält, wenn andere nett zu einem sind, das nicht zu schätzen weiß, wenn andere ihm helfen wollen. Ich weiß nicht, was gut für mich ist. Ich weiß nicht, was von mir erwartet wird. Ich weiß nicht mal, was mit mir los ist. Ich weiß überhaupt nichts. Gottverdammich! Ich weiß gar nichts.

Sie brach in unkontrollierbares Gelächter aus, das sich in einer Tränenflut auflöste. Paula war sofort bei ihr und legte ihr eine weiche gelbe Decke um.

»Nehmen Sie Ihre Tabletten.« Sie hielt ihr zwei kleine weiße Tabletten hin und reichte ihr mit der anderen Hand ein Glas Wasser.

»Ich brauche keine Tabletten«, sagte Jane und wischte sich das Gesicht mit dem Handrücken wie ein Kind.

»Ihr Mann hat aber gesagt, daß Sie sie nehmen müssen.«

»Ich brauche sie nicht.«

»Aber Sie wollen doch Ihrem Mann keinen Kummer machen«, sagte Paula, das Undenkbare aussprechend.

Jane begriff, daß jede Widerrede sinnlos war. Sie wußte so gut wie Paula, daß sie früher oder später die Tabletten schlucken würde. Wozu also dieser jungen Frau, die es sowieso nicht leicht hatte, auch noch Schwierigkeiten machen?

Sie nahm die zwei Tabletten aus Paulas Hand, legte sie auf die Zungenspitze und spülte sie mit dem Wasser hinunter.

10

Im Traum sah Jane sich durch eine dunkle Straße gehen, die sie nicht wiedererkannte, an der Seite einer Frau, an deren Gesicht sie sich nicht entsinnen konnte.

Sie sprachen miteinander, lachten über einen Witz aus dem Film, den sie gerade gesehen hatten, stritten darüber, wer von ihnen Kevin Costner als erste entdeckt und daher größeres Anrecht auf ihn hatte, sollten sie ihm je von Angesicht zu Angesicht begegnen und er gezwungen sein zu wählen.

»Ich habe schon Monogramme in die Handtücher einsticken lassen«, erklärte die Frau und schüttelte den Kopf, daß die roten Locken flogen.

»Du bist ja verrückt, Diane!« rief Jane lachend.

Aha, die Frau heißt also Diane, wisperte es aus weiter Ferne. Diane Soundso, hörte sie Michael sagen. Diane Brewster, hatte sie in ihrem privaten Telefonbuch gesehen.

Jane hakte die andere Frau unter, und gemeinsam wollten sie die Straße überqueren.

»Da kommt einer ohne Licht.« Sie winkte dem dunkelhaarigen jungen Mann am Steuer des knallroten Trans Am. »Entschuldigen Sie, aber Sie haben kein Licht an«, sagte sie, als er sein Fenster herunterkurbelte.

Seine Erwiderung traf sie wie ein Schlag ins Gesicht.

»Du blödes Miststück. Was willst du überhaupt, du Luder?«

»Komm verschwinden wir«, flüsterte Diane und zog Jane am Arm.

Aber Jane blieb stur stehen. Ganz sicher hatte der junge Mann sie mißverstanden. »Ich wollte Ihnen nur sagen, daß Ihre Scheinwerfer nicht eingeschaltet sind«, wiederholte sie so freundlich wie möglich.

»Du beschissenes Miststück. Verpiß dich.«

Bei Jane hakte etwas aus. Ihre Entgegnung kam reflexhaft. »Verpiß doch du dich, Arschloch!«

»O Gott!« stöhnte Diane.

Dem jungen Burschen fielen fast die Augen aus dem Kopf. Mit dem Mittelfinger wutentbrannt in ihre Richtung stochernd, brauste er davon.

»Gott sei Dank«, sagte Diane aufatmend.

»Er kommt zurück!« rief Jane und sah wie versteinert, daß der rote Wagen mitten auf der Straße mit quietschenden Bremsen anhielt, dann im Rückwärtsgang wieder anfuhr, Geschwindigkeit zulegte und in rasendem Tempo auf sie zufuhr. Der Fahrer lehnte sich fast stehend zum offenen Fenster hinaus und brüllte. »Du beschissenes Miststück! Ich bring dich um!«

Jane packte Diane bei der Hand und rannte, verfolgt von den wütenden Beschimpfungen des Mannes. Als sie sich umdrehte, sah sie, daß er ihnen nachlief. Er hatte seinen Wagen auf dem Bürgersteig stehengelassen und rannte ihnen auf kurzen Beinen nach, so schnell er konnte.

»Ist hier denn niemand?« schrie Diane und blickte gehetzt die menschenleere Straße hinauf und hinunter.

»Hilfe!« kreischte Jane. »Hilfe!«

Ein Riese stand plötzlich vor ihnen, ein Mann von gewaltigen Proportionen, mindestens zwei Meter groß, mit breitem Brustkorb und massigem Hals. Und der dunkelhaarige junge Bursche mit den kurzen Beinen und dem schmutzigen Mundwerk rannte schmählich in die Flucht geschlagen mit wild wedelnden Fäusten zu seinem roten Wagen zurück.

»Ich glaube, meine Damen, Sie können jetzt einen Drink gebrauchen.« Der Hüne führte sie in das schummrig erleuchtete Restaurant, aus dem er gekommen war. »Rick, geben Sie diesen beiden Schönen in Not etwas zu trinken. Geht auf mich.« Irgendwo im Hintergrund begann ein Telefon zu läuten. »Ich geh nur mal schnell ran. Bin gleich wieder da.«

»Das ist Keith Jarvis, der Footballspieler!« rief Diane, sobald er außer Hörweite war. »Nicht zu fassen! Erst treibst du's so weit, daß uns ein Verrückter beinahe umbringt, und dann schaffst du's, daß Keith Jarvis uns auf den letzten Drücker aus der Patsche hilft. Ich möchte wissen, ob er verheiratet ist.«

»Wieso geht er nicht ans Telefon?« fragte Jane, die es immer noch läuten hörte.

Plötzlich brach das Läuten ab. »Hallo«, sagte jemand gedämpft. Es war keine Männerstimme, sondern die Stimme einer jungen Frau. »Nein, tut mir leid. Sie ist nicht zu Hause. Sie ist verreist. Sie ist für ein paar Wochen zu ihrem Bruder gefahren.«

Jane öffnete die Augen. Der Traum verblaßte schnell, als sie in die Realität zurückkehrte. Orientierung suchend, sah sie sich um. Sie hing halb liegend in der Hollywoodschaukel im Wintergarten. Sie mußte unter der gelben Decke eingeschlafen sein. Aber wie lange hatte sie geschlafen? Und wer war der Choreograph ihrer seltsamen Träume?

»Ja, es war ein ganz plötzlicher Entschluß«, hörte sie Paula sagen. Es war die Stimme, die sie am Ende ihres Traums gehört hatte. »Nein, nein, es ist alles in Ordnung. Sie wollte ihn überraschen.«

Jane stand so leise wie möglich aus der Schaukel auf und hielt sie dabei mit beiden Händen fest, um kein Geräusch zu machen. Auf Zehenspitzen schlich sie zur Küche, stieß die Tür zwischen den beiden Räumen einen Spalt auf und lauschte.

»Sie wird Sie sicher anrufen, sobald sie zurück ist«, sagte Paula, die mit dem Rücken zu Jane stand und ihre Anwesenheit nicht bemerkte. »Ja, ist gut. Auf Wiederhören.« Sie legte auf und drehte sich um.

Wenn Janes unerwartete Anwesenheit sie erschreckte, so faßte sie sich schnell. »Ich dachte, Sie schliefen noch«, sagte sie.

»Wer war das?« fragte Jane und zeigte auf das Telefon.

»Ich habe vergessen zu fragen«, sagte Paula betreten.

»Wieso haben Sie gesagt, ich wäre bei meinem Bruder?«

Jetzt sah Paula entschieden verlegen und unsicher aus. »Ihr Mann meinte, es wäre besser, wenn Sie nicht durch Anrufe gestört werden. Wenigstens vorläufig. Bis Sie wieder bei Kräften sind.«

»Ich bin bei Kräften«, entgegnete Jane gereizt, obwohl sie sich ausgesprochen schwach fühlte. »Mir fehlt's nicht an der Kraft, sondern am Gedächtnis.«

»Aber es hätte doch sowieso keinen Sinn, mit jemandem zu sprechen, an den Sie sich nicht erinnern können.«

Jane wurde ärgerlich. »Es könnte ja sein, daß so ein Gespräch Erinnerungen weckt.«

»Oder auch nicht. Und das würde Sie doch noch unsicherer machen. – Möchten Sie jetzt nicht etwas zu Mittag essen?«

»Wieso? Ich habe doch eben erst gefrühstückt.«

»Das ist Stunden her. Kommen Sie, Sie müssen...«

»... wieder zu Kräften kommen, ich weiß.«

Jane setzte sich an den Küchentisch und wartete, während Paula ihr Mittagessen zubereitete.

Sie entdeckte die Fotoalben auf dem untersten Bord des Bücherregals im Wohnzimmer.

Einen nach dem anderen blätterte sie die sechs in Leder gebundenen Bände durch. In einer Folge manchmal alberner, größtenteils durchschnittlicher, gelegentlich bemerkenswerter Fotografien lag ihr Leben vor ihr. Ein Jahr trug sie das Haar lang, im nächsten trug sie es kurz, einmal lockig, einmal glatt, ein andermal hochgesteckt oder lose herabfallend. Sie trug ausgestellte Hosen und hautenge Jeans, Schuhe mit Plateausohlen und Stiefel bis über die Knie, Lederjacken und voluminöse Pullover. Die einzige Konstante war ihr Lächeln. Immer lächelte sie.

Viele Aufnahmen zeigten sie und Michael zusammen. Als unverheiratetes junges Liebespaar; bei der Hochzeit; auf Urlaubsreisen. Gemeinsam mit anderen oder zu zweit allein. Immer Arm in Arm, unverkennbar die Liebe, die sich in ihren Blicken spiegelte.

Eine Fotografie zeigte Michael mit einem älteren Paar, seine Eltern vermutlich. Zwei gutaussehende Menschen, beide groß und stattlich, der Vater schon grau, mit schütterem Haar, die Mutter strahlend blond, die Frisur wie gemeißelt. Auf einer anderen Seite waren Aufnahmen von Jane in herzlicher Umarmung mit einer Frau, die nur ihre Mutter sein konnte. Es gab Jane einen Stich, als sie sie sah. »Verzeih mir, Mutter«, flüsterte sie und zeichnete die Konturen der Frau mit einem Finger nach. »Ich möchte mich so gern an dich erinnern können.«

Sie klappte das Album zu. Die Tränen schossen ihr in die Augen, aber sie drängte sie zurück. »Verdammt noch mal, ich *werde* mich erinnern.« Sie schlug den Band wieder auf. »Natürlich erinnere ich mich an dich, Mutter«, sagte sie zu der Frau, die sie aus dem Foto anlächelte. »Und ich erinnere mich natürlich auch an meinen Bruder Tommy. Wie geht es dir, Tommy, hm?«

Ein junger Mann mit hellem Haar und einer kleinen Lücke zwischen den Schneidezähnen erwiderte ihr Lächeln. Rechts von ihm stand eine junge Frau, in der Jane sich selbst erkannte, links von ihm die ältere Frau, die ihre Mutter war. Besitzergreifend hielt er beide um die Taille. Aber die nächste Aufnahme zeigte einen anderen jungen Mann, dunkelhaarig, mit schmalem Mund, in ähnlicher Haltung, gleichermaßen besitzergreifend die Arme um die beiden Frauen gelegt. Vielleicht war das ja Tommy.

Sie schlug das nächste Album auf und sah sich einer hochschwangeren Frau in gestreiftem Hemd und Blue Jeans gegenüber. Das Gesicht unter dem zurückgekämmten Haar wirkte beinahe aufgedunsen, die Beine, die unter den aufgekrempelten Jeans hervorsahen, waren stark geschwollen.

Instinktiv strich sich Jane über den Bauch. Da stand sie, Inbegriff der werdenden Mutter, und jetzt saß sie hier und konnte sich nicht an einen einzigen winzigen Moment jener Zeit in ihrem Leben erinnern. Und da war Emily, ein süßes, rosiges Baby mit blondem Flaumhaar und kleinen Hamsterbäckchen. Jane sah ihre Tochter größer werden, eben noch ein Baby, das auf dem Wohnzimmerteppich herumkroch, nun schon ein kleines Mädchen, das beherzt in einen See sprang.

»Du bist ein bezauberndes kleines Ding«, sagte Jane leise und blätterte rasch das letzte Album durch. Lächelnd stellte sie fest, daß ihre Tochter sie als bevorzugtes Fotomodell von Michael verdrängt hatte. Hatte sie das übelgenommen? War sie auf ihre kleine Tochter eifersüchtig gewesen?

Sie rieb sich die Stirn, als sie beginnende Kopfschmerzen fühlte. Bitte gib, daß ich mich nicht als eine dieser schrecklichen, unsicheren Mütter entpuppe, die ihre eigenen Kinder hassen. »Tu mir nur das nicht an«, sagte sie laut, während sie dem Dröhnen des Staubsaugers über ihrem Kopf lauschte.

Paula war wirklich ein Ausbund an Fleiß. Wenn sie nicht kochte, machte sie sauber. Wenn sie nicht sauber machte, goß sie die Pflanzen. Wenn sie nicht die Pflanzen goß, schüttelte sie die Betten auf oder mahnte Jane, daß es Zeit war, ein Schläfchen zu machen oder Zeit, ihre Tabletten zu nehmen. Zeit zu verschwinden, hätte Jane ihr gern gesagt, die sich von der Tüchtigkeit dieser Frau bedrängt und eingeengt fühlte. Lieber Gott, bin ich so eine Frau? fragte sie sich. Eine Frau, die sogar auf die Zugehfrau eifersüchtig ist? Und ihren Fleiß und ihre Fürsorge nicht zu schätzen weiß? Kein Wunder, daß ich deprimiert bin, sagte sie sich. Ich bin eine ganz kleinliche, widerliche Person.

Sie versuchte, sich die junge Frau vorzustellen, die mit dem Staubsauger von Zimmer zu Zimmer wanderte. Dem Ton des Dröhnens nach zu urteilen war sie jetzt wahrscheinlich gerade in Michaels Arbeitszimmer, sehr besorgt darum, dem verehrten Dr. Whittaker alles recht zu machen.

Wie lange hatte sie schon gewußt, daß Paula in Michael verliebt war? Und wie sehr hatte ihr das zu schaffen gemacht? Konnte sie es Paula ernstlich übelgenommen haben? War es nicht ganz natürlich, daß man den Arzt anschwärmte, der dem eigenen Kind das Leben gerettet hatte, noch dazu, wenn er ein so attraktiver und liebenswerter Mann war wie Michael?

Dennoch flößte die Frau ihr Unbehagen ein. Konnte Paula etwas mit ihrer Amnesie zu tun haben?

Na klar, dachte sie. Du wolltest sie umbringen, und jetzt rächt sie sich, indem sie dir dein Haus von oben bis unten saubermacht. Eine ganz verschlagene Person, das.

Jane legte die Alben wieder an ihren Platz im Bücherregal und überlegte, was sie mit sich anfangen sollte. Sie konnte fernsehen, mal sehen, was sich inzwischen bei den *Jungen und Nutzlosen* getan hatte. Aber sie fühlte sich schon nutzlos genug; also kein Fernsehen. Ich könnte lesen, dachte sie und sah zu den Reihen von Büchern hinauf, fragte sich, welche Bücher sie schon gelesen hatte, ob sie Romane oder Sachbücher bevorzugte, Liebesgeschichten oder Krimis. Michael hatte ihr erzählt, daß sie im Hauptfach Englisch studiert und dann in einem Verlag gearbeitet hatte. Aber was genau hatte sie da gearbeitet? Was für eine Stellung hatte sie gehabt?

Sie wünschte, Michael würde nach Hause kommen, damit sie ihm all diese Fragen stellen konnte, die sie sich selbst nicht beantworten konnte; ob sie zu einem Psychiater gehen sollte, oder vielleicht sogar zu einem Hypnotherapeuten. Sie wünschte, er würde heimkommen, damit sie sich erkundigen konnte, wie sein Tag verlaufen war, und ihm von ihrem berichten konnte; damit sie so tun konnte, als führten sie ein ganz normales Leben. Mußte er denn wirklich gleich am ersten Tag ihrer Rückkehr bis zum Abend ausbleiben?

Rückkehr woher?

Sie ging wieder in den Wintergarten. Sie wußte rein gefühlsmäßig, daß dies der Raum war, in den sie sich zurückzuziehen pflegte, wenn sie nachdenken wollte. Sie hatte unverkennbar ein glückliches Zuhause. Was konnte sich ereignet haben, daß sie dies alles hatte verlassen und vergessen wollen?

Sie strich mit den Fingern über die Blätter der vielen Pflanzen und prüfte automatisch, ob sie genug Wasser hatten. Aber natürlich. Paula, die tüchtige, hatte dafür gesorgt.

Sie ließ sich in einen der Korbsessel sinken und starrte ins Leere. Ich sollte mich schämen, dachte sie. Wenn jemand ein schweres Leben hat, dann ist es Paula, eine ledige Mutter mit einem behinderten Kind, ohne Geld und ohne Aussichten, aber sie stellt sich dem Leben. Ich hingegen, eine wohlhabende Frau mit einem liebevollen Mann und einem gesunden Kind, fliehe vor dem Leben, sitze hier herum, suhle mich im Selbstmitleid. Nur – hatte nicht Dr. Meloff ihr erklärt, daß die hysterische Amnesie auch eine Art der Lebensbewältigung war, ein Mittel, um mit einer unerträglichen Situation überwältigender Angst, Wut oder Demütigung fertigzuwerden?

Aber was für eine Situation kann das gewesen sein? fragte sie sich und schlug mit der Faust auf die Armlehne ihres Sessels. Wie lange soll der jetzige Zustand noch dauern? Er ist doch unerträglicher als alles andere!

»Was ist denn?« Sie fuhr schreckhaft zusammen, als sie plötzlich Michaels Stimme hörte. »Geht es dir nicht gut? Hast du Schmerzen?«

»Nein, nein. Es geht mir gut«, versicherte sie hastig und sprang auf. »Ich bin so froh, daß du da bist.« Im nächsten Moment lag sie in seinen Armen. »Du hast mir gefehlt«, flüsterte sie halb verlegen. Sie war wie erlöst, ihn zu sehen.

»Das ist schön.« Er küßte sie auf die Stirn. »Das hatte ich mir erhofft.« Er trat einen Schritt zurück und sah sie prüfend an, ohne sie jedoch loszulassen. »Was ist los? Ist etwas passiert? Hat Paula sich nicht richtig um dich gekümmert?«

»Nein, nein, das ist es nicht«, antwortete Jane und fragte sich gleichzeitig, was es denn eigentlich war. »Vielleicht habe ich einfach zuviel erwartet. Ich weiß nicht. Ich dachte wahrscheinlich, sobald ich wieder zu Hause wäre, würde die Erinnerung wiederkommen.«

»Das kommt schon. Du mußt nur ein bißchen Geduld haben.»

»Wie war dein Tag?« fragte sie mit einem befangenen Lachen.

Er nahm sie wieder in die Arme. »Lang und anstrengend.« Er strich ihr über das Haar. »Es tut mir so leid, daß ich heute morgen schon in aller Frühe weg mußte. Ich hatte eigentlich freinehmen wollen, aber es kam ein Notfall nach dem anderen, und jedesmal, wenn ich anrief, sagte mir Paula, du schliefst.«

Jane stieß einen Laut aus, der halb Lachen, halb Prusten der Geringschätzung war. »Ich habe wirklich unheimlich viel geschlafen. Das müssen die Tabletten sein.«

»Nein, *so* schläfrig können die Tabletten dich nicht machen«, meinte er. »Ich glaube eher, du bist erschöpfter, als dir bewußt ist.«

»Ich hatte wieder so verrückte Träume.«

»Wieder von Schlangen?«

»Nein, Gott sei Dank. Diesmal waren es nur Bösewichter in roten Autos, die mich überfahren wollten.«

»Erzähl.«

Sie berichtete ihm den Traum in allen Einzelheiten. Er war ihr noch so präsent wie im Moment ihres Erwachens.

»Das war kein Traum«, sagte er leise, als sie geendet hatte.

»Wie meinst du das?«

»Das ist wirklich geschehen. Vor ungefähr zwei Jahren, glaube ich.«

»Da wollte so ein Irrer mich umbringen, nur weil ich ihm sagte, daß er kein Licht hat?«

»Da wollte so ein Irrer dich umbringen, weil du ihm sagtest, er solle sich verpissen.« Er lachte unwillkürlich. »Du bist ein ganz schöner Hitzkopf«, sagte er mit einem leichten Kopfschütteln. »Wir haben oft gesagt, daß du dich mit deinem Jähzorn eines Tages in ernste Schwierigkeiten bringen würdest.«

»Das ist wirklich passiert?« sagte sie verwundert und leistete keinen Widerstand, als er sie sachte in die Hollywoodschaukel drückte und ihr die Decke umlegte.

»Verstehst du, was das bedeutet, Jane? Du fängst an, dich zu erinnern. Du mußt dir nur Zeit lassen und darfst dich nicht entmutigen lassen. Es kommt bestimmt alles wieder ins Lot. So, und jetzt schlaf noch ein bißchen vor dem Abendessen. Vielleicht melden sich noch andere Erinnerungen.«

Vielleicht melden sich noch andere Erinnerungen, wiederholte sie in Gedanken und sah wieder den roten Wagen, der im Rückwärtsgang auf sie zuraste. Du bist ein ganz schöner Hitzkopf, hatte Michael gesagt. Wir haben oft gesagt, daß du dich mit deinem Jähzorn eines Tages in ernste Schwierigkeiten bringen würdest...

11

»Oh! Hallo! Wie geht's denn?«

»Kann ich einen Moment reinkommen?«

Carole Bishop wich in den Flur zurück, um Jane hereinzulassen. »Aber natürlich, komm nur rein. Möchtest du eine Tasse Kaffee? Wie geht es dir?«

»Nicht schlecht«, log Jane, die sich hundeelend fühlte.

Sie folgte Carole in die Küche, die wie ihre eigene im rückwärtigen Teil des Hauses lag.

»Ich hab nicht angerufen, weil ich euch nicht stören wollte. Michael sagte, er würde sich melden, wenn ihr etwas brauchen solltet...«

»Ich brauche nichts.« Außer einem klaren Kopf, dachte Jane. »Ich werde bestens versorgt.« Ich bin eine Gefangene in meinem eigenen Haus, hätte sie gern gesagt, tat es aber nicht, da sie wußte, wie melodramatisch das klingen würde, und wie unfair es gewesen wäre. Michael hätte nicht fürsorglicher, nicht liebevoller sein können. Und Paula schmiß den ganzen Haushalt, spülte, putzte, kochte und bemühte sich, ihr jeden Wunsch von den Augen abzulesen. Nur den einen wahren Wunsch, einfach in Frieden gelassen zu werden, den erfüllte sie ihr nicht.

Beinahe eine Woche war vergangen, seit Michael sie aus dem Krankenhaus nach Hause geholt hatte. Sie hatte in dieser Zeit kaum etwas anderes getan als essen und schlafen. Wenn sie nicht schlief, mußte sie sich anstrengen, wach zu bleiben. Und wenn sie wach war, mußte sie gegen die Depression kämpfen. Je länger sie wach blieb, desto tiefer wurde die Depression. Das einzige Mittel, ihr zu entfliehen, war zu schlafen. Sie hatte es sogar geschafft, einen Termin zu verschlafen, den Michael bei einem führenden Bostoner Psychiater für sie vereinbart hatte. Aus kollegialem Entgegenkommen hatte der vielbeschäftigte Arzt ihr eine Stunde eingeräumt, doch als Michael nach Hause gekommen war, um sie abzuholen – nachdem er selbst seinen ganzen Terminkalender über den Haufen geworfen hatte –, hatte er sie nicht wach bekommen können. Es mußte ein neuer Termin vereinbart werden, diesmal jedoch mit einer Wartezeit von sechs Wochen, da der Psychiater nicht bereit war, ihr ein zweites Mal eine Extrawurst zu braten. Aber in sechs Wochen, dachte Jane flehentlich, würde sie seine Hilfe doch gewiß nicht mehr brauchen. Da mußte dieser Alptraum vorbei sein.

Sie hatte keine Träume mehr. Keine Erinnerungen meldeten sich mehr. Sie existierte, wenn sie überhaupt existierte, und daran begann sie langsam zu zweifeln, in einem Vakuum.

»Ich weiß nicht mehr, wie du deinen Kaffee trinkst«, sagte Carole.

»Schwarz. Und vielen Dank, daß du's vergessen hast.«

Carole lachte. »Warte nur, bis du in meinem Alter bist. Da wirst du merken, daß dein Zustand nichts Besonderes ist. Ein bißchen extrem vielleicht, aber nichts Besonderes. Es gibt Tage, da kann ich mich an überhaupt nichts erinnern. Ich muß mir alles aufschreiben. Überall liegen Zettel herum.« Sie ging zu einem kleinen Schreibtisch an der gegenüberliegenden Wand und zeigte Jane ein halbes Dutzend Notizblätter. »Ich habe für alles eine Liste. Was ich mir nicht aufschreibe, vergesse ich prompt.«

Sie kehrte zum Tisch zurück und goß Jane eine Tasse Kaffee ein. »Ich mache jeden Morgen eine Riesenkanne«, bemerkte sie mit einer Geste zur Kaffeemaschine, »und laß sie einfach den ganzen Tag stehen. Es ist koffeinfreier Kaffee, da lieg ich nachts nicht wach. Es heißt zwar, daß man davon Krebs bekommt, aber wovon bekommt man den nicht? Also – Prost.«

Sie hob ihre Tasse und stieß mit Jane an, als tränken sie Champagner. Dann zog sie sich einen Stuhl heran und setzte sich Jane gegenüber. Eine Weile schwiegen sie beide, und Jane nutzte die Gelegenheit, sich umzusehen. Die Küche hatte etwa die gleiche Größe wie ihre eigene, aber sie hätte dringend einen frischen Anstrich gebraucht, und die Brandflecken auf Tisch und Arbeitsplatte wirkten auch nicht gerade gepflegt. Die geflochtenen Sitzflächen der Küchenstühle waren ausgefranst, dem völligen Zerfall nahe, und der Linoleumboden war voll vergessener Krümel. Das Radio an der Wand neben dem Telefon dudelte.

»Magst du Country Music?« fragte Jane zerstreut.

»Leidenschaftlich«, antwortete Carole. »Allein die Texte! ›Ich hol mir einen Penner als Gartenzwerg ins Haus‹. Das muß man doch mögen!«

Jane lachte und war froh und erstaunt, es zu hören. Sie hatte seit Tagen nicht mehr gelacht. Michael war die meiste Zeit nicht da, und Paula sprühte nicht gerade vor Witz. Sie sah durch das Fenster in den Garten hinaus, wo der große Hund der Familie einem Eichhörnchen hinterherjagte, und es hätte sie nicht gewundert, irgendwo im Gebüsch Paula lauern zu sehen.

Es war fast zwei Uhr. Im allgemeinen hielt sie um diese Zeit ihren Mittagsschlaf. Aber diesmal hatte sie so getan, als schliefe sie schon, als Paula hereingekommen war, um ihr ihre Tabletten zu geben, und hatte sich dann wie ein Kind, das etwas Verbotenes tut, aus dem Haus geschlichen. Wie lange würde es dauern, ehe Paula merkte, daß sie weg war?

Das ganze Haus dröhnte plötzlich unter polternden Sprüngen auf der Treppe. »Ich geh jetzt!« rief jemand aus dem Flur.

Carole sprang auf. »Einen Augenblick, Andrew. Andrew! Komm sofort her!«

An der offenen Tür erschien ein halbwüchsiger, schlaksiger Junge, der anscheinend keinen Augenblick stillstehen konnte. Er wippte, er hüpfte, er schlenkerte mit Armen und Beinen, er vibrierte praktisch von Kopf bis Fuß.

»Was ist denn noch, Mama? Ich bin sowieso schon spät dran.«

»Kannst du nicht guten Tag sagen?«

»Oh – Tag, Mrs. Whittaker. Wie geht's?«

»Gut, danke.«

»Okay, Mama, ich muß los.«

Er war schon wieder im Flur, als Carole rief: »Moment mal! Du solltest doch mit deinem Großvater einen Spaziergang machen.«

»Das kann ja Celine tun.«

Die Haustür wurde geöffnet und zugeschlagen.

Carole sank resigniert in sich zusammen. »Na klar. Das kann ja Celine tun. Und wo ist die gute Celine? Natürlich nicht da. Sie mußte dringend einen Einkaufsbummel machen und wird nachher viel zu erschöpft sein, um mit ihrem Großvater spazierenzugehen – vorausgesetzt, sie gibt uns überhaupt die Ehre ihres Erscheinens. Hört sich das verbittert an?« Die Frage war nur teilweise rhetorisch.

»Es hört sich an, als wärst du sehr müde«, sagte Jane.

Carole lächelte und setzte sich wieder. »Ich nehm's als Kompliment.«

»Carole?« Eine dünne Altmännerstimme drang in die kurze Stille. »Carole? Wo bist du?«

Carole schloß die Augen und legte den Kopf in den Nacken. »Der Nächste, bitte. Ich bin in der Küche, Vater.«

Jane erkannte den gebrechlich wirkenden alten Mann, der trotz des schmutzigen Hemdes und der schlotternden grauen Flanellhose noch eine gewisse Würde ausstrahlte, gleich wieder. Sie hatte ihn an ihrem ersten Abend zu Hause beobachtet, wie er versucht hatte, aus Caroles Haus zu entfliehen, und sie fühlte sich ihm augenblicklich zugetan. Sie konnte sich genau vorstellen, wie ihm zumute war.

»Ich hab Hunger«, sagte er. »Was ist mit dem Mittagessen?«

»Du hast doch eben erst gegessen, Vater«, erinnerte Carole ihn geduldig.

»Nein«, behauptete er. »Ich hab noch kein Mittagessen gehabt. Du hast mir nichts zu essen gegeben.« Er warf einen argwöhnischen Blick auf Jane, als verdächtige er sie, ihm sein Mittagessen weggegessen zu haben. »Und wer sind Sie?«

»Das ist Jane Whittaker, Vater. Sie wohnt im Haus gegenüber. Sie ist immer mit Daniel joggen gegangen. Du erinnerst dich doch an sie.«

»Wenn ich mich erinnern würde, hätte ich nicht gefragt.«

Logisch, dachte Jane und lächelte. Ihr gefiel Caroles Vater, immerhin schienen sie einiges gemeinsam zu haben.

»Nimm's ihm nicht übel«, sagte Carole entschuldigend. »Er ist nicht immer so unhöflich.«

»Hast du was gesagt?« Caroles Vater stampfte zornig mit dem Fuß auf. Jane fühlte sich an Rumpelstilzchen erinnert. »Wenn du über mich reden willst, dann wär ich dir dankbar, wenn du lauter sprechen würdest.«

»Wenn du am Gespräch teilnehmen willst, solltest du dein Hörgerät tragen, Vater.«

»Ich brauche mein Hörgerät nicht. Ich brauch was zu essen.«

»Du hast gegessen.« Carole deutete auf sein bekleckertes Hemd. »Da ist der Beweis. Und da und da. Ich hab dir doch gesagt, du sollst raufgehen und dir was anderes anziehen.«

»Wieso? Gibt's an meiner Kleidung was auszusetzen?«

Carole hob beide Hände, als säße ihr eine Pistole auf der Brust, und sie hätte beschlossen, sich lieber zu ergeben. »Ganz im Gegenteil. Dicke Flanellhosen und Hemden mit Senfflecken sind diesen Sommer in Boston der letzte Schrei. Stimmt's, Jane?«

Jane lächelte mühsam. Senf ist immer noch besser als Blut, dachte sie, den Blick auf den gebeugten alten Mann gerichtet, dessen Haut so grau war, als wäre sie mit einer Staubschicht überzogen.

Caroles Vater begann zu nicken, als führte er ein Gespräch, das nur er hören konnte. Zerstreut schob er seine Zahnprothese mit der Zunge nach vorn und zog sie wieder zurück, vorwärts und rückwärts im Takt mit dem weinerlichen Lied aus dem Radio, Glen Campbell, der da irgend jemandem nachtrauerte, der auf immer und ewig gegangen war.

»Bitte hör auf, mit dem Gebiß zu wackeln, Vater.« Carole sah Jane an. »Das tut er nur, um mich zu ärgern.«

»Wo ist mein Mittagessen?« schimpfte der Alte.

Carole holte einmal tief Atem und ging zum Kühlschrank. »Was möchtest du haben?«

»Ein Steak-Sandwich.«

»Wir haben keine Steaks. Ich kann dir ein Salamibrot machen. Ist dir das recht?«

»Was hast du gesagt?«

»Setz dich, Vater.«

Caroles Vater setzte sich auf einen Stuhl. »Mach ihr auch eins.« Er wies mit dem Daumen auf Jane. »Sie ist zu mager.«

»Nein, danke«, sagte Jane hastig. »Ich bin wirklich nicht hungrig.«

»Er hat erst vor zwei Stunden gegessen«, bemerkte Carole, während sie zwei Scheiben Brot mit Senf bestrich und dann ein Stück Salami in dünne Scheiben schnitt. Sie legte das zusammengeklappte Brot auf einen kleinen Teller, den sie ihrem Vater hinstellte.

»Was ist das?«

»Dein Brot.«

»Das ist kein Steak-Sandwich.« Er stieß den Teller weg wie ein verzogenes Kind.

»Nein, das ist Salami. Ich hab dir doch gesagt, daß wir keine Steaks im Haus haben, Vater. In ein paar Stunden gibt's sowieso Abendessen. Bis dahin mußt du dich eben mit Salami zufriedengeben.«

»Ich will aber keine Salami.« Er schüttelte zornig den Kopf. »Werden Sie bloß nicht alt«, sagte er zu Jane, stand von seinem Stuhl auf und schlurfte aus der Küche. Sie hörte seine schwerfälligen Schritte auf der Treppe, dann direkt über ihrem Kopf, als er die Tür zu seinem Zimmer zuschlug.

»Wie lange ist er schon so?« fragte sie und wußte nicht, wer von den beiden ihr mehr leid tat.

»Es wird von Jahr zu Jahr schlimmer. Er ist schwerhörig, aber er will auch gar nicht zuhören. Er ist aggressiv und streitsüchtig. Ich weiß nie, was er als nächstes tun oder sagen wird. Neulich nacht bin ich um drei aufgewacht – seit Daniel weg ist, schlafe ich schlecht – und wollte nach ihm sehen. Ich fand ihn im Flur. Er stand da und starrte die Tür an. Als ich ihn fragte, was er da täte, sagte er, er warte auf die Morgenzeitung, und wollte wissen, wieso sein Frühstück noch nicht fertig sei. Ich sagte ihm, daß wir normalerweise nicht mitten in der Nacht frühstücken. Gut, meinte er, wenn du mir kein Frühstück machst, mach ich es mir eben selbst. Und was tut er? Schmeißt ein paar Eier in die Mikrowelle und dreht voll auf. Ein paar Minuten später hör ich einen Mordsknall, und als ich in die Küche komme, sieht's aus wie nach einem Bombenangriff. Kannst du dir das vorstellen – um drei Uhr morgens stehe ich in der Küche und kratze das Rührei von der Zimmerdecke. Es wär zum Lachen, wenn's nicht so verdammt traurig wäre.« Sie schüttelte den Kopf, genau wie ihr Vater. »Aber Schluß jetzt damit. Ich will dir nichts vorjammern. Du hast schließlich ganz andere Probleme.«

»Wie lange lebt dein Vater schon bei euch?«

»Seit dem Tod meiner Mutter. Ungefähr sechs Jahre.«

»Wie ist deine Mutter gestorben?«

Caroles Stimme war leise, kaum hörbar. »An Krebs – was sonst? Im Magen fing es an und breitete sich dann im ganzen Körper aus.«

»Das tut mir leid.«

»Ja, es war schlimm.« Ihre Augen wurden feucht. »Ich weiß noch, wie ich sie ein paar Tage vor ihrem Tod im Krankenhaus besuchte. Sie hatte schreckliche Schmerzen, trotz der Mittel, die sie ihr gaben. Ich fragte sie, was ihr den ganzen Tag über durch den Kopf ginge, während sie in ihrem Bett lag und an die Decke starrte, und sie sagte: ›Mir geht gar nichts durch den Kopf. Ich möchte nur, daß es endlich vorbei ist.‹«

»Ich wollte, ich könnte mich an meine Mutter erinnern«, sagte Jane und bemerkte den Ausdruck der Überraschung, der die Traurigkeit auf Caroles Gesicht verdrängte. »Michael hat mir von dem Unfall erzählt.«

»Oh, wirklich?«

»Ja. Nicht viel. Nur daß sie auf der Stelle tot war, und daß es vor ungefähr einem Jahr passierte.«

»Ein Jahr ist das schon wieder her«, murmelte Carole. »Wie schnell die Zeit vergeht. Du kannst dich überhaupt nicht an sie erinnern?«

Jane schüttelte den Kopf. »Ich habe mir Fotos von ihr angesehen, aber sie sagen mir nichts. Ich komme mir so – so untreu vor.«

»Oh, das Gefühl kenn ich.« Carole rückte mit ihrem Stuhl so nahe an Jane heran, daß die Knie der beiden Frauen sich berührten. »Ich liebe meinen Vater. Aber in letzter Zeit habe ich manchmal das Gefühl, daß ich nur noch die Zeit absitze und darauf warte, daß er stirbt. O Gott, ich bin furchtbar. Du kennst mich noch nicht einmal, aber du mußt mich für die schlimmste Person auf der Welt halten.«

»Ich finde dich nicht schlimm. Ich finde dich menschlich.«

Carole lächelte dankbar. »Deswegen stand ich dauernd bei dir vor der Tür, nachdem Daniel gegangen war. Du konntest mir immer etwas sagen, das mich aufgemuntert hat.«

»Erzähl mir von Daniel. Ich meine, natürlich nur, wenn es dir nichts ausmacht, über ihn zu sprechen.«

»Wenn es mir nichts ausmacht?! Ich möchte am liebsten von nichts anderem reden! Ich habe keine Freundinnen mehr, weil ich ihnen mit meinem ständigen Gerede über Daniel so auf die Nerven gefallen bin. Sie sind alle der Meinung, ich sollte aufhören zu reden und endlich mein Leben anpacken, aber ich bin noch nicht so weit, daß ich einfach loslassen kann. Wir waren immerhin fünfzehn Jahre zusammen. Ich habe noch soviel zu reden.«

»Dann rede mit mir! Bitte«, drängte Jane. »Wenn die Leute mich behandeln würden wie immer«, setzte sie hinzu, zum ersten Mal die Gedanken der letzten Tage in Worte fassend, »würde ich vielleicht schneller wieder in mein Leben zurückfinden. Aber alle sind so fürsorglich und rücksichtsvoll und nehmen mir jeden Handgriff ab und achten so darauf, daß ich nur ja genug Ruhe bekomme, daß ich das Gefühl habe, in einem gläsernen Käfig zu sitzen. Bitte«, sagte sie noch einmal, »erzähl mir von Daniel.«

»Also gut. Aber sag hinterher nicht, ich hätte dich nicht gewarnt.«

»Keine Angst.« Jane schüttelte den Kopf.

»Wir haben geheiratet, als ich achtundzwanzig war. Ich war wirklich reif für die Ehe, das kannst du mir glauben. Meine Freundinnen waren alle schon verheiratet, und ich hatte immer noch keinen abbekommen. Achtundzwanzig, ein bißchen rundlich und nicht gerade eine Schönheitskönigin – ehrlich, ich bekam langsam Torschlußpanik. Meine Eltern hatten die Hoffnung sowieso schon aufgegeben. Du bist zehn Jahre jünger als ich, du kannst dir das wahrscheinlich gar nicht mehr vorstellen, aber damals mußte man als Frau noch verheiratet sein, wenn man jemand sein wollte. Na, kurz und gut, da kreuzt eines Tages Daniel Bishop auf. Zahnarzt, gutaussehend, allerdings ein paar Jahre jünger als ich. Aber was macht das schon? Es waren nur fünf Jahre. Ich habe mich unsterblich in ihn verliebt.«

»Und dann habt ihr geheiratet«, sagte Jane.

»Nein, erst wurde ich schwanger. Danach haben wir geheiratet. Dann kam Celine und ein paar Jahre später Andrew. Anfangs hatten wir es nicht leicht, aber mit den Jahren wurde es immer besser. Daniels Praxis lief glänzend. Wir waren glücklich.

Aber dann gab's die ersten Schwierigkeiten. Daniel entdeckte, daß einer seiner Partner ihn nach Strich und Faden betrog. Es gab fürchterliche Auseinandersetzungen, und das Ganze endete schließlich mit einem Prozeß. Dann wurde meine Mutter krank, und das war natürlich eine große Belastung für uns alle. Nach ihrem Tod nahmen wir meinen Vater zu uns. Ich glaube, es wurde Daniel einfach zuviel. Ich versuchte, mit ihm darüber zu sprechen, aber Daniel war immer schon sehr verschlossen. Wenn ihn etwas bedrückt, schafft er sich das lieber mit Sport von der Seele. Ich blieb dabei natürlich außen vor. Ich war nie sehr sportlich. Er fing an zu joggen und betrieb das mit wahrem Fanatismus. Jeden Tag mußte er laufen. Zuerst wollte er mich überreden, mit ihm zu laufen, aber ich sagte immer, dazu wäre ich zu alt, das Laufen überließe ich lieber den Jungen. War natürlich ein Fehler, nicht?

Dann bekam er von einem früheren Schulfreund ein Angebot, zu ihm in die Praxis zu kommen. Er nahm an. Für uns bedeutete das einen Umzug nach Boston, aber wir glaubten, ein neuer Anfang täte uns gut. Zumindest redeten wir uns das ein.

Wir kauften dieses Haus hier. Wir schafften uns einen Hund an. Die Kinder gingen hier zur Schule und lebten sich gut ein. Alles schien in Butter. Daniel kam mit seinen neuen Partnern gut aus und fühlte sich in seiner Praxis wohl. Er trat in einen Tennis- und in einen Golfclub ein und lief jeden Tag seine Runden. Manchmal nahm er den Hund mit. So lernte er dich kennen.»

»Erzähl«, sagte Jane begierig.

»Also, so weit ich mich erinnere, kam er eines Tages aus der Praxis nach Hause und erklärte, J. R. brauche dringend Bewegung. J. R. ist der Hund – nach dem Kerl aus *Dallas* genannt, du weißt schon. Na ja, und am Morgen nahm er den Hund mit raus. Aber noch ehe sie richtig losgelaufen waren, verspürte der Hund ein dringendes Bedürfnis und hockte sich zur Verrichtung mitten auf euren Rasen. Daniel stand nur untätig dabei, bis er plötzlich einen mörderischen Schrei hörte. Ich glaub, die ganze Nachbarschaft hat den Schrei gehört.«

»Und das war ich?« fragte Jane betreten.

»›Schaffen Sie gefälligst die Hundescheiße aus meinem Garten!‹ hast du geschrien. Es war toll, ehrlich. ›He, Sie, schaffen Sie die Scheiße aus meinem Garten weg!‹ Du kamst mit wedelnden Armen aus dem Haus gestürzt. Daniel sagte hinterher, er hätte geglaubt, du würdest auf ihn losgehen.«

»Ach, du lieber Gott!«

»Du warst eine Wucht! Total empört. ›In diesem Garten spielt meine kleine Tochter‹, hast du ihn angeschrien. Ich stand bei uns vor der Tür und dachte, na wunderbar, jetzt bringt sie mir bestimmt nie wieder einen Schokoladenkuchen. Daniel zuckelte brav nach Hause, holte eine Plastiktüte und sammelte den Haufen auf. Und ihr beide wurdet die besten Freunde und seid von da an miteinander gelaufen, sooft es ging.«

»Ich scheine ja ganz schön rabiat zu sein.«

Caroles Gesicht wurde ernst. »Das kann man wohl sagen.«

»Wann ist Daniel ausgezogen?«

»Am dreiundzwanzigsten Oktober. Wir hatten keinen Krach, keine Auseinandersetzung, es war überhaupt nichts, von dem man hätte sagen können, das war der Grund, das hat dazu geführt. Ich denke, er hatte einfach die Nase voll. Er hatte genug von meinem Vater, genug von seinen zwei Kindern und genug von mir. Er fand, er wäre noch jung genug, um den lebenslustigen Single zu spielen. Er kaufte sich eine Eigentumswohnung mitten in Boston, für die er mehr als eine Million Dollar bezahlte, und jetzt joggt er auf dem *Freedom Trail* statt durch die langweiligen Straßen von Newton Highlands. Er geht zu Fuß in die Praxis und trifft sich mit seinen Kindern, wenn er Lust dazu hat. Er führt genau das Leben, das ihm gefällt.«

Carole stand auf, ging zum Küchenschrank, schenkte sich noch eine Tasse Kaffee ein und nahm sich ein paar Kekse aus einer angeschlagenen Keramikdose. »Möchtest du auch was?«

Jane schüttelte den Kopf.

»Es würde mich interessieren«, sagte Carole, »wie die Männer das schaffen. Ich meine, wie sie es schaffen, ihr Leben lang kleine Jungen zu bleiben. Sie schmeißen einfach alle Verantwortung hin und leben fröhlich in den Tag hinein, und wir dürfen zu Hause rumhocken und darauf warten, daß unsere Schamhaare grau werden. Ist das vielleicht fair?« Sie schob ein Keks in den Mund. »Aber dich betrifft das ja nicht. Du bist mit dem idealen Mann verheiratet.«

»Ja, er scheint wirklich nett zu sein«, stimmte Jane zu und kam sich vor wie eine Idiotin. War das alles, was sie über den Mann zu sagen wußte, mit dem sie seit elf Jahren verheiratet war? Er scheint wirklich nett zu sein.

Sie wandte sich Carole zu und bemerkte, daß die sie ansah, als wolle sie ihr etwas sagen.

»Was ist?« fragte sie.

Carole zuckte zusammen und reagierte mit einem Anfall sinnloser Geschäftigkeit. Sie kam wieder zum Tisch, setzte sich, hob ihre Kaffeetasse, stellte sie wieder hin, ohne getrunken zu haben, und schob sich das nächste Plätzchen in den Mund.

»Was ist?« sagte sie, Jane nachäffend. »Wie meinst du das?«

»Du sahst aus, als wolltest du mir etwas sagen.«

Carole schüttelte den Kopf. »Nein. Nichts.«

»Bitte sag es mir. War es über Michael? Über die Beziehung zwischen ihm und mir?«

Wieder führte Carole ihre Tasse zum Mund und diesmal trank sie einen großen Schluck Kaffee. »Ich finde, wenn du über deine Beziehung zu Michael Fragen hast, solltest du mit ihm selbst sprechen. Ich weiß wirklich nichts darüber.«

»Und wenn du etwas wüßtest, würdest du es mir dann sagen?« Jane beobachtete Carole angespannt, während sie auf die Antwort wartete. Im Radio sangen k. d. lang und Roy Orbison ein Duett.

»Ich dachte Roy Orbison wäre tot«, sagte Carole unvermittelt.

»Ja, ich glaube«, antwortete Jane, die plötzlich das Gefühl hatte, das Gespräch laufe an ihr vorbei. »Ist er nicht schon vor ein paar Jahren gestorben?«

»Ich kann mich überhaupt nicht erinnern. Aber da siehst du, was ich meine, wenn ich sage, daß man mit steigendem Alter immer vergeßlicher wird. Früher wußte ich immer ganz genau, wer tot ist und wer nicht.«

Aus dem Garten schallte lautes Hundegebell.

»Ach, halt die Klappe, J. R.«, bellte Carole durch das geschlossene Fenster zurück, und der Hund verstummte augenblicklich. »Ach, wäre das schön, wenn alle so folgsam wären«, meinte sie seufzend. »Hey, ich muß dir einen Witz erzählen, Jane.«

Jane, der klar war, daß das Gespräch beendet war, wartete schweigend.

»Also: Eine Frau findet eine Wunderlampe, und aus der Wunderlampe steigt plötzlich ein Geist auf. ›Du darfst einen Wunsch äußern‹, sagt er. ›Er wird dir erfüllt werden. Aber nur einen. Überleg also gut.‹ Na, die Frau überlegt eine Weile und sagt schließlich: ›Ich wünsche mir dünne Oberschenkel.‹ Der Geist starrt sie fassungslos an. ›Was? Das kann doch nicht dein Ernst sein. Ich sag dir, daß du dir wünschen kannst, was dein Herz begehrt, und du wünschst dir dünne Oberschenkel! In der Welt verhungern die Menschen, überall wüten Krankheit und Krieg, und du wünschst dir dünne Oberschenkel!‹ Der Frau ist das natürlich ziemlich peinlich, und sie überlegt noch mal eine Weile und sagt schließlich: ›Also gut. Dünne Oberschenkel für alle!‹ «

Carole brach in schallendes Gelächter aus. Jane brachte nur ein kurzes, etwas künstliches Lachen zustande.

»Klar, du hast ja keine Ahnung«, sagte Carole. »Du hast Oberschenkel wie Streichhölzer. Mein Vater hat schon recht. Du bist zu mager. Komm, iß ein Plätzchen.«

Jane wollte sich gerade ein Keks nehmen, als sie lautes Klopfen an der Haustür hörte.

»Carole!« rief der alte Mann von oben. »Es ist jemand an der Tür.«

Carole war schon aufgesprungen. »Das ist entweder Andrew, der was vergessen hat, oder Celine.«

Jane wußte noch ehe Carole die Haustür erreichte, daß es weder Andrew noch Celine war.

»Ist Jane hier?« hörte sie Paula in erregtem Ton fragen.

»Ja«, antwortete Carole ruhig. »Wir sitzen gerade beim Kaffee. Möchten Sie auch eine Tasse?«

»Ich war schon ganz außer mir vor Sorge«, rief Paula, die sofort in die Küche rannte. »Warum haben Sie mir nicht gesagt, daß Sie weggehen?« fragte sie Jane atemlos.

»Ich dachte, das wäre nicht nötig«, log Jane. »Sie waren beschäftigt. Ich wollte Sie nicht stören.«

»Ich bin zu Tode erschrocken, als ich in Ihr Zimmer kam und Sie nicht da waren. Ich habe das ganze Haus von oben bis unten durchsucht, den Garten, die Garage. Ich bin zweimal die Straße rauf- und runtergelaufen, ehe mir einfiel, hier nach Ihnen zu fragen. Ich dachte, Sie wären vielleicht wieder fortgelaufen.« Sie war den Tränen nahe.

»Es tut mir leid, daß ich Sie so erschreckt habe«, sagte Jane aufrichtig. Es war wirklich rücksichtslos von ihr gewesen, einfach aus dem Haus zu gehen, ohne Paula Bescheid zu sagen. Warum hatte sie das getan? »Ich wollte nur eine Weile hinaus.«

»Natürlich, das verstehe ich«, sagte Paula, und Jane war überrascht. Sie hatte nicht erwartet, daß Paula sich zu Mitgefühl durchringen könnte. »Aber sagen Sie mir das nächste Mal bitte vorher Bescheid.«

»In Ordnung.«

»Aber jetzt«, fuhr Paula mit einem Blick auf ihre Uhr fort, »sollten wir wirklich nach Hause gehen. Sie müssen noch ein Stündchen schlafen, ehe Ihr Mann heimkommt, und...«

»Ich weiß«, unterbrach Jane. »Es ist Zeit für meine Tabletten.«

12

Sie erwachte mit Kopfschmerzen. Der dumpfe Schmerz wurzelte in ihrem Nacken und verästelte sich durch ihren ganzen Kopf, einem winterlichen Baum gleich, dessen kahle Äste und Zweige jeden feinsten Nerv erreichten. Sogar die Zähne taten ihr weh.

Ein ganz normaler Tag im Paradies, dachte sie und versuchte, die Beine aus dem Bett zu schwingen. Sie waren so schwer, als hätte jemand, während sie schlief, Bleigewichte an ihnen befestigt. Sie überprüfte den Eindruck. Ihre nackten Zehen krümmten sich unbeschwert unterhalb des weißen Baumwollnachthemds. Keine Bleigewichte, soweit sie feststellen konnte. Sie stand auf und lehnte sich haltsuchend an den Bettpfosten. Nur unsichtbare Bleigewichte in ihrem Kopf.

Sie seufzte. Am liebsten wäre sie sofort wieder ins Bett gekrochen. Wozu überhaupt aufstehen? Sie fühlte sich erbärmlich und würde sich mit fortschreitender Tageszeit nur noch erbärmlicher fühlen. Gleich würde Paula erscheinen, um nach ihr zu sehen, ihr weitere Tabletten zu verabreichen, ihr das Frühstück zu machen. Dann würde sie wieder schlafen, und wenn sie nicht schlief, würde sie sich wieder die Fotoalben vornehmen und versuchen, sich zu erinnern, wer all diese fremden Menschen waren, obwohl Michael die Alben mindestens ein dutzendmal mit ihr durchgeblättert und über jedes Foto mit ihr gesprochen hatte, bis sie den Namen jeder abgebildeten Person auswendig wußte. Zweifellos hätte sie jeden einzelnen von ihnen erkannt, wäre sie ihnen auf der Straße begegnet; das allerdings war unwahrscheinlich, da sie nur höchst selten außer Haus ging.

Sie blickte zur Schlafzimmertür und wartete darauf, daß ihre Gefängniswärterin erscheinen würde, aber es kam niemand. »Du bist ungerecht«, sagte sie laut zu ihrem Spiegelbild. »Paula ist nicht deine Gefängniswärterin. Du selbst bist es.«

Sie starrte die Fremde im Spiegel an, sah zu, wie sie widerwillig das weiße Nachthemd auszog. »Eins steht jedenfalls fest«, sagte die Fremde zu ihr, »Geschmack hast du überhaupt keinen. Der Fetzen da ist ungefähr so sexy wie eine Zwangsjacke.« Die im übrigen sowieso das angemessenere Kleidungsstück für mich wäre, fügte sie in Gedanken hinzu.

Warum ziehst du das Ding dann immer wieder an? fragte ihr Blick das Spiegelbild.

Weil es jedesmal, wenn ich es in den Wäschekorb werfe,

prompt gewaschen wird und am Abend wieder frisch und jungfräulich auf meinem Bett ausgebreitet liegt. Und es ist einfacher, es brav anzuziehen, als Widerstand zu leisten. Und es ist ein sicherer Schutz, gestand sie sich ein. Sie brauchte keine Angst zu haben, daß es bei Michael Regungen hervorrufen würde, mit denen sie noch gar nicht umgehen konnte. Dieser Fummel war so brav, daß sie darin wahrscheinlich nicht mal Casanova höchstpersönlich angemacht hätte.

Sie strich mit beiden Händen über ihren Körper, über die Schwellung ihrer Brüste, die weiche Rundung ihres Bauches, den sanften Hügel ihrer Scham, und verspürte ein sachtes Kribbeln. Wie oft hatten sie und Michael miteinander geschlafen? Wie war er als Liebhaber?

Sie ließ die Arme sinken. Was sollten diese Fragen, die im Moment überhaupt nicht aktuell waren? Wozu diese Gefühle entfachen, wenn sie noch gar nicht bereit war, ihnen nachzugeben?

Oder war sie vielleicht doch bereit dazu? War sie bereit, mit einem Mann zu schlafen, den sie nicht kannte, nur weil sie mit ihm verheiratet war?

»Na, was ist?« fragte sie die Frau im Spiegel.

Die zuckte mit den Schultern.

»Flittchen«, sagte Jane und lachte. Beinahe schuldbewußt drehte sie sich zur Tür in der Erwartung, Paulas mißbilligendes Gesicht zu sehen.

Aber nein, heute war ja Samstag. An den Wochenenden hatte Paula frei. Sie und Michael würden allein sein. Zeit genug, diesen heimlichen Wünschen nachzugeben, wenn sie wollte. War es wirklich das, was sie wollte? Sollte es so einfach sein?

Vielleicht war die erzwungene Enthaltsamkeit der Grund ihrer Kopfschmerzen; der Grund ihrer fortdauernden Depression. Vielleicht war sie einfach nicht gewöhnt, solange ohne Sex auszukommen.

Was konnte es schon schaden, mit dem Mann ins Bett zu gehen? Sie fand ihn ungeheuer anziehend. Und er war schließlich ihr Ehemann. Sie hatte elf Jahre lang mit ihm geschlafen. Es war ja nicht so, als seien sie einander gerade erst vorgestellt worden. Es war nicht so, als hätte sie ihn gerade erst kennengelernt und eingewilligt, mit zu ihm nach Hause zu kommen.

Aber doch, genauso war es.

Sie kannte ihn heute nicht besser als vor einer Woche. Sie wußte einiges über ihn, gewiß. Sie wußte Einzelheiten aus seinem Leben, aus ihrem gemeinsamen Leben. Sie wußte, daß er liebevoll und einfühlsam und geduldig war, einfach alles, was man sich von einem Ehemann wünschen konnte.

Vielleicht brauchte sie gar nicht mehr zu wissen.

Was war denn schon dabei, wenn sie sich nicht an ihn erinnern konnte? War das denn unbedingt nötig? Sie kannte ihn jetzt seit etwas mehr als einer Woche. Es gab genug Männer und Frauen, die schon nach viel kürzerer Zeit miteinander ins Bett gingen. Und sie mochte ihn. Selbst in ihrem Zustand der Verwirrung und Depression fand sie ihn attraktiv. Sie konnte verstehen, daß sie sich vor elf Jahren in ihn verliebt hatte. Was konnte also schon dabei sein, wenn sie ihn in ihr Bett lockte? Darauf wartete er doch sicherlich nur, auch wenn er niemals ein Wort gesagt hatte. Sie wünschten es beide. Und sie waren miteinander verheiratet. Wem würden sie damit schaden, wenn sie miteinander schliefen? Vielleicht würde es ihr sogar helfen, sich zu erinnern, wenn sie mit ihm schlief. Und selbst wenn das nicht der Fall sein sollte, würde es vielleicht wenigstens bewirken, daß sie sich besser fühlte. Und was gab es daran auszusetzen?

»Ich weiß es nicht«, flüsterte sie leise vor sich hin. Sie zog einen der Schränke auf und kramte in der obersten Schublade nach dem schwarzen Strumpfhalter. Sie hielt ihn sich vor den Körper und sah mit Befriedigung den schockierten Ausdruck im Gesicht der Frau im Spiegel. »Das Ding würde ihn wahrscheinlich ganz schön heiß machen.«

Und willst du das? fragte ihr Spiegelbild lautlos. Willst du ihn heiß machen? Überleg es dir lieber genau, ehe du so etwas anzettelst.

»Ich weiß es nicht. Ich weiß nicht, was ich will«, sagte Jane zornig. Sie legte den Strumpfhalter wieder in die Schublade und stieß sie heftig zu. »Ich kann keinen klaren Gedanken fassen. Mein Kopf fühlt sich an, als wäre er voller Wackersteine.« Sie hob die Hände zum Hinterkopf und grub die Fingernägel so tief in die Kopfhaut, daß es schmerzte. »Mein Kopf tut so weh!« rief sie weinend. »Mein Kopf tut so weh, und ich kann nicht denken und bin die ganze Zeit müde. Verdammt noch mal, was ist nur mit mir los?«

Es mußte an den Tabletten liegen. Trotz Michaels Versicherungen, daß es ein sehr mildes Mittel sei, war es offensichtlich zu stark für sie. Sie war wahrscheinlich an eine längere Einnahme von Medikamenten nicht gewöhnt. Die Tabletten waren schuld an ihrer Desorientierung und Depression, an der ständigen Müdigkeit und dem Gefühl der Aussichtslosigkeit. Aber jedesmal, wenn sie Michael darauf ansprach, jedesmal, wenn sie fragte, ob es wirklich notwendig wäre, sie zu nehmen, sagte er ihr, daß Dr. Meloff sie ausdrücklich verschrieben und angeordnet hatte, daß sie sie wenigstens mehrere Wochen lang nehmen solle.

Aber hatte Dr. Meloff das wirklich verordnet?

»Hey, was soll das heißen?« fragte sie ihr Spiegelbild, bestürzt über diesen Gedanken. »Was willst du damit sagen? Daß Michael dich belügt? Daß Dr. Meloff nie ein Medikament verschrieben hat? Daß Michael dich mit Paulas Hilfe absichtlich unter Drogen setzt, damit du dauernd müde und deprimiert bist? Aber warum? Wozu? Wie kannst du plötzlich so etwas über einen Mann denken, mit dem du eben noch schlafen wolltest?«

»Weil ich offensichtlich verrückt bin«, lautete die Antwort. »Kein normaler Mensch käme auf die Idee, mit seinem eigenen Spiegelbild zu streiten.«

Du kannst die Wahrheit ganz leicht herausfinden, sagte die Frau im Spiegel zu ihr. Du brauchst nur Dr. Meloff anzurufen.

»Was?«

Ruf Dr. Meloff an. Er hat dir doch gesagt, daß du dich jederzeit an ihn wenden kannst. Ruf ihn an und frag, ob er dir ein Medikament verschrieben hat.

Aber wie denn?

Na, das ist doch einfach. Du hebst den Telefonhörer ab und wählst.

Jane drehte den Kopf zum Telefon auf ihrem Nachttisch. War es wirklich so einfach? War das alles, was sie zu tun brauchte? Abheben und wählen?

Ihre Hand war schon auf dem Weg zum Telefon, als sie innehielt. Und wenn nun Michael hereinkam? Wo war er überhaupt? Es war nach neun. Schlief er vielleicht noch?

Zielstrebig ging sie aus dem Schlafzimmer in den Flur, bedacht darauf, kein Geräusch zu machen. Wenn er noch schlief, wollte sie ihn nicht stören. Wenn er irgendwo in einem anderen Zimmer beschäftigt war, wollte sie ihn nicht dazu bringen, ihr zu Hilfe zu kommen. Wenigstens noch nicht. Auf Zehenspitzen schlich sie durch den Flur, blickte erst in Emilys Zimmer, dann ins Bad, ins Gästezimmer und schließlich in Michaels Arbeitszimmer. Das Bett im Gästezimmer war gemacht, und er arbeitete auch nicht an seinem Computer. Von unten hörte sie Hundegebell und trat ans Fenster, um hinauszublicken.

Michael war drüben im Vorgarten der Bishops und unterhielt sich mit Carole. J. R. riß mit wütendem Gebell an der Leine, offensichtlich wenig erbaut darüber, daß er um seinen Spaziergang gekommen war. Jane hatte den Eindruck, daß Michael und Carole ein sehr ernstes Gespräch führten. Beide hielten die Köpfe gesenkt, ihre Blicke schienen auf das Gras zu ihren Füßen gerichtet zu sein. Sie sah, wie Carole nickte und Michael ihr fürsorglich den Arm tätschelte. Wahrscheinlich lamentiert sie wieder einmal über Daniel, dachte Jane. Oder ihren Vater. Und Michael war lieb und teilnahmsvoll, wie das seiner Art entsprach. Konnte sie ernstlich an ihm zweifeln?

Zornig und beschämt über sich selbst kehrte sie ins Schlafzimmer zurück. Hatte Michael auch nur das Geringste getan, was ihr das Recht gab, seine Motive in Frage zu stellen? Ihn zu verdächtigen, daß er ihr Drogen gab, die sie gar nicht brauchte? Nein! Er hatte die ganze Zeit nichts anderes getan, als sich um sie zu kümmern, für sie zu sorgen, ihr zu helfen. Und ihr rund um die Uhr Tabletten zu geben.

Wieder blickte Jane zum Telefon neben dem Bett. »Heb ab und wähl!« sagte sie laut.

Zaghaft langte sie hinüber und hob den Hörer ab. Sie hörte kein Amtszeichen. Ihr Blick folgte dem Kabel zur Steckdose in der Wand. Das Kabel war nicht eingesteckt; es lag zusammengerollt wie eine schlafende Schlange direkt unter der Dose. Michael mußte den Stecker herausgezogen haben, damit sie nicht vom Läuten des Telefons gestört wurde, wenn sie schlief. Er war nur um ihr Wohl besorgt, wie er das jeden Tag seit ihrer Heimkehr unzählige Male bewiesen hatte. Und sie war drauf und dran, ihm seine liebevolle Fürsorge mit mißtrauischer Schnüffelei zu vergelten.

Sie bückte sich, hielt sich am Bett fest, als plötzlicher Schwindel sie überkam, und steckte das Telefonkabel ein. Das Amtszeichen schrillte ihr durchdringend, mit scharfem Vorwurf ins Ohr. »Und jetzt?«

Jetzt rufst du die Auskunft an, befahl sie sich. Sie setzte sich aufs Bett und tippte 4-1-1.

»Welchen Ort wollen Sie?« fragte eine Telefonistin beinahe sofort.

»Boston«, antwortete sie genauso prompt. »Das Städtische Krankenhaus.«

Es folgte eine Pause. Die menschliche Stimme wurde durch einen Automaten ersetzt, der die Nummer zweimal wiederholte, während sie in der Schublade des Nachttischs nach ihrem Adreßbuch wühlte.

»Einen Moment bitte«, drängte sie den Automaten. »Ich möchte mir die Nummer gern aufschreiben. Wo ist denn nur das Buch?« Sie erinnerte sich ganz genau, das Buch mit dem Paisley-Muster Seite um Seite durchgegangen zu sein, nachdem sie aus dem Krankenhaus gekommen war. Aber jetzt war es nicht mehr da. »Ach bitte, könnten Sie das noch einmal wiederholen?« bat sie und gab die Suche auf, um sich ganz auf die Nummer zu konzentrieren, die der Automat durchsagte. »Na wunderbar, jetzt rede ich schon mit Maschinen.«

Sie wählte die Nummer sofort und konnte nur hoffen, daß sie sie richtig im Kopf behalten hatte.

»Städtisches Krankenhaus Boston«, meldete sich eine Stimme.

»Würden Sie mich bitte mit Dr. Meloff verbinden.«

»Bitte? Könnten Sie etwas lauter sprechen? Welchen Arzt suchen Sie?«

»Dr. Meloff«, wiederholte Jane lauter.

»Ich glaube nicht, daß Dr. Meloff heute im Haus ist. Aber bleiben Sie einen Moment dran, ich versuch's mal bei ihm.«

»Ach ja, natürlich. Heute ist Samstag. Samstags ist er sicher nicht da.« Jane wollte schon auflegen, als sie seine Stimme hörte. »Dr. Meloff?«

»Am Apparat. Was kann ich für Sie tun?«

»Hier spricht Jane Whittaker.«

Es kam keine Reaktion.

»Jane Whittaker. Die Frau von Dr. Michael Whittaker.«

»Aber ja, natürlich, *Jane*!« Er sprach ihren Namen mit besonderem Nachdruck, als wäre er froh, von ihr zu hören. »Normalerweise bin ich samstags nicht hier, darum erwarte ich auch keine Anrufe. Wie geht es Ihnen denn?«

»Sie müssen entschuldigen, daß ich Sie störe...«

»Aber wieso denn? Ich freue mich, von Ihnen zu hören. Ist alles in Ordnung?«

»Ich weiß nicht genau.«

»Ich habe einige Male mit Ihrem Mann gesprochen. Er sagte mir, daß er Ihren Termin mit dem Psychiater verschieben mußte, aber den Eindruck hätte, daß Sie Fortschritte machen. Er erzählte mir, Sie hätten sich an eine Begebenheit aus der Vergangenheit erinnert.«

»Das stimmt«, bestätigte sie und versuchte, sich von ihrer Verwirrung nichts anmerken zu lassen. »Ich wußte gar nicht, daß Sie mit meinem Mann gesprochen haben.«

»Ich hoffe, Sie nehmen mir meine Neugier nicht übel. Und Ihr Mann macht sich verständlicherweise Sorgen. Deshalb vereinbarten wir, in Verbindung zu bleiben. Was kann ich für Sie tun, Jane?«

»Es geht um die Tabletten, die Sie mir verschrieben haben, Dr. Meloff«, begann sie und erwartete beinahe, daß er indigniert sagen würde: Was für Tabletten? Ich habe keine Tabletten verschrieben? Aber er sagte nichts. »Ich wollte gern wissen, was für ein Mittel das eigentlich ist.«

»Soweit ich mich erinnere, habe ich Ativan verschrieben. Haben Sie einen Moment Geduld, dann sehe ich mal nach.«

Es folgten mehrere Sekunden tiefer Stille. Dr. Meloff hatte ihr also doch ein Medikament verschrieben. Michael befolgte lediglich seine Anweisungen.

»Ja, Ativan«, sagte Dr. Meloff, als er wieder an den Apparat kam. »Die Basissubstanz ist Lorazepam. Ich weiß nicht, ob Ihnen das etwas sagt, aber im wesentlichen handelt es sich um ein sehr mildes Beruhigungsmittel, Valium nicht unähnlich, aber nicht auf gleiche Weise suchterzeugend.«

»Aber warum muß ich denn überhaupt etwas nehmen?«

»Ein leichtes Beruhigungsmittel wirkt erfahrungsgemäß bei

hysterischer Amnesie sehr gut.« Er machte eine kurze Pause, und Jane glaubte, ihn lächeln zu sehen. »Schauen Sie, Jane, Sie stehen unter starker seelischer Belastung. Sie können sich nicht erinnern, wer Sie sind; Sie sind mit einem Mann verheiratet, den Sie nicht kennen. Sie sind von lauter Fremden umgeben. Das muß Ängste auslösen, die möglicherweise das Erinnerungsvermögen zusätzlich blockieren. Das Ativan soll diesen Ängsten entgegenwirken und der Erinnerung den Weg frei machen.«

»Aber ich bin ständig entsetzlich müde und deprimiert...«

»Das ist in einer solchen Situation nichts Ungewöhnliches. Je länger dieser Zustand andauert, desto mehr drückt das auf Ihre Stimmung. Das ist ganz normal. Darum ist ja das Ativan so wichtig. Und was Ihre Müdigkeit angeht, nun, ich glaube, Ihr Körper versucht, Ihnen ein Zeichen zu geben. Daß er Schlaf braucht nämlich. Kämpfen Sie nicht dagegen an, Jane. Hören Sie auf das, was Ihr Körper Ihnen sagt.«

»Sie glauben also nicht, daß die Depressionen und die Müdigkeit von dem Mittel kommen?« – Warum fragte sie ihn das? Hatte er ihr nicht eben erklärt, daß Ativan ein sehr mildes Beruhigungsmittel war? Daß er es für unerläßlich für ihre Genesung hielt?

»Ativan enthält nichts, was Depressionen verursachen könnte. Möglich, daß es Sie ein bißchen müde macht, denn Sie sind ja leicht untergewichtig, aber das müßte aufhören, wenn Ihr Körper sich daran gewöhnt hat.«

»Aber ich fühle mich irgendwie so ohnmächtig, als hätte ich überhaupt keine Kontrolle...« Sie brach ab, als sie Michaels Schritte auf der Treppe hörte. »Aber ich will Sie nicht länger aufhalten«, sagte sie hastig. »Ich habe Sie schon lange genug gestört.«

»Ich bin froh, daß ich da war, als Sie anriefen. Ach, Jane, wenn Ihr Mann gerade in der Nähe ist, würde ich gern einen Moment mit ihm sprechen.«

Michael stand an der offenen Tür.

»Er ist hier«, sagte sie ins Telefon, hielt ihrem Mann dann den Hörer hin. »Dr. Meloff«, sagte sie mit kopfendem Herzen. »Er möchte dich sprechen.«

Michael machte ein angemessen verwundertes Gesicht, als er ihr den Hörer aus der Hand nahm. Er sieht so verwirrt aus, wie ich bin, dachte Jane und fragte sich wieder, was sie veranlaßt hatte, Dr. Meloff anzurufen. Hatte sie allen Ernstes den Verdacht gehabt, ihr Mann verabreiche ihr Drogen, die sie gar nicht brauchte? Wieso? Dieser Mann war nur gut zu ihr gewesen. Er war so geduldig und hilfsbereit. War sie vielleicht gegen teilnahmsvolle Männer allergisch? Lag da ihr Problem? Sie hatte es nicht verkraftet, glücklich verheiratet zu sein, darum hatte sie sich in eine Art vorübergehenden Wahnsinn geflüchtet, und jetzt konnte sie seine unermüdliche Liebe und Zuwendung nicht verkraften und mußte sich deshalb einreden, daß er ihr übelwollte. Das ergab wirklich Sinn.

Aber wann hatte das letzte Mal etwas einen Sinn ergeben? Welcher Sinn war darin zu sehen, daß sie sich plötzlich mitten auf den Straßen Bostons wiedergefunden hatte, ohne auch nur eine Ahnung zu haben, wer sie war? Daß sie die Taschen voller Geld und das Kleid voller Blut gehabt hatte? Daß sie sich weder an die Geburt ihrer Tochter noch an den Tod ihrer Mutter erinnern konnte? Daß sie so mißtrauisch und ablehnend gegenüber den Menschen war, die ihr doch nur helfen wollten? Daß das mildeste Beruhigungsmittel sie in ein Zombie verwandeln konnte? Das sie sich in ihrem eigenen Haus wie eine Gefangene vorkam?

Welcher Sinn war darin zu sehen, daß ihr Rücken schmerzte und ihr Kopf dröhnte und der Hals ihr so weh tat, daß sie kaum schlucken konnte? Daß sie sich klar und deutlich daran erinnerte, ihr Adreßbuch in die Schublade ihres Nachttischs gelegt zu haben, und es jetzt nicht mehr finden konnte? Ergab irgend etwas von alledem einen Sinn? Wie konnte ein Mensch, der sich nicht einmal seines eigenen Namens erinnerte, überhaupt behaupten, sich an irgend etwas klar und deutlich zu erinnern?

»Wo ist mein Adreßbuch?« fragte sie, nachdem Michael aufgelegt hatte. Sie sah ihm an, daß er verletzt war, und versuchte, seinem Blick auszuweichen. Er versteht nicht, warum ich Dr. Meloff angerufen habe. Und was kann ich ihm sagen, wenn ich es doch selbst nicht verstehe?

»Es lag hier.« Sie zog die obere Schublade des Nachttischs auf. »Und jetzt ist es weg.«

»Ich weiß nicht, wo es ist«, sagte er einfach.

»Es lag hier, als ich vom Krankenhaus nach Hause kam.«

Warum insistierte sie? Warum machte sie aus einer Maus einen Elefanten? Weil Verteidigung der beste Angriff war. Weil sie so ihren Anruf bei Dr. Meloff nicht erklären mußte.

»Dann muß es auch dort sein«, sagte er.

»Es ist aber nicht da. Schau doch selbst nach.«

»Ich brauche nicht nachzuschauen. Wenn du mir sagst, daß es nicht da ist, glaube ich dir.«

Wenn du mir sagen würdest, daß Dr. Meloff mir ein Medikament verschrieben hat, würde es mir nicht im Traum einfallen, dir hinterherzuschnüffeln, übersetzte sich Jane seine Bemerkung und wurde zornig.

»Paula muß es weggetan haben!« rief sie anklagend, während sie vor dem Bett hin und her rannte.

»Warum hätte sie es wegtun sollen?«

»Keine Ahnung. Aber letzte Woche war es noch hier, und jetzt ist es weg. Folglich muß es jemand weggenommen haben.«

»Ich frage Paula am Montag danach.« Ihr Verhalten verletzte ihn offensichtlich, aber er bemühte sich, ruhig zu bleiben. »Ich verstehe sowieso nicht, wozu du das Buch jetzt brauchst.«

»Vielleicht möchte ich eine Freundin anrufen!« gab sie heftig zurück und war sich bewußt, wie irrational das klang. »Vielleicht möchte ich endlich anfangen, mein Leben wieder zusammenzuklauben. Vielleicht hab ich es satt, den ganzen Tag hier eingesperrt zu sein und mich von dieser Nazifrau...«

»Nazifrau? Paula? Mein Gott, was hat sie denn getan?«

»Nichts!« schrie Jane, jetzt völlig außer sich. Nichts konnte den Wortschwall zurückhalten, der ihr über die Lippen stürzte, als wäre er viel zu lange mit Gewalt eingedämmt worden. »Sie macht ja immer alles ganz richtig. Sie ist die reinste Maschine. Sie bewacht mich wie der Große Bruder. Ich kann nicht mal ins Bad gehen, ohne daß sie mir hinterherrennt. Sie läßt mich nicht ans Telefon, wenn es läutet. Sie erzählt meinen Freunden, ich wäre verreist. Warum läßt sie mich nicht mit den Leuten sprechen?«

»Aber was würdest du denn sagen?« fragte er vorwurfsvoll. »Möchtest du wirklich, daß deine Freunde dich so sehen?«

»Wozu sind Freunde da?« entgegnete sie heftig.

Michael wurde blaß. Er setzte sich aufs Bett und schlug die Hände vors Gesicht. »Es ist meine Schuld«, murmelte er. »Ich habe Paula gesagt, sie soll dich nicht ans Telefon lassen. Ich wollte dir helfen. Ich wollte dafür sorgen, daß du nicht in Situationen gerätst, die dich unter Druck setzen. Ich dachte, es wäre das beste, wenn möglichst wenige Menschen erfahren, was passiert ist. Du warst immer ein sehr zurückhaltender und verschlossener Mensch, und ich glaubte, es wäre dir nicht recht, wenn jeder erführe... Es tut mir leid. Es tut mir so leid«, wiederholte er mit immer leiser werdender Stimme.

Sie setzte sich neben ihn. Ihr Zorn war plötzlich verflogen. »Nein, *mir* tut es leid. Du kennst mich offensichtlich besser als ich mich selbst.«

Sie hoffte, er würde lächeln, und war froh und dankbar, als er es tat.

»Wenn du mit deinen Freundinnen sprechen willst, brauchst du es mir nur zu sagen. Ich rufe sie auf der Stelle an und bitte sie herzukommen.«

Jane dachte einen Moment über den Vorschlag nach. Die Vorstellung, mit Menschen zu sprechen, die praktisch Fremde für sie waren, die Vorstellung, ihnen von Angesicht zu Angesicht gegenüberzutreten, machte ihr angst. Sie spürte, wie ihr Herz zu rasen begann. Er hatte recht – es war viel zu belastend. Wen würde sie denn anrufen? Und was würde sie sagen?

»Nein, jetzt nicht«, antwortete sie ihm. »Verzeih mir, bitte. Ich bin einfach so verwirrt und durcheinander.«

»Hast du deshalb Dr. Meloff angerufen?«

»Ich weiß nicht, warum ich Dr. Meloff angerufen habe.«

»Kannst du denn nicht mit mir sprechen?« Sie sah die Tränen in seinen Augen und sah auch, wie er sich anstrengte, sie zurückzudrängen. »Weißt du nicht, daß ich alles für dich tun würde? Daß du mit allen Fragen und Zweifeln und Ängsten jederzeit zu mir kommen kannst? Wenn du Paula nicht magst, schicken wir sie weg. Wenn du mehr hinaus willst, nehme ich dich mit, wohin du willst, oder du kannst auch allein ausgehen, wenn es das ist, was du gern möchtest. Du kannst mit mir in die Praxis kommen, wenn du das willst. Aber du brauchst auch gar nichts mit mir zusammen zu unternehmen.« Er brach ab, krümmte sich schwer atmend zusammen, als hätte er einen Schlag in den Magen erhalten. »Ist es das, Jane? Bin ich das Problem? Sag es mir, bitte. Wenn es so ist, wenn ich es bin, den du nicht hier haben willst, dann sag es. Ich verschwinde sofort. Ich packe ein paar Sachen und ziehe in ein Hotel, bis dieser furchtbare Alptraum vorbei ist.«

»Nein, nein, das will ich ja gar nicht. Mit dir hat es nichts zu tun. Es hat nur mit mir zu tun.«

»Ich möchte nur das Beste für dich, Jane. Das Beste für uns.« Er weinte jetzt ganz offen, ohne jeden Versuch, die Tränen zurückzuhalten. »Jane, ich liebe dich von ganzem Herzen. Ich habe dich immer geliebt. Ich weiß nicht, warum gerade uns so etwas Schreckliches passieren muß, aber ich bin bereit, alles zu tun, um alles so schnell wie möglich wieder gutzumachen, auch wenn das heißt, daß ich dich aufgeben muß.«

Jetzt weinte auch sie. »Aber ich will doch gar nicht, daß du gehst. Ich möchte, daß du bei mir bleibst. Bitte laß mich nicht allein. Bitte.«

Als er sie in die Arme nahm, drückte sie den Kopf an seine Brust, und sie weinten beide. Als sie zu weinen aufhörten, suchte ihr Blick den seinen. Er küßte sie, und es tat ihr gut, nein, nicht nur das, es war wunderbar. Zum ersten Mal hatte sie das Gefühl, wirklich nach Hause gekommen zu sein, wirklich hierher zu gehören.

»Mein Gott, Jane, du bist so schön«, murmelte er und küßte sie wieder und wieder, während er sie streichelte.

Aber plötzlich zog er sich zurück und rückte von ihr ab. »Entschuldige. Es tut mir leid. Ich hätte das nicht tun sollen.«

»Warum nicht?« fragte Jane, obwohl sie die Antwort wußte.

»Du bist durcheinander, unsicher...«

»Ich bin völlig sicher.«

Er starrte sie einen Moment lang an, dann neigte er sich ihr zu und küßte sie auf die Nasenspitze. »Ich hab dich in diesem blöden Nachthemd immer geliebt«, sagte er, und sie lachte.

»Schlaf mit mir, Michael. Bitte.«

Er sah ihr so aufmerksam in die Augen, als versuche er zu ergründen, was in ihrem Kopf vorging.

»Ich möchte es. Wirklich«, beteuerte sie, und es kamen keine Einwände mehr von ihm.

13

In der folgenden Woche hatte Jane wieder einen Traum.

Sie stand mit einem kleinen Mädchen, von dem sie wußte, daß es ihre Tochter war, am Rand einer kleinen Schlittschuhbahn in Newton Center. Sie standen Seite an Seite, Emily in ihrem rosaroten Schneeanzug, die neuen weißen Schlittschuhe an den Füßen, Jane in einem Parka mit Kapuze und dicken Winterstiefeln, und sie wollten gerade aufs Eis gehen, als eine strenge Männerstimme sie aufhielt.

»Entschuldigen Sie, aber ohne Schlittschuhe dürfen Sie nicht auf die Eisbahn.«

Jane sah zu ihren Füßen hinunter, dann aufwärts in das rotwangige Gesicht des jungen Mannes. »Aber ich möchte doch nur meine Tochter auf der Bahn herumführen.«

»Sie müssen Schlittschuhe anhaben. Tut mir leid, aber das ist Vorschrift.«

Jane merkte, daß ihr langsam der Hut hochging. »Ich möchte mich wirklich nicht mit Ihnen streiten. Können wir uns nicht friedlich einigen? Es ist doch kein Mensch auf der Bahn, und ich verstehe nicht, was so schlimm daran ist, wenn ich...«

»Ohne Schlittschuhe dürfen Sie nicht aufs Eis. So einfach ist das, Lady.«

Bei dem Wort *Lady* hätte Jane ihm am liebsten eine Ohrfeige gegeben, aber sie beherrschte sich.

»Ach, kommen Sie«, drängte sie den jungen Mann und versteckte die geballten Fäuste in den Taschen ihres Parkas. »Sie können doch meine kleine Tochter nicht so enttäuschen. Sie hat sich die ganze Woche aufs Schlittschuhlaufen gefreut.«

Der junge Mann zuckte mit den Achseln. »Vorschrift ist Vorschrift, Lady. Da ist nichts zu machen.« Er wandte sich ab und ging davon.

»Arschloch«, brummte Jane nicht allzu gedämpft.

»Was haben Sie gesagt?«

Danach ging alles sehr schnell: Der junge Mann drehte sich herum, kam zurück, packte sie vorn an ihrem Parka und schüttelte sie, während er sie gleichzeitig mit Beschimpfungen überschüttete; Emily schrie wie am Spieß, Leute liefen zusammen; der junge Mann ließ sie hastig los. »Tut mir leid, ich hab die Beherrschung verloren.«

»Ich verstehe schon, Vorschrift ist Vorschrift.«

Damit zog sie sich mit schlotternden Knien eilig zur nächsten Bank zurück. Emily wagte sich allein auf die Eisbahn und kam ganz gut zurecht. Am Abend versuchte Michael mit ihr zu reden. »Herrgott noch mal, Jane, warum reagierst du immer gleich so gereizt? Eines Tages bringt dich so ein Kerl noch um.«

»Es tut mir ja leid, Michael, aber der Mensch hat mich so wütend gemacht.«

»Alles in Ordnung?«

»Was?« Jane kämpfte sich aus den Nebeln der Erinnerung empor und sah Michaels Gesicht vor sich. »Ich habe gerade noch einmal durchgespielt, was damals an der Eisbahn passiert ist.«

»Und fällt dir noch mehr ein?«

Sie schüttelte den Kopf, überlegte flüchtig, was für ein Tag war, wie viele Tage vergangen waren, seit ihr die Erinnerung an den Zwischenfall auf der Eisbahn wiedergekommen war.

»Ich muß jetzt in die Klinik. Paula ist unten, wenn du sie brauchst.«

»Wie spät ist es?«

»Fast acht.«

»Morgens?«

Er küßte sie auf die Stirn. »Morgens.«

»Wenn du doch hierbleiben könntest«, sagte sie und verachtete sich wegen des jammernden Tons ihrer Stimme. »Ich fühle mich so allein, wenn du nicht da bist. Ich krieg dann Angst.«

»Du brauchst keine Angst zu haben, Jane. Du bist zu Hause. Und dir kommen immer mehr Erinnerungen. Das ist doch ein gutes Zeichen.«

»Aber innerlich bin ich dauernd in Panik. Ich fühle mich völlig aus der Bahn geworfen. Und so schwach...«

»Geh doch heute mal ein bißchen an die frische Luft«, meinte Michael. Er stand vom Bett auf und blickte zu ihr hinunter. »Sag Paula, sie soll einen Spaziergang mit dir machen.«

»Ich glaube nicht, daß ich weit kommen würde.«

»Dann nehmt den Wagen. Die frische Luft wird dir bestimmt guttun.«

»Ich versteh einfach nicht, wieso ich die ganze Zeit so schlapp bin.«

»Ich muß jetzt wirklich gehen, Liebes. In knapp einer Stunde kommt mein erster Patient.«

»Vielleicht sollte ich noch einmal zu Dr. Meloff gehen. Vielleicht ist mit meinem Hirn wirklich was nicht in Ordnung.«

»Besprechen wir das doch heute abend, wenn ich heimkomme, ja?« Er küßte sie noch einmal, dann ging er zur Tür. »Ich sage Paula, daß sie dir das Frühstück heraufbringen soll.«

»Ich bin nicht sehr hungrig.«

»Du mußt essen, Jane. Du möchtest doch wieder gesund werden, oder nicht?«

Oder nicht? Oder nicht? Oder nicht? Die Worte folgten ihr wie ein Echo, als sie aus dem Bett zum Badezimmer torkelte. Sie brauchte ihre ganze Konzentration, nur um einen Fuß vor den anderen zu setzen, und als sie endlich im Bad war, konnte sie sich nicht mehr erinnern, was sie dort eigentlich wollte.

»Was ist nur los mit mir?« fragte sie ihr Bild im Spiegel über dem Waschbecken. Sie sah den dünnen Speichelfaden, der ihr aus einem Mundwinkel rann, und wischte ihn zornig weg. Und war es Einbildung, oder hätten ihre Züge tatsächlich etwas Unheimliches, beinahe Maskenhaftes?

Sie versuchte sich aufzurichten und spürte, wie sich ihre Rükkenmuskeln in einem dieser Krämpfe zusammenzogen, die in letzter Zeit immer häufiger auftraten. War es möglich, daß sie einen Schlaganfall oder etwas Ähnliches erlitten hatte? Das wäre jedenfalls eine Erklärung für den Gedächtnisverlust, die Lethargie, die ihr zur ständigen Begleiterin geworden war, und die vielfältigen körperlichen Beschwerden, die sie plagten. Aber die Anzeichen eines Schlaganfalls hätten sich doch zweifellos in einem der Tests offenbart, denen man sie im Krankenhaus unterzogen hatte. Es sei denn, sie hatte den Schlaganfall erst gehabt, seit sie wieder zu Hause war. War es überhaupt möglich, einen Schlaganfall zu erleiden, ohne selbst davon zu merken?

»Irgendwas ist jedenfalls überhaupt nicht in Ordnung mit dir«, teilte sie dem unbewegt dreinblickenden Spiegelbild mit. »Du bist eindeutig schwer krank.«

Sie spritzte sich kaltes Wasser ins Gesicht und kehrte, ohne sich abzutrocknen, ins Schlafzimmer zurück. Sie kroch wieder in ihr Bett und drückte das Kopfkissen an ihre feuchte Wange, roch Michaels Duft, obwohl sie wußte, daß er schon fort war.

Sie sah ihn neben sich im Bett liegen, seine Arme mit ihren verschlungen, seinen Körper dicht an den ihren geschmiegt, und glaubte, seinen warmen, ruhigen Atem zu spüren. Sie schliefen jetzt in einem Bett, wenn sie auch seit jenem einen Mal nicht mehr miteinander geschlafen hatten. Wie lange war das schon wieder her? Ein paar Tage? Eine Woche? Sie war immer so müde. Sie hatte nicht die Kraft. Er stellte keine Forderungen, war zufrieden, wenn er sich friedlich an sie kuschelte, allem Anschein nach froh und glücklich mit den Brosamen, die sie ihm zuwarf. Konnte wirklich schon eine ganze Woche verstrichen sein?

Jane warf sich auf den Rücken und bekam sofort wieder krampfartige Zuckungen. Sie atmete tief durch, um die Muskeln zu beruhigen und zu entspannen, und wußte doch, daß die Anfälle stärker waren als sie. Sie versuchte, sich auf andere Dinge zu konzentrieren: auf Michaels Stimme, wenn er ihr liebevolle Worte zuflüsterte; die feuchte Wärme seiner Zunge, wenn er ihre Haut liebkoste; das kraftvolle Spiel seiner Muskeln, wenn er sie liebte; die völlige Entspannung seines Körpers, wenn er nach ihrer Umarmung neben ihr niederfiel.

Sie blickte auf, doch statt seines nackten Körpers sah sie Paulas ernstes Gesicht über sich. Sie schrie leise auf, und sofort krampften sich die Muskeln in ihrem Rücken wieder zusammen. Der leise Aufschrei wurde zum Schmerzensschrei.

»Ist es wieder der Rücken?«

Paula war an die Krämpfe offensichtlich gewöhnt, dachte Jane und nickte, kaum fähig, den Kopf vom Kissen zu heben.

»Drehen Sie sich auf die Seite«, sagte Paula. »Kommen Sie, ich massiere Sie.«

Jane gehorchte sofort. Wie oft hatte sich dieses Ritual in der vergangenen Woche wiederholt? In ihrem Kreuz spürte sie Paulas Hände, die mit sanftem Druck kneteten und strichen.

»Hier?« fragte Paula, deren Finger unsichtbare Kreise auf dem weißen Baumwollnachthemd zogen.

»Ein bißchen höher. Ja, da. Danke.«

»Versuchen Sie, in die Stelle hineinzuatmen«, hörte sie Paula sagen und fragte sich, was, zum Teufel, sie damit meinte. Wie sollte sie ihren Atem an eine bestimmte Stelle dirigieren?

»Konzentrieren Sie sich«, sagte Paula.

Jane versuchte es, aber sie schaffte es nicht. Wie sollte sie sich auf ihren Atem konzentrieren, wenn sie Mühe hatte, sich überhaupt zu konzentrieren?

Was ging mit ihr vor? Wann hatte sie die Grenze von der Hysterie zur Invalidität überschritten?

»Geht's jetzt besser?« fragte Paula und zog die Hände weg.

»Ja. Vielen Dank.«

»Sie sollten versuchen aufzustehen und sich ein bißchen zu bewegen. Gymnastik wäre gut.«

Bei der Vorstellung gymnastischer Übungen wurde Jane beinahe übel. »Nein, ich glaube nicht, daß das so besonders gut wäre.«

»Dr. Whittaker meint, wir sollten ein bißchen an die frische Luft gehen. Er hat gesagt, ich soll einen Spaziergang mit Ihnen machen.«

»Fahren wir lieber mit dem Auto«, entgegnete Jane, die sich an den zweiten, weit sympathischeren Vorschlags erinnerte.

»Er sagte, Sie wollen kein Frühstück.«

»Ich glaube, ich könnte keinen Bissen hinunterbringen.« Mit hoffnungsvollem Blick sah sie Paula an. »Glauben Sie, daß ich vielleicht die Grippe habe oder so was?«

Vielleicht, dachte sie, waren alle so auf ihre Amnesie fixiert, daß sie andere naheliegende Gründe für ihren gegenwärtigen Zustand völlig übersahen. Es konnte doch sein, daß das eine mit dem anderen überhaupt nichts zu tun hatte. Es konnte doch sein, daß sie schlicht und einfach krank war.

Paula legte Jane sofort die Hand auf die Stirn. »Sie sind wirklich ein bißchen heiß«, meinte sie, »aber das ist kein Wunder, wenn man den ganzen Tag im Bett liegt.« In den Worten schwang ein vorwurfsvoller Unterton mit. Jane kam sich vor wie ein kleines Mädchen, das von der Kinderfrau zurechtgewiesen wurde.

»Ich werde versuchen aufzustehen.«

»Aber nehmen Sie lieber erst Ihre Tabletten.« Und schon hielt Paula ihr in der einen Hand die zwei kleinen weißen Tabletten hin, in der anderen ein Glas Wasser.

Würde mich nicht wundern, wenn sie nebenbei als Zauberkünstlerin auftritt, dachte Jane, die langsam die beiden Tabletten auf ihre eigene Hand legte und sie so intensiv betrachtete, als erwarte sie, daß sie gleich anfangen würden zu sprechen.

»Nehmen Sie sie«, sagte Paula hastig, als im anderen Zimmer das Telefon klingelte, das Michael irgendwann in der vergangenen Woche hinausgestellt hatte. »Ich komme gleich wieder.« Sie stellte das Glas Wasser auf den Nachttisch und eilte aus dem Zimmer.

»Wenn es für mich ist, dann möchte ich drangehen, ganz gleich, wer es ist!« rief Jane ihr nach, erhielt jedoch keine Antwort. »Vergiß es«, sagte sie zu ihrem Bild in den Spiegel gegenüber dem Bett. Sie strich sich das Haar aus dem Gesicht und versuchte, die Muskeln ihres Mundes zu einem Lächeln zu zwingen. Aber sie gehorchten ihr nicht. »Du wirst lächeln!« sagte sie im Befehlston und legte die Finger an die Mundwinkel, um sie hochzuziehen.

Die weißen Tabletten fielen ihr aus der Hand auf den blaßgrünen Teppich unter ihren Füßen. »Ach, du lieber Gott, euch hatte ich ja ganz vergessen!« Jane ließ sich auf alle viere hinunter, um die Tabletten aufzuheben. Als sie den Kopf wieder hob, sah sie sich in der Spiegelwand. Frau als Hund, dachte sie verwundert und fragte sich, wie es so weit mit ihr hatte kommen können.

Konzentrieren Sie sich, hörte sie Paula sagen. Konzentrier dich, wiederholte sie für sich. Als du in den Straßen von Boston herumirrtest, fühltest du dich wohl; du fühltest dich gesund, als du im Lennox Hotel warst. Auf dem Polizeirevier und im Krankenhaus warst du körperlich völlig in Ordnung. Es ging dir auch noch gut, als Michael dich nach Hause brachte. Erst nachdem du angefangen hast, diese blöden kleinen weißen Tabletten zu nehmen, die angeblich so gut verträglich und so heilsam sind, wurdest du schlapp und lethargisch, fingst an zu sabbern und verlorst den Appetit.

»Das ist doch verrückt«, sagte sie laut. »Selbst als plötzlich mein Gedächtnis weg war, ist mir der Appetit nicht vergangen.«

Sie musterte die zwei kleinen, runden, leicht gewölbten weißen Tabletten mit den gezackten Rändern mehrere Sekunden lang, ehe sie die Tür zu ihrem Schrank aufzog und sie ganz vorn in einen schwarzen Schuh schob, der dort auf dem Boden stand.

Ob andere Leute wohl auch so interessante Schuhe haben wie ich, ging es ihr flüchtig durch den Kopf. Sie richtete sich mühsam auf und schleppte sich zum Nachttisch, wo sie hastig das Glas Wasser leerte, ehe Paula zurückkehrte.

»Das war meine Mutter«, sagte Paula unaufgefordert, als sie wieder ins Zimmer kam.

»Alles in Ordnung?«

»Christine hat es sich in den Kopf gesetzt, ein bestimmtes Kleid anzuziehen, und meine Mutter konnte es nicht finden. Sie wollte nur fragen, ob ich weiß, wo es ist.«

»Und?« Jane wollte das Gespräch nicht versickern lassen. Sie war dankbar für alles, was ihr das Gefühl gab, ein halbwegs normales menschliches Wesen zu sein.

Paula zuckte mit den Achseln. »Aus dem Kleid ist Christine schon lange herausgewachsen. Ich weiß nicht, wie sie plötzlich darauf kommt.« Sie runzelte die Stirn. »In letzter Zeit fällt ihr dauernd irgendeine Verrücktheit ein. Aber das gehört vielleicht dazu, wenn man fünf Jahre alt ist.«

Jane nickte und versuchte, sich an Emily zu erinnern, als diese fünf gewesen war. Sofort kam ihr das Bild eines kleinen Mädchens im rosaroten Schneeanzug, das Hand in Hand mit ihr am Rand einer kleinen, ovalen Eisbahn stand. Michael hatte gesagt, der Zwischenfall hätte sich vor etwa anderthalb Jahren ereignet, Emily wäre also tatsächlich fünf gewesen. Was für ausgefallene Ideen hatte sie wohl damals in ihrem kleinen Kopf gehabt? Und was für Ideen gingen ihr gerade jetzt vielleicht durch den Sinn?

Denkt sie an mich? fragte sich Jane. Macht sie sich Gedanken darüber, warum aus ein paar Tagen bei den Großeltern Wochen werden? Warum ich sie nicht anrufe? Glaubt sie womöglich, ich hätte sie verlassen? Wird sie sich überhaupt noch an mich erinnern, wenn ich mich endlich wieder an sie erinnere?

»Ich möchte meine Tochter anrufen«, erklärte sie unvermittelt.

»Das müssen Sie mit Ihrem Mann besprechen, wenn er heimkommt.«

»Ich brauche meinen Mann nicht um Erlaubnis zu fragen, wenn ich meine Tochter anrufen möchte.«

»Aber es wäre doch schlimm, wenn Sie in Ihrem gegenwärtigen Zustand etwas täten, was Ihre Tochter erschrecken und Sie von neuem durcheinanderbringen würde.«

»Wieso soll es sie erschrecken, mit ihrer Mutter zu sprechen?«

Paula zögerte. »Na ja, Sie sind doch nicht die Mutter, die sie in Erinnerung hat.«

Janes Entschlossenheit kam ins Wanken. Paulas letztes Argument war nicht so einfach von der Hand zu weisen. Außerdem konnte sie wohl kaum darauf bestehen, ihre Tochter anzurufen, wenn sie nicht einmal genau wußte, wo das Kind sich aufhielt und unter was für einer Telefonnummer es zu erreichen war.

»Paula«, sagte sie abrupt, als Paula sich bückte, um das Bett zu machen. Sie sah, wie Paulas Schultern sich strafften und ihre Arme herabfielen. »Wo haben Sie mein Adreßbuch hingelegt?«

Paula warf einen Blick über die Schulter, ohne ihre Haltung zu ändern. »Ich habe es gar nicht in der Hand gehabt.«

»Es lag aber in meinem Nachttisch, und jetzt ist es verschwunden.«

»Ich habe es nie gesehen«, erklärte Paula.

»Es war in der Nachttischschublade, und jetzt ist es verschwunden«, wiederholte Jane störrisch.

»Fragen Sie doch Ihren Mann danach, wenn er nach Hause kommt«, entgegnete Paula ebenso störrisch.

»Am besten mache ich mir eine Liste sämtlicher Dinge, die ich mit ihm besprechen muß.« Jane gab sich keine Mühe, den Sarkasmus in ihrer Stimme zu verbergen.

»Sie sind ja heute morgen ganz schön aufmüpfig«, bemerkte Paula. »Vielleicht ist das ein gutes Zeichen.« Sie beugte sich wieder über das Bett, um das Laken zu glätten. »Ziehen Sie sich doch inzwischen an. Dann können wir nachher ein bißchen rausfahren.«

Es klang mehr nach Befehl als nach Vorschlag, und Jane hielt es für das Beste, nicht zu widersprechen. Paula konnte sehr hartnäckig sein. Außerdem wollte sie ja wirklich endlich mal hinaus. Hatte sie nicht Michael und Paula ständig damit in den Ohren gelegen? Wann war ihr die Lust dazu vergangen? Und wieso war sie ihr vergangen?

Sie öffnete ihren Schrank und sah hinein, als wolle sie ein Kleid für den Ausflug aussuchen. In Wirklichkeit blickte sie zum Boden hinunter, zu dem schwarzen Lackschuh, in dem die Tabletten versteckt waren.

»Mensch, komm schon, verdammte Kiste. Gib jetzt bloß nicht den Geist auf.«

Jane hüllte sich in diplomatisches Schweigen und wartete darauf, daß Paula sich beruhigen würde. Es war schon der zweite solche Ausbruch im Lauf ihrer Ausfahrt, zu der sie erst vor zehn Minuten aufgebrochen waren.

»Ach, verdammt!« Wütend schlug Paula mit der Hand auf das Steuerrad und traf versehentlich die Hupe. Der Fahrer hinter ihnen hupte zurück. Paula winkte zum Zeichen der Entschuldigung und wandte ihre Aufmerksamkeit wieder dem akuten Problem zu. »Verdammt noch mal, sauf mir jetzt nicht ab.«

»Vielleicht hilft es, wenn Sie mal ganz kurz den Motor ausschalten«, meinte Jane.

»Nein, das bringt gar nichts. Das geht jetzt schon einen Monat so. Dauernd bleibt er weg. Ich kenn das. Er springt erst an, wenn er Lust dazu hat.«

»Sie sollten ihn in die Werkstatt bringen.«

»Ich sollte mir einen neuen Wagen kaufen.«

Jane sagte nichts. Was gab es da auch hinzuzufügen? Paulas Auto war wirklich uralt, war vermutlich schon alt gewesen, als sie es gekauft hatte. Es pfiff eindeutig aus dem letzten Loch. Jane fand das beinahe tröstlich; sie fühlte sich weniger allein. Da bin ich wenigstens nicht die einzige, die hier aus dem letzten Loch pfeift, dachte sie, sagte Paula jedoch nichts von ihren Gedanken.

Paula versuchte von neuem, den Wagen zu starten, aber der alte Buick hüstelte nur einmal kurz, ehe er röchelnd wieder versoff. Paula warf Jane einen mißtrauischen Blick zu, und einen Moment lang hatte Jane den Eindruck, sie mache sie für das Dilemma verantwortlich.

»Hat Ihr Mann Ihnen den Rat gegeben, den Motor auszuschalten?«

»Ich weiß nicht mehr.« Jane fand die Frage seltsam. »Wahrscheinlich, ja.«

Das war Paula gut genug. Sie schaltete sofort den Motor aus.

Der Fahrer hinter ihnen hupte entrüstet.

»Ja, was sollen wir denn tun?« schrie Jane zum Fenster hinaus. »Sollen wir den Wagen vielleicht wegtragen?« Sie machte dem Mann ein wütendes Fingerzeichen.

»Jane, um Himmels willen, was tun Sie da?«

Schuldbewußt legte Jane die Hände in den Schoß. »Tut mir leid. Die Macht der Gewohnheit wahrscheinlich.«

»Ja, ich weiß.«

»Was soll das heißen?«

Paula ignorierte die Frage und konzentrierte sich ganz auf ihr Auto. Mit neuer Entschlossenheit drehte sie den Zündschlüssel. Der Wagen spuckte, hustete und sprang an.

»Gott sei Dank«, flüsterte Paula, winkte dem Fahrer hinter ihnen zu und fuhr weiter in nordwestlicher Richtung die Woodward Street hinunter.

»Was meinten Sie, als Sie sagten, ›Ja, ich weiß‹?«

»Ihr Mann hat mir erzählt, wie leicht Sie in Rage geraten.« Paula starrte angespannt auf die Straße hinaus, so daß Jane ihrem Gesicht nichts entnehmen konnte.

»Was genau hat er Ihnen erzählt?« Jane hörte die Gereiztheit in ihrer Stimme, die sie als Vorbotin eines Wutausbruchs kannte, und fragte sich, warum sie so schrecklich zornig war. Hatte sie nicht erwartet, daß Michael mit der Frau, die er dafür bezahlte, daß sie sich um sie kümmerte, über sie sprechen würde?

»Nur daß Sie zum Jähzorn neigen.«

Das war gewiß nicht alles, aber Paulas starre Haltung verriet Jane, daß sie nicht mehr erfahren würde.

»Er hat mir erzählt, daß ich ihm oft einfach ins Steuer gegriffen und gehupt habe«, bemerkte sie in der Hoffnung, Paula würde sich durch diese Vertraulichkeit verleiten lassen, ihr mehr zu sagen.

»Trauen Sie sich das ja nicht! Das könnte Sie Ihren Arm kosten.«

Unwillkürlich drückte Jane beide Arme fest an sich. Sie machte keinen Versuch mehr, ein Gespräch in Gang zu bringen, sondern richtete ihre Aufmerksamkeit auf die schönen alten Häuser, die die Straße zu beiden Seiten säumten. Sie fühlte sich etwas frischer als unmittelbar nach dem Erwachen. Konnte es daher kommen, daß sie am Morgen ihre Tabletten nicht genommen hatte, oder war es lediglich eine Frage der Willenskraft? War nicht ihr ganzes Leben derzeit eine Frage der Willenskraft? Der Wille ist stark, aber das Fleisch ist schwach. Schwachheit, dein Name ist Weib.

Sie lachte leise vor sich hin.

»Was ist so komisch?« Zum ersten Mal, seit sie sich in den verdreckten grauen Buick gesetzt hatte, sah Paula ihr direkt in die Augen.

Aber Jane wich ihrem Blick aus. »Ich habe nur gerade daran gedacht, wie lächerlich das alles ist.«

»Für Ihren Mann ist es sehr schwer.«

Ach, zum Teufel mit meinem Mann, hätte sie am liebsten entgegnet und biß sich fest auf die Unterlippe, um die Worte zurückzuhalten. Sie spürte, wie ihr der Speichel aus dem Mund zum Kinn rann, und hob die Hand, um ihn wegzuwischen.

»Im Handschuhfach liegen Papiertücher.«

»Ich brauche keine Papiertücher.« Jane merkte das Zittern in ihrer Stimme und merkte, daß sie den Tränen nahe war. Ich falle wirklich von einem Extrem ins andere, dachte sie. Erst grins ich mir eins und im nächsten Moment fange ich an zu heulen. Ich benehme mich wie ein Kind, weil ich wie eines behandelt werde.

Sie starrte zum Fenster hinaus. Eine Gruppe von vielleicht zwölf Kindern marschierte auf dem Bürgersteig vorbei. Alle hatten die kleinen Fäuste fest um ein Seil gelegt, an dessen vorderem und hinterem Ende mehrere junge Frauen gingen. Die Kinder waren sechs oder sieben Jahre alt, die Mädchen waren in der Überzahl. Wäre dieser Sommer normal verlaufen, wäre dann auch Emily in dieser lachenden kleinen Seilschaft mitmarschiert?

Jane verspürte eine tiefe Sehnsucht. Ich kann mich vielleicht nicht an dich erinnern, mein Liebes, dachte sie und wandte sich von den Kindern ab, aber ich weiß, daß ich dich brauche, und ich glaube, auch du brauchst mich. Sie beschloß, Michael zu bitten, Emily unbedingt nach Hause zu holen.

An der Beacon Street bog Paula links ab. Schon wieder eine Beacon Street, dachte Jane. Boston scheint voll davon zu sein.

»Halt!« schrie sie plötzlich, und Paula trat sofort hart auf die Bremse. Der Motor stotterte vorwurfsvoll und war kurz vor dem Absaufen.

»Was zum Teufel...?«

»Das ist Emilys Schule.« Jane sprang aus dem Wagen und rannte auf das schlichte einstöckige Schulhaus zu.

»Kommen Sie wieder in den Wagen, Jane.«

Beim Klang von Paulas Stimme blieb Jane abrupt stehen, doch sie kehrte nicht zum Wagen zurück. Selbst wenn sie es gewollt hätte, hätte sie sich nicht von der Stelle rühren können. Ihre Füße schienen wie festgenagelt. Sie zitterte am ganzen Körper. Irgend etwas wälzte sich, einer gewaltigen Flutwelle gleich, auf sie zu, gewann an Kraft und Geschwindigkeit, und sie konnte weder zurückweichen noch zur Seite springen. Sie stand gelähmt, mehr vor Staunen als vor Furcht, und ließ sich von der Erinnerung überfluten.

14

»Okay, habt ihr alle eure Fahrkarten?«

Jane lauschte der schrillen Stimme der Lehrerin, die sich in ihr Bewußtsein drängte. Sie sah sich selbst im oberen Stockwerk der South Station, mitten in einer großen Schar Kinder, ihren Lehrern und einer Handvoll Eltern, alle müde nach einem aufregenden Nachmittag im Kindermuseum in Boston. Rasch zählte sie die Köpfe der acht Kinder, die, Emily eingeschlossen, ihrer Obhut anvertraut waren.

»Denkt daran, daß der Zug für alle da ist«, fuhr die Lehrerin fort. »Also kein Drängeln und Schieben. Und möglichst leise bitte. Seid ihr alle soweit?«

Plötzlich erschien ein Mann – klein und vierschrötig, den Kopf nach vorn geschoben, den Blick zu Boden gerichtet – und stürmte wie ein gereizter Stier mitten durch die Kinderschar. Mit beiden Armen stieß er die Kinder, die ihm im Weg standen, zur Seite. Ein kleines Mädchen fiel taumelnd gegen ein anderes Kind, und beide begannen zu weinen; ein kleiner Junge erhielt einen Schlag mitten ins Gesicht. Der Mann jedoch, wütend über die Invasion des Bahnsteigs, den er offenbar als sein Privatrevier betrachtete, drängte sich rücksichtslos und unversöhnlich weiter zwischen den jetzt verängstigten Kindern durch, während Lehrer und Eltern in hilflosem Zorn zusahen. Er hatte schon fast den Ausgang erreicht, als Janes Stimme ihn einholte.

»He, Sie!« schrie sie und rannte ihm nach, wobei sie ihre große Handtasche wie einen Basballschläger durch die Luft schwang. Sie zielte auf seinen Hinterkopf und hörte den dumpfen Aufprall der Tasche auf seinem Schädel.

Es war schlagartig mucksmäuschenstill geworden. Jane musterte mit einem raschen Blick die stummen Zuschauer. Lehrer und Eltern standen mit offenen Mündern und aufgerissenen Augen da; die Kinder starrten sie beinahe mit Hochachtung an. Aber vielleicht war es auch einfach Angst, dachte Jane, die es selbst mit der Angst zu tun bekam, als der Mann wütend herumfuhr.

Oh, Mist, dachte sie, jetzt macht er mich fertig.

Der Mann jedoch, etwas fünfzig, muskulös, das Gesicht von Wut entstellt, schrie nur: »Was ist denn in Sie gefahren? Sind Sie verrückt geworden?« Dann rannte er weiter.

Bin ich vielleicht wirklich verrückt? fragte sich Jane. Wieso bin immer ich diejenige, die sich solche Sachen leistet? Keiner sonst ist dem Kerl nachgelaufen. Keiner sonst hat versucht, die Kinder zu beschützen. Ihr Blick suchte die Blicke der anderen Erwachsenen, die zugegen waren, aber nirgends stieß sie auf eine Reaktion. Es war, als hätten sie alle Angst davor, etwas zu sagen oder zu tun, das sie neuerlich in Rage bringen könnte. Nur eine Frau, eine Mutter, die schützend den Arm um ein kleines Mädchen gelegt hatte, zeigte etwas wie Anerkennung. Selbst Emily hielt sich von ihr fern, als fühle sie sich für das unerhörte Benehmen ihrer Mutter verantwortlich.

»Was ist?« fragte jemand hinter ihr.

»Wie?«

Die Flutwelle sank in sich zusammen. Jane stand wieder auf dem Trockenen und schluckte an den bitteren Resten ihrer Erinnerungen. Sie drehte sich um und sah Paulas beunruhigtes Gesicht, sah in ihren Augen den gleichen Blick wie in den Augen der Eltern und Lehrer der Arlington Private School.

»Glauben Sie, daß ich verrückt bin?« fragte sie Paula.

Die trat automatisch einen Schritt zurück. »Sie haben es im Moment sehr schwer.«

»Danach habe ich nicht gefragt.«

»Aber es ist die einzige Antwort, die ich Ihnen geben kann.« Beide Frauen vermieden es, einander direkt anzusehen. »Kommen Sie, Jane. Steigen Sie wieder ein. Wir fahren nach Hause.«

»Ich will aber nicht nach Hause.« Die Entschiedenheit des Tons überraschte beide. Paula zuckte zusammen, als fürchte sie, Jane wolle sie schlagen. Na und, ist das etwa nicht mein Normalverhalten? fragte sich Jane. Es ist ein Wunder, daß ich überhaupt noch am Leben bin. Es ist ein Wunder, daß mein Mann mich noch nicht in eine Anstalt gebracht hat. Ich bin eindeutig reif fürs Irrenhaus. Sonst müßte ich mich doch auch einmal an etwas anderes erinnern als an ein Sortiment von Wutanfällen.

Aber vielleicht wollen diese Erinnerungen mir etwas sagen. Vielleicht steckt in dem, was mein Unterbewußtsein mir da offenbart, eine tiefere Bedeutung. Oder schlimmer noch. Vielleicht sind diese Erinnerungen nur die Ouvertüre, die die Handlung einführt, die den Boden für den großen Knalleffekt bereitet, für die krönende Wahnsinnstat, die mir beinahe zehntausend Dollar, ein blutverschmiertes Kleid und einen leeren Kopf eingebracht hat. Bin ich wirklich so verrückt, wie mein Unterbewußtsein mir weismachen will?

»Ich möchte zu Michael fahren.«

»Sie sehen Ihren Mann doch heute abend.«

»Ich will jetzt zu ihm.«

Paula versuchte, Jane durch die offene Tür in den Wagen zu drängen. »Ihr Mann hat sehr viel zu tun. Sie wollen doch nicht so einfach bei ihm hineinplatzen, während er mit seinen Patienten beschäftigt ist.«

»Doch, genau das will ich.«

»Das finde ich aber nicht gut.«

»Fahren Sie mich zu meinem Mann«, befahl Jane. »Auf der Stelle.« Sie stieg in den Wagen und knallte die Tür hinter sich zu.

»Sie sind wirklich unbelehrbar.« Paula setzte sich hinter das Steuer, um erneut den Kampf mit dem widerspenstigen Motor aufzunehmen.

»Ja, darin bin ich Meisterin.« Jane war nicht zu beirren.

»Da können Sie jetzt leider nicht hinein. Oh, Jane! Sind Sie es wirklich? Mein Gott, ich habe Sie gar nicht wiedererkannt.«

Durch die großen, dicken Gläser ihrer Brille starrte die Vorzimmerdame Jane erschrocken an. Sehe ich wirklich so gräßlich aus? Jane versuchte, sich in dem Glas des Bildes zu erkennen, das hinter dem Schreibtisch der Sekretärin an der Wand hing, passenderweise ein Renoir, der zwei junge Mädchen in inniger Umarmung neben einem Klavier zeigte.

Dann warf sie einen Blick auf das Namensschild der Frau und sagte: »Rosie«, als erkenne sie sie. »Ich muß unbedingt zu meinem Mann.«

»Hat es nicht ein paar Minuten Zeit? Er hat gerade einen Patienten bei sich. Erwartet er Sie?« Die Skepsis in ihrer Stimme verriet, daß sie die Antwort schon wußte.

»Ich habe Sie gewarnt, Jane«, sagte jemand neben ihr. Ach, Mist, Paula war immer noch hier. Machte diese Person denn nie mal Pause?

»Er erwartet mich nicht, aber er will mich bestimmt sehen, wenn Sie ihm sagen, daß ich hier bin und ihn dringend sprechen muß.«

Die Vorzimmerdame, dem Namensschild nach Rosie Fitzgibbons, klopfte zaghaft an die Tür zum Sprechzimmer und schob sich so geschickt durch den schmalen Spalt hinein, daß vom Wartezimmer aus nicht einmal ein flüchtiger Blick ins Allerheiligste möglich war.

»Wir hätten nicht herkommen sollen. Ihr Mann wird mir das sicher übelnehmen.«

»Ach, verzupf dich«, murmelte Jane unterdrückt und rieb sich den Kopf. Sie hatte den Eindruck, daß er schon lange nicht mehr so klar gewesen war.

Ein Husten lenkte ihren Blick zu der Reihe von Stühlen, die dem Schreibtisch der Vorzimmerdame gegenüber an der Wand standen. Eine ziemlich verzweifelt wirkende Frau saß dort mit ihrer kleinen Tochter auf dem Schoß. Das Kind war blaß und unruhig, wollte mit keinem der Spielsachen spielen, die zu seinen Füßen verstreut lagen, sondern vertrieb sich die Zeit lieber damit, abwechselnd zu husten und zu jammern. Ihre Mutter sah auf ihre Armbanduhr, vermutlich mehr, um Janes forschendem Blick auszuweichen, als um die Zeit festzustellen. Sie hätte einfacher auf die große Micky-Maus-Uhr über der Tür sehen können. Der Uhr direkt gegenüber saßen ein Mann mittleren Alters und ein kleiner Junge mit einer Hasenscharte. Er hätte ebensogut der Sohn wie der Enkel des Mannes sein können. Der Junge spielte völlig selbstvergessen mit einigen Modellflugzeugen, wobei er die gekreuzten Füße seines Vaters (Großvaters?) als Start- und Landebahn benutzte. War Michael von einem dieser kleinen Flugzeuge am Kopf getroffen worden?

»Entschuldige«, sagte sie und kniete neben dem Jungen nieder. »Darf ich mir das Flugzeug mal einen Moment ansehen?«

Mit einem argwöhnischen Blick zu ihr drückte der Junge das Flugzeug fest an die Brust.

»Du bekommst es sofort wieder. Ich verspreche es dir.«

»Laß die Dame das Flugzeug sehen, Stuart.« Gehorsam gab Stuart Jane das Spielzeug.

Jane wog das kleine Ding auf ihrer Hand. Es hatte kaum Gewicht. Wie konnte ein so leichter Gegenstand eine so gravierende Verletzung hervorgerufen haben? Sie schloß die Augen und versuchte sich vorzustellen, wie dieses kleine Flugzeug mit solcher Geschwindigkeit durch die Luft sauste, daß es beim Aufprall auf den Kopf eines Erwachsenen eine große Wunde aufriß. Mußte ein Kind nicht sehr kräftig sein, um so ein leichtes Ding mit solchem Tempo und solcher Wucht fortzuschleudern?

»Jane?« Plötzlich stand Michael neben ihr. Er half ihr hoch. Der kleine Junge riß ihr sofort das Flugzeug aus den Händen.

»Entschuldigen Sie vielmals, Dr. Whittaker. Aber Jane war nicht davon abzubringen, hierherzukommen.«

»Das macht doch nichts, Paula. Sie haben ganz richtig gehandelt. Was ist mit dir, Jane? Alles in Ordnung?«

»Ich muß mit dir sprechen, Michael.«

»Gut, dann sprechen wir«, stimmte er bereitwillig zu. »Komm mit in mein Zimmer.«

Er führte sie durch das Wartezimmer. An der Tür zu seinem Sprechzimmer begegneten sie einer jungen Frau, die mit ihrem kleinen Sohn herauskam.

»Vielen, vielen Dank, Dr. Whittaker. Für alles«, sagte die Frau leise und schüttelte ihm mehrmals die Hand.

»Es war mir ein Vergnügen. Versorgen Sie mir den Kleinen gut, und lassen Sie ab und zu mal hören, wie es vorwärts geht.«

»Er braucht nicht wieder zu Ihnen zu kommen?« Die Frau schien beinahe enttäuscht.

»Höchstens wenn etwas Unerwartetes geschehen sollte. Aber Sie können mich natürlich jederzeit anrufen, wenn Ihnen etwas Sorgen macht.«

Die Frau lächelte dankbar und schüttelte Michael noch einmal die Hand, ehe sie ging.

»Paula, machen Sie doch eine kleine Kaffeepause, hm?« meinte Michael, und Jane hätte ihn am liebsten umarmt.

Sie folgte ihm in sein Sprechzimmer, das seinem Arbeitszimmer zu Hause sehr ähnlich war – grüne Ledergarnitur, ein großer Schreibtisch aus Eiche, an den Wänden hohe Bücherregale. Sie sah sofort ihre gerahmte Fotografie, die auf dem Schreibtisch neben einem Bild ihrer strahlenden Tochter stand.

»Ich möchte Emily sehen«, sagte sie ohne Umschweife.

»Das wirst du auch.«

»Aber bald. Jetzt.«

»Bald«, bestätigte er. »Nicht jetzt, Jane«, fuhr er fort, ehe sie protestieren konnte, »wir waren uns doch beide einig, daß sie im Augenblick bei meinen Eltern besser aufgehoben ist. Wir wollten warten, bis du dich wieder erinnerst.«

»Ich fange an, mich zu erinnern.« Sie berichtete ihm eilig.

»Jane«, sagte er leise, sorgfältig seine Worte wählend, »bitte mißversteh mich jetzt nicht. Es ist wunderbar, daß sich jetzt die ersten Erinnerungen melden, aber es ist nur ein Anfang. Du hast noch einen sehr langen Weg vor dir. Du hast ein paar Träume gehabt, du hast dich an einige dramatische Ereignisse erinnert, aber die Kleinigkeiten des täglichen Lebens fehlen dir immer noch. Meiner Meinung nach wäre es sowohl für dich als auch für Emily hinderlich, wenn nicht vielleicht sogar schädlich, wenn wir sie jetzt zurückholen würden.«

»Aber ich bin sicher, wenn ich sie nur sehen könnte...«

»Was? Daß dir dann schlagartig alles wieder einfällt?«

Jane nickte halbherzig. Glaubte sie das wirklich?

»Es ist unwahrscheinlich, daß es sich so abspielen wird«, sagte Michael. »Wenn das möglich wäre, wäre es höchstwahrscheinlich längst geschehen. Nein, bei dir scheinen sich die Erinnerungen eher sporadisch zu melden, sie scheinen in Schüben zu kommen, hier ein Stück und dort ein Stück. Ich will damit nicht sagen, daß diese Gedächtnisstörung auf Dauer anhalten wird, aber es wird sicher länger dauern, ehe sie ganz behoben ist und alle Erinnerungen wieder da sind.«

»Und wenn es Monate dauert?« Die Möglichkeit, daß es *noch* länger dauern konnte, wollte sie nicht einmal in Betracht ziehen.

»Dann müssen wir eben so lange warten.«

»Aber was wird in der Zeit aus Emily?«

»Jane, glaubst du denn im Ernst, es wäre gut für sie, wenn sie dich in deiner gegenwärtigen Verfassung sähe?«

Jane sank auf das kleine Ledersofa an der Wand. Sie brauchte keinen Spiegel, um zu wissen, was er meinte.

»Aber ich fühle mich heute morgen schon ein bißchen besser, Michael. Ich habe die Tabletten nicht genommen, und ich glaube...«

»Du hast deine Tabletten nicht genommen? Aber warum denn nicht? Hat Paula vergessen, sie dir zu geben?«

»Nein, nein. Sie hat sie mir gegeben. Ich habe sie einfach nicht genommen. Ich habe sie versteckt, als sie aus dem Zimmer ging.«

»Du hast sie versteckt? Jane, verhält sich so ein Mensch, der gesund werden möchte?«

»Aber sie haben mich doch erst richtig krank gemacht!«

Michael begann wortlos im Zimmer auf und ab zu gehen.

»Wirklich, Michael, ich habe mich in letzter Zeit so elend gefühlt, und die einzige Erklärung, die mir dafür einfiel, war, daß ich entweder einen Schlaganfall hatte...«

»Einen Schlaganfall?« Er sah sie an, als hätte sie völlig den Verstand verloren.

»Oder daß das Medikament so eine verheerende Wirkung auf mich hat. Vielleicht reagiere ich allergisch auf die Tabletten, ich weiß es nicht. Ich weiß nur, daß ich die Tabletten heute morgen nicht genommen habe und mich viel besser fühle. Ich habe nicht mehr das Gefühl, daß mein ganzer Kopf zubetoniert ist. Es kommt mir nicht mehr so vor, als spräche ich durch einen Tunnel mit dir. Bitte sei mir jetzt nicht böse.«

Er ließ sich neben ihr auf das Sofa fallen. »Jane, Jane«, sagte er und nahm ihre Hände, »wie könnte ich dir böse sein? Natürlich bin ich dir nicht böse. Ich bin genauso frustriert und durcheinander wie du. Ich möchte einzig und allein, daß du wieder ganz gesund wirst. Ich möchte meine Frau zurückhaben. Ich möchte meine Familie zurückhaben. Glaubst du denn, daß Emily mir nicht fehlt? Glaubst du nicht, ich würde alles darum geben, daß wir alle drei wieder zusammen sein können?«

»Das möchte ich ja auch – daß wir alle drei wieder zusammen sind.«

»Dann mußt du dich an Dr. Meloffs Anordnungen halten. Du mußt deine Tabletten nehmen.«

»Kann ich es nicht wenigstens eine Weile ohne sie versuchen? Wenn es mir in ein paar Tagen nicht besser geht, nehme ich sie wieder, das verspreche ich dir.«

»Damit würden wir nur weitere kostbare Tage verschwenden.«

Sie wußte keine Antwort. Was war das schon, ein paar kostbare Tage hin oder her?

»Es tut mir leid«, sagte er. »Ich will es dir wirklich nicht erschweren. Wenn du glaubst, daß die Tabletten dich krank machen, werde ich mit Dr. Meloff sprechen. Vielleicht kann er etwas anderes verschreiben. Und ich glaube, jetzt wäre der richtige Zeitpunkt für eine Hypnotherapie. Ich werde sehen, ob ich einen Termin vereinbaren kann.«

Es klopfte zaghaft.

»Ja?« sagte Michael.

Rosie Fitzgibbons schob sich in bewährter Manier durch den Türspalt herein. »Mr. Beattie bat mich, Ihnen zu sagen, daß er in zwanzig Minuten wieder im Büro sein muß. Wenn Sie Stuart jetzt nicht sehen können, muß er einen neuen Termin vereinbaren.«

»Nein, nein, das ist nicht nötig.« Michael stand auf. »Ich kann ihn jetzt sehen. Es ist dir doch recht, Jane?«

Jane stand hastig auf. »Soll ich gehen?«

»Aber nein. Weißt du was, ich komme zum Mittagessen nach

Hause. Da können wir in aller Ruhe weiterreden.« Er führte sie wieder ins Wartezimmer hinaus. Paula war noch nicht von ihrer Kaffeepause zurück. »Rosie, würden Sie sich um meine Frau kümmern, bis Mrs. Marinelli wieder da ist?«

»Gern, Dr. Whittaker.«

»Bis gleich«, flüsterte Michael, gab Jane einen Kuß auf die Wange und zog sich mit Mr. Beattie und seinem Sohn (Enkel?) Stuart ins Sprechzimmer zurück.

»Möchten Sie vielleicht eine Tasse Kaffee?«

»Nein, danke.«

Rosie Fitzgibbons setzte sich wieder an ihren Schreibtisch.

»Setzen Sie sich doch. Machen Sie es sich bequem.«

Jane setzte sich. »Sie brauchen sich nicht um mich zu kümmern. Sie haben bestimmt viel zu tun...«

»Ich habe immer viel zu tun. Sie wissen ja, wie das hier ist. Sie fehlen uns wirklich. Wann kommen Sie wieder?«

Wieviel wußte diese Frau? »Ich weiß noch nicht.«

»Michael sagte, Sie hätten sich irgendeinen komischen Virus geholt...«

»Die Ärzte wissen nicht genau, was es ist.«

»Ja, das sagte er.«

»Ich sehe wahrscheinlich fürchterlich aus.«

»Wenn ich ehrlich sein soll – Sie haben schon besser ausgesehen.« Das Telefon läutete. Rosie hob ab. »Praxis Dr. Whittaker. Nein, tut mir leid. Er hat gerade einen Patienten bei sich. Ich kann Ihren Namen und Ihre Nummer notieren, dann kann er Sie später zurückrufen. Moment, ein bißchen langsamer bitte. Könnten Sie das buchstabieren? – Ach ja, Threthewy? Gut. Und die Nummer? Ja, ich habe sie aufgeschrieben. Er wird Sie so bald wie möglich zurückrufen. Danke.« Sie wandte sich wieder zu Jane, als das Telefon von neuem zu läuten begann. »Wie auf der Post.«

»Ja, ich weiß«, log Jane. Nein, sie log nicht – sie fabulierte.

»Praxis Dr. Whittaker. Nein, tut mir leid, er hat gerade einen Patienten bei sich. – Ach so, ja, hallo Mrs. Sommerville. Was gibt's denn?«

Jane wandte ihre Aufmerksamkeit dem wimmernden Mädchen und seiner Mutter zu.

»Es ist doch gar nicht schlimm, Lisa«, sagte die Mutter. »Dr. Whittaker muß nur nachsehen, ob alles in Ordnung ist. Er tut dir bestimmt nicht weh.«

»Ich will aber nicht rein.« Die Stimme des Kindes wurde mit jedem Wort kräftiger.

»Es dauert höchstens fünf Minuten, Schatz. Keine Spritzen. Ich verspreche es dir. Komm, spiel inzwischen ein bißchen mit den Bauklötzen.«

Sie griff in die große Spielkiste, die neben ihr stand, und schaukelte eine Handvoll Holzklötzchen heraus. Prompt fielen sie ihr aus der Hand und kollerten in alle Richtungen davon. Lisa quietschte aufgeregt und sprang vom Schoß ihrer Mutter, um sie einzusammeln.

Die Frau, die sich offensichtlich beobachtet fühlte, wandte sich Jane zu. »Sie hat Angst vor jedem Arztbesuch. Als mein Mann sie neulich fotografieren wollte, geriet sie vor Angst völlig außer sich. Wir bekamen schließlich mit viel Mühe heraus, daß sie glaubte, er wolle Röntgenaufnahmen machen! Wir haben ihr nämlich immer gesagt, daß sie fotografiert wird, wenn wir mit ihr zum Röntgen gegangen sind, und da hat sie natürlich das eine mit dem anderen gleichgesetzt. Nachdem wir ihr den Unterschied erklärt hatten, gab es überhaupt kein Problem mehr. Sie posierte wie Cindy Crawford persönlich.«

Cindy Crawford.

Jane blickte auf ihre Hände nieder und sah vor sich das schöne, selbstbewußte Gesicht, das sie von der Titelseite irgendeiner Zeitschrift angelächelt hatte, kurz ehe sie das Blut an ihrem Kleid entdeckt hatte.

Bei der Erinnerung sprang sie wie gejagt von ihrem Stuhl auf und stürzte zur Tür, ohne zu überlegen, wohin sie überhaupt wollte. Erst ein stechender Schmerz am Knöchel veranlaßte sie, stehenzubleiben. Sie sah hinunter. Die spitz zulaufende Tragfläche eines der Spielzeugflugzeuge hatte sich ihr ins Bein gebohrt. Als sie sich bückte, um das Flugzeug aufzuheben, schlugen die Stimmen über ihr zusammen.

»Jane, ist etwas passiert? Wohin wollten Sie?«

»Oh, entschuldigen Sie. Habe ich etwas Dummes gesagt?«

»Mrs. Marinelli kommt bestimmt jeden Moment zurück.«

»Mami, ich will heim.«

Jane blickte von dem kleinen Flugzeug in ihrer Hand zu Lisa, die auf dem Boden hockte, dann zur Mutter des Kindes, die halb aufgesprungen war, dann zu Rosie Fitzgibbons, die, den Telefonhörer noch in der Hand, hinter ihrem Schreibtisch stand.

»Vielleicht sollten Sie diese Dinger lieber wegtun«, sagte Jane und wies auf das kleine Flugzeug. »Sie sind gefährlich.«

»Ja, wenn man hier umherspaziert, muß man vorsichtig sein«, stimmte Rosie zu, legte den Hörer auf und setzte sich wieder.

Jane musterte den Teppichboden. »Aber das Blut haben Sie gut wegbekommen.«

»Welches Blut?«

»Mami!« Bei dem Wort ›Blut‹ kletterte Lisa eilig wieder auf den Schoß ihrer Mutter.

»Ich meine, als der kleine Junge das Flugzeug nach Michael warf. Die Verletzung muß doch stark geblutet haben. Sie mußte ja sogar genäht werden.«

Rosie Fitzgibbons war völlig entgeistert. »Ich verstehe nicht...«

Die Tür von Michaels Sprechzimmer öffnete sich, und Stuart und sein Vater (Großvater?) traten heraus. Beinahe im selben Moment kam Paula ins Wartezimmer, und Michael ging zu Jane.

»Ich komme nach Hause, sobald ich kann«, sagte er leise und zwinkerte ihr zu. »Bis zum Mittagessen.«

Jane lächelte und hob den Blick zu seiner Stirn. Im Geist sah sie die frische Narbe, die unter seinem Haar verborgen war, und war überzeugt, daß sie nicht nur das Gedächtnis verloren hatte, sondern jetzt auch noch den Verstand.

15

Es war natürlich möglich, daß der Zwischenfall sich gar nicht im Vorzimmer ereignet hatte, sagte sich Jane, während sie geistesabwesend in die rasch vorüberfliegende Landschaft hinaussah. Paula fuhr sehr schnell, als wolle sie ihrem Wagen möglichst wenig Zeit lassen zu streiken. Jane hielt es kaum noch aus in dem alten Auto. Sein Spucken und Stottern machten sie nervös. Am liebsten wäre sie ausgestiegen und den Rest des Wegs zu Fuß gegangen, aber sie wußte, daß Paula das niemals erlauben würde, obwohl sie nur noch wenige Kilometer von zu Hause entfernt sein konnten. Vielleicht würde sich Paula, wenn der Wagen erst wieder sicher in der Auffahrt stand, zu einem Spaziergang durch die Nachbarschaft überreden lassen. Sie fühlte sich kräftiger. Es war denkbar, daß ihre Beine sie einmal ums Karree tragen würden.

Je länger Jane darüber nachdachte, desto überzeugter wurde sie, daß die frische Luft ihr guttun und die noch verbliebenen Spinnweben fortblasen würde, so daß ihre Gedanken ebenso wie ihre Glieder endlich den Raum erhielten, den sie brauchten, um sich zu strecken und zu dehnen. Im Augenblick tobte eine Unzahl zusammenhangloser Gedanken und Ideen in ihrem Hirn. Sie kämpften miteinander um Bewegungsraum, drängten hierhin und dorthin, aber sie bildeten keine Verbindungen. Sie waren wie eine Horde Kinder, die sich auf einem Spielplatz bekriegten. Sie mußte die Türen öffnen, den Gedanken freien Lauf lassen, einigen dieser verrückten Theorien den Raum schaffen, den sie brauchten, um Form anzunehmen und sich dann wieder zu verflüchtigen.

Aber was waren das überhaupt für Theorien? Daß Michael gelogen hatte, als er Paula erzählte, ein Spielzeugflugzeug habe ihn am Kopf getroffen? Daß Paula die ganze Geschichte erfunden hatte, um Michael zu schützen? Daß hier eine raffinierte Verschwörung im Gange war? Aber vielleicht war Michael wirklich von einem Spielzeugflugzeug am Kopf getroffen worden, genau wie er gesagt hatte, nur daß die Sache nicht in seiner Praxis passiert war, jedenfalls nicht im Vorzimmer – hatte er das denn je behauptet? –, sondern irgendwo anders.

Wo also? Im Vorzimmer stand die Spielkiste. Natürlich konnte eines der Kinder das kleine Flugzeug ins Sprechzimmer mitgenommen und dort geworfen haben. Aber auch dort waren keine Blutflecken auf dem Teppich gewesen. Sie hätte sie bemerkt. Alles andere hatte sie ja auch bemerkt: die Möbel, die Bücher, die Fotografien. Gewiß, sie hatte zu dem Zeitpunkt nicht an seine Kopfverletzung gedacht, aber etwas so leicht Erkennbares wie Blutflecken wäre ihr doch aufgefallen. Sie war auf dem Gebiet schließlich Expertin.

Oder der Zwischenfall hatte überhaupt nicht stattgefunden. Rosie Fitzgibbons schien jedenfalls nichts davon zu wissen. Sie hatte entgeistert die Augen aufgerissen, als Jane auf die Sache zu sprechen gekommen war, und hatte nur ›Ich verstehe nicht‹ gesagt. Es lag auf der Hand, daß sie von der Geschichte nichts wußte. Aber vielleicht war sie zum fraglichen Zeitpunkt gerade nicht an ihrem Schreibtisch gewesen. Vielleicht hatte sie an dem Tag frei gehabt. Diese Möglichkeit bestand immer. Es gab überhaupt unendlich viele Möglichkeiten.

Und das schlimmste war die Möglichkeit, daß sie tatsächlich

langsam durchdrehte. Daß sie alles völlig falsch gedeutet hatte: die Narbe, Paulas Erklärung, Rosies Reaktion. Es war alles unsinnig. Ihr ganzes Leben war unsinnig. War es je anders gewesen?

Weshalb sollte Michael lügen? Wozu? Ihre Gedanken jagten sich auf der Suche nach Antworten und Lösungen. Es gab nur eine mögliche Erklärung: Wenn Michael gelogen hatte, dann hatte er gelogen, um sie zu schützen. Er wußte, was geschehen war, was sie getan hatte, und es war etwas so Schreckliches, so Unverzeihliches, daß sie davor geschützt werden mußte. War er dabei gewesen? Hatte er versucht, sie zu hindern? Hatte sie selbst ihm die Verletzung an der Stirn beigebracht? War das Blut auf ihrem Kleid Michaels Blut?

Aufstöhnend warf sie sich zurück.

»Was ist? Ist Ihnen nicht gut?« Beim Klang von Paulas Stimme zerstoben die erschreckenden Bilder.

»Wie bitte? Doch, doch. Alles in Ordnung.« Jane setzte sich wieder gerade und sah zum Fenster hinaus, als der Wagen in die Forest Street einbog. »Ich hab mich nur gestreckt, um mir ein bißchen Bewegung zu verschaffen.« Sie log ja nicht, sagte sie sich. Sie fabulierte nur. »Vielleicht könnten wir einen Spaziergang machen.«

»Ich finde, Sie haben für heute genug unternommen.«

»Nur einen kleinen.«

Paula steuerte den Wagen in die Auffahrt. »Dazu haben wir gar keine Zeit mehr. Ich muß ein anständiges Mittagessen machen, wenn Ihr Mann nach Hause kommt.«

»Sie brauchen ja nicht mitzukommen. Ich schaffe es bestimmt auch allein.«

»Heute morgen haben Sie kaum aus dem Bett gefunden.«

»Ja, aber jetzt fühle ich mich viel kräftiger, und außerdem will ich ja nur eine Runde um den Block drehen.«

»Damit Sie dann am Ende nicht da sind, wenn Ihr Mann nach

Hause kommt, obwohl er extra Ihretwegen die lange Fahrt macht?«

»Ach, es wären doch höchstens ein paar Minuten«, begann Jane und brach ab, als sie einsah, daß es keinen Sinn hatte. Sie öffnete die Wagentür und stieg aus.

Auf dem Weg zur Haustür wurde sie von einer kräftigen Männerstimme aufgehalten. »Jane!«

Sie drehte sich um. Michael! dachte sie und wollte zu ihm laufen, um ihn anzuflehen, ihr die Wahrheit zu sagen. Dieses dauernde Herumraten und Spekulieren machte sie wahnsinnig. Sie würde ihm alles erzählen, von dem Geld, von dem blutverschmierten Kleid, wie sie das gleich zu Anfang hätte tun sollen, und ihn bitten, auch ihr gegenüber offen zu sein. Ich brauche keinen Schutz, würde sie sagen. Ich muß wissen, was wirklich geschehen ist.

Doch statt Michael sah sie einen sympathisch wirkenden Fremden mit dunkelbraunem Haar und einem ungezwungenen Lächeln, der ihr aus Caroles Vorgarten zuwinkte. Hätte sie ihn kennen müssen?

Ehe Paula sie zurückhalten konnte, rannte Jane los und lief über die Straße. Paula konnte ihr nur hilflos nachsehen.

»Hallo!« rief sie, als der lächelnde Fremde näher kam, um sie zu begrüßen.

»Es ist schön, dich zu sehen«, sagte er. Aber dann gefror sein Lächeln, und seine Stimme wurde besorgt. »Bist du krank? Du siehst nicht sehr gut aus.«

Jane war ihm dankbar für die Untertreibung. »Ich *war* krank. Aber langsam geht es mir besser.«

»Hoffentlich war es nichts Ernstes.«

»Ach, nur so ein mysteriöser Virus«, erklärte Jane, die sich erinnerte, was Michael seiner Sekretärin erzählt hatte. »Ich bin schon auf dem Weg der Besserung.« Mit wem sprach sie da? Wer war dieser Mann, und wieso kümmerte ihn ihr Befinden?

»Da bist du wohl in letzter Zeit nicht viel gelaufen, hm?«

»Gelaufen? Nein, danach war mir weiß Gott nicht zumute.« Höchstens zum Davonlaufen, dachte sie, sagte es aber nicht. »Ich bin heute zum ersten Mal seit über einer Woche wieder auf.«

»Dann habe ich ja doppeltes Glück gehabt, daß ich gerade heute hergekommen bin. Ehrlich gesagt, ich bin in letzter Zeit auch nicht viel gelaufen«, bekannte er, offensichtlich bestrebt, das Gespräch zu verlängern. »Aber ich fange jetzt wieder an.« Er blickte auf seine Füße. »So ein Neuanfang hat wahrscheinlich immer seine Schwierigkeiten.«

Endlich eine Aussage, mit der sie sich identifizieren konnte!

Der Mann konnte nur ihr früherer Jogging-Partner sein, Caroles abtrünniger Ehemann Daniel. Sie betrachtete ihn mit neuen Augen. Er war nicht irgendein charmanter Fremder, der sich nach ihrem Befinden erkundigte, sondern der Mann, der Frau und Kinder verlassen hatte, ganz zu schweigen von Hund und Schwiegervater, um ein neues Leben in Freiheit zu beginnen. Ein Mann mit dem Mut, das durchzusetzen, was sie nicht geschafft hatte – sich ein ganz neues Leben aufzubauen.

»Und wie geht's dir so, Daniel?«

»Na hör mal, was soll die förmliche Anrede?« Er schien ehrlich verletzt.

»Was?«

»Na ja, ich weiß, daß Carole *Daniel* vorzieht, und du hast wahrscheinlich in letzter Zeit viel mit Carole geredet, aber das heißt doch noch lange nicht, daß du mich jetzt auch Daniel nennen mußt. Sag doch Danny wie immer.«

Jane lächelte. »Okay, Danny.«

»Das ist schon viel besser. Als ich dich Daniel sagen hörte, dachte ich schon, du magst mich nicht mehr.«

»Ich werde dich immer mögen.« War das wahr? Ja, irgendwie spürte sie, daß es so war.

»Na, ich kann dir nur sagen, wenn man sich scheiden läßt,

merkt man schnell, wer die wahren Freunde sind. Du hast keine Ahnung, wie viele von unseren sogenannten Freunden von heute auf morgen verschwunden sind, nachdem ich mich von Carole getrennt hatte. Leute, von denen ich glaubte, ich könnte mich auf sie verlassen; von denen ich dachte, sie könnten die Freundschaft zu Carole und zu mir irgendwie miteinander vereinbaren. Ich habe wahrscheinlich zuviel erwartet.«

»Es ist schon hart.«

»Aber deinetwegen habe ich ein ganz schlechtes Gewissen gehabt«, fuhr er fort, und Jane merkte plötzlich, daß sie ihn anstarrte, als wolle sie alles ergründen, was in ihm vorging. »Ich hätte dir ja wenigstens auf Wiedersehen sagen können.«

Jane sagte nichts, da sie fürchtete, jeder Kommentar würde ihre Ahnungslosigkeit verraten. Offensichtlich hatte Carole ihm nichts von ihrer Krankheit gesagt. Sie überlegte, ob sie selbst es ihm sagen sollte.

»Mindestens ein halbes dutzendmal wollte ich dich anrufen«, erklärte er, ohne sich an ihrem Schweigen zu stören. »Aber irgendwie war es für mich, als hätten wir schon voneinander Abschied genommen. Ich hatte dir schließlich oft genug mein Herz ausgeschüttet und dir vorgejammert, wie schlecht es mir ging. Du hast gewußt, was mit mir los war.« Er schwieg einen Moment. »Und ich wußte, daß dir ziemlich klar war, was ich für dich empfunden habe.« Wieder ein kurzes Schweigen. »Was hätte ich da noch viel sagen sollen?«

Er zögerte einen Moment, dann neigte er sich näher zu ihr und strich mit beiden Händen ihre bloßen Arme hinauf und hinunter. »Aber ich glaube, ich habe dir nie gesagt, wieviel du mir bedeutet hast, wie sehr du mir geholfen hast. Ich weiß, daß du die Art meines Abgangs nicht in Ordnung fandst, aber du hast mich wenigstens nie verurteilt. Und dafür war ich dir dankbar. Ich bin es immer noch.« Er machte eine Pause, schien seine nächsten Worte genau zu überlegen. »Du fehlst mir«, begann er. »Ich denke sehr viel an dich. Ich hab mich oft gefragt, ob du auch ohne mich noch läufst.« Er sah sie aufmerksam an, und sie erkannte Teilnahme und Besorgnis in seinem Gesicht. »Es tut mir wirklich leid, daß es dir nicht gutgeht.«

»Es ist ein bißchen mehr als das.«

»Wie meinst du das?«

Jane zuckte mit den Achseln, überlegte, wie sie anfangen sollte, als sie aus dem Augenwinkel die Tür von Caroles Haus aufgehen und Andrew herauskommen sah. Unter einem Arm trug er einen zusammengerollten Schlafsack, in der anderen Hand einen großen Seesack aus Leinen. Jane schüttelte den Kopf. Dies war nicht der geeignete Moment für vertrauliche Geständnisse.

»Fährst du mit Andrew weg?« fragte sie statt dessen.

»Ich fahr ihn ins Ferienlager.«

Carole trat hinter ihrem Sohn aus dem Haus, schlang beide Arme um ihn, so daß er sich kaum noch bewegen konnte.

»Den ganzen Tag brüllt sie ihn nur an, und dann kann sie ihn nicht gehen lassen«, bemerkte Daniel, und Jane war nicht sicher, ob er von Andrew sprach oder von sich.

»Und was ist mit Celine?«

»Die ist schon am Samstag gefahren.«

»Sie fahren nicht ins selbe Lager?«

»Nein. Celine ist an den Manitou-See gefahren. Weißt du das nicht mehr? Du warst doch diejenige, die das Lager dort empfohlen hat.«

Jane brach der Schweiß aus allen Poren. »Ach ja, natürlich. Ich weiß gar nicht, was ich heut im Kopf hab.«

Daniel sah sie besorgt an und strich ihr mit einer Hand wieder über den Arm. »Ist dir nicht gut? Du bist plötzlich so blaß geworden. Vielleicht solltest du dich lieber wieder hinlegen.«

»Nein, nein, mir geht's gut.« Auf keinen Fall wollte sie sich wieder hinlegen. Nur das nicht. »Ich bin wahrscheinlich nur noch ein bißchen wacklig auf den Beinen.«

Sie mußte lernen, bei solchen Begegnungen mit Fremden aus der Vergangenheit so wenig wie möglich zu sagen. Je zurückhaltender sie war, desto mehr verrieten sie ihr, desto mehr erfuhr sie, desto weniger Fehler konnte sie machen.

»He, Dad, wo soll ich die Sachen hintun?« Andrew stand schon beim Wagen seines Vaters. »Tag, Mrs. Whittaker.«

»Hallo, Andrew«, sagte Jane.

»Ich glaube, im Kofferraum ist noch Platz. Wenn nicht, leg sie einfach auf den Rücksitz.«

»Das ist wohl deine neue Lebensphilosophie?« fragte Carole im Näherkommen ätzend. »Leg sie einfach auf den Rücksitz.«

Peinlich berührt wandte Jane sich ab. Sie fühlte sich irgendwie schuldig, aber sie wußte nicht, weshalb. Sie sah zu, wie Andrew den Kofferraum öffnete und sein Gepäck hineinlegte.

»Können wir nicht wenigstens ein paar Minuten in normalem Ton miteinander reden?« Daniels Stimme war ruhiger als Caroles, wenn auch nicht weniger zornig.

Jane war nicht erpicht darauf, in einen Streit hineingezogen zu werden. Vielleicht war dies der rechte Moment zum Rückzug. Vielleicht konnte sie wirklich ein bißchen Ruhe gebrauchen, ehe Michael kam. »Es ist wahrscheinlich besser, ich gehe jetzt...«

»Aber du wirst dich doch von einem kleinen Ehekrach nicht abschrecken lassen?« Caroles Ton war herausfordernd.

»Ich bin immer noch ein bißchen schlapp...«

»Natürlich! Du hast ja auch soviel durchgemacht.« In Caroles Stimme schwang ein häßlicher Unterton, den Jane nie zuvor gehört hatte. Es war, als greife ihre Wut auf Daniel auf alles und jeden in der Nähe über. »Es war wirklich aufmerksam von dir, dich extra vom Krankenlager zu erheben, um guten Tag zu sagen. Du hast wahrscheinlich die ganze Woche am Schlafzimmerfenster gelauert und darauf gewartet, daß Daniel aufkreuzt.«

»Jane kam gerade nach Hause, als ich nach draußen ging«, bemerkte Daniel.

»Na, so ein Zufall! Aber du hast ja schon immer ein Talent dafür gehabt, alles so einzurichten, daß es dir in den Kram paßt, stimmt's?«

Jane war nicht sicher, ob die Bemerkung an sie oder an Daniel gerichtet war.

»Carole, muß das sein?«

»Oh, ich fange erst an. Wart nur ab.«

»Klingt verlockend, aber ich muß jetzt unseren Sohn ins Ferienlager fahren.«

»Wie angenehm, wenn man immer einen guten Grund zum Abhauen hat.«

»Carole, ich weiß nicht, was mit dir los ist, aber tröste dich, gleich bin ich weg, und dann siehst du mich frühestens im Herbst wieder.«

»Hauptsache, mein monatlicher Scheck kommt pünktlich.«

Daniel seufzte resigniert. Jane ahnte den inneren Widerstreit – sollte er reagieren, alles auf sich beruhen lassen, zurückschlagen oder darüber hinweggehen? Er wollte gerade etwas sagen, als Andrew ihn rief. »Komm schon, Dad. Fahren wir endlich.«

»Die Stimme der Vernunft«, bemerkte Daniel und wandte sich Jane zu. »Gib gut auf dich acht.«

»Mein Gott, nun gib ihr schon einen Kuß. Vor mir brauchst du keine Hemmungen zu haben«, zischte Carole. Sie drängte sich an ihnen vorbei, um ihren sich windenden Sohn noch einmal fest in die Arme zu nehmen.

»Ruf mich an, wenn du – etwas brauchst«, sagte Daniel.

»Danke. Vielleicht tue ich das.«

»Ganz bestimmt wird sie das tun«, warf Carole ein. »Jane ist in letzter Zeit ja so bedürftig, nicht wahr, Jane?«

»Komm schon, Dad!«

»Schöne Ferien, Andrew!« rief Jane dem Jungen zu, der sichtlich ungeduldig war. »Fahr vorsichtig«, fügte sie zu Daniel gewandt hinzu.

Daniel nickte und setzte sich ans Steuer. Jane sah dem Wagen nach, der aus der Einfahrt auf die Straße hinausfuhr. Daniel winkte ein letztes Mal, dann schoß das Auto davon. Selbst als es außer Sicht war, hätte Jane sich am liebsten nicht umgedreht. Caroles feindseliger Blick brannte ihr förmlich Löcher in den Rücken.

»Was ist denn eigentlich los?« fragte sie, nachdem sie schließlich doch den Mut gefunden hatte, sich der Frau zuzuwenden, die sie bisher für ihre Freundin gehalten hatte.

Carole lachte bitter. »Du scheinst mich für eine komplette Idiotin zu halten.«

»Wieso? Ich weiß überhaupt nicht, wovon du redest.«

»Stimmt ja, du hast ja alles vergessen! Wie praktisch.«

»Bitte, kannst du mir nicht sagen, wieso du plötzlich so wütend auf mich bist?«

»Welchen Grund sollte ich haben, wütend auf dich zu sein?«

»Ich weiß es nicht.«

»Ach, sieh mal an, du weißt es nicht.«

»Nein. Als wir das letzte Mal miteinander sprachen, habe ich von Wut nichts gemerkt. Ich dachte, wir wären Freundinnen.«

»Ist das nicht komisch? Genau das dachte ich auch.«

»Ja, aber was ist denn inzwischen passiert? Hat es dich geärgert, daß ich mit Daniel gesprochen habe?«

»Warum sollte mich das ärgern?«

»Ich weiß es nicht. Vielleicht fühlst du dich verraten.«

»Verraten! Hey, das ist eine interessante Wortwahl, findest du nicht?«

»Carole, ich verstehe gar nichts. Bitte hör endlich auf, in Rätseln zu sprechen.«

»Ach, du magst Rätsel nicht? Komisch. Ich dachte immer, Leute, die gern Spielchen spielen, mögen auch Rätsel. Na ja, da sieht man mal wieder, daß man keinen Menschen so gut kennt, wie man ihn zu kennen glaubt.«

»Bitte sag mir endlich, was ich deiner Meinung nach verbrochen habe.«

»Oh, es geht hier nicht um Meinungen, sondern um Tatsachen. Und du kannst mir glauben, daß ich nichts lieber täte, als dir alles ins Gesicht zu sagen. Aber ich habe ein Versprechen gegeben, und im Gegensatz zu gewissen anderen Leuten bin ich jemand, der sich an seine Versprechen hält.«

»Du hast ein Versprechen gegeben? Wem denn? Und was hast du versprochen?«

»Carole! Carole, komm schnell rein!« Die zittrige alte Stimme war schrill vor Angst. Caroles Vater erschien an der Tür. »Es brennt!« schrie er wild gestikulierend. »Es brennt in der Küche.«

»Um Gottes willen!« Carole rannte zum Haus und wäre beinahe über den Hund gestürzt, der ihr laut bellend entgegensprang. »Weg da, J. R.!« schrie sie und verschwand im selben Moment im Haus, als der Rauchmelder zu heulen begann.

Ganz automatisch lief Jane Carole nach. Vielleicht konnte sie helfen. Paula hatte offenbar den gleichen Gedanken und rannte ihrerseits Jane hinterher.

Carole stand schon am Herd, als sie in die von Rauchschwaden verdunkelte Küche kamen, und versuchte die Flammen, die aus einer Bratpfanne emporschlugen, mit einem kleinen Feuerlöscher einzudämmen, allerdings ohne sichtbaren Erfolg. Jane packte den Deckel der Bratpfanne und klappte ihn auf die Pfanne. Die Flammen schossen in einem letzten protestierenden Aufflackern an den Seiten heraus und erloschen.

»Herrgott noch mal, Vater, was machst du nur immer für Sachen? Willst du das ganze Haus abbrennen?«

»Ich wollte mir nur ein paar Rühreier machen.«

»Rühreier! Du weißt doch, daß es jedesmal schiefgeht, wenn du hier zu kochen anfängst. Schau doch hin!« schrie sie wutentbrannt und deutete auf die vielen Brandflecken auf dem Tisch. »Warum hast du mir nicht gesagt, daß du Rühreier willst?«

»Weil du nur behauptet hättest, ich hätte gerade erst gegessen!« gab der Alte so laut und deutlich zurück, daß es trotz des Hundegebells und des fortgesetzten Heulens der Alarmanlage klar zu verstehen war.

»Ich kann ihm doch ein paar Rühreier machen«, erbot sich Jane.

»Das ist wirklich nett von Ihnen«, sagte der Alte mit rührender Dankbarkeit.

»Den Teufel wirst du tun!« Das Läuten des Telefons unterbrach Carole. »Ja, hallo?« sagte sie kurz und heftig. »Nein, nein, es brennt nicht. Ist schon erledigt. Mein Vater hat mir nur wieder mal ein bißchen die Hölle heißgemacht. Danke, daß Sie angerufen haben.« Carole legte auf. »Ein Glück, daß sie nachfragen, ehe sie die Feuerwehr losschicken.« Ohne ihrem Vater, Paula, dem kläffenden Hund und der heulenden Alarmanlage die geringste Beachtung zu schenken, fixierte sie Jane mit kaltem Blick. »Du kannst wieder heimgehen. Die Vorstellung ist beendet.«

»Erst muß du mir sagen, was ich getan habe. Ich muß wissen, warum du plötzlich so wütend auf mich bist.«

»Geh nach Hause, Jane«, wiederholte Carole. »Sonst tu ich womöglich noch was, das ich hinterher bedaure.«

»Was denn?«

»Dir sagen, was ich wirklich von dir halte.« Caroles Zorn flammte auf und erlosch plötzlich. »Und ich dachte, du wärst meine Freundin.«

»Das dachte ich doch auch.«

Carole begann, in der rauchverhangenen Küche zornig hin und her zu gehen. Ihr Vater und der Hund flüchteten.

»Ich komme mir wirklich absolut dämlich vor. Ich glaube, das ist das Schlimmste an der ganzen Sache. Daß ich nie auch nur den leisesten Verdacht hatte.«

»Was für einen Verdacht?«

»Ach, jetzt hör endlich auf, die Unschuld vom Lande zu spielen. Ich weiß Bescheid über dein Verhältnis mit Daniel. Ich weiß alles.«

»Mein Verhältnis mit Daniel? Was redest du da?« Jane traute ihren Ohren nicht. »Das ist doch gar nicht wahr!«

»Ich hab dir vertraut, ich hab dir mein Herz ausgeschüttet und mich bei dir ausgeweint, und du hast dir ins Fäustchen gelacht! Ich seh euch richtig vor mir, dich und Daniel, wie ihr euch hinter meinem Rücken über mich lustig gemacht habt.«

»Ich verstehe überhaupt nichts«, sagte Jane und sah Paula hilfesuchend an. Aber Paulas Gesicht zeigte nur Abscheu.

»Dafür verstehe ich um so besser«, sagte Carole.

»Wir sollten jetzt gehen«, bemerkte Paula. »Dr. Whittaker wird gleich nach Hause kommen.«

Konnte es wirklich wahr sein? Hatte sie mit dem Mann ihrer Nachbarin ein Verhältnis gehabt? Daniel hatte draußen im Vorgarten andeutungsweise von seinen Gefühlen für sie gesprochen. War es möglich, daß sie diese Gefühle erwidert hatte? Daß sie beide sich von ihren Gefühlen hatten hinreißen lassen? Und hatte das schlechte Gewissen ihn dann dazu verleitet, seiner Frau alles zu beichten? Hatte er vielleicht gerade sein Geständnis abgelegt, als sie – Jane – und Paula nach Hause gekommen waren? War das der Grund für Caroles plötzliche Verwandlung?

War etwa Daniel der Quell all ihrer Probleme? Vielleicht hatte Michael das Verhältnis entdeckt, hatte sie irgendwo zusammen ertappt. Vielleicht hatte es eine Auseinandersetzung gegeben, und sie hatte mit dem nächstbesten Gegenstand auf Michael eingeschlagen. War es möglich, daß sie ihren eigenen Mann wegen eines Verhältnisses mit einem anderen hatte töten wollen? Hatte es dieses Verhältnis wirklich gegeben, oder war es ein Hirngespinst Caroles?

Was war Realität und was nicht?

Stand sie in diesem Moment wirklich in einer verqualmten

Küche, in den Ohren das Heulen der Alarmanlage, zu ihren Füßen den kläffenden Hund, neben ihr ein alter Mann, der um Rühreier bettelte, eine entrüstete Haushälterin, die sie im stillen zur Hölle wünschte, und eine tobende Nachbarin, die sie soeben beschuldigt hatte, ein heimliches Verhältnis mit ihrem Mann gehabt zu haben? War das die Realität? Jane Whittaker – *das ist Ihr Leben*! Kein Wunder, daß sie davongelaufen war! Kein Wunder, daß sie mit all dem nichts zu tun haben wollte!

»Woher weißt du das?« hörte sie sich fragen.

»Ich weiß es.« Carole ließ sich auf einen Küchenstuhl fallen. »Und Michael weiß es auch.«

»O Gott!«

»Ich mußte ihm versprechen, dir nichts davon zu sagen, solange es dir nicht besser geht.« Sie schüttelte mit spöttischer Verwunderung den Kopf. »Es würde mich wirklich interessieren, wie du das schaffst. Das Geheimnis mußt du mir mal verraten. Du behandelst die Männer wie den letzten Dreck, und sie tragen dich dafür auf Händen. Das muß schon ein ganz besonderes Talent sein. Vielleicht schreibst du mal ein Buch darüber.«

»Es tut mir leid«, murmelte Jane. »Bitte glaub mir, ich erinnere mich an nichts.«

»Oh, das glaub ich dir gern. Daniel ist weiß Gott kein toller Liebhaber. Wenn du mich gefragt hättest, hättest du dir einen Haufen Zeit und Mühe sparen können. Und jetzt wäre ich dir wirklich dankbar, wenn du gehen würdest. Sonst lasse ich mich doch noch dazu hinreißen, dir an die Gurgel zu springen.«

Jane sagte nichts mehr. Widerstandslos ließ sie sich von Paula aus dem Haus führen. Als die Haustür hinter ihnen zufiel, hörte sie den alten Mann fragen, wann es Zeit zum Mittagessen sei.

»Nein!« schrie Jane und rannte die Treppe zum Schlafzimmer hinauf. »Nein! Nein! Das kann nicht wahr sein. Das gibt es nicht!«

»Bitte beruhigen Sie sich doch, ehe Ihr Mann nach Hause kommt«, flehte Paula.

»Was bin ich nur für eine Frau? Welcher Frau würde es einfallen, einen Mann wie Michael mit dem Ehemann der Nachbarin zu betrügen?«

Jane wartete auf eine Antwort von Paula. Aber Paula sagte kein Wort. Wie eine Wahnsinnige rannte sie ins Schlafzimmer und schlug mit den Fäusten auf ihr Spiegelbild ein.

»Wer bist du, verdammt noch mal? Was hast du mit deinem Leben angestellt? Wie viele andere Männer hast du noch gehabt? Wie viele Verhältnisse, hm? Von wieviel anderen Männern weiß Michael? O Gott, schau dich doch an! Wie du aussiehst! Zum Kotzen. Warum antwortest du mir nicht, verdammt!«

»Ich hole Ihre Tabletten.«

»Ich will keine Tabletten. Ich will nur raus hier!« Jane starrte angeekelt ihr Spiegelbild an. »Ich will gar nicht mehr wissen, wer du bist!« Sie klatschte der Frau im Spiegel die flache Hand ins Gesicht. »Ich will mich nicht erinnern. Ich will nur weg, weg von dir, so weit wie möglich, und wenn ich diesmal abhaue, mach ich es richtig.« Sie riß die Schranktüren auf, während Paula nach unten eilte. »Ich muß hier weg. Ich muß raus hier! Fort von allem.«

Wie eine Rasende riß sie an den Kleidern im Schrank, zerrte sie von den Bügeln, schleuderte sie im ganzen Zimmer herum. Eine nach der anderen wurden die Blusen herausgezogen, vom Bügel gerissen, weggeworfen; dann die Röcke und die Kleider und zuletzt die Hosen. Sie leerte sämtliche Schubladen, schmiß Schals und Nachthemden durch das Zimmer, trampelte auf ihrer Unterwäsche herum, trat mit den Füßen nach zarten Dessous. »Du gottverdammtes Ding!« schrie sie und packte das weiße Baumwollnachthemd, um es in Fetzen zu reißen. »Das alles hier ist überhaupt nicht mein Zeug. Das alles hat mit mir überhaupt nichts zu tun. Das bin ich nicht.«

Im nächsten Moment lag sie auf den Knien und langte in die hintersten Ecken des Schrankes, zog die Schuhe heraus, riß die letzten Kleider von den Bügeln.

»Zum Teufel mit dir!« schrie sie. »Zum Teufel, hast du mich verstanden? Ich will nichts mehr mit dir zu tun haben. Du bist eine Irre. Eine Wahnsinnige bist du!« Sie kickte strampelnd die Schuhe hoch in die Luft.

Dann sprang sie wieder auf und streckte sich nach dem obersten Bord im Schrank, auf dem alte Hüte und Sweatshirts lagen, Reisetaschen und Kartons. Mit einer einzigen wilden Bewegung fegte sie alle Sachen vom Bord.

»So machen Verrückte Hausputz!« kreischte sie, als ein Karton ihren Kopf traf, ehe er zu Boden fiel. Der Deckel sprang auf, eine dunkelbraune Handtasche rollte heraus und blieb zu ihren Füßen liegen.

Mit einem Schlag hatte die Raserei ein Ende. So erregt Jane vorher gewesen war, so ruhig war sie jetzt. Langsam, beinahe bedächtig ging sie in die Knie und griff nach der Handtasche. Sie hielt den Atem an, obwohl sie nicht hätte sagen können, warum, und öffnete die Tasche. Ein paar Papiertücher waren darin, ein Hausschlüssel, Autoschlüssel und eine rostbraune Brieftasche. Sie klappte sie auf.

Es war alles da: ihr Führerschein; ihre Sozialversicherungskarte; ihre Kreditkarten. Ihre ganze Identität. Versteckt in einem Karton ganz oben im Schrank. Warum? Wenn sie wirklich vorgehabt hatte, ihren Bruder in San Diego zu besuchen, hätte sie dann diese Dinge nicht mitgenommen? Wäre sie ohne alle Ausweispapiere, ohne Führerschein nach Kalifornien geflogen? Wäre sie ohne ihre Handtasche aus dem Haus gegangen?

Vielleicht hatte sie in Wirklichkeit nie vorgehabt, ihren Bruder zu besuchen. Aber warum behauptete Michael es dann? Warum hatte er den Ärzten und der Polizei diese Geschichte erzählt? Warum hätte er lügen sollen? Um sie zu schützen?

Oder sich selbst?

»Jetzt weiß ich, daß du verrückt bist«, flüsterte sie, unfähig, dem plötzlichen Verdacht ins Auge zu sehen. »Du bist total ausgerastet.«

Als sie zur Tür blickte, sah sie Michael und Paula, Seite an Seite, Furcht und Besorgnis auf den Gesichtern.

»Was geht hier vor, Michael?« fragte sie und hielt hoch, was sie in der Handtasche gefunden hatte.

»Bleib ganz ruhig«, sagte Michael, während Paula ihren Arm packte und ausstreckte.

»Nein, bitte...« rief Jane, aber es war zu spät. Die Nadel hatte schon ihre Haut durchbohrt.

16

Schweißgebadet schreckte Jane aus einem Traum hoch, in dem sie eine Gruppe Skinheads mit einem der Stofftiere ihrer Tochter in Schach gehalten hatte. Ihr war speiübel, der Arm tat ihr weh, und sie schaffte es nicht gleich, die Augen zu öffnen. Als es ihr schließlich gelang, drehte sich das Zimmer wie ein Karussell um sie, und sie mußte sie sofort wieder schließen.

Keine Panik, rief sie sich zu und geriet dennoch in Panik. Es ist ja alles gut. Du bist doch zu Hause in deinem Bett. Du wirst doch vom besten aller Ehemänner bestens versorgt.

Sollte sie ihn wirklich betrogen haben?

»Nein«, stöhnte sie. Nein, das hab ich nicht getan. Das könnte ich gar nicht. Ich weiß vielleicht nicht, wer ich bin, aber ich weiß hundertprozentig, daß ich keine heimliche Liebschaft hatte. Ich bin vielleicht fähig zu morden, aber niemals könnte ich meinen Mann betrügen. Lieber Gott, hör sich das einer an! Wenn das nicht pervers ist! Ich morde, aber ich würde nie mit anderen

Männern schlafen. Ich rette Regenwälder, aber ich zerstöre Ehen.

Was ergab das alles für einen Sinn?

Wozu hätte Carole lügen sollen? Welches Motiv konnte sie haben?

Obwohl sie die Augen noch immer fest geschlossen hielt, spürte sie, wie sich alles um sie drehte. Caroles Wut war echt gewesen, davon war sie überzeugt. Ihr Zorn war kein Theater. Aber wie gut kannte sie Carole denn? Hatte nicht Carole selbst bemerkt, daß im Grund kein Mensch den anderen wirklich kannte?

Nein, eine so glänzende Schauspielerin kann sie nicht sein, dachte Jane. Sie glaubt wirklich, daß ich mit ihrem Mann ein Verhältnis hatte. Und doch war sie bei der ersten Begegnung und bei Janes späterem Besuch in ihrem Haus freundlich, offen und hilfsbereit gewesen. Da waren weder Zorn noch Groll zu spüren gewesen. Keinerlei Feindseligkeit. Das mußte bedeuten, daß sie von Janes Verrat erst später erfahren hatte. Entweder hatte Daniel gebeichtet, um sein Gewissen zu erleichtern, oder ein anderer hatte ihr davon erzählt. Und wer?

Jane wußte die Antwort. Sie brauchte den Namen nicht einmal zu denken. Carole hatte ihr gesagt, daß Michael von dem Verhältnis wußte; daß er Carole gebeten hatte, mit Jane nicht darüber zu sprechen, solange sie nicht wieder ganz gesund war. Es sprach alles dafür, daß Michael derjenige gewesen war, der Carole von der Sache erzählt hatte.

Jane kämpfte sich durch die Nebelschwaden, die ihren Kopf umhüllten, um sich ins Gedächtnis zu rufen, wann das gewesen sein konnte. Hatte sie nicht Michael und Carole eines Morgens zusammen gesehen? Hatte sie nicht vom Fenster aus beobachtet, wie sie in Caroles Vorgarten miteinander geflüstert hatten? Stöhnend wälzte sich Jane auf die Seite und rollte sich gleich wieder auf den Rücken, als ihr Arm zu schmerzen begann. Welchen

Grund sollte Michael haben, Carole etwas zu erzählen, das so zerstörerisch wirken mußte?

Vielleicht war er es einfach leid gewesen, die ganze Bürde allein zu tragen. Vielleicht hatte er einen Menschen gebraucht, dem er sich anvertrauen konnte. Vielleicht aber hatte er auch einen Keil zwischen die beiden Frauen treiben wollen. Vielleicht war es seine Absicht, sie zu entzweien. Aber warum? Wußte Carole vielleicht etwas, von dem Michael nicht wollte, daß sie es erfuhr?

Eines stand fest: Wenn Michael Carole wirklich von der angeblichen Affäre zwischen Jane und Daniel erzählt hatte, so gab es nur zwei Möglichkeiten: Entweder sagte er die Wahrheit, oder er log.

Jane starrte auf die Chagall-Lithographien an der Wand und sah, wie sie plötzlich lebendig wurden und ihr entgegentanzten. Die schwebenden Fiedler richteten sich plötzlich auf, die Brautleute wiegten sich zu einer Musik, die nur sie hören konnte. Es gab noch eine andere Möglichkeit: Daß Michael und Paula und Carole Teil eines größeren Plans waren, daß sie alle gemeinsame Sache machten. Na wunderbar, eine Verschwörung, dachte Jane und kam sich dumm und melodramatisch vor.

Die Wahrheit war ohne Zweifel viel einfacher: Sie war total verrückt.

Die Innenseite ihres linken Arms begann zu puckern, und sie suchte mit den Augen die Quelle des Schmerzes. Die Haut in der Ellenbogenbeuge war violett verfärbt. Mit den Fingern zog sie vorsichtige Kreise um das blutunterlaufene Gebiet, aber selbst diese behutsame Berührung schmerzte. Sie hob den Arm näher zu ihren Augen und erinnerte sich an den Einstich der Nadel, erinnerte sich, wie Paula ihren Arm ausgestreckt gehalten hatte, während Michael ihr das Beruhigungsmittel injizierte. Wie oft hatte er sie seitdem gespritzt? Wie viele Tage waren vergangen? Wie lange hatten sie sie betäubt gehalten?

Mühsam stand sie auf, kämpfte den Brechreiz nieder, hielt sich am Bettpfosten fest und schleppte sich zur Tür. Aus der Küche schallte Paulas Stimme zu ihr herauf. Sprach sie mit Michael? Jane lauschte angestrengt, aber sie konnte nur Paulas Stimme hören. Wahrscheinlich war sie am Telefon. Es sei denn, sie hielt Selbstgespräche. Jane hätte beinahe gelacht. Vielleicht war es dieses Haus, das sie alle in den Wahnsinn trieb. Vielleicht war es nicht ordnungsgemäß isoliert worden, und jetzt machten giftige Asbestdünste sie alle verrückt.

An das Geländer geklammert, die Wärme der Sonne im Nakken, die durch das Oberlicht hereinschien, kroch Jane weiter zu Michaels Arbeitszimmer. Nur flüchtig fragte sie sich, was ihr einfiel, als sie sich in den Sessel hinter seinem Schreibtisch sinken ließ, vorsichtig den Telefonhörer abhob und langsam an ihr Ohr führte.

»... diese Alpträume doch jetzt schon seit ein paar Wochen«, hörte sie Paula sagen. »Was? Willst du etwa behaupten, ich hätte als Kind nie böse Träume gehabt?«

Die Frau am anderen Ende der Leitung sagte etwas auf italienisch.

Das nachfolgende Schweigen war voller Feindseligkeit. Dann sagte Paula bitter: »Okay, ich weiß schon, du warst die perfekte Mutter, und ich bin es nicht. Aber ich kann's mir eben nicht leisten, den ganzen Tag zu Hause zu sitzen und mich um sie zu kümmern. Früher oder später hören diese Träume sicher auf. Mama, sie ist ein Kind! Alle Kinder haben ab und zu böse Träume.«

Wieder Italienisch.

»Mama, tu, was du für richtig hältst, okay? Wenn du sie ein paar Stunden hinlegen willst, dann tu das. – Na und? Dann schläft sie eben abends nicht. Aber dann hat sie wenigstens auch keine Alpträume mehr. In Ordnung? Hör mal, ich muß jetzt aufhören. Ich muß das Abendessen herrichten.«

Abendessen? Jane warf einen Blick auf die Uhr auf Michaeals Schreibtisch und legte den Hörer behutsam wieder auf die Gabel. Es war nach vier. An welchem Tag? Wie viele Tage hatte sie verschlafen?

Sie hörte Paula in der Küche rumoren, während sie geistesabwesend das Telefon anstarrte. Wie viele ihrer Freundinnen hatten in den letzten Wochen versucht, sie zu erreichen? Wem alles hatten Paula und Michael weisgemacht, sie wäre in San Diego bei ihrem Bruder?

Bei dem Gedanken an ihren Bruder sprang sie mit einem Satz in die Höhe und schrie auf, als sie sich die Knie am Schreibtisch anschlug. Einen Moment blieb sie stocksteif stehen. Hatte Paula den Schrei gehört? Sie hielt sich an der Schreibtischkante fest, um nicht umzukippen. Ihr Herz raste. Sie fürchtete, sie würde ohnmächtig werden. Mein Bruder, sagte sie sich, während sie sich an der Wand entlang zum Schlafzimmer zurücktastete, und plötzlich fiel ihr ein, wie sie über ihren Kleiderschrank hergefallen war, wie sie ihre Handtasche entdeckt, ihren Führerschein und ihre Kreditkarten gefunden hatte, all die Dinge, die sie ganz zweifellos auf eine längere Reise mitgenommen hätte.

In der Erwartung, das Chaos wütend verstreuter Kleider und Schuhe vorzufinden, das sie angerichtet hatte, taumelte sie ins Schlafzimmer zurück, aber hier war alles fein säuberlich aufgeräumt. Von ihrem Tobsuchtsanfall war keine Spur mehr zu entdecken. Sie schleppte sich zum Schrank und zog die Spiegeltüren auf.

Alle ihre Kleider hingen sauber und adrett auf ihren Bügeln. Alles sah aus, als wäre es nie berührt worden. Schuhe, die quer durchs Zimmer geflogen waren, standen jetzt wie brave Soldaten in Reih und Glied; Pullover, die sie hierhin und dorthin geschleudert hatte, lagen akkurat gefaltet übereinander. Die Schubladen, die sie geleert hatte, waren gefüllt und präzise eingeteilt. Alte Hüte und Sweatshirts lagen auf dem obersten Bord.

Nur der Karton, der ihr während ihres Wutanfalls auf den Kopf gefallen und aus dem die Handtasche mit all ihren Papieren herausgefallen war, nur dieser Karton fehlte. Hatte er überhaupt existiert? Oder hatte sie sich die ganze Szene vielleicht nur eingebildet?

Oder sollte Michael sie von Anfang an belogen haben?

Er hatte der Polizei erklärt, er habe das Verschwinden seiner Frau nicht angezeigt, weil er geglaubt habe, sie sei zu Besuch bei ihrem Bruder in San Diego. Er hatte Jane erzählt, sie hätte ihren Bruder mit ihrem Besuch überraschen wollen, darum sei ihr Bruder nicht beunruhigt gewesen, als sie nicht angekommen war. Er hatte behauptet, ihren Bruder nach ihrer Heimkehr aus dem Krankenhaus angerufen zu haben, um ihm zu versichern, daß kein Anlaß zur Sorge bestehe. Aber hätte ihr Bruder sich wirklich durch ein paar wohlüberlegte Worte beruhigen lassen? Ein hysterischer Zwang zur Flucht aus der Realität, verbunden mit totalem Gedächtnisverlust war doch nichts so Alltägliches wie eine Grippe. Hätte ihr Bruder sich bei einer solchen Nachricht nicht ins nächste Flugzeug gesetzt, um nach ihr zu sehen? Hätte er nicht wenigstens darauf bestanden, mit ihr selbst zu sprechen? Und wenn er tatsächlich hier angerufen und immer wieder zu hören bekommen hatte, sie schlafe oder fühle sich nicht wohl oder sei nicht fähig, ans Telefon zu kommen, hätte das seine Besorgnis nicht noch gesteigert?

Das läßt sich ganz leicht feststellen, dachte sie und blickte zur Tür, als sie auf der Treppe Paulas Schritte hörte. Du brauchst ihn nur anzurufen.

Sie kroch wieder ins Bett, schloß die Augen und stellte sich schlafend, als Paula zur Tür hereinkam. Geh wieder, flehte sie im stillen, als sie merkte, daß Paula sich dem Bett näherte. Du siehst doch, daß ich schlafe. Selig und süß. So wollt ihr mich doch haben – fügsam und ohnmächtig. Los, zieh die Bettdecke glatt und verschwinde wieder. Ich hab viel zu erledigen, ich muß dringend telefonieren. Zieh die Decke glatt und geh runter, das Essen machen. Ja, so ist es brav. Nein, nein, was tust du da? Was tust du da?

Sie fühlte, wie Paula ihren schmerzenden Arm unter der Bettdecke hervorzog und mit der Innenseite nach oben auf der Bettkante ausstreckte. Sie roch den Alkohol, fühlte etwas Kaltes und Feuchtes auf der Haut und riß die Augen auf.

»Nein, bitte nicht!« schrie sie, als sie die Nadelspitze in der Ellenbogenbeuge spürte.

»Ganz ruhig«, sagte Paula, als spreche sie mit einem Kind. »Es ist doch nur zu Ihrem Besten.«

»Warum tun Sie das?« jammerte Jane, entschlossen, nicht einzuschlafen.

»Sie brauchen Ruhe, Jane«, hörte sie Paula sagen, und die Stimme schien sich immer weiter zu entfernen, obwohl Paula am Bett blieb.

»Aber ich will keine Ruhe«, entgegnete Jane, fühlte, wie ihr die Augen zufielen, und war nicht sicher, ob sie überhaupt etwas gesagt hatte.

Das Klirren splitternden Porzellans weckte sie.

»Ach, das tut mir leid, Dr. Whittaker. Entschuldigen Sie. Ich werde ihn selbstverständlich ersetzen.«

»Machen Sie sich nichts daraus. Es ist ja nur ein Teller. Sie haben sich doch nicht geschnitten?«

»Nein, nein. Warten Sie, ich kehr die Scherben zusammen.«

Jane quälte sich aus dem Bett und tappte schwankend, mit der Übelkeit kämpfend zur Treppe. Mit angehaltenem Atem lauschte sie dem Gespräch von unten und bemühte sich, es zu begreifen.

»Ich weiß gar nicht, was heute mit mir los ist. Alles fällt mir aus der Hand. Wahrscheinlich bin ich einfach müde.«

»Ich weiß, Sie haben es nicht leicht mit meiner Frau.«

»Ach, das ist es nicht.«

Jane sah förmlich Michaels teilnahmsvolles Gesicht vor sich.

»Aber ich komme zu Hause kaum zur Ruhe. Wenn mich nicht Christine mit ihren Alpträumen auf Trab hält, ist es meine Mutter mit ihrem Geschimpfe.«

»Möchten Sie darüber sprechen?«

»Ach, Sie haben doch selbst Probleme genug. Da will ich Ihnen mit meinen Wehwehchen nicht auch noch zur Last fallen.«

»Jetzt lassen Sie das Geschirr mal einen Moment stehen, und sprechen Sie sich aus«, schlug Michael vor, und Jane stellte sich vor, wie er einen Küchenstuhl für Paula herauszog und diese sich gehorsam setzte.

Jane konnte dem Verlangen, sich auf dem Teppich hinzulegen und weiterzuschlafen, kaum noch wiederstehen. Aber sie konnte es nicht riskieren, sich hinzulegen, nicht einmal für eine Minute. Sie mußte zum Telefon. Sie mußte ihren Bruder in San Diego anrufen. Sie mußte es jetzt tun, während Michael sich mit Paulas Problemen beschäftigte. Ehe es Zeit für die nächste Spritze war.

Lautlos zog sie sich am Geländer entlang zu Michaels Arbeitszimmer. An der Tür blieb sie einen Moment stehen und überlegte, ob es klüger war, die Tür zu schließen oder offenzulassen. Wenn sie sie schloß, war das Risiko, gehört zu werden, geringer, Dafür war das Risiko größer, daß sie die beiden nicht hören würde, falls sie heraufkommen sollten. Sie beschloß, die Tür offenzulassen.

Sobald sie am Schreibtisch saß, griff sie zum Telefon. Jedes Geräusch erschien ihr tausendfach verstärkt. Sie drückte den Hörer ans Ohr und zuckte beim Schrillen des Amtszeichens zusammen wie unter einer Explosion. Ganz bestimmt hörte man das unten. Sie preßte den Hörer an die Brust und wartete auf das Geräusch von Schritten auf der Treppe, aber sie hörte nichts. Langsam, ungeschickt, mit zitternden Fingern tippte sie die Nummer der Auskunft.

»Welchen Ort wünschen Sie?« Die Frau brüllte förmlich.

Jane drückte den Hörer fester ans Ohr. Nicht das kleinste Geräusch durfte entweichen.

Sie selbst flüsterte. »San Diego. Die Nummer von Tommy Lawrence.«

»Würden Sie bitte etwas lauter sprechen.«

Jane neigte den Kopf wie zum Gebet und nuschelte: »Ich möchte San Diego. Die Nummer von Tommy Lawrence.«

»San Diego? Sagten Sie San Diego?«

»Ja.« Verdammt noch mal, ja!

»Da müssen Sie die Fernauskunft anrufen.«

»Welche Nummer?« Es klang wie ein Seufzen.

»Eins-zwei-eins-drei – fünf-fünf-fünf – eins-zwei-eins-zwei«, sagte die Telefonistin und legte auf.

Jane tastete nach dem Knopf oben auf dem Apparat, wartete, bis das Amtszeichen ertönte, tippte dann die Nummer ein.

»Auskunft. Welchen Ort wünschen Sie?«

»San Diego.« Die beiden Wörter schienen Jan im Arbeitszimmer zu hallen wie in einer Echokammer.

»Ja?«

»Die Nummer von Tommy Lawrence bitte.«

»Adresse?«

»Die weiß ich nicht.«

»Einen Augenblick bitte.«

Beeil dich. Bitte beeil dich, flehte Jane.

»Ich habe hier einen Eintrag für Thomas Lawrence in der South County Road und einen für Tom Lawrence in der Montgomery Street.«

»Ich weiß es nicht.« O Gott, ich weiß es nicht. Denk nach, befahl eine Stimme. Versuch, dich an die Adresse zu erinnern, die in deinem kleinen Buch stand. Versuch, den Eintrag zu sehen. Jane schloß die Augen, beschwor das Bild ihres privaten Telefonbuchs und blätterte zur entsprechenden Seite. Sie sah den Namen ihres Bruders, die Adresse darunter. »Ich kann nicht erkennen...«

»Ich kann Sie nicht verstehen.«

»Montgomery Street!« rief sie lauter als beabsichtigt. »Ich glaube, es ist der in der Montgomery Street.«

Aber schon hatte der Automat die Telefonistin abgelöst. Jane schrieb die Nummer nieder, ohne die offene Tür aus den Augen zu lassen. Von unten hörte sie gedämpftes Lachen. Ja, lacht nur, drängte sie. Lacht weiter, damit ich euch hören kann.

Sie tippte die Nummer, merkte, daß sie die Vorwahl vergessen hatte und mußte von vorn anfangen. Sie hätte ihren Kopf so gern einen Moment auf den Schreibtisch gelegt. Nur ein paar Sekunden Schlaf, mehr brauchte sie nicht. Sie ließ den Kopf zur Tischplatte hinuntersinken. Erst als sie ihr Gesicht im Bildschirm des Computers gespiegelt sah, hielt sie inne.

Die Frau, die sie mit halb geschlossenen Augen anstarrte, sah kaum menschlich aus. Ihr Gesicht war grau und verzerrt. War das dieselbe Frau, deren Gesicht sie zum ersten Mal im gesprungenen Spiegel in der Toilette des kleinen Ladens in der Charles Street gesehen hatte? Die Frau, die der Ladeninhaber als ›hübsch‹ bezeichnet hatte? Mein Gott, was tun sie mit mir? fragte sie sich und richtete sich mit Mühe wieder auf.

Irgendwo läutete ein Telefon, jemand sagte »hallo«.

»Hallo«, erwiderte Jane, den Mund mit der Hand bedeckt. »Hallo? Wer ist da?«

»Vielleicht sagen Sie mir erst einmal, wer Sie sind«, erwiderte eine Frau. »Schließlich haben Sie ja angerufen.«

»Jane.«

»Wer? Ich kann Sie kaum hören.«

»Jane«, wiederholte Jane lauter.

»Jane? Tommys Schwester?«

»Ja.« Sie begann zu weinen.

»Ich hab deine Stimme gar nicht erkannt. Bist du erkältet?«

»Mir geht's nicht besonders gut«, begann Jane. Diese Frau mußte Tommys Frau Eleanor sein.

»Du hörst dich schrecklich an. Was ist es? Die Grippe?«

»Nein. Irgend so ein mysteriöser Virus«, antwortete Jane mit sinkendem Mut. »Wie geht's euch denn so?«

»Ach, wie immer. Jeremy hat gerade eine Erkältung hinter sich, und Lance läuft dauernd mit einer Rotznase herum, und dein Bruder jammert über seinen Rücken, und ich dreh mich im Kreis, weil ich nicht weiß, was ich alles packen soll...«

»Ihr verreist?«

»Nach Spanien, du weißt doch. Ich kann's kaum fassen. Daß du das vergessen hast! Wir planen diesen Urlaub doch seit Jahren. Ich dachte, du rufst an, um uns gute Reise zu wünschen.«

»Eleanor, ich muß meinen Bruder sprechen.« Jane fragte sich, ob ihre Stimme wirklich so laut war, wie es ihr vorkam.

»Eleanor? Du weißt doch, daß mir Ellie lieber ist. Und dein Bruder ist im Büro. Er kommt frühestens in einer Stunde.«

Jane sah auf die Uhr auf Michaels Schreibtisch. Es war fast sieben. »Macht er Überstunden?«

»Es ist erst vier, Jane. Hast du den Zeitunterschied vergessen?«

Jane kämpfte mit plötzlichem Brechreiz, schluckte krampfhaft, sprach klar und deutlich ins Telefon. »Eleanor – Ellie, du mußt mir die Wahrheit sagen.«

»Die Wahrheit? Ja, glaubst du denn, ich lüge, wenn ich sage, daß dein Bruder noch im Büro ist?«

»Hast du in letzter Zeit einmal mit Michael gesprochen?«

»Michael? Nein, ich...«

»Und Tommy?«

»Ich glaube nicht. Wenigstens hat er mir nichts davon erzählt.«

»Er hat nichts davon gesagt, daß Michael angerufen und gefragt hat, ob ich bei euch bin?«

»Wie kommst du denn darauf?«

»Weil er das der Polizei erzählt hat.«

»Wer hat was der Polizei erzählt? Jane, was redest du da eigentlich?«

Jane klopfte das Herz bis zum Hals, so daß sie kaum sprechen konnte. Sie glaubte, Stimmen zu hören, Schritte auf der Treppe, aber als sie zur Tür blickte, sah sie nichts.

»Bitte höre mir zu, Eleanor – Ellie. Ellie, du mußt mir genau zuhören.«

»Ich hör dir ja zu.«

Ihr schwamm der Kopf. Ihre Gedanken rasten. Sie hörte die Stimmen näherkommen, dann nichts mehr. Sie fixierte die Tür. Immer noch nichts. Sie hatte so viel zu sagen, so wenig Zeit, es zu sagen. »Mir ist etwas passiert.«

»Was? Was ist dir passiert?«

»Ich weiß es nicht. Ich kann es nicht erklären. Ich weiß nicht mehr, wer ich bin.«

»Jane, ich verstehe kein Wort.«

»Bitte hör mir einfach zu. Unterbrich mich nicht. Ich habe große Schwierigkeiten, mich zu konzentrieren. Sie geben mir dauernd Medikamente...«

»Was? Wer gibt dir Medikamente?«

»Michael und Paula.«

»Wer ist Paula?«

»Sie sollten mir eigentlich helfen; damit ich mich erinnern kann. Aber sie machen mich nur immer kränker, und jetzt geben sie mir Spritzen...«

»Jane, ist Michael da? Kann ich mit ihm sprechen?«

»Nein!« Jane wußte, daß sie zu laut gesprochen hatte. »Du mußt mir zuhören. Michael hat mich angelogen. Er hat der Polizei gesagt, ich wäre zu Besuch bei meinem Bruder in San Diego. Er hat zu mir gesagt, ich hätte Tommy überraschen wollen. Aber dann fand ich meine Handtasche mit allen Papieren, und ohne

Papiere hätte ich doch überhaupt nicht nach San Diego reisen können. Er hat gelogen, als ich fragte, warum er die Polizei nicht gleich nach meinem Verschwinden alarmiert hat...«

»Langsam, Jane, langsam. Was heißt ›nach deinem Verschwinden‹? Ich verstehe das alles nicht. Kannst du noch mal von vorn anfangen?«

»Nein, verdammt noch mal. Ich hab keine Zeit. Gleich werden sie raufkommen, um mir die nächste Spritze zu geben. Ellie, bitte, du mußt mir helfen. Du mußt mit meinem Bruder reden. Er muß herkommen und mich holen.«

»Ellie?« Eine Männerstimme schaltete sich in das Gespräch ein, und im selben Moment sah Jane Paula ins Zimmer treten. »Ellie, hier spricht Michael.«

»Michael! Was ist denn bei euch los?«

Das Gespräch rauschte an Jane vorbei. Sie wußte, daß es keinen Sinn hatte, noch etwas zu sagen. Paula kam mit der Spritze in der Hand auf sie zu.

»Es tut mir leid, daß du da hineingezogen worden bist«, sagte Michael. »Ich wollte euch nicht unnötig beunruhigen.«

»Ja, aber was ist eigentlich bei euch los?«

»Ich wollte, ich wüßte es.«

Weinte Michael?

»Plötzlich krieg ich diesen verrückten Anruf. Ich habe ihre Stimme überhaupt nicht erkannt. Und dann erzählt sie mir irgendeine irre Geschichte, daß sie verschwunden ist, ihr Gedächtnis verloren hat, Medikamente bekommt...«

»Das stimmt, wir geben ihr Medikamente«, erklärte Michael. »Um sie ruhigzustellen. Das hat ihr Arzt uns geraten.«

»Ihr Arzt?«

»Jane hatte eine Art Zusammenbruch. Meiner Meinung nach hat es mit dem Unfall zu tun...«

»Ach Gott! Können wir irgend etwas tun?«

»Wir können alle nur warten. Der Arzt ist überzeugt, daß es

nicht mehr lange dauern wird. Er sagt, es handelt sich um hysterische Amnesie, eine Art Flucht aus der Realität. Offenbar halten solche Zustände im allgemeinen nicht länger als zwei, drei Wochen an.«

»Hysterische was?«

»Ach, das ist jetzt nebensächlich. Wichtig ist, daß ihr euch keine unnötigen Sorgen macht.«

»Wir wollten eigentlich in ein paar Tagen nach Spanien fliegen«, hörte Jane im selben Moment, als Paula an ihre Seite trat.

»Fliegt ruhig!« drängte Michael. »Ihr plant doch diese Reise schon seit Ewigkeiten. Ihr könnte hier nichts tun. Am besten sagst du Tommy gar nichts. Ihr könntet doch nicht helfen, und die ganze Sache wird wahrscheinlich vorbei und vergessen sein, bis ihr zurück seid.«

»Ich freue mich wirklich unheimlich auf diese Reise«, war das letzte, was Jane hörte, ehe Paula ihr den Hörer aus der Hand nahm.

Die Frau hab ich bestimmt nie gemocht, dachte Jane und überließ Paula widerstandslos ihren Arm.

17

»Kann ich Ihnen irgend etwas bringen?« fragte Paula.

»Wie?« Jane wußte inzwischen selbst nicht mehr, ob sie wirklich etwas hörte oder nicht.

»Ich sagte, ob ich Ihnen etwas bringen kann. Ein Glas Orangensaft? Etwas Toast?«

»Kaffee vielleicht.«

»Natürlich.«

»Aber richtigen Kaffee. Nicht dieses koffeinfreie Scheißzeug.«

»Jane...«

»Paula...«

»Wenn Sie Schwierigkeiten machen, muß ich Sie wieder in Ihr Zimmer bringen.«

»Nein! Bitte lassen Sie mich hierbleiben. Ich bin so gern hier.« Jane öffnete kurz die Augen, um sich zu vergewissern, daß der Wintergarten noch da war.

»Dann müssen Sie aber auch brav sein.«

»Sie reden mit mir wie mit einem kleinen Kind.«

»Wenn man sich wie ein kleines Kind benimmt, wird man auch so behandelt«, erklärte Paula.

»Das will ich doch gar nicht. Aber mir ist so elend, und ich bin so konfus.«

»Sie müssen sich an die Anweisungen Ihres Arztes halten.«

»Das versuche ich ja.«

»Sie müssen sich eben noch ein bißchen mehr anstrengen.«

»Ja, das will ich tun. Danke, daß ich herunterkommen durfte.«

»Der Wintergarten war Dr. Whittakers Idee.«

»Ich bin sehr dankbar«, sagte Jane, und sie war es auch.

»Möchten Sie eine Tasse Kaffee?«

»Nein.«

»Ganz wie Sie wollen.«

»Wie geht es Ihrer Tochter?« fragte Jane, die fand, Paula sähe müde aus.

»Gut, danke.«

»Wie heißt sie gleich wieder? Caroline?«

»Christine.«

»Ihre Mutter versorgt sie?«

»Vorübergehend, ja.«

»Sie haben bestimmt nicht geglaubt, daß Sie so lange hier sein würden.«

»Es wird bestimmt nicht mehr lange dauern.«

»Wieso? Warum sagen Sie das?« Jane stemmte sich auf der Hollywoodschaukel in die Höhe.

»Jetzt regen Sie sich nicht gleich auf. Es war nur so eine Bemerkung.«

»Aber es klang so, als wüßten Sie etwas.«

»Ich weiß nur das, was Ihr Mann mir sagt.«

»Und was hat er Ihnen gesagt?« fragte Jane.

»Daß es nicht mehr lange dauern wird«, antwortete Paula.

»Hat Michael mit Emily gesprochen?«

»Ich weiß es nicht.« Paula war dabei, die Pflanzen zu gießen.

»Sie muß ihm doch fehlen.«

»Sicher.«

»Spricht er manchmal von ihr?«

»Nein.«

»Worüber redet er mit Ihnen?«

»Er sagt nicht viel.«

»Aber ich höre Sie doch miteinander sprechen«, insistierte Jane. »Manchmal, wenn ich abends im Bett liege, kann ich Sie in der Küche miteinander sprechen hören.«

»Ich fragte ihn, wie sein Tag verlaufen ist. Und wenn etwas Besonderes passiert ist, erzählt er mir davon.«

»Das wäre eigentlich meine Aufgabe.«

»Ja, da haben Sie recht.«

»Spricht er auch von mir?«

»Manchmal.«

»Und was sagt er?«

»Daß er Sie liebt. Daß er wünscht, er könnte Ihnen helfen. Manchmal weint er.«

»Zeit für Ihre Tabletten.« Paula hielt Jane die Tabletten hin.

»Muß ich?«

»Wollen Sie wirklich Theater machen, Jane?«

»Nein, aber sie wirken doch überhaupt nicht.«

»Ihr Mann ist anderer Meinung.«

»Aber ich sitze den ganzen Tag nur rum wie eine Schlafwandlerin.«

»Mehr sollten Sie auch gar nicht tun. Auf diese Weise geben Sie Ihrem Unterbewußtsein die Möglichkeit, alles zu verarbeiten.« Paula verlagerte ihr Gewicht vom einen auf das andere Bein.

»Aber ich kann überhaupt nicht klar denken. In meinem Kopf dreht sich alles. Ich kann mich kaum bewegen.«

»Sie sollen sich auch nicht bewegen.«

»Wie lange geht das jetzt schon so?«

»Was?«

»Wie lange bin ich aus dem Krankenhaus zurück?«

»Etwas über drei Wochen.«

»Und seitdem sitze ich hier den ganzen Tag nur rum.« Jane konnte die Verwunderung in ihrer Stimme hören.

»Sie müssen wieder zu Kräften kommen.«

»Aber meine Kräfte hatte ich doch gar nicht verloren.«

»Wir wollen doch jetzt nicht streiten, Jane.«

»Nein, streiten will ich bestimmt nicht. Ich möchte nur verstehen...«

»Sie müssen vor allem eins verstehen: Wenn Sie Ihre Tabletten nicht nehmen, muß Ihr Mann Sie wieder spritzen.«

»Er hat gesagt, ich brauche keine Spritzen mehr.«

»Nein, wenn Sie Ihre Tabletten nehmen, nicht. Also, was ist?«

»Vielleicht könnten wir heute ein Stück spazierengehen«, sagte Jane.

»Vielleicht.«

»Das sagen Sie immer.«

»Wirklich?«

»Ja. Und wir gehen nie.«

»Aber heute gehen wir vielleicht.« Paula zuckte mit den Achseln und wandte sich wieder ihrer Hausarbeit zu.

»Haben Sie Angst, daß ich weglaufe?«

»Nein.«

»Ich habe gar nicht die Kraft dazu. Sie brauchen sich keine Sorgen zu machen.«

»Ich mache mir keine Sorgen.«

»Mich können Sie nicht täuschen«, erklärte Jane.

»Ich will Sie gar nicht täuschen.«

»Ich weiß genau, warum Sie mich im Wintergarten sitzen lassen.«

»Warum denn?«

»Damit Sie mich immer im Auge behalten können.«

»Sie mögen mich nicht besonders, nicht wahr?« stellte Jane fest.

»Das ist nicht wahr.«

»Was *ist* denn wahr?«

»Das dürfen Sie mich nicht fragen.« Paula ging zum hinteren Fenster des Wintergartens und blickte hinaus.

»Glauben Sie, daß ich meinen Mann betrogen habe?«

»Ich weiß es nicht.«

»Daß ich ihn mit dem Mann meiner Nachbarin betrogen habe?«

»Ich weiß es nicht.«

»Die Nachbarin ist jedenfalls überzeugt davon.«

»Ja, den Eindruck habe ich auch.«

»Glauben Sie, daß sie gelogen hat?« fragte Jane.

»Nein.«

»Würden Sie mich Daniel anrufen lassen?«

»Was?!« Paula versuchte gar nicht, ihre Verblüffung zu verbergen.

»Dann könnte ich ihn selbst fragen.«

»Sie wollen den Ex-Mann Ihrer Nachbarin anrufen und ihn

fragen, ob Sie mit ihm geschlafen haben? Jane, haben Sie eigentlich eine Vorstellung davon, wie verrückt das klingen würde?«

Jane schloß resigniert die Augen. Sie wußte, daß Paula recht hatte. »Ich möchte doch nur die Wahrheit wissen«, flüsterte sie.

»Sind Sie sicher?« fragte Paula.

»Wer war das eben am Telefon?« fragte Jane, als Paula wieder ins Zimmer kam.

»Nur jemand, der ein Konzert-Abonnement für das Bostoner Orchester verkaufen wollte.«

»Sie lügen.«

»Jane...«

»Ich sehe es Ihnen immer an, wenn Sie lügen. Sie machen dann so ein komisches Gesicht, als ob Sie den Mund voller Kerne hätten, die Sie gern ausspucken würden.«

»Unsinn!« protestierte Paula.

»Außerdem habe ich gehört, wie Sie sagten, ich wäre noch in San Diego.«

»Hat Ihnen nie jemand beigebracht, daß man nicht lauscht?«

»Ich weiß nicht. Ich kann mich nicht erinnern.«

»Ich finde das gar nicht komisch, Jane.«

»Ich möchte wissen, wie lange Sie mich noch daran hindern wollen, mit meinen Freunden zu sprechen.«

»Bis Sie sich hoffentlich endlich erinnern können, wer Ihre Freunde sind.«

»Was wäre denn so schlimm daran, wenn ich jetzt mit ihnen spräche?«

»Sie selbst würde es wahrscheinlich nur aufregen, und Ihre Freunde würde es erschrecken.«

»Wieso würde sie das erschrecken?«

»Also, erstens lallen Sie wie eine Betrunkene«, erklärte ihr Paula, während sie die Polster hinter ihrem Rücken geradezog.

»Wirklich? Ich war mir nicht sicher...«

»Und das würde sie sehr erschrecken. Sie würden Sie wahrscheinlich unbedingt besuchen wollen...«

»Na und?«

»Haben Sie in letzter Zeit mal in einen Spiegel gesehen?«

»Sie finden mich schrecklich, nicht wahr?« Jane fixierte Paula, nicht sicher, ob sie überhaupt eine Antwort haben wollte.

»Ich finde Sie schwierig.«

»Sie können nicht verstehen, wie ein Mann wie Michael an der Ehe mit einer Frau wie mir festhalten kann.«

»Ich glaube, wenn ein Mann wie Dr. Whittaker eine Verpflichtung eingeht, dann steht er zu ihr«, sagte Paula.

»Durch dick und dünn...«

»In guten wie in schlechten Tagen...«

»In Glück und Unglück...«

»Bis daß der Tod euch scheidet.« Paula lächelte.

»Was backen Sie da?« Jane stand an der Tür zwischen Küche und Wintergarten.

Paula, die sie nicht bemerkt hatte, fuhr herum. »Was haben Sie in der Küche zu suchen?«

»Es ist meine Küche.«

Paula zuckte mit den Achseln. »Holen Sie sich einen Stuhl.«

»Kann ich was helfen?«

»Sie können sich ruhig hinsetzen und mich arbeiten lassen. Ich möchte mir nicht den Finger abschneiden, weil Sie mich ablenken.«

»Was schnipseln Sie denn?«

»Äpfel.«

»Machen Sie einen Apfelkuchen?«

»Ich finde, Michael könnte eine Aufmunterung gebrauchen.«

»Ach, jetzt heißt es also nicht mehr Dr. Whittaker, sondern Michael«, stellte Jane fest.

Das Telefon läutete.

Jane drehte hastig den Kopf nach dem Geräusch, und alles um sie herum drehte sich mit. Sie klammerte sich an die Tischkante und konzentrierte ihren Blick auf die kleine Vase mit Sommerblumen, die in der Mitte des Tisches stand.

»Ach, verflixt, warum läutet das Telefon immer gerade dann, wenn man total verklebte Hände hat.« Paula griff nach einem Küchentuch, das an einem Haken unter dem Spülbecken hing.

Ohne einen Moment der Überlegung hievte sich Jane von ihrem Stuhl in die Höhe und wandte sich zum Telefon.

»Gehen Sie nicht ran!«

»Wieso nicht? Es ist mein Telefon.« Sie riß den Hörer von der Wand. »Hallo?«

Paula ließ das Küchentuch fallen, grapschte nach dem Telefonkabel und zog so kräftig daran, daß es ihr beinahe gelungen wäre, Jane den Hörer zu entreißen. Jane wickelte sich das lange Kabel mehrmals um den Körper und ließ nur die Arme und Hände frei, um die immer rabiater werdende Paula abzuwehren. »Zurück!« zischte sie.

»Hallo? Hallo? Jane, bist du das?«

»Hallo!« rief Jane in die Sprechmuschel.

»Jane, bist du's?«

»Ja, natürlich.«

»Ach, gut. Ich war mir nicht sicher. Susan erzählte, sie hätte neulich bei euch angerufen, und eure neue Haushälterin oder so jemand sagte, du wärst immer noch in San Diego, und es sei ungewiß, wann du zurückkämst.«

»Ich bin gestern abend wiedergekommen.« Jane hätte beinahe gelacht.

»Ach so. Hör mal, wenn ich einen ungünstigen Moment erwischt habe, kannst du mich ja später zurückrufen.«

»Nein, nein. Ich freu mich, daß du anrufst. Du hast mir gefehlt.«

Mit wem, zum Teufel, sprach sie da überhaupt?

»Du mir auch. Ich kann es kaum fassen, daß du es fast einen ganzen Monat mit Gargamella ausgehalten hast.«

»Mit wem?«

»Mit deiner Schwägerin.«

»Gargamella?« Die Frau hieß doch Eleanor!

»Na, so nennst du sie doch immer. Du hast gesagt, sie erinnert dich an Gargamel, den Bösewicht, der immer die armen kleinen Schlümpfe jagt. He, warum erzähl ich dir das? Das weißt du doch selbst am besten.«

»Ist sie bösartig?«

»Nein, sicher nicht, du konntest nur nie was mit ihr anfangen. Sag mal, Jane, stimmt was nicht? Ich finde dieses Gespräch reichlich merkwürdig.«

»Nein, nein, es ist alles in bester Ordnung. Wie geht's dir denn?« Jane beobachtete angespannt Paula, die sich ihr vorsichtig näherte. »Weg da!«

»Wie bitte?«

»Das galt nicht dir.«

»Aber wieso sagst du ›weg da‹?«

»Hier ist eine Riesenspinne in der Küche.« Jane fand die Beschreibung für Paula ganz passend. »Du weißt doch, wie ich Spinnen hasse.«

»Nein, weiß ich nicht.«

Paula näherte sich mit wiegenden Bewegungen, um Jane, die jeder Bewegung mit den Augen folgte, schwindlig zu machen.

»Jane, laß dich doch von dem Biest nicht verrückt machen. Die hat mehr Angst vor dir als du vor ihr.«

»Geben Sie mir den Hörer, Jane.« Paulas Stimme war leise, beschwichtigend, beinahe hypnotisch.

»Weg!«

»Jane, ruf mich doch einfach später zurück, hm?«

»Nein!«

Paula sprang und grapschte nach dem Hörer. Jane warf sich zur Seite und zog das Kabel noch fester um ihren Körper. Den Hörer mit der Schulter ans Ohr gedrückt, schlug sie mit der freien Hand nach Paula, und diese verlor einen Moment lang das Gleichgewicht. Jane packte blitzschnell das große Messer, das auf der Arbeitsplatte neben der Schüssel mit den geschnitzelten Äpfeln lag, und stieß es drohend nach Paula, die vor Schreck erstarrte und sich dann geschlagen auf einen Stuhl fallen ließ.

»Mensch, Jane, das muß ja echt eine Killerspinne sein. Was ist denn bei dir los?«

Ohne Paula aus den Augen zu lassen, fuchtelte Jane drohend mit dem Messer herum und sah, wie Paula keuchend, mit wildem Blick zurückzuckte. Was hatte sie vor? Jane überlegte, ob sie der Frau am Telefon sagen sollte, was vorging.

Aber was wollte sie denn überhaupt sagen? Hilfe, ich werde in meiner eigenen Küche von einer Frau gefangengehalten, die gerade einen Apfelkuchen backen wollte? Mein Mann und diese Frau setzen mich ständig unter Drogen und halten mich von meinen Freunden fern, an die ich mich nicht erinnern kann, weil ich das Gedächtnis verloren habe. Eher den Verstand verloren, wird sie sich denken, und damit der Wahrheit wahrscheinlich auch viel näher sein.

Es sei denn, ich kann sie hierher locken, damit sie mich mit eigenen Augen sehen, damit ich mit ihr sprechen, ihr von Angesicht zu Angesicht alles erzählen kann, was geschehen ist.

»Ich muß dich unbedingt sehen«, sagte Jane und sah, wie Paula die Zähne zusammenbiß, obwohl sie sehr ruhig saß. »Wann paßt es dir?«

»Das ist eigentlich der Grund für meinen Anruf. Ich wollte wissen, ob unsere Verabredung für heute abend noch gilt.«

»Heute abend?«

»Du hast es tatsächlich vergessen! Ich wußte es ja. Ich hab noch zu Peter gesagt, wetten, daß sie es vergessen hat! Es ist natürlich auch schon eine halbe Ewigkeit her, daß wir das ausgemacht haben.«

»Ach wo! Das hab ich doch nicht vergessen!«

»Also essen wir zusammen?«

»Klar.«

»Bist du sicher? Schließlich bist du gerade erst heimgekommen. Du hast wahrscheinlich Unmengen zu tun...«

»Was glaubst du wohl, warum ich zurückgekommen bin?«

»Ehrlich? Ich bin geschmeichelt. Aber willst du es wirklich bei euch machen? Wir könnten ebensogut in ein Restaurant gehen.«

»Kommt nicht in Frage.«

Was ging eigentlich vor? Worum ging es? Sie mußte schnell überlegen, und das war nicht ganz einfach, wenn man sich vor Schwindel kaum auf den Beinen halten konnte und dazu noch den Feind mit einem Messer in Schach halten mußte. Sie brauchte einen Moment Zeit, um alles zusammenzubekommen. Wer war die Frau am Telefon? Und wer war der Mann, dieser Peter, den sie erwähnt hatte? Wahrscheinlich ihr Ehemann. Und die beiden wollten zum Essen kommen. Heute abend.

Peter, dachte sie, Peter, Peter, und faßte das Messer fester, als sie sah, daß Paula sich bewegte. Aber Paula schlug nur ein Bein über das andere. Sie schien sich in ihr Schicksal ergeben zu haben. Sie lauert, dachte Jane, wie eine Katze, die ihre Beute belauert. Sobald ich ihr die kleinste Gelegenheit biete, wird sie sich auf mich stürzen. Aber vorher muß ich herausbekommen, wer die Frau am Telefon ist.

Ich könnte sie natürlich fragen. Jane hätte beinahe gelacht. Ungefähr so: Also gut, bis heute abend um sieben. Ach, übrigens, wer bist du eigentlich? Hör auf, sei nicht albern. Denk nach, ermahnte sie sich. Fang jetzt nicht an, abzudriften. Du mußt es herausbekommen. Sie ist offensichtlich eine Freundin, wahrscheinlich sogar eine gute Freundin. Und sie hat dir einen Tip gegeben. Ihr Mann heißt Peter.

Peter wer? Peter Pan. Struwwelpeter. Peter Finch. Peter und Paul. Peterchens Mondfahrt. Das Peter-Prinzip. Salpeter. Sankt Peter. Peter, wenn du ein Freund bist, dann muß dein Name in meinem privaten Telefonbuch stehen.

Sie versuchte, sich die Seiten des Buchs ins Gedächtnis zu rufen, blätterte sie im Geist durch: Lorraine Appleby, Diane Brewster, David und Susan Carney, Janet und Ian Hart, Eve und Ross McDermott, Howard und Peggy Rose, Sarah und Peter Tanenbaum.

Sarah und Peter Tanenbaum. Natürlich, wer sonst! Wie viele gute Freundinnen konnte sie haben, deren Ehemänner Peter hießen? Die Frau, mit der sie sprach, mußte Sarah Tanenbaum sein. Jane biß sich auf die Zunge, um nicht mit dem Namen laut herauszuplatzen.

»Also, wann sollen wir kommen?«

»Jederzeit. Je früher, desto besser.«

»Du möchtest wahrscheinlich, daß es nicht so spät wird.«

»Keine Spur. Ich freue mich auf euch. Ich hab dir viel zu erzählen.«

»Ich dir auch. Ich hatte wieder mal ein Rencontre mit der Gestapo.«

»Was?«

»Du weißt schon – mein Nachbar. Ich erzähl's dir heute abend. Du wärst stolz auf mich gewesen. Also, wieviel Uhr? Um sieben?«

»Wunderbar.«

»Soll ich was mitbringen? Einen Nachtisch?«

»Nein, nein«, lehnte Jane eilig ab und lächelte. »Ich backe sowieso gerade einen Apfelkuchen.«

Paula verdrehte die Augen. Wenn Blicke töten könnten, dachte Jane.

»Hm, das klingt verlockend. Mir läuft schon das Wasser im Mund zusammen. Ich freu mich.«

»Ich mich auch. Ach, und wenn dich jemand anrufen sollte«, fügte Jane hinzu, »um dir zu sagen, daß das Essen abgeblasen ist, dann hör nicht darauf, okay? Kommt auf jeden Fall. Versprichst du mir das?«

»Wer sollte denn so was tun?«

»Ich weiß auch nicht. Irgend jemand. Aus Jux. Vielleicht sogar Michael.«

»Michael?«

»Na ja, aus Jux.«

»Jane, irgendwas ist doch nicht in Ordnung.«

»Du wirst dich wundern.«

»Bei dir wundert mich schon lange nichts mehr.«

»Also, versprich mir, daß ihr auf jeden Fall kommt.«

»Jane, du machst mich richtig nervös.«

»Versprich es.«

»Okay, ich verspreche es. Also, sagst du mir jetzt, was los ist?«

»Heute abend. Seid pünktlich.«

Jane hörte das Klicken in der Leitung. Sie senkte den Hörer und lächelte. Sie ließ das Messer auf den Tisch fallen. Paula sprang sofort auf, riß das Messer an sich und hielt es fest.

»Sie sind wirklich verrückt! Sie hätten sich weh tun können.«

Jane wand sich ruhig und methodisch aus den Schlingen des Telefonkabels, obwohl sie innerlich alles andere als ruhig war. Sie war wie aufgedreht. Sie fühlte sich lebendig. Nicht einmal die Drogen in ihrem Körper konnten die Erregung dämpfen. Nachdem sie sich aus der letzten Schlinge des Kabels befreit hatte, legte sie den Hörer auf und setzte sich immer noch lächelnd an den Küchentisch. »Raten Sie mal, wer heute zum Abendessen kommt«, sagte sie.

18

»Möchtest du etwas trinken?«

»Lieber nicht. Das wäre sicher nicht gut.«

»Ich meine nichts Alkoholisches. Ich dachte an ein Cola oder Ginger Ale.«

»Ach ja, ein Ginger Ale.«

Wieso ist er so nett zu mir? Jane beobachtete Michael, der aufstand, um ihr ein Glas zu holen.

»Ich gieße mir selbst ein«, sagte sie und ging hastig zum Couchtisch, auf dem Paula Gläser und eine Auswahl an Getränken bereitgestellt hatte.

»Glaubst du im Ernst, ich könnte dir etwas ins Glas mischen?« Seine Stimme klang tief verletzt.

»Nein, natürlich nicht.« Aber genau das fürchtete Jane.

Michael war besorgt, ja beunruhigt gewesen, als Paula ihn nach Hause beordert und ihm von den Geschehnissen des Nachmittags berichtet hatte, aber später, als er mit Jane allein gewesen war, während sie sich für den Abend umgezogen hatte, hatte er zugegeben, daß er ihre Frustration verstand, daß er nicht geahnt hatte, wie sehr es sie nach dem Kontakt mit Freunden verlangte. Selbstverständlich hätte Paula nie versuchen dürfen, ihr den Telefonhörer zu entreißen. Wenn Jane wirklich das Gefühl habe, sie sei einem Abend mit Gästen gewachsen, dann habe er natürlich nicht das geringste dagegen. Aber könne sie ihm nicht wenigstens sagen, wen sie eigentlich erwarteten?

Nein, hatte sie gesagt. Das könne – und würde – sie nicht tun.

Na schön, hatte er gemeint. Sogar das könne er verstehen.

Sie weigerte sich, ihre Tabletten zu nehmen, und er insistierte nicht. »Das lasse ich dich in Zukunft auch selbst entscheiden«, sagte er und bat sie nur darum, Paula das Abendessen zubereiten und servieren zu lassen.

Dagegen hatte Jane nichts einzuwenden. Sie hatte sich vorgenommen, nur das zu essen, was alle anderen aßen, um auf diese Weise sicherzugehen, daß ihrem Essen nichts beigemischt werden konnte. Sie mußte wach sein; sie mußte unbedingt hellwach und klar sein, auch wenn sie noch gar nicht genau wußte, was sie Sarah (vorausgesetzt, es war wirklich Sarah, die zum Abendessen kam) sagen wollte.

Jane schraubte die unangebrochene Flasche auf und schenkte sich ein großes Glas Ginger Ale ein. Sie trank einen kleinen Schluck und machte es sich wieder in ihrem Sessel am Kamin gemütlich, während Michael sich einen Gin Tonic mischte. Er sah sie an und lächelte, und sie erwiderte das Lächeln, wenn auch mit einer gewissen Anstrengung. Tatsächlich fühlte sie sich weder besonders kräftig noch besonders wohl. Nur fest entschlossen, dachte sie und preßte die bebenden Lippen aufeinander.

»Alles in Ordnung, Schatz?«

»Bestens.«

»Sie kommen frühestens in zehn Minuten. Du kannst dich oben noch ein bißchen hinlegen...«

»Nein, nein. Nicht nötig.«

»Du siehst gut aus«, sagte er, und es klang aufrichtig.

Dennoch zweifelte sie an der Wahrheit seiner Worte, auch wenn sie sich alle Mühe gegeben hatte, sich für diesen Abend herzurichten. Zum ersten Mal seit ihrer Heimkehr hatte sie sich geschminkt. Sie hatte sich von Michael die Hand führen lassen, als diese allzu heftig zitterte, und hatte in dem Bemühen, ihrem Gesicht Farbe zu geben, vielleicht eine Spur zuviel Rouge aufgetragen. Michael hatte ihr sogar das Haar gekämmt und es mit einer rosaroten Schleife Emilys zum jungmädchenhaften Pferdeschwanz hochgebunden. Die Schleife paßte zu dem weichen rosafarbenen Pullover, den er für sie ausgewählt hatte. Warum war er so fürsorglich und hilfsbereit? Wieso war er so verdammt nett zu ihr, wo sie doch so verdammt schwierig war?

Warum hast du die Ärzte und die Polizei belogen? hätte sie am liebsten gefragt und erkannte gleichzeitig, daß sie noch immer am liebsten glauben wollte, er hätte gar nicht gelogen, könne ihr vielmehr auf alle ihre Fragen die richtige Antwort geben, alle Zweifel klären und alles wiedergutmachen. Aber war das überhaupt möglich? Bitte erkläre mir, warum du lügst, Michael. Sag mir, daß alle meine Verdächtigungen grundlos sind, daß alles seine Richtigkeit hat. Schaff die Lügen aus der Welt.

Sie konnte ihn nicht fragen. Sie konnte es nicht riskieren, ihn zornig zu machen. Jedenfalls nicht jetzt, wo ihre Freunde praktisch schon auf der Schwelle standen. Mit einer einzigen Injektion hätte er sie zum hilflosen Säugling reduzieren können.

»Bist du sicher, daß dir das alles nicht zuviel wird?« fragte er.

Sie nickte stumm. Sie begriff plötzlich, daß ihr Entschluß, ihm keine Fragen zu stellen, weniger der Furcht entsprang, er könnte ihr keine plausiblen Antworten geben, als vielmehr der Befürchtung, daß er es vielleicht könnte. Denn wenn er ihr plausible Erklärungen geben konnte, dann bedeutete das, daß sie tatsächlich in einer schweren psychischen Krise steckte, daß ihre eigensinnige Weigerung, ihre Tabletten zu nehmen, nur den Zusammenbruch förderte, daß sie allein für ihr Dilemma verantwortlich war, daß es vielleicht endlos andauern und sie sich den Rest ihres Lebens so schrecklich fühlen würde; daß sie ihr wahres Selbst irgendwo unterwegs verloren hatte und mit diesem hier heimgekommen war, das nun bleiben würde. Sie nahm einen tiefen Zug aus ihrem Glas und überlegte, welche Alternative sie bevorzugte: Entweder war sie eine schwerkranke Frau, und ihr Mann wollte nichts anderes als ihr helfen; oder ihr Mann hatte seine eigenen finsteren Gründe, sie zur Schwerkranken zu machen.

Wird die Teilnehmerin sich für Alternative eins oder Alternative zwei entscheiden? Sehen Sie jetzt eine neue Folge von *Die Jungen und die Psychotischen*.

Es läutete.

»Ich geh hin«, sagte Jane laut und bestimmt, um Paula aufzuhalten, die schon auf dem Weg zur Tür war.

»Lassen Sie nur«, beschwichtigte Michael die junge Frau, die sich augenblicklich in die Küche zurückzog.

Janes Hände zitterten. Ginger Ale schwappte aus ihrem Glas und tropfte auf den Teppich. Vorsichtig stellte sie das Glas auf dem kleinen Tisch neben ihrem Sessel nieder, atmete einmal tief durch und hoffte, daß ihre Beine sich als zuverlässiger erweisen würden als ihre Hände.

»Du schaffst es schon«, ermutigte Michael, während er vom Sofa aufstand.

Zaghaft setzte sie einen Fuß vor den anderen und hörte es ein zweites Mal läuten, noch ehe sie sich in Bewegung gesetzt hatte.

»Immer mit der Ruhe«, hörte sie Michael sagen. Dann hatte sie die Haustür erreicht und zog sie auf.

Zwei sympathische Fremde standen vor ihr, die Frau mit einem großen Strauß Sommerblumen, der Mann mit einer Flasche Wein in der Hand.

»Willkommen zu Hause!« rief die Frau und umarmte Jane. »Wie konntest du es wagen, so lange wegzufahren, ohne einem Menschen ein Wort zu sagen.« Sie trat einen Schritt zurück, um Jane zu betrachten, und Jane nutzte die Gelegenheit, um ihrerseits die Fremde zu mustern.

Sie war groß und schlank mit blonden Strähnen im kinnlangen braunen Haar. Sie trug eine dunkelblaue Hose und eine blaßblaue Seidenbluse mit einer Straßbrosche in Form eines Kußmundes. Die langen Ohrgehänge, Kaskaden bunter Sterne, reichten ihr fast bis zu den Schultern, und ihre Lippen waren knallrot gemalt. Eine ziemlich auffallende und temperamentvolle Frau, war Janes erster Eindruck, und sie fragte sich, was, um alles in der Welt, sie mit dieser Frau gemeinsam hatte.

Die Frau starrte Jane an, als stelle sie sich die gleiche Frage. »Was hast du denn mit dir gemacht?« fragte sie verblüfft.

Automatisch hob Jane beide Hände zum Gesicht. Am liebsten hätte sie sich hinter ihren zitternden Fingern versteckt. »Wie meinst du das?«

»Was hast du mit deinem Gesicht angestellt?« Die Frau griff Jane unter das Kinn und drehte ihren Kopf, um aufmerksam die Haut an ihrem Haaransatz zu begutachten. »Hast du dich etwa in Kalifornien liften lassen und einen Pfuscher erwischt?«

»Was, zum Teufel, redest du da?« fragte der Mann, der neben ihr stand. Er stieß die Haustür zu und reichte den Wein Michael, der herausgekommen war, um die Gäste zu begrüßen. »Hallo, Michael. Schön, dich zu sehen. Wie geht's?«

»Ganz gut, Peter. Und bei dir?«

»Glänzend. Mir geht's immer glänzend, wenn die Steuererklärungen alle abgegeben sind.«

»Hallo, Sarah.« Michael küßte die Frau herzlich auf beide Wangen und ging ihnen dann ins Wohnzimmer voraus.

»Was ist denn mit Jane los?« hörte Jane Sarah flüstern und sah Michael mit einem Kopfschütteln antworten. »Was hast du mit dir angestellt?« beharrte Sarah, während sie den Blumenstrauß zerstreut Paula in die Hand drückte, die mit einer Platte Kräcker und Pâté aus der Küche kam. Paula nahm die Blumen, stellte die Platte ab und ging wieder hinaus.

»Wer war denn das?« fragte Sarah verwirrt. »Was ist denn bei euch los?«

»Himmel, Sarah, wir sind doch eben erst gekommen«, wies Peter seine Frau zurecht.

»Das war Paula«, erklärte Michael. »sie kam sonst immer zweimal die Woche zum Putzen zu uns, aber als Jane weg war, habe ich sie gebeten, täglich zu kommen. Sie war damit einverstanden. Zumindest für den Sommer.«

»So ein Glück möchte ich auch haben«, sagte Sarah, die Jane immer noch ungeniert anstarrte.

»Ich habe mich nicht liften lassen«, erklärte Jane schnell.

»Wirklich nicht. Vielleicht liegt es am Make-up. Oder an der Frisur.«

»Nein, es geht tiefer.«

»Und für die tiefen Dinge ist meine Frau ja Spezialistin, nicht wahr, mein Schatz? Nehmt euch doch von der Pâté, Leute, sie schmeckt köstlich.« Peter schob sich einen Kräcker mit Pâté in den Mund.

»Ich finde, sie sieht großartig aus«, verteidigte Michael seine Frau und küßte sie auf die rougerote Wange. »Was möchtet ihr trinken?« fragte er.

»Bloody Mary«, antwortete Peter prompt.

»Ist das ein Gin Tonic?« Sarah wies auf das Glas in Michaels Hand.

»Richtig.«

»Sieht gut aus. Und du, Jane?«

Jane hob ihr Glas. »Ich glaube, ich bleibe bei Ginger Ale.«

»Also jetzt ist klar, daß hier was nicht stimmt«, behauptete Sarah. »Seit wann trinkst du Ginger Ale?«

»Ich habe eine kleine Magenverstimmung«, log Jane, die spürte, daß dies nicht der richtige Moment war, das Wesentliche anzugehen. »Wahrscheinlich vom Flug.«

»Warum hast du das Essen nicht einfach verschoben? Wir hätten doch auch einen anderen Abend kommen können.«

»Ach wo. Mir geht's doch gut. Wirklich.«

»Du siehst aber nicht so aus.«

»Sarah!«

»Hör auf, mich zu schulmeistern, Peter. Ich darf doch wohl mal besorgt sein.«

»Besorgt vielleicht, aber nicht taktlos.«

»Apropos«, mischte sich Michael ein. »Wir haben euch noch gar nicht für die Blumen und den Wein gedankt.«

»Es war uns ein Vergnügen.«

»Was stört dich denn an mir?« flüsterte Jane Sarah zu.

Sarah zögerte. »Ich weiß nicht, wie ich es sagen soll, ohne daß es ganz fürchterlich klingt.« Sie schüttelte resigniert den Kopf. Dann holte sie einmal tief Atem. »Ich weiß es selbst nicht genau. Du siehst irgendwie so mumienhaft aus, gar nicht lebendig. Ich kann's nicht genau definieren. Vielleicht ist es wirklich das Make-up. Vielleicht liegt es auch an dem Pulli. Du bist einfach so – so rosarot.«

»Ich liebe Jane in Rosa«, bemerkte Michael und legte Jane den Arm um die Taille, während er mit der anderen Hand Sarah ihren Drink reichte.

»Nein, ihre Farbe ist eindeutig Blau.« Sarah hob ihr Glas. »Also, prost, Leute. Auf Glück und Gesundheit.«

»Möchtest du noch was?« fragte Michael fürsorglich, als er sah, daß Jane ihr Glas geleert hatte.

»Ich hol's mir schon«, erwiderte Jane.

»Laß mich«, sagte Peter und schenkte Jane neu ein.

»Wollen wir uns nicht setzen?«

»Gute Idee. Reich uns doch mal die Pâté herüber, Peter, sonst ißt du sie am Ende noch ganz allein auf.«

»Frauen!« stöhnte Peter und klatschte ein Häufchen Pâté auf einen Kräcker für seine Frau. »Du willst jetzt bestimmt auch einen, was?« fragte er Jane, die überlegte, ob er es wohl ernst meinte.

Peter Tanenbaum kam ihr vor wie ein großer, gutaussehender Junge. Er war groß und schlank wie seine Frau, hatte graue Strähnen im braunen Haar. Aber in den braunen Augen blitzte etwas Lausbubenhaftes, eindeutig Kindliches. Man wußte bei ihm nie, ob er wirklich meinte, was er sagte. Gab es denn keinen, auf den man sich verlassen konnte?

»Mach doch nicht so ein grimmiges Gesicht«, sagte er. »Du brauchst ihn ja nicht zu essen, wenn du nicht willst.«

Jane nahm den Kräcker, den Peter ihr anbot, und schob ihn in den Mund.

»Jetzt willst du wohl gleich noch einen haben?«

»Also, erzähl mal. Wie war's in San Diego«, drängte Sarah. »Wie hast du es da so lange ausgehalten?«

»Was soll das heißen? San Diego ist eine tolle Stadt«, bemerkte Peter.

»Ja, für eine Woche«, entgegnete Sarah. »Aber für einen ganzen Monat... Man kann doch nicht jeden Tag in den Zoo gehen.«

»Jane hat der Zoo in San Diego immer besonders gut gefallen«, warf Michael ein.

»Und sie kann ihre Schwägerin kaum ausstehen. Du hast doch immer gesagt, sie hätte nichts als Scheiße im Hirn«, erinnerte Sarah sie.

»Sie hat sich offensichtlich geändert«, meinte Michael.

»Da muß sie sich aber schon sehr geändert haben.«

»So was soll vorkommen.«

»Ach ja? Seit wann?«

»Meine Frau, die Zynikerin.«

»Mein Mann, der Besserwisser.«

»Tja, junge Liebe ist doch etwas Herrliches.«

»Na schön«, fuhr Sarah fort, nicht bereit, sich so leicht abspeisen zu lassen. »Du warst also im Zoo und im Marinemuseum und hast ein paar Bootsfahrten gemacht – und weiter?«

»He, was soll das?« fragte Peter. »Ist das vielleicht ein Verhör? Was tut man im Urlaub? Man besucht Freunde und Verwandte; man schaut sich die Sehenswürdigkeiten an; man spannt einfach mal aus.«

»Warst du auch mal in Los Angeles?«

»Ein paar Tage, ja«, log Jane. Sie fühlte sich ein wenig benommen und schwindlig und fragte sich, ob das viele *Fabulieren* heute abend der Grund dafür war. »Es war toll.«

»Also, jetzt bin ich wirklich baff. Ich dachte, du haßt L. A.«

»Manchmal schon, ja.«

»Aber diesmal nicht?«

»Diesmal fand sie es toll«, antwortete Peter an Janes Stelle. »Und was tut sich in der Medizin, Michael?«

»Viel Arbeit.«

»Zuviel Arbeit, um mit deiner Frau Urlaub zu machen?« fragte Sarah.

»Ich bin an den Wochenenden ein paarmal rübergeflogen.«

»Ach, das ist ja nett.«

»Und was tut sich so bei den Steuerberatern?« fragte Michael.

Jane sah, wie sein Gesicht sich in zwei Hälften spaltete, die sich gleich wieder vereinigten. Was war mit ihr los?

»Der Sommer ist immer eine gute Zeit. Nicht soviel Druck. Da kann man es ein bißchen lockerer angehen und sich um neue Klienten kümmern. Ach, hab ich dir schon erzählt, wen ich als Klienten gewonnen habe?«

»Jane, geht's dir nicht gut?« Sarah beugte sich in ihrem Sessel vor.

»Mir war nur eben ein bißchen schwindlig.«

»Jane, was ist? Ist dir nicht gut?«

Sie starrte in Michaels besorgtes Gesicht. »Alles in Ordnung?«

War es möglich, daß Paula etwas in die Pâté gemischt hatte? Wie zur Antwort auf ihren unausgesprochenen Verdacht lud Michael ein Häufchen Pâté auf einen Kräcker und schob ihn in den Mund, während Peter sich zum Tisch beugte, um sich ebenfalls zu bedienen. Es konnte also nicht an der Pâté liegen, daß ihr so schwummrig war. Woran dann? Am Ginger Ale? Hatte ihr Michael vielleicht doch etwas in ihr Glas gekippt?

Bitte, bitte mach jetzt nicht schlapp, flehte sie sich selbst an. Heute nachmittag ging es dir doch ganz gut. Das heißt, gut nicht direkt, aber du warst wenigstens diese gräßliche Übelkeit los, die dir jegliche Kontrolle raubt, wo alles sich um dich dreht und die Stimmen um dich herum mal laut, mal leise sind. Bitte reiß dich wenigstens bis nach dem Essen zusammen, bis du Gelegenheit hattest, Sarah alles zu erklären.

Und wie würde Sarah reagieren? Sie war schon erschrocken genug über Janes Aussehen, stutzig genug über ihren langen Aufenthalt in San Diego bei einer Frau, die sie offensichtlich nicht leiden konnte. Ich habe ja gleich gewußt, daß ich die Frau nie gemocht habe, dachte Jane, die sich an die Stimme ihrer Schwägerin am Telefon erinnerte, als sie versucht hatte, sie davon zu überzeugen, daß sie Hilfe brauchte. Tröstlich zu wissen, daß wenigstens einige meiner Instinkte noch intakt sind.

Okay, was sagen dir deine Instinkte über Sarah Tanenbaum? Wie wird sie die Geschichte von deiner Amnesie aufnehmen? *Deine* Version von deiner Gefangenschaft? Wird es ihr ebenso schwerfallen, diese Informationen zu akzeptieren wie deine Schwägerin? Wird sie ebenso skeptisch reagieren und schließlich Michael glauben? Wie kannst du von ihr erwarten, daß sie dir glaubt, daß Michael dich belogen hat, wenn du selbst noch nicht einmal davon überzeugt ist, daß er lügt? Wo er doch so gekonnt lügt! (»Ich bin an den Wochenenden ein paarmal rübergeflogen«, hatte er zu Sarah gesagt. Warum hatte er das gesagt?) Wird sie glauben, daß du den Verstand verloren hast, und sich wie Eleanor davon überzeugen lassen, daß du gerade einen Nervenzusammenbruch durchmachst?

Und wieviel willst du ihr überhaupt anvertrauen? Willst du Sarah auch von den zehntausend Dollar erzählen? Von dem Blut auf deinem blauen Kleid? Blau ist eindeutig Janes Farbe, hatte Sarah gesagt.

»Okay, Frank, sagte ich zu ihm, sei nett zu dir selbst und schieb den Kerl ab. Er mag ja zur Lokalprominenz gehören, und es tut einem immer gut, wenn man sagen kann, ›ich mach die Steuern für Soundso‹, aber wenn du den weiter betreust, kriegst du höchstens Magengeschwüre, und das lohnt sich wirklich nicht. Stellt euch mal vor, dieser Fatzke ruft Frank mitten in der

Nacht an, um ihm einen Traum zu erzählen. Von Steuerparadiesen! Ist das zu fassen? Und Frank hört ihm auch noch zu. Klar, daß der Kerl immer wieder anruft. Da spart er sich den Analytiker. Den übrigens meiner Ansicht nach Frank dringend braucht.«

»Und wer ist denn nun diese Lokalgröße?«

»Hey, ihr dürft kein Wort von dem weitersagen, was ich euch erzählt habe...«

»Er hat es schon der halben Stadt erzählt«, bemerkte Sarah gelassen.

»Es ist Charlie McMillan.«

»Wer ist Charlie McMillan?«

»Der Wettermensch vom Sechsten Programm. Mensch, Michael, du alter Langweiler. Du kennst aber auch gar niemanden. Aber du weißt doch, wen ich meine, nicht, Jane? – Jane?«

Peters Gesicht waberte. Warum sitzt der Mann nicht still? dachte sie und versuchte, sich zu erinnern, was er gefragt hatte. Aber wie sollte sie ihn überhaupt hören, wenn seine Stimme immer leiser wurde wie bei einer schlechten Telefonverbindung?

»Entschuldige. Ich hab dich nicht gehört.«

»Jane, was ist los?«

»Vielleicht solltest du nach oben gehen und dich ein paar Minuten hinlegen.«

»Wir können den Abend doch nachholen.«

»Nein. Es ist alles in Ordnung. Wirklich. Mir geht's gut. Was soll denn das? Warum fallt ihr alle über mich her, nur weil ich einen Moment nicht zugehört habe?«

»Du sahst aus, als würdest du gleich umkippen«, erklärte Sarah und beugte sich zu ihr.

Jane schüttelte den Kopf. »Es ist nichts. Ich bin wahrscheinlich nur hungrig.« Sie sah Michael an, der mit dem Finger an seinen Mundwinkel tippte, ein Zeichen für sie, daß an ihrem eigenen Mundwinkel irgend etwas saß. Sie hob eine Hand zu den Lippen und wischte einen Speichelfaden weg. Sie hätte gern einen Schluck Ginger Ale getrunken, ließ es aber lieber sein. Wo blieb eigentlich Paula mit dem Essen? Sie hatte seit Mittag nichts mehr gegessen und war wahrscheinlich nur vor Hunger so schwach. Wenn sie erst etwas im Magen hatte, würde es ihr bestimmt gleich besser gehen.

»Wieviel hast du abgenommen?« fragte Sarah, als hätte sie ihre Gedanken gelesen.

»Habe ich abgenommen?« fragte Jane zurück und war ausnahmsweise froh, als sie Paula ins Zimmer kommen sah.

»Das Essen ist fertig«, verkündete Paula.

Jane sprang auf und mußte sich an Sarah festhalten, um nicht zu fallen.

»Das ist doch idiotisch, Jane. Wir sollten besser gehen. Du gehörst ins Bett.«

»Nein, nein, es ist nichts«, behauptete Jane eigensinnig und ließ sich von Peter ins Eßzimmer führen. »Es ist wahrscheinlich nur die Zeitverschiebung.«

»Michael, was ist wirklich los?« hörte sie Sarah mit gesenkter Stimme fragen.

»Kommt, setzt euch!« rief Jane, die Michael keine Gelegenheit lassen wollte, auf Sarahs Frage zu antworten. Sie nahm am Kopfende des Tisches Platz. Michael und Sarah folgten.

»Sieht ja köstlich aus«, bemerkte Sarah, während sie die Speisen begutachtete, die Paula auftrug. Ihre Munterkeit wirkte ziemlich gekünstelt.

»Bedient euch!« Jane beobachtete aufmerksam Michael und ihre Gäste, die sich von den verschiedenen Speisen nahmen. Nachdem auch sie sich bedient hatte, wartete sie, bis alle von Paulas Hühnchen gekostet hatten, ehe sie selbst die Gabel zum Mund führte.

»Das schmeckt wirklich hervorragend«, stellte Sarah fest. »Diese Frau ist eine Perle. Die dürft ihr nicht wieder weglassen.«

Jane, die wußte, daß alle sie beobachteten, zwang sich, das Essen in den Mund zu schieben. Sie kaute langsam und bedächtig, konzentrierte sich auf jede Bewegung, schob einen Bissen mit dem nächsten hinunter. Wenn das Hühnchen sich geschmacklich von den grünen Bohnen und dem Wildreis unterschied, so nahm Jane es nicht wahr. Die Aromen vermischten sich auf ihrer Zunge miteinander. Sie konnte nur hoffen, daß sie das Essen bei sich behalten würde, bis sie vom Tisch aufstanden.

»Wo hast du denn deinen Ehering gelassen?« fragte Sarah in bemüht beiläufigem Ton.

Jane blickte zum schmucklosen Ringfinger ihrer linken Hand hinunter. Sie konnte sich nicht an die Erklärung erinnern, die Michael ihr gegeben hatte.

»Ich kaufe Jane einen neuen. Ich hab mir gedacht, ein paar Brillis würden ihr gut stehen. Was meinst du?«

»Ich finde, du bist ein netter Mann«, gab Sarah zurück und tätschelte seine Hand.

»Du hast meine Frau noch gar nicht nach Hitler gefragt«, bemerkte Peter, dem das Thema Brillanten nicht behagte.

»Was?« Jane wollte ihre Gabel quer über den Tellerrand legen, aber sie traf den Teller nicht, und die Gabel fiel klirrend zu Boden. Sie ignorierte es und konzentrierte sich statt dessen auf Peter. Hatte er wirklich von Hitler gesprochen?

»Unser Nachbar. Der Faschist«, erklärte Sarah ungeduldig. »Der, der jedesmal, wenn er mich sieht, sofort anfängt, im Stechschritt zu marschieren. Der Gestapomensch – ich hab dir doch am Telefon von ihm erzählt. Du wärst stolz auf mich gewesen. Diesmal hab ich's ihm echt gegeben.«

»Sie hat ihn höflich aufgefordert, in Zukunft doch bitte seinen Müll nicht mehr vor unserem Haus zu deponieren.«

»Ist ja gar nicht wahr! Ich hab gesagt, wenn er noch einmal seinen Müll vor unserem Haus ablädt, kann er ihn am nächsten Morgen in seinem Vorgarten zusammenklauben.«

»Bravo!« sagte Michael.

»Das ist zwar nicht ganz Janes Kaliber...«

»Was soll das heißen?« Jane hielt sich krampfhaft an der Tischkante fest, als sie plötzlich Sarah in doppelter Ausführung vor sich sah.

»Du hättest ihn ein Nazi-Arschloch genannt und ihm den Mülleimer über den Kopf gekippt«, erklärte Peter, und Sarah und Michael stimmten ihm lachend zu.

Jane hörte das Gelächter so gedämpft, als befände sie selbst sich unter Wasser und die anderen an einem fernen Strand. Sie wollte zu ihnen hinschwimmen, sich nach oben durchkämpfen, an die Wasseroberfläche, um ihre Lungen mit Luft zu füllen, aber ihre Anstrengungen zogen sie nur tiefer in den Abgrund hinunter. Sie war im Begriff zu ertrinken, und keiner merkte es. Keiner konnte sie retten.

Wieso ging es ihr so schlecht? Sie hatte nur gegessen, was alle anderen auch gegessen hatten. Sie hatte die Flasche Ginger Ale eigenhändig aufgemacht und sich selbst eingeschenkt. Sie hatte das Glas nur einmal aus der Hand gegeben, als Peter ihr neu eingegossen hatte, und selbst da hatte sie genau aufgepaßt.

Nein, falsch! Sie hatte das Glas weggestellt, als sie zur Tür gegangen war, um zu öffnen. Michael hatte genug Zeit gehabt, ihr etwas ins Glas zu tun, während sie Sarah und Peter begrüßt hatte. Hatte er das wirklich getan? O Gott, hatte er das wirklich getan?

»Sarah, du mußt mir helfen...« Jane hörte die Worte, als kämen sie aus dem Mund einer anderen Person. Sie sah sich zu Boden rutschen und zusammenfallen. Sie sah Michael und Paula, Peter und Sarah zu ihr stürzen. Michael hob sie auf und trug sie die Treppe hinauf zu ihrem Zimmer. Sarah und Peter folgten ihm.

»Verdammt noch mal, Michael, wirst du mir jetzt endlich sagen, was eigentlich los ist?« fragte Sarah zornig.

Jane versuchte, die Augen zu öffnen, aber es war beinahe so, als hätte man sie ihr zugeklebt. Sie strengte sich an, bei Bewußtsein zu bleiben, hörte jemanden weinen, erkannte, daß es Michael war.

»Ich wollte, ich wüßte es«, sagte er mit mühsam verhaltenem Schluchzen. »Ihr habt ja keine Ahnung, was sich hier abspielt...«

»Dann sag es uns.«

»Jane hat einen völligen Zusammenbruch.« Seine Stimme war heiser, ungläubig.

»Das gibt's doch nicht!«

Trotz geschlossener Augen spürte Jane, daß alle sie ansahen.

»Sie weiß nicht mehr, wer sie ist; sie sagt, sie kann sich an unser gemeinsames Leben nicht erinnern...«

»Das ist ja absurd! An uns hat sie sich doch auch erinnert.«

»Nein, nein, nicht richtig«, widersprach Sarah ihm. »Von Hitler zum Beispiel wußte sie gar nichts mehr. Das hat man gemerkt. Ich hab's jedenfalls gemerkt.«

Und was merkst du noch? fragte Jane stumm und flehte Sarah hinter geschlossenen Augen an, ihr zu Hilfe zu kommen.

»Und heute nachmittag am Telefon war sie auch schon so merkwürdig. Gleich als ich heute abend zur Tür hereinkam, habe ich gesehen, daß mit ihr etwas nicht stimmt. Bekommt sie irgendwelche Medikamente?«

»Der Arzt hat ihr ein leichtes Beruhigungsmittel verschrieben, aber sie weigert sich, es zu nehmen. Sie behauptet, sie fühlt sich dann nur schlecht. Ich weiß nicht mehr, was ich tun soll«, fuhr Michael fort. »Ihr habt keine Ahnung, wie das ist. Sie ist völlig unberechenbar. Ihre Stimmungen wechseln blitzschnell. Morgens ist sie lammfromm, und am Nachmittag fährt sie durchs Haus wie eine Wahnsinnige, reißt sämtliche Kleider aus den Schränken und trampelt auf ihnen herum. Ich weiß nie, was sie als nächstes tun wird.«

»Wie lange geht das schon so?«

»Mindestens einen Monat.«

»In Kalifornien war es auch so?«

»Sie war nie in Kalifornien.«

Jane hörte Sarahs Ausruf der Überraschung.

»Eigentlich geht es schon viel länger als einen Monat. Seit dem Unfall ist sie völlig verändert. Es war wahrscheinlich vermessen zu hoffen...«

»Aber sie schien das doch sehr gut verarbeitet zu haben. Es gab nie Anzeichen dafür...«

»In der Öffentlichkeit nicht, nein. Da hat sie sich immer sehr zusammengenommen. Vielleicht war die Anstrengung zuviel für sie. Eines Tages ist sie jedenfalls einfach auf und davon gelaufen. Hysterische Amnesie, nennen es die Ärzte.«

»Das kann doch nicht wahr sein.«

»Aber das wird sich doch wieder geben, nicht wahr?«

»Die Ärzte meinten, es würde rasch besser werden, aber es wird immer nur schlimmer. Heute nachmittag hat sie Paula sogar mit dem Messer bedroht.«

»Was?!«

»Um Gottes willen!«

»Ich weiß nicht mehr, was ich tun soll. Was ist, wenn sie das nächste Mal so etwas tut und dabei tatsächlich jemanden verletzt? Oder sich selbst etwas antut?«

»Das würde sie nicht tun.«

»Kann ich das Risiko eingehen?«

»Was willst du damit sagen?«

»Ich weiß es nicht. Ich weiß schon nicht einmal mehr, was ich sage. Ich bin völlig am Ende. Sie ist oft so tief deprimiert, aber sie will sich von mir nicht helfen lassen. Und ich habe jedesmal, wenn ich aus dem Haus gehe, Todesangst, daß sie vielleicht nicht mehr da ist, wenn ich zurückkomme, oder daß sie versucht... ach, ich möchte es nicht einmal denken.«

»Jane ist nicht der Mensch, der sich das Leben nehmen würde«, erklärte Sarah mit Entschiedenheit.

»War das heute abend beim Essen die Jane, die du kennst?« fragte er.

Die Frage brachte sie zum Schweigen, und es blieb einen Moment ganz still.

»Wenn es nicht bald besser wird«, sagte Michael schwer atmend mit leiser Stimme, »muß ich mich vielleicht mit dem Gedanken vertraut machen, sie einweisen zu lassen.«

»Michael, nein!«

»Was bleibt mir denn anderes übrig? Sag du mir, was ich tun soll, Sarah. Ich bin mit meiner Weisheit am Ende. Ich habe alles versucht. Ich weiß nicht, was ich noch tun soll. Ich weiß ganz einfach nicht, was mir anderes übrigbleibt.«

O Gott, dachte Jane, während Dunkelheit sich über sie senkte, o Gott, hilf mir doch jemand.

19

Sie träumte, Emily hätte sie angerufen und gebeten, sie am Bostoner Hafen zu treffen. Aber als sie dort ankam, war Emily schon weg. Wie gejagt rannte sie am Charles River entlang, vorbei an den Ausflugsdampfern und am Aquarium, an den Kais und den Piers der Wasserwacht, weiter über die Charlestown-Brücke, vorbei an den Touristengruppen rund um die U.S.S. *Constitution*, zur Marinewerft. Sie erreichte den Kai, als Emilys Schiff gerade auslief.

»Emily! Emily!«

»Tut mir leid, aber Sie gehören nicht zu dieser Gruppe«, sagte eine Frau in tadelndem Ton. »Sie können sich auf dem Common einer anderen Gruppe anschließen. Dort erwartet Emily Sie.«

»Emily!« rief Jane wieder, während sie über den Common hetzte. »Emily, wo bist du?«

»Sie haben sie verpaßt«, sagte jemand. »Sie ist mit Gargamella weggegangen.«

»Nein!«

»Sie hat gesagt, sie wartet um vier Uhr an der Faneuil Hall.«

Jane sprang in ein wartendes Auto und brauste los. Jedem, der ihr in die Quere kam, tat sie ihren Unmut mit Hupen und obszönen Fingerzeichen kund.

»Geduld, Geduld«, warnte Michael vom Rücksitz. »Du möchtest doch keinen Unfall bauen, oder?«

Plötzlich sah sie, wie ein dunkelgrüner Volvo außer Kontrolle geriet und direkt auf sie zuraste. Sie versuchte, das Steuer herumzureißen, aber es war völlig blockiert. Mit aller Kraft trat sie auf die Bremse, um das Unvermeidliche doch noch abzuwenden.

»Nein!« schrie sie und fuhr so heftig in die Höhe, daß sie beinahe aus dem Bett gefallen wäre. Angstvoll und gehetzt sah sie sich um und beruhigte sich etwas, als sie erkannte, daß sie zu Hause in ihrem Bett war.

Ihr Blick ging zum Nachttisch neben dem Bett, zu dem Platz, an dem das Telefon gestanden hatte, ehe Michael es hinausgebracht hatte, und sie begriff, daß Emily in Wirklichkeit gar nicht versucht hatte, sie zu erreichen. Oder vielleicht doch? Vielleicht hatte sie nach ihr gerufen; der Schrei einer verängstigten Seele zur anderen. Flüsternde Stimmen hallten in ihrem Kopf – Ich weiß nicht mehr, was ich tun soll. Ihr habt keine Ahnung, wie es ist. Sie ist so unberechenbar.

Michael?

Sie hat sich nach dem Unfall völlig verändert.

Wieso sagst du das? Hast du mir irgend etwas über den Unfall verschwiegen?

Wenn es nicht bald besser wird, muß ich mich vielleicht mit dem Gedanken vertraut machen, sie einweisen zu lassen.

Einweisen? O Gott. Das konnte sie doch nur geträumt haben! Was bleibt mir andres übrig?

Einweisen. Michael hatte allen Ernstes gesagt, er müßte sie vielleicht einweisen lassen. In eine Anstalt. Er hatte sie verraten und vergiftet und dann einer ihrer engsten Freundinnen unter Tränen gestanden, daß ihm vielleicht nichts anderes übrigbleiben würde, als sie einweisen zu lassen. Kein Traum. Dieser Alptraum war Realität.

Sie mußte weg von hier.

Als sie die Decken abwarf, entdeckte sie, daß sie noch die Kleider vom vergangenen Abend anhatte. Das war gut so; sie hätte wahrscheinlich nicht die Kraft gehabt, sich anzuziehen. Nur ihre Füße waren nackt, aber in ein Paar Schuhe war sie schnell hineingeschlüpft.

Ihre Zehen berührten den Teppich, und das schrecklich vertraute Schwindelgefühl drohte, sie zu überwältigen. Nimm dich zusammen, ermahnte sie sich. Konzentrier dich auf das, was du tun mußt. Konzentrier dich darauf, aus diesem Haus zu verschwinden, solange du noch kannst.

Und was willst du tun, wenn du hier raus bist? Immer schön der Reihe nach. Jetzt mußt du erst mal hier rauskommen.

Jane zog die Schranktür auf und schob die Füße in die schwarzen Lackschuhe.

»Was tun Sie da?«

Beim Klang von Paulas Stimme erstarrte sie.

»Ich muß zur Toilette«, log sie und nahm sich eisern zusammen, um ruhig zu bleiben und nicht umzukippen.

»Na, da finden Sie die aber nicht.« Paulas Hände berührten ihre Schultern und lenkten sie sachte schiebend in die richtige Richtung. »Da geht's hin. Immer geradeaus.« Sie gab Jane einen letzten kleinen Stoß, wie man das vielleicht mit einem Kind tut, das gerade laufen lernt, dann ließ sie sie los.

»Ich glaube, allein schaff ich's nicht.« Jane taumelte. Sofort war Paula an ihrer Seite. »Um Gottes willen, was ist das?« schrie Jane laut und wies auf die Badewanne.

»Was denn?« Paula neigte sich zur Wanne hinunter. Jane rempelte sie mit aller Kraft an, und Paula fiel stolpernd vornüber. Sie warf die Arme nach vorn, um sich abzustützen, und schrie, halb in der Wanne hängend, laut auf, mehr vor Schreck als vor Schmerz. Aber da stürzte Jane schon aus dem Bad, knallte die Tür hinter sich zu und zerrte den Nachttisch samt Lampe von ihrem Bett vor die Tür, obwohl ihr klar war, daß Paula kaum Mühe haben würde, darüber hinwegzuklettern und ihr nachzusetzen. Sie hoffte, es würde sie wenigstens so lange aufhalten, daß sie aus dem Haus entwischen konnte.

Sie flog förmlich die Treppe hinunter, stolperte, stürzte und rappelte sich hastig wieder auf, als sie Paula oben aus dem Bad kommen hörte. Ohne einen Blick zurück rannte sie zur Haustür.

»Jane!« rief Paula, die die Treppe erreicht hatte. »Was soll das? Wo wollen Sie hin?«

Jane schlug krachend die Tür hinter sich zu, entdeckte auf der Straßenseite gegenüber Caroles Wagen und betete zu Gott, er möge nicht abgeschlossen sein. Sie riß an der hinteren Tür und hätte vor Dankbarkeit beinahe geweint, als sie aufsprang. Sie kroch hinein, zog die Tür leise hinter sich zu und kauerte an die Rücklehne des Vordersitzes gelehnt auf dem Boden nieder. Ihr Herz schlug zum Zerspringen, und ihr Magen krampfte sich so heftig zusammen, daß sie Angst hatte, sie würde sich übergeben müssen. Sie hörte Paula rufen, stellte sich vor, wie sie auf der Suche nach ihr die Straße hinauf und hinunter blickte, um das Haus herum nach hinten lief und schließlich in zorniger Resignation aufgab. Was jetzt? Würde Paula ins Haus zurückkehren? Wieder einmal Michael anrufen? Wieviel Zeit bleibt mir? fragte sich Jane. Und was soll ich tun?

Ohne aufblicken zu müssen, spürte sie, daß jemand durch das Wagenfenster zu ihr hinunterspähte. Aus und vorbei. Geschnappt. Sie zog den Kopf noch tiefer ein, als sie hörte, wie an der Türklinke gerüttelt wurde. Geschnappt wie eine Kriminelle, dachte sie und sah sogleich ihr blutverschmiertes Kleid und die Bündel von Hundert-Dollar-Noten vor sich, die sie in ihren Manteltaschen gefunden hatte. Vielleicht bin ich wirklich eine Kriminelle. Vielleicht bekomme ich genau das, was ich verdiene. Gib doch auf, drängte ein Teil von ihr, jener Teil, der todmüde war und nichts anderes mehr wollte als schlafen. Sie holte tief Atem, lehnte sich an das abgeschabte Leder des Rücksitzes und zwang sich, den Blick zum Fenster zu heben.

Caroles Vater sah lächelnd zu ihr hinunter. Er musterte sie so neugierig, als wäre sie ein exotischer Vogel in einem Glaskäfig. Sie hörte Schritte, dann Caroles Stimme. »Vater, was tust du hier?«

Sie hob die Hand, legte den Finger an die Lippen und sah den alten Mann dabei beschwörend an. Er grinste breit mit zahnlosem Mund.

»Vater, wir können jetzt noch nicht fahren. Komm wieder rein. Du hast noch nicht mal fertig gefrühstückt. Dein Toast wird ganz kalt.«

Caroles Vater richtete sich gerade auf, und sein Gesicht verfinsterte sich bei der Vorstellung von kaltem Toast. Dann drehte er sich um und ging zum Haus.

»Carole!« hörte Jane Paula rufen. »Haben Sie Jane gesehen?« Mit jedem Wort kam die Stimme näher.

»Jane? Nein. Warum – ist sie wieder weggelaufen?«

»Sie hat mich in die Badewanne gestoßen und ist aus dem Haus gerannt. Ich hätte mir bei dem Aufprall beinahe das Handgelenk gebrochen.

»Du lieber Himmel, das hört sich ja an, als hätte sie jetzt völlig durchgedreht.«

»Wenn Sie sie sehen sollten oder sie sich bei Ihnen meldet, würden Sie mich dann sofort rufen?«

»Aber natürlich.«

»Danke.«

»Vater, komm jetzt wieder rein!«

Jane hörte, wie die Haustür geschlossen wurde. Einen Augenblick später fiel etwas weiter weg eine zweite Tür zu. Waren sie jetzt beide weg? Langsam und vorsichtig richtete sie sich auf und spähte über den unteren Rand der Fensterscheibe. Es war niemand da. Der Vorgarten zu Caroles Haus war leer. Ebenso ihr eigener Vorgarten. Aber natürlich konnte jemand am Fenster stehen. Sie mußte sehr vorsichtig sein. Behutsam stieß sie die Wagentür auf und kroch gebückt zum Bürgersteig hinaus.

Und weiter? Wohin wollte sie? Sie hatte kein Geld. Sie hatte in ihrer kopflosen Flucht alles stehen und liegen gelassen. Wie gehabt, dachte sie. Jetzt irre ich also wieder einmal ohne Handtasche und ohne Papiere durch die Gegend. Nur weiß ich diesmal, wer ich bin, auch wenn ich mich noch immer nicht daran erinnern kann. Ich bin Jane Whittaker. Lauf, Jane, lauf, dachte sie, während sie geduckt die Straße hinunter hastete, den Oberkörper so tief, daß ihre Finger fast das Pflaster berührten, einem Affen ähnlicher als einem menschlichen Wesen.

An der Walnut Street wandte sie sich nach Norden, ohne sich eine Verschnaufpause zu gönnen. Sie wußte, wenn sie jetzt anhielt, und sei es nur für ein paar Sekunden, würde alle Kraft sie verlassen, und sie würde sich einfach hier an der Straße zusammenrollen und einschlafen. Sie konnte sich keine Rast leisten.

Sie hörte Autos vorbeifahren und dachte flüchtig daran, eines anzuhalten. Würde überhaupt jemand anhalten? Sie bezweifelte es angesichts des besorgten Blicks, den eine Frau ihr im Vorüberfahren zuwarf. Kein Wunder. Alltäglich war der Anblick gewiß nicht, wie sie da ganz in Rosarot schwitzend und schnaufend im Affengalopp die Straße hinunterlief. Was ich jetzt brauche, ist ein Taxi, dachte sie und versuchte, mit den Zehen die Steinchen oder was immer es war, das in ihrem rechten Schuh herumrollte, wegzuschieben. Nur habe ich im Gegensatz zu meinem letzten spektakulären Fluchtversuch diesmal kein Geld mitgenommen. Sie griff in ihre Hosentaschen. Nichts. Weit und breit kein Hundert-Dollar-Schein zu sehen.

Jetzt blieb sie doch stehen. Wenn sie schon dazu verdammt war, zu Fuß zu gehen, dann wenigstens bequem. Natürlich nur relativ betrachtet, sagte sie sich, während sie ihren rechten Schuh auszog und ausschüttete. Zwei kleine weiße Tabletten fielen heraus. Ihre Tabletten, die Tabletten, die Michael und Paula ihr täglich eingaben, die Tabletten, die sie versteckt hatte. Sie bückte sich und hob sie auf, blieb auf den Asphalt gestützt einen Moment in der Hocke, bis sie die Kraft fand, sich wieder aufzurichten. Dann steckte sie die Tabletten in die Hosentasche und ging weiter, bis ihr plötzlich einfiel, daß Paula vielleicht beschlossen hatte, mit dem Auto nach ihr zu fahnden. Hastig suchte sie Schutz hinter einer Reihe von Bäumen.

Mehrere Straßenecken weiter sah sie eine breite, belebte Straße, die wie eine Hauptstraße aussah. Wenn sie es bis dahin schaffte... was dann? Was wollte sie tun? Zur Polizei gehen? Um ihnen was zu erzählen? Daß sie geflohen war, weil ihr Mann vorhatte, sie in eine Anstalt einweisen zu lassen?

Ihr Mann? Dieser allseits geschätzte Wohltäter der Menschheit, der heilige Michael?

So heilig wie er aussieht, ist er gar nicht.

Wenn jemand wie ein Heiliger aussieht und wie ein Heiliger handelt...

Aber er hat mich belogen. Er hat sie alle belogen.

Heilige lügen nicht.

Er hat mich unter Drogen gesetzt.

So was tun Heilige nicht.

Ich wollte sie nicht nehmen...

Sie brauchten nur nein zu sagen!

»Nein!« rief Jane laut, die nun die scheinbar allgegenwärtige

Beacon Street erreicht hatte. Ein Fußgänger, durch ihren Schrei auf sie aufmerksam geworden, wechselte prompt zur anderen Straßenseite hinüber, um ihr aus dem Weg zu gehen. Nein, du kannst nicht zur Polizei gehen. Schau dich doch an. Wie du aussiehst! Die würden dir nie glauben.

Es gab gar nichts zu glauben.

Wie konnte sie denn beweisen, daß man ihr Böses wollte? Sie konnte sich ja nicht einmal erinnern, wer sie war! Die Bullen würden tief beeindruckt sein. Das Wort einer Hysterikerin mit einem Loch im Hirn gegen das Wort eines allgemein anerkannten Heiligen? Schau der Realität ins Auge. Schau, daß du wegkommst.

Das hab ich doch versucht. Es hat nichts gebracht.

Sie starrte das Schild mehrere Sekunden lang an, ehe ihr seine Bedeutung aufging. *Apotheke,* stand da in großen blaugoldenen Lettern. Wie von selbst trugen ihre Füße sie zur Tür. Sie mußte ausweichen, um einem herauskommenden Kunden Platz zu machen, ehe sie den Laden betreten konnte. Drinnen spürte sie den kalten Luftzug der Klimaanlage auf ihrer schweißfeuchten Haut und fröstelte. Sie fühlte sich plötzlich sehr schwach und benommen und betete, daß sie es bis zum Ladentisch schaffen würde, ohne ohnmächtig zu werden.

»Ja, bitte?« fragte der Mann hinter der erhöhten Theke und blickte über den Rand seiner Brille zu ihr hinunter. »Ist Ihnen nicht gut?« fragte er erschrocken.

»Gibt es hier vielleicht irgendwo einen Stuhl?«

Schon im nächsten Moment saß sie auf dem Boden, die Beine lang von sich ausgestreckt, die Arme schlaff an den Seiten herabhängend, ein Ständer mit Erkältungsmitteln stützte ihr den Rükken. Der Apotheker kam hinter dem Ladentisch hervor und kniete neben ihr nieder, tätschelte ihr die Hand und rief seinem Mitarbeiter zu, er solle ein Glas Wasser bringen.

»Da, trinken Sie.« Er drückte ihr das Glas an die Lippen.

Sie ließ das Wasser in ihren Mund rinnen und kämpfte gegen das Verlangen, einfach die Augen zu schließen und sich fallen zu lassen. Der Apotheker, ein Mann von vielleicht sechzig Jahren, mit einem buschigen Schnauzbart und langen Koteletten, wie man sie Anfang der siebziger Jahre getragen hatte, tupfte ihr die Stirn mit einem Taschentuch.

»Es ist wahrscheinlich die Hitze«, sagte sie, unsicher, ob sie laut genug gesprochen hatte, um gehört zu werden.

»Sie sind aber für dieses Wetter auch ein bißchen zu warm gekleidet, wenn ich das mal sagen darf. Es soll heute vierzig Grad werden. Meinen Sie, Sie können aufstehen?«

Jane schüttelte den Kopf. »Ich möchte lieber noch einen Moment sitzen bleiben.«

»Ich habe hinten einen Stuhl. Wir können Sie doch nicht hier auf dem Boden sitzen lassen. Kommen Sie, Sie können mir Gesellschaft leisten, bis Sie sich wieder erholt haben.« Er schob ihr die Arme unter die Achseln und zog sie hoch.

Jane spürte, daß jemand hinter sie trat und sie anschob. Als sie sich umdrehte, sah sie direkt in Paulas höflich lächelndes Gesicht. »Nein!«

»Oh! Entschuldigen Sie. Habe ich Ihnen weh getan?« fragte das junge Mädchen erschrocken. Es war gar nicht Paula, wie Jane jetzt erkannte.

»Sind Sie krank?« fragte der Apotheker besorgt, als er sie zu dem Stuhl hinter dem Ladentisch führte.

Jane begann lautlos zu weinen. Sie ließ sich auf den Stuhl fallen und griff mit zitternder Hand in ihre Hosentasche, um die zwei kleinen weißen Tabletten herauszuziehen.

»Können Sie mir sagen, was für Tabletten das sind? Ich meine, ohne daß Sie sie erst zur Analyse wegschicken müssen.«

Der Apotheker nahm die Tabletten aus ihrer geöffneten Hand und drehte sie mehrmals hin und her, um sie sich genau anzusehen.

»Woher haben Sie die?«

»Wissen Sie, was für ein Mittel das ist?«

»Ich glaube, ich weiß es, ja.«

»Ativan?«

»Ativan? O nein, das ist kein Ativan. Ativantabletten sind schmal und oval geformt. Wer hat Ihnen gesagt, daß das Ativan ist?«

»Es ist kein Ativan?« fragte Jane erregt.

»Nein. Das sieht mir eher nach Haldol aus.«

»Und was ist das?«

»Ein Mittel, von dem man lieber die Finger lassen sollte.« Er kniff die Augen zusammen. »Haben Sie etwa diese Tabletten genommen? Ohne Rezept?«

Sie nickte schuldbewußt. »Ich hatte Schlafstörungen, und ein Freund sagte mir, die würden helfen.«

»Da kann ich Ihnen nur eines raten: Weg mit den Tabletten und weg mit dem Freund. Solche Freunde sind gefährlich.« Er schüttelte mißbilligend den Kopf. »Kein Wunder, daß Sie beinahe ohnmächtig geworden wären. Wie viele davon haben Sie genommen?«

»Nur zwei.«

»Um Gottes willen.«

»Sind Sie sicher, daß es – Haldol ist?«

»Fast sicher. Aber ich sehe vorsichtshalber noch einmal nach.« Er verschwand für ein paar Minuten hinter einem Regal mit Akten und Büchern und kehrte dann mit einem schweren blauen Band zurück. »Da finden wir alles.« Er schlug das Buch auf. »Sehen Sie? Sogar mit Illustrationen.«

Janes Blick wanderte über die Seiten aus Glanzpapier, sie überflog die Liste von Medikamenten, die von Abbildungen der jeweiligen Tabletten ergänzt wurde. Der Apotheker blätterte zu ›H‹. Schnell hatte er ›Haldol‹ gefunden. Er legte eine der kleinen Tabletten auf die Seite neben der Abbildung.

»Sehen Sie? Die gleiche Größe und die gleiche Farbe. Beide haben die gezackten Ränder und die Einkerbung in der Mitte. Das ist eindeutig Haldol.«

»Und das ist gar kein Mittel gegen Schlaflosigkeit?«

»Gegen Schlaflosigkeit gibt es Tausende einfacher Mittel, die Sie ohne Rezept bekommen können. Haldol gibt man bei Psychosen.«

»Was?«

»Haldol ist gewissermaßen ein letztes Mittel. Man gibt es Leuten, die an schweren Depressionen leiden. Wenn das aber jemand nimmt, der keine Depressionen hat, kann das Mittel sie hervorrufen.«

»Das heißt also, wenn jemand, der eigentlich gar nicht an Depressionen leidet, Haldol nimmt, dann bekommt er Depressionen?«

»Wenn man Haldol lange genug ohne triftigen Grund nimmt, ist man am Ende nur noch eine menschliche Hülle. Ganz abgesehen davon, daß das Mittel sämtliche Symptome der Parkinsonschen Krankheit hervorrufen kann.«

»Und was sind das für Symptome?«

»Schluckbeschwerden, Krämpfe, Zittern...«

»Sabbern auch?«

Er nickte. »Es stellen sich sämtliche Symptome psychisch schwerkranker Menschen ein. Glauben Sie mir, das ist weiß Gott kein Mittel, das man frisch-fröhlich seinen Freunden empfehlen kann, wenn sie an Schlafstörungen leiden. Sie sollten mal mit Ihrem Freund reden. Machen Sie ihm klar, daß er da mit Menschenleben spielt.« Er schüttelte wieder den Kopf. »Ein Glück, daß Sie nur zwei von den Dingern genommen haben, sonst...« Er brach ab und musterte sie aufmerksam. »Sie haben wirklich nicht mehr geschluckt?«

Sie lächelte beinahe erleichtert. Sie war nicht verrückt. Die Tabletten, die Michael ihr jeden Tag gab, waren nicht die Tabletten, die Dr. Meloff verschrieben hatte. Sie waren, weit davon entfernt ein leichtes Beruhigungsmittel zu sein, ›ein letztes Mittel‹, dessen länger dauernde Anwendung sie zur Schwerkranken machen konnte. Kein Wunder, daß sie ständig so deprimiert war. Kein Wunder, daß sie morgens kaum aus dem Bett kam, daß sie sich kaum noch auf den Beinen halten konnte.

»Ich brauche die Tabletten wieder«, sagte sie dem Apotheker beinahe ruhig. »Und ich muß auf dem schnellsten Weg ins Städtische Krankenhaus Boston. Könnten Sie mir das Geld für ein Taxi leihen?«

»Vielleicht sollten wir besser einen Krankenwagen rufen.«

»Ich brauche keinen Krankenwagen. Ich muß nur mit jemandem im Krankenhaus sprechen. Bitte, helfen Sie mir.«

20

»Ich möchte zu Dr. Meloff.«

Jane blickte zu der schwarzhaarigen jungen Frau hinunter, die vor Dr. Meloffs Zimmer Wache saß und so tat, als wäre sie an ihrem Computer beschäftigt. Die Frau mit den blaßblauen Augen betrachtete Jane mit einer Mischung aus Langeweile und Unsicherheit. Sie weiß nicht recht, was sie von mir halten soll, dachte Jane, während sie die Falten ihrer weißen Hose glattstrich und den langärmeligen rosaroten Pullover geradezog.

Die junge Frau, deren Namensschild sie als Vicki Lewis auswies, und die unter dem adretten weißen Kittel sicherlich perfekt gekleidet war, musterte Janes unpassenden Aufzug eingehend, ehe sie sagte: »Das geht leider nicht.«

»Ich weiß, ich habe keinen Termin, aber ich warte gern.« Sie sah sich in dem leeren Vorzimmer um. Es war kein einziger wartender Patient da.

»Darum geht es nicht.«

»Er wird mich ganz bestimmt sprechen wollen, wenn Sie ihm sagen, wer ich bin. Mein Name ist Jane Whittaker.«

»Dr. Meloff ist leider nicht da.«

»Wie?« Jane sah automatisch auf ihre Uhr. Zum Mittagessen war es noch etwas früh. Vielleicht machte er Kaffeepause. Vielleicht konnte sie ihn in der Kantine finden.

»Dr. Meloff ist im Urlaub. Er kommt erst in einigen Wochen zurück.«

»Im Urlaub?«

»Ja, beim Wildwasser-Kanufahren, oder wie man das nennt. Jedem das Seine.« Vicki Lewis zuckte mit den Achseln. »Wenn Sie für später einen Termin ausmachen wollen...«

»Nein. Ich kann nicht warten.«

»Sie können zu Dr. Turner gehen oder einem der anderen Ärzte auf der Station.«

»Nein, ich muß zu Dr. Meloff.«

Vicki Lewis blickte stirnrunzelnd auf den Bildschirm ihres Computers. »Dann kann ich Ihnen leider nicht weiterhelfen. Ich kann Ihnen, wie gesagt, höchstens einen Termin für später geben.«

»Aber bis dahin kann ich nicht warten.« Jane hörte den plötzlichen schrillen Ton in ihrer Stimme, bemerkte den Ausdruck der Beunruhigung, der in Vicki Lewis' geisterblassen Augen aufleuchtete, und wußte, daß sie sich erst einmal setzen und überlegen mußte, ehe sie noch etwas sagte oder vielleicht gar eine Dummheit machte. »Kann ich mich einen Moment setzen?«

Wieder zuckte Vicki Lewis mit den Achseln. Jane ließ sich in einen unbequemen orangefarbenen Sessel an der gegenüberliegenden Wand sinken und holte mehrmals tief Atem, wobei sie sich bewußt war, daß die Sprechstundenhilfe sie mißtrauisch beobachtete. Sie überlegt, ob sie es riskieren kann, mich vor den Kopf zu stoßen, oder ob ich vielleicht eine persönliche Bekannte von Dr.

Meloff bin. Ob ich wirklich ärztliche Betreuung brauche oder eine Irre von der Straße bin, eine frühere Patientin vielleicht, die den guten Onkel Doktor anschwärmt. Trage ich unter meinem babyrosa Pulli vielleicht eine Waffe versteckt? Ist die Hitze oder meine Neurose an meiner feuchten Haut und meinen zitternden Händen schuld?

»Sind Sie Patientin bei Dr. Meloff?« fragte die junge Frau, die Jane offensichtlich gern loswerden wollte.

»Ich war vor ungefähr einem Monat bei ihm.« War es tatsächlich einen Monat her? Sie war sich nicht mehr sicher, hatte jedes Zeitgefühl verloren. »Was für einen Tag haben wir heute.«

»Donnerstag, den 26. Juli 1990«, antwortete Vicki Lewis präzise.

»Danke.«

»Ich kann Ihnen einen der Stationsärzte rufen. Ich glaube, Dr. Klinger ist da.«

»Nein!«

Vicki Lewis fuhr zusammen bei der heftigen Reaktion und griff automatisch zum Telefon.

»Ich möchte nicht zu Dr. Klinger.« Dr. Klinger mit seinen ausdruckslosen Augen und dem Mund, der nicht lächeln konnte; Dr. Klinger, dem es an Humor und Mitgefühl völlig fehlte. Was würde er von dem halten, was sie zu erzählen hatte? »Ich möchte nur einen Moment hier sitzen bleiben, bis ich weiß, was ich tun soll.«

»Bitte.« Vicki Lewis wandte ihre Aufmerksamkeit wieder dem Computer zu.

Und was tue ich jetzt? fragte sich Jane, mit den Tränen kämpfend. Sie hatte alles so genau geplant. Im Taxi hatte sie das bevorstehende Gespräch mit Dr. Meloff bis auf das letzte Wort ausgefeilt und geprobt. Sie hatte sich auf jede mögliche Entgegnung von ihm vorbereitet, genau gewußt, wie sie auf jede ungläubige Frage antworten würde. Sie hatte beschlossen, ihn gewissermaßen bei der Hand zu nehmen und behutsam in den Alptraum hineinzuführen, die erfahrene Führerin, die dem mißtrauischen Besucher Schritt für Schritt die bedeutenden Sehenswürdigkeiten nahebringt. Ich weiß, es wird Ihnen schwerfallen, mir das zu glauben, Dr. Meloff, und vielleicht gibt es ja für alles eine logische Erklärung, aber ich kann sie nicht finden. Vielleicht gelingt es ja Ihnen.

Was gibt es denn für Probleme, Jane?

Sie sagten mir doch, meine Erinnerung würde wahrscheinlich in einigen Wochen zurückkehren.

Das war kein Versprechen, Jane. Der menschliche Geist hat seinen eigenen Fahrplan.

Das weiß ich. Das ist nicht der Grund, weshalb ich hier bin. Ich bin zu Ihnen gekommen, weil seit meiner Heimkehr merkwürdige Dinge geschehen...

Was denn?

Ich fühle mich sehr krank, Dr. Meloff, und völlig lethargisch. Es gibt Tage, da komme ich kaum aus dem Bett.

Das haben wir doch am Telefon besprochen, Jane. Ich sagte Ihnen, daß eine Depression unter solchen Umständen nichts Ungewöhnliches ist.

Ich weiß, aber das ist ja noch nicht alles. Mein Mann gibt mir andere Mittel als die, die Sie verschrieben haben.

Wie kommen Sie denn darauf?

Sie sagten, Sie hätten mir Ativan verschrieben. Ich habe einige von den Tabletten, die Michael mir gibt, zu einem Apotheker gebracht. Er sagte, das sei gar kein Ativan, sondern Haldol.

Haldol? Sie müssen sich irren. Haben Sie die Tabletten bei sich?

Ja. Hier.

Nein, das sind wirklich nicht die Tabletten, die ich verordnet habe. Sind Sie ganz sicher, daß es das Mittel ist, das Ihr Mann Ihnen gibt?

Ja. Es macht mich krank. Mir ist dauernd schwindlig und übel, ich fühle mich benommen und immer wie benebelt.

Das ist kein Wunder. Das ist ein sehr starkes Mittel. Aber weshalb sollte Ihr Mann Ihnen so etwas geben? Er ist ein hochangesehener Arzt. Er kennt sich aus. Das erscheint mir völlig unsinnig.

Ich habe Ihnen nicht die ganze Geschichte erzählt, Dr. Meloff.

Und was ist die ganze Geschichte?

Als ich da plötzlich in Boston herumirrte und nicht mehr wußte, wer ich war, entdeckte ich etwas, von dem ich keinem Menschen etwas gesagt habe.

Auch nicht der Polizei?

Ich hatte Angst, der Polizei etwas davon zu sagen. Ich habe nämlich in den Taschen meines Mantels fast zehntausend Dollar gefunden.

Was?

Und mein Kleid war vorn ganz voll Blut.

Blut?

Ja. Ich wollte es Ihnen gleich erzählen. Aber dann erkannte mich diese junge Ärztin, und danach ging alles so schnell, daß ich gar nicht mehr dazu kam, etwas zu sagen.

Und Ihrem Mann haben Sie auch nichts gesagt?

Nein.

Wessen Blut war das auf Ihrem Kleid?

Zuerst hatte ich keine Ahnung. Aber jetzt weiß ich, daß Michael mich belogen hat, als ich ihn nach der Verletzung an seiner Stirn fragte.

Ich verstehe.

Was verstehen Sie?

Sie glauben, daß das Blut auf Ihrem Kleid von Ihrem Mann stammt.

Ja. Ich glaube, er weiß etwas, was er mir verschweigt. Ich vermute, daß ich ihn geschlagen habe.

Und Sie glauben, er gibt Ihnen nun Haldol, um zu verhindern, daß Sie sich erinnern, was den Vorfall ausgelöst hat?

Er hat sogar davon gesprochen, mich in eine Anstalt einweisen zu lassen. Da hätte er mich natürlich für immer los.

Aber was ist mit dem Geld?

Mit dem Geld?

Mit den zehntausend Dollar, die Sie in Ihren Manteltaschen gefunden haben. Woher kam es?

Ich weiß es nicht. Ich weiß nicht, wie es dahin gekommen ist.

Sie bringen da sehr schwere Beschuldigungen gegen einen Menschen vor, der einen tadellosen Ruf genießt.

Das weiß ich. Darum bin ich ja zu Ihnen gekommen. Wäre ich gleich zur Polizei gegangen, hätte man mir bestimmt nicht geglaubt. Da stünde sein Wort gegen meines. Aber wenn Sie mir helfen, habe ich vielleicht wenigstens eine Chance. Bitte, helfen Sie mir, Dr. Meloff. Gehen Sie mit mir zur Polizei.

Ich gehe mit Ihnen, Jane.

Dann glauben Sie mir also? Dann halten Sie mich nicht für verrückt?

Ich weiß nicht, was ich von dieser Geschichte halten soll. Aber ich weiß, daß das nicht die Tabletten sind, die ich verschrieben habe.

Oh, danke, Dr. Meloff. Vielen Dank.

»Was ist denn so komisch?« fragte Vicki Lewis scharf. »Warum lachen Sie?«

Jane schüttelte den Kopf. Ihr war klar, daß die Sprechstundenhilfe genug von ihr hatte, aber sie wußte nicht, was sie jetzt tun sollte. Sie konnte natürlich auch ohne Dr. Meloff zur Polizei gehen, aber was würde sie damit erreichen? Selbst wenn sie den Leuten dort ihren Verdacht anvertrauen, ihnen von den Tabletten erzählen, sie zu dem Schließfach im Greyhound Busbahnhof führen und ihnen das blutverschmierte Kleid und das Geld präsentieren würde, würde man ihrer Geschichte höchstens Skepsis, wenn nicht gar Unglauben entgegenbringen. Sie hatte schließlich gelogen, hatte die Sache mit dem blutverschmierten Kleid und dem Geld verschwiegen, als sie die Polizei das erste Mal um Hilfe gebeten hatte. Und wem würden sie jetzt wohl eher glauben – einer Verrückten, die immer noch nicht wußte, wer sie war, oder dem anerkannten Kinderchirurgen, der ihr Ehemann war und zweifellos auf alle Fragen eine logische Erklärung bieten konnte? Damit wäre sie aber wieder da, wo sie angefangen hatte. Nein, sie wäre sogar noch schlechter dran. Michael hätte dann nämlich alle Beweise, die er brauchte, um sie in eine Anstalt einweisen zu lassen.

Nein, sie konnte nicht zur Polizei gehen. Noch nicht. Sie mußte warten – vielleicht sogar wieder verschwinden –, bis Dr. Meloff aus dem Urlaub zurückkam. Nur verfügte sie jetzt nicht mehr über die finanziellen Mittel, um untertauchen zu können. Der Schlüssel zu ihrem Schließfach lag in einem Schuh ganz hinten in einem Schrank in einem Haus, in das zurückzukehren sie nicht riskieren konnte. Wenn sie den Leuten im Greyhound-Busbahnhof erklärte, daß sie den Schlüssel verloren hatte, würden die ihr Fach vielleicht öffnen. Nein, das würden sie niemals tun, zumal sie ja weder Geld noch Papiere hatte. Sie mußte sich etwas anderes einfallen lassen.

Aber es gab keine Alternative. Sie wußte keinen Menschen, der ihr geholfen hätte; keinen Ort, an dem sie sich hätte verbergen können. Sie hatte nur zwei Möglichkeiten: nach Hause zurückkehren und sich Michael stellen oder zur Polizei gehen.

»Das wär's dann wohl«, sagte sie laut.

»Wie bitte?« fragte Vicki Lewis unwirsch.

Es sei denn, es gelang ihr irgendwie, die Erinnerung herbeizuzwingen: Vielleicht indem sie sich mit so genauen Fakten über ihren Zustand wappnete, daß ihr Unterbewußtsein den Anstoß erhielt, den es brauchte, um die Erinnerung an das, was sich zwischen ihr und Michael abgespielt hatte, wachzurufen. Und dann konnte sie zur Polizei gehen. Dann hatte sie vielleicht eine Chance.

»Gibt es hier im Haus eine Bibliothek?« fragte Jane.

»Bitte?« Die Frage hatte sie offensichtlich nicht erwartet.

»Gibt es hier im Haus eine medizinische Fachbibliothek?«

»Unten, im zweiten Stock«, antwortete Vicki Lewis. »Aber nur für das Personal.«

»Danke.« Jane stand auf und torkelte, eine Hand an die Wand gestützt, aus dem Zimmer. Sie spürte Vicki Lewis' Blick in ihrem Rücken, bis sie die Tür hinter sich geschlossen hatte.

Sie folgte der grauen Linie an der Wand zu den Aufzügen und blieb neben einer alten Frau stehen, die dort wartete.

»Ihnen muß ja schrecklich heiß sein«, sagte die Frau, als sie in die Kabine traten. Die anderen Fahrgäste nahmen größtmöglichen Abstand zu Jane in ihrem rosaroten Wollpullover.

»Ich hatte keine Ahnung, daß es so heiß werden würde«, erwiderte Jane und richtete ihren Blick auf die Knöpfe an der Schalttafel, als sie merkte, daß niemand sich für ihre Erklärung interessierte. Die Luft in der engen Kabine war abgestanden, es roch durchdringend nach Schweiß, und Jane begriff, daß sie die Sünderin war. Der Aufzug hielt in jedem Stockwerk. Leute stiegen aus, Leute stiegen ein. Die qualvolle Fahrt schien Jane ewig zu dauern. Sie wurde immer weiter nach hinten gedrückt. Aber dann war endlich der zweite Stock erreicht, und sie drängte sich Entschuldigungen murmelnd hastig nach vorn durch, kam gerade noch hinaus, ehe die Tür sich wieder schloß, und hörte von drinnen das erleichterte Aufatmen der Zurückbleibenden. Sie versuchte die verschiedenen Schilder an den Wänden zu entziffern, Pfeile und Wegweiser, die ihr vermutlich alles sagen konnten, was sie wissen mußte, aber die Buchstaben verschwammen vor ihren Augen, und schließlich gab sie auf.

»Entschuldigen Sie«, sagte sie zu einem vorübereilenden jungen Arzt, »können Sie mir sagen, wo die Bibliothek ist?«

Er zeigte ihr den Weg, versäumte allerdings nicht, sie darauf aufmerksam zu machen, daß die Bibliothek nur dem Krankenhauspersonal zugänglich sei. Jane dankte ihm und wartete, bis er außer Sicht war, ehe sie sich wieder auf den Weg machte. Wenn die Bibliothek nur dem Personal zugängig war, würde sie eben dafür sorgen müssen, daß sie zum Personal gehörte.

»Hallo«, sagte sie zu der Frau, die offenbar die Bibliothekarin war. »Ich bin Vicki Lewis, Dr. Meloffs Sekretärin. Er hat mich gebeten, während seiner Abwesenheit verschiedenes für ihn nachzuschlagen.«

»Natürlich. In Ordnung.«

Jane atmete auf. Die Frau schien keinerlei Verdacht zu haben. Wenn nur alles andere auch so einfach wäre, dachte Jane. Sie hatte keine Ahnung, wie sie an die Informationen herankommen sollte, die sie suchte.

»Können Sie mir vielleicht helfen?« fragte sie zaghaft.

Die Bibliothekarin lächelte. »Dazu bin ich ja da.«

»Ich brauche ein umfassendes psychiatrisches Werk.«

»Da haben wir hier eine ganze Menge.« Die Frau, klein und rundlich, stand von ihrem Platz hinter dem Schreibtisch auf und führte Jane an mehreren hohen Büchergestellen vorbei zu einem Regal an der rückwärtigen Wand. »Hier haben Sie alle psychiatrischen Texte. Wie Sie sicherlich wissen«, fügte sie hinzu, als wäre ihr eben eingefallen, daß die Sekretärin eines Neurologen sich da eigentlich auskennen müßte. Sie deutete auf einen besonders dicken und schweren Band. »Da finden Sie wahrscheinlich alles, was Sie brauchen.«

»Vielen Dank.« Jane nahm den schweren Wälzer in beide Arme und sah sich suchend um.

»Da drüben.« Die Frau zeigte auf mehrere lange Tische. Sich mit den Fingern Luft zufächelnd, ging sie zu ihrem Schreibtisch zurück, dann blieb sie plötzlich stehen. »Wie war gleich noch Ihr Name?«

»Vicki Lewis«, antwortete Jane leise. »Dr. Meloffs Sekretärin.«

»Natürlich. Er ist im Urlaub, soviel ich weiß.«

»Beim Wildwasser-Kanufahren«, bestätigte Jane und kämpfte gegen das aufkommende Schwindelgefühl.

»Sehr abenteuerlich.«

»Jedem das Seine«, hörte Jane sich sagen und zuckte mit den Achseln. Vielleicht war sie tatsächlich Vicki Lewis.

Sie ließ das schwere Buch mit einem Knall auf den Tisch fallen, der einen in der Nähe sitzenden jungen Arzt aufschrecken ließ. Der junge Mann lächelte ihr flüchtig zu, ehe er sich wieder in seine Studien vertiefte. Die Bibliothekarin warf ihr einen Blick zu, zog dann eine Schublade ihres Schreibtisches auf und entnahm ihr ein Blatt, das wie eine Liste aussah. Prüft sie jetzt nach, ob Dr. Meloff wirklich eine Sekretärin namens Vicki Lewis hat? fragte sich Jane und senkte den Kopf hastig über ihr Buch, als die Frau wieder zu ihr herübersah.

An die Arbeit, befahl sie sich und fand nach kurzem Suchen die ›Amnesie‹ unter ›A‹. Na, wenigstens hat sie nicht vergessen, wo sie hingehört, dachte sie und unterdrückte hastig ein Lachen. Verstohlen sah sie zu der Bibliothekarin hinüber, aber die Frau war am Telefon und hatte sie nicht gehört. Konzentrier dich, sagte sie sich und wünschte, die Wörter auf den Buchseiten würden endlich stillstehen.

Die Amnesie wurde als teilweise oder totale Unfähigkeit beschrieben, sich an vergangene Erlebnisse und Erfahrungen zu erinnern. Sie konnte die Folge einer organischen Gehirnerkrankung, aber auch emotionaler Störungen sein. Lag der Amnesie eine rein emotionale Störung zugrunde, so diente sie der Erfüllung spezifischer emotionaler Bedürfnisse und gab sich im allgemeinen, wenn sie nicht mehr gebraucht wurde.

Genau wie Dr. Meloff ihr erklärt hatte, hieß es da, die hysterische Amnesie sei ein Erinnerungsverlust im Zusammenhang mit einer bestimmten Periode des vergangenen Lebens oder gewisser Situationen, die mit starker Angst oder Wut verbunden waren. Sie konnte schwere Depressionen auslösen. Hieß das, daß ihre Depression lediglich eine Folge ihres Zustands war, wie Michael steif und fest behauptete? Daß sie mit den Tabletten, die sie eingenommen hatte, überhaupt nichts zu tun hatte?

Sie blätterte weiter zu ›Hysterische Amnesie‹ und sah rasch bestätigt, daß es sich hierbei um eine dissoziative Reaktion als Folge eines schweren seelischen Traumas handelte. Na, das ist doch inzwischen ein alter Hut, dachte sie, während sie den Rest des Absatzes überflog. Sie war enttäuscht und stark beunruhigt. Es sah nicht so aus, als würde sie hier etwas finden, das ihr weiterhelfen konnte.

Aber dann entdeckte sie den entscheidenden Satz: ›Auf einen vorübergehenden Verlust der Impulskontrolle, der beinahe zum Angriff auf das Leben eines geliebten Menschen geführt hätte, kann ein Verlust jeglicher Erinnerung an persönliche Lebensdaten folgen.‹

Hatte sie Michael vielleicht wirklich töten wollen?

Blitzartig fiel ihr ihre anfängliche Verwirrung im Lennox Hotel ein, als sie verzweifelt versucht hatte, sich zusammenzureimen, was ihr zugestoßen war. Sie erinnerte sich ihres Entsetzens, als sie erkennen mußte, daß sie in der Tat fähig wäre, einen Menschen zu töten; als ihr bewußt geworden war, daß ihr eine solche Tat zuzutrauen war. Alles, was sie im vergangenen Monat über sich selbst erfahren hatte, bestätigte, daß sie ein heftig aufbrausendes Temperament hatte und beim geringsten Anlaß explodieren konnte. Es war also durchaus möglich, daß sie versucht hatte, ihren treusorgenden und liebevollen Gatten zu töten. Aber warum? Weil er hinter ihr Verhältnis mit Daniel Bishop gekommen war? Nahm er nun Rache für ihren Verrat, indem er ihre psychische Gesundheit zerstörte?

In dem Text hieß es weiter, daß diese Art des Erinnerungsverlusts durch Hypnose oder Suggestion relativ leicht zu beheben sei, insbesondere wenn die Behandlung in einem Setting stattfinde, das weitgehende Entlastung oder physische Entfernung aus der traumatischen Lebenssituation versprach.

Vielleicht war ihre Rückkehr nach Hause, an den Ort, an dem sie beinahe ein Verbrechen verübt hätte, großenteils schuld daran, daß ihre Erinnerungen sich nicht wieder einstellten.

Ihren ersten Termin bei einem Psychiater hatte sie praktischerweise verschlafen, und den zweiten Termin hatte Michael erst für einen Zeitpunkt sechs Wochen später vereinbart. Er hatte in den letzten Tagen mehrmals davon gesprochen, daß er einen Hypnotherapeuten mit ihr aufsuchen wolle, aber es war nur bei Worten geblieben. Jane schüttelte den Kopf und legte ihn einen Moment auf die Seiten des Buchs nieder, die angenehm kühl ihre Wange berührten. Es war gut möglich, daß sie die Wahrheit niemals erfahren würde.

Vielleicht sollte sie die Polizei bitten, sie hypnotisieren zu lassen. Mit diesem Entschluß hob sie den Kopf und sah sich dem brummigen Gesicht Dr. Klingers gegenüber, der schnurstracks auf sie zukam.

»Mrs. Whittaker.« Er zog sich einen Stuhl heran und setzte sich ihr gegenüber.

»Guten Tag, Dr. Klinger.« Sie fragte sich, ob er die Angst in ihrer Stimme hören konnte.

»Ah, Sie erinnern sich an mich. Wie schmeichelhaft.«

»Selbst Hysterikerinnen, die an Gedächtnisschwund leiden, müssen sich ab und zu an jemanden erinnern.« Sie fand es irgendwie beruhigend, daß er nicht lächelte. »Und Sie brauchen mir nicht zu sagen, daß diese Bibliothek nur dem Krankenhauspersonal zugänglich ist. Ich weiß es. Aber ich hatte keine Lust, mich danach zu richten.«

»Sie hatten hier offenbar etwas Wichtiges zu erledigen.«

»Ich wollte ein paar Auskünfte.«

»Über Ihren Zustand?« Er klappte die Vorderseite des Buchs um und las den Titel.

»Nein, über das Katalogisierungssystem der Library of Congress.«

Einen Moment schien es, als nähme Dr. Klinger ihre Antwort ernst. »Ach so«, sagte er dann. »Eine Prise Sarkasmus.«

»Amnesie-Patienten neigen zu Sarkasmus. Das steht auf Seite einhundertdreiunddreißig.«

»Was haben Sie sonst noch herausbekommen?«

Sie zuckte mit den Achseln, so gelangweilt wie Vicki Lewis. »Wer hat Ihnen gesagt, daß ich hier unten bin?«

»Mrs. Pape.« Er wies auf die Bibliothekarin. »Sie rief bei Dr. Meloff an, um sich nach Vicki Lewis zu erkundigen, und hörte, daß sie selbst am Apparat war. Mrs. Lewis ahnte gleich, wer sich hinter ihrem Namen versteckt, und rief mich an.«

»Und was hat sie Ihnen erzählt?«

»Daß Sie zu Dr. Meloff wollten, daß Sie erregt wirkten, verwirrt...«

»Viel zu warm angezogen?«

»Sie meinte, ihre Kleider hätten ausgesehen, als hätten Sie in ihnen geschlafen.«

»Mrs. Lewis beobachtet offenbar genauer, als ich ihr zugetraut hätte. Nun sagen Sie mal, Dr. Klinger, sind Sie nicht neugierig?«

»Worauf?«

»Zum Beispiel, warum ich in meinen Kleidern geschlafen haben könnte.«

»Möchten Sie es mir erzählen?«

Jane holte tief Luft. Warum nicht? dachte sie. »Wir hatten gestern abend Gäste zum Essen, und mein Mann tat mir heimlich etwas in mein Ginger Ale, worauf ich zusammenklappte und er mich zu Bett bringen mußte. Er hatte wahrscheinlich so wenig Lust, mir mein Nachthemd anzuziehen, wie ich heute morgen Lust hatte, mich umzuziehen, nachdem ich die Haushälterin in die Badewanne gestoßen und versucht hatte, die Tür zu blockieren. Wie kommt es eigentlich, Dr. Klinger, daß alle Türen nach innen aufgehen? Das macht einem das Leben ganz schön schwer, wenn man abhauen möchte.« Sie forschte in Dr. Klingers Gesicht nach einer Reaktion und fand keine.

»Weshalb wollten Sie fliehen?«

»Ach, es kam mir einfach so in den Kopf, und ich fand die Idee gut.« Sie lachte laut. »Flucht scheint ja eine für mich typische Reaktion auf Streßsituationen zu sein, nicht wahr?« Sie tippte auf das Buch, das vor ihr auf dem Tisch lag. »Flucht ist schließlich Kennzeichen eines akuten nichtpsychotischen Syndroms.«

»Sie sind offensichtlich eine sehr intelligente Frau, Mrs. Whittaker. Sie scheinen mir nicht der Typ zu sein, der vor Problemen davonläuft.«

Diese Bemerkung und der sanfte Ton, in dem sie vorgetragen wurde, veranlaßten Jane, Dr. Klinger aus einer etwas anderen Perspektive zu betrachten. Sollte er sensibler sein, als es zunächst den Anschein hatte? Sollte man ihm doch trauen können? Sollte sie versuchen, seine Unterstützung zu gewinnen?

»Würden Sie mir glauben, wenn ich Ihnen sage, daß mein Mann versucht, mir zu schaden, daß er mich mit gefährlichen Medikamenten vollpumpt und mich in meinem eigenen Haus wie eine Gefangene hält?«

Sein Gesichtsausdruck sagte alles. »Ich glaube Ihnen, daß *Sie* das glauben.«

Jane verdrehte kurz die Augen zur Decke und sah dann wieder Dr. Klinger an. »Na gut. Könnten Sie mir dann wenigstens ein paar hundert Dollar leihen?«

»Wie bitte?«

»Nur so viel, daß ich mich über Wasser halten kann, bis Dr. Meloff sein Kanu wieder an Land gezogen hat.«

»Sie scherzen!«

»Heißt das, daß Sie mir das Geld nicht leihen werden?« Jane

stieß ihren Stuhl zurück, um aufzustehen. Sie schaffte es im zweiten Anlauf.

»Einen Augenblick!« Auch Dr. Klinger sprang auf.

»Was denn noch? Ich sehe doch, daß wir nicht weiterkommen, und ich habe hier wirklich nichts zu suchen. Schließlich gehöre ich nicht zum Personal.«

»Vielleicht kann ich Ihnen doch helfen«, stammelte Dr. Klinger und griff in seine Hosentasche.

»Sie würden mir das Geld leihen?«

»Viel hab ich nicht bei mir.« Er zog seine Brieftasche heraus und entnahm ihr langsam mehrere Scheine. »Mal sehen, was wir hier haben.«

»Wieso wollen Sie mir helfen, wenn Sie mich für verrückt halten?«

»Ich habe nie gesagt, daß ich Sie für verrückt halte.«

»Das brauchen Sie gar nicht.«

»Ich möchte einfach nicht, daß Sie wieder auf der Straße landen. Das würde Dr. Meloff mir nie verzeihen.« Er begann die Scheine aus seiner Brieftasche abzuzählen. »Also – zwanzig, dreißig, fünfunddreißig, fünfundvierzig, siebenundvierzig... siebenundvierzig Dollar und zweiundzwanzig Cents. Viel ist das nicht.«

»Es ist eine ganze Menge«, sagte sie. »Ich bin Ihnen wirklich dankbar.« Sie griff nach dem Geld, und prompt fiel es ihm aus der Hand.

»Ach, wie dumm von mir!« Augenblicklich beugte er sich hinunter und begann, das Geld einzusammeln.

Konnte er noch langsamer machen? Mit einem Schlag wurde Jane klar, daß man Michael bereits benachrichtigt hatte und Dr. Klinger nur versuchte, sie bis zu seiner Ankunft hinzuhalten.

»Vergessen Sie's«, sagte sie und versuchte, sich an ihm vorbeizudrängen.

Er hielt sie fest, und sie sah seinen Mund Worte des Protests formen. Dann senkte er plötzlich die Arme, und sein Mund entspannte sich zu einem erleichterten Lächeln. Und noch ehe sie Michael auf sich zukommen sah, wußte sie, daß sie verloren hatte.

21

»Komm mir ja nicht zu nahe!« warnte Jane. Sie packte das schwere Buch und schwang es drohend.

Michaels Stimme zitterte. »Ich bin doch nicht gekommen, um dir weh zu tun, Jane«, sagte er kaum hörbar.

»Nein, nur um mir meine Tabletten zu geben, nicht wahr?«

»Ich bin gekommen, um dich heimzuholen.«

»Das kannst du gleich vergessen.« Jane lachte. Ihr Blick schweifte argwöhnisch zwischen Michael und Dr. Klinger hin und her. »Zurück!« schrie sie, obwohl keiner sich bewegt hatte. Sie fuchtelte mit dem Buch herum, als wäre es eine Schußwaffe, und wußte dabei genau, wie lächerlich es wirken mußte. ›Hysterikerin dreht durch und bedroht Personal der Krankenhausbibliothek mit psychiatrischem Fachwälzer!‹ So würde es morgen im *Boston Globe* stehen. »Laß mich in Ruhe!«

»Das kann ich nicht.«

»Wieso nicht? Was fürchtest du denn?«

»Ich fürchte gar nichts. Ich mache mir Sorgen.«

»Weshalb?«

»Um dich.«

»Quatsch!« Jane bemerkte aus dem Augenwinkel Bewegung und wirbelte herum. »Bleiben Sie, wo Sie sind!« rief sie, als sie sah, daß der junge Assistenzarzt versuchte, sich an sie heranzupirschen.

»Jane, das ist doch lächerlich.«

Jane sah den jungen Arzt beschwörend an, richtete den Blick dann auf die Bibliothekarin. »Sie haben ja keine Ahnung, was dieser Mann seit Wochen mit mir macht!« begann sie und brach ab, als Dr. Klinger den Assistenzarzt und die Bibliothekarin an seine Seite winkte.

»Das ist Jane Whittaker«, sagte er, und Jane hätte beinahe gesagt: Freut mich, Sie kennenzulernen. »Sie leidet an einer Form hysterischer Amnesie. Ihr Mann, Dr. Michael Whittaker, ist Chirurg an der Kinderklinik«, fuhr er mit einer Kopfbewegung zu Michael fort, »und behandelt seine Frau mit einem milden Sedativum, das Dr. Meloff verordnet hat.«

»Stimmt nicht!« fuhr Jane dazwischen. »Dr. Meloff hat mir Ativan verschrieben. Michael gibt mir dauernd Haldol. Er vergiftet mich. Er hält mich wie eine Gefangene. Ich darf unsere Freunde nicht treffen. Ich darf nicht einmal mit meiner eigenen Tochter sprechen.«

»Jane! Bitte...«

»Nein! Ich weiß schon, daß du sie alle eingewickelt hast. Ich weiß, daß sie dich für einen Wohltäter der Menschheit halten, weil du ja so ein phantastischer Chirurg bist und alle dich bewundern, und was bin ich denn schon im Vergleich dazu? Doch nur eine Verrückte, die sich nicht mal erinnern kann, wer sie ist. Aber so einfach ist das nicht. Ich weiß vielleicht nicht mehr, wer ich bin, aber ich weiß, daß ich nicht verrückt bin oder es jedenfalls nicht war, bevor diese ganze grauenhafte Geschichte begann. Und ich war auch nicht krank, jedenfalls nicht in dem Maß und in der Weise, wie ich jetzt krank bin. Die Frage ist also, wie bin ich so geworden? Was tut dieser edle Mensch mit mir, das mich so krank und elend macht? Womit stopft er mich voll?« Jane brach ab, griff in ihre Hosentasche und zog die zwei kleinen weißen Tabletten heraus, die sie dem Apotheker gezeigt hatte. Sie hielt sie Dr. Klinger und dem Assistenzarzt hin. »Ist das Ativan?«

»Woher hast du die?« fragte Michael, Ungläubigkeit in jedem Wort. »Hast du sie aus meiner Tasche genommen?«

Einen Moment war Jane sprachlos. »Ob ich sie genommen habe?« rief sie dann. »Willst du behaupten, daß du mir diese Tabletten nicht gegeben hast?«

»Jane, können wir jetzt nicht nach Hause fahren und das alles in Ruhe besprechen?«

»Du hast meine Frage nicht beantwortet. Willst du behaupten, daß du mir diese Tabletten *nicht* gegeben hast?«

»Natürlich nicht.«

»Du lügst.« Wieder sah sie die anderen an. »Bitte glauben Sie mir. Er lügt.«

»Weshalb sollte er lügen, Mrs. Whittaker?« fragte Dr. Klinger.

»Weil etwas passiert ist, woran ich mich nicht erinnern soll. Weil es in seinem Interesse ist, mich in einem Zustand zu halten, in dem ich gerade so dahinvegetiere. Weil alle glauben sollen, daß ich verrückt bin, damit er mich in irgendeine Anstalt einsperren lassen kann, wo ich mich niemals erinnern werde, was geschehen ist, und wo mir, falls ich mich doch erinnern sollte, sowieso niemand glauben würde.«

»Jane, bitte«, beschwor Michael, »merkst du nicht, wie irrsinnig das klingt?«

»Was soll ich denn tun?« flehte sie den jungen Arzt an. »Wie kann ich Sie davon überzeugen, daß ich die Wahrheit sage und nicht verrückt bin?«

»Du bringst ihn in Verlegenheit, Jane«, bemerkte Michael leise, und Jane konnte am roten Kopf des jungen Arztes erkennen, daß es stimmte. »Können wir das alles nicht unter uns abmachen, wenigstens bis Dr. Meloff wieder zurück ist?«

»Bis Dr. Meloff zurückkommt, ist es längst zu spät.« Jane begann, auf den Fersen auf und ab zu wippen. »Geh doch einfach weg und laß mich in Ruhe.«

»Das kann ich nicht, Jane. Ich liebe dich.«

Trotz all ihres Mißtrauens spürte Jane, daß er die Wahrheit sprach. »Warum tust du mir dann das alles an?« fragte sie verzweifelt.

»Ich will dir helfen.«

»Du willst mich vernichten.«

»Jane...«

»Was war zwischen uns, Michael? Worüber haben wir an dem Tag gestritten, an dem ich verschwunden bin?«

Das Aufblitzen in Michaels Augen überzeugte Jane, daß sie recht hatte: Es war tatsächlich etwas geschehen; sie hatten wirklich gestritten.

»Jane, können wir das nicht zu Hause besprechen?«

Jane ließ das schwere Buch auf den Tisch fallen. »In diesem Buch steht, daß eine hysterische Amnesie als Folge eines vorübergehenden Verlusts der...«, sie mühte sich, den genauen Wortlaut wiederzugeben, »...der Impulskontrolle auftreten kann, der beinahe zum Angriff auf das Leben eines geliebten Menschen geführt hätte. Siehst du? Meinem Gedächtnis fehlt nichts. Sag mir die Wahrheit, Michael«, drängte sie, als sie sah, daß die anderen im Raum neugierig geworden waren. »Worüber haben wir gestritten.«

»Wir haben nicht gestritten«, behauptete er.

»Du lügst.«

»Jane...«

»Wenn wir nicht gestritten haben, woher hast du dann die Verletzung an der Stirn?«

»Das war ein Unfall. Ein Kind warf mir ein Spielzeug an den Kopf...«

»Blödsinn!«

»Dr. Whittaker«, mischte sich die Bibliothekarin ein, »soll ich den Sicherheitsdienst rufen?«

»Nein!« schrie Jane.

»Nein«, sagte auch Michael. »Noch nicht. Ich denke doch, daß ich mit meiner Frau vernünftig reden kann.«

»Ich bin doch verrückt!« schrie Jane ihn an. »Wieso glaubst du, daß du mit mir vernünftig reden kannst?«

»Weil ich dich kenne. Und weil ich dich liebe.«

»Warum wollte ich dich dann umbringen?«

»Das wolltest du nicht.«

»Wir haben nicht gestritten? Du hast mich nicht gepackt? Geschüttelt vielleicht? Ich hab mir nicht den nächstbesten Gegenstand geschnappt und ihn dir an den Kopf gedonnert?«

Michael war sprachlos.

»Dann sag mir doch« fuhr Jane fort, die jetzt entschlossen war, nichts mehr zurückzuhalten, »wie das Blut auf mein Kleid gekommen ist?«

»Blut?« rief die Bibliothekarin erschrocken. »Um Gottes willen.«

»Das war doch dein Blut, stimmt's, Michael?«

Michael sagte nichts.

»Und woher kam das Geld, Michael? Die zehntausend Dollar, die ich in den Manteltaschen hatte. Wie ist das dahin gekommen? Woher hatte ich es? Sag es mir, Michael. Ich sehe dir an, daß du genau weißt, wovon ich spreche.«

Ihren Worten folgte ein Moment atemloser Stille.

»Warum hast du von alledem vorher nichts gesagt?« fragte Michael dann ruhig.

Jane zuckte mit den Achseln und hatte das Gefühl, daß ihr eine ungeheure Last von den Schultern fiel. Sie hatte es geschafft. Sie mußte dieses Geheimnis nicht länger mit sich herumschleppen. Es war heraus, und alle hatten ihre Worte gehört.

»Könnten Sie uns bitte ein paar Minuten allein lassen?« fragte Michael die anderen. »Ich muß mit meiner Frau allein sprechen.«

»Warum kannst du nicht in ihrem Beisein reden?« fragte Jane, die plötzlich das beklemmende Gefühl hatte, daß das, was sie zu hören bekommen würde, ihr nicht gefallen würde.

»Ich könnte es«, meinte Michael ruhig. »Aber ich glaube, das, was ich dir zu sagen habe, sollte unter uns bleiben. Jedenfalls fürs erste. Wenn du nachher anderer Meinung bist, kannst du ihnen alles selbst sagen. Du kannst es sagen, wem du willst, auch der Polizei, wenn das dein Wunsch sein sollte. Es war wahrscheinlich ein Fehler von mir, dich schützen zu wollen. Ich habe dich offensichtlich zu lange von allem abgeschirmt.«

»Ich gebe dem Sicherheitsdienst Bescheid, daß sie jemanden vor die Tür stellen«, sagte Dr. Klinger, und weder Jane noch Michael protestierten.

»Verzeihen Sie, daß ich Sie hier so einfach verdränge«, sagte Michael zu der Bibliothekarin.

»Ich wollte sowieso Kaffeepause machen.«

»Danke.«

»Vielleicht könnten Sie sich später noch einmal bei mir melden«, sagte Dr. Klinger, als er Michael die Hand gab.

Dann zog er sich widerstrebend zurück, und der junge Assistenzarzt und die Bibliothekarin folgten ihm.

»Komm mir ja nicht zu nahe«, warnte Jane, als die Tür sich hinter den dreien geschlossen hatte und Michael einen Schritt näher trat.

»Was glaubst du denn, daß ich tun werde, Jane?«

»Ich weiß nicht. Du bist sehr geschickt. Ich sehe es nie kommen. Genau wie gestern abend.«

»Gestern abend? Ach so. Du glaubst, ich hätte dir etwas in deinen Drink gemischt?«

»Etwa nicht?«

»Nein.«

»Ach, mir wurde ganz von selbst plötzlich speiübel und so elend, daß ich ins Bett getragen werden mußte?«

»Es war nicht das erste Mal.«

»Und?«

»Du bist sehr krank, Jane. Der Tag war aufregend, um nicht zu sagen dramatisch. Denk doch mal nach. Du bist mit einem Messer auf unsere Haushälterin losgegangen; du hast Leute zum Essen eingeladen, an die du dich überhaupt nicht erinnern konntest; du mußtest dich anziehen, zurechtmachen; du mußtest lügen. Glaubst du nicht, daß dich das alles ungeheure Anstrengung gekostet hat? Glaubst du nicht, daß du körperlich total herunter bist und die Belastungen des gestrigen Tages einfach ihren Tribut forderten?«

Jane schüttelte den Kopf. Nein, sie glaubte es nicht. Oder doch? »Du bist so verdammt überzeugend«, sagte sie.

»Wenn ich überzeugend bin, dann, weil ich die Wahrheit spreche. Ich habe dir nichts ins Glas getan, Jane. Ich schwöre es.«

Jane biß sich so fest auf die Unterlippe, daß die Haut platzte, und sie Blut schmeckte. »Erzähl mir jetzt endlich, was an dem Tag passiert ist, an dem ich verschwand. Sag mir, was es mit dem Geld auf sich hat. Und mit dem Blut.«

»Vielleicht solltest du dich setzen.«

»Ich will mich nicht setzen.« Wieder eine Lüge, erkannte sie, sobald sie die Worte ausgesprochen hatte. Sie hatte das dringende Bedürfnis, sich zu setzen. Sie wußte nicht, wie lange sie noch fähig sein würde, aufrecht zu stehen.

»Bitte, laß dir doch helfen.« Michael kam einen Schritt auf sie zu. Sie fuhr zurück, prallte gegen einen Stuhl und fiel auf die Knie. Michael war sofort bei ihr, umfaßte ihre Arme, versuchte sie hochzuziehen, auf einen Stuhl.

»Rühr mich nicht an!«

»Jane, um Gottes willen. Glaubst du denn, ich habe eine Spritze im Ärmel versteckt.«

»Es wäre nicht das erste Mal«, äffte sie ihn nach.

Er sprang auf und kehrte alle seine Taschen von innen nach außen. »Da! Siehst du? Nichts.« Er zog sein Jackett aus und warf es über den nächsten Stuhl. »Schau, nirgends etwas versteckt. Also? Ich bin auch bereit, mich ganz auszuziehen, wenn dich das beruhigt.«

»Ich möchte nur, daß du mir endlich die Wahrheit sagst.«

Er sagte lange nichts. Jane ließ sich auf den hinter ihr stehenden Stuhl sinken.

»Bitte glaub mir, Jane, wenn ich dir nicht die ganze Wahrheit gesagt habe, dann nur, weil ich dachte, es wäre in deinem Interesse. Hätte ich gewußt, daß du von dem Blut und dem Geld weißt, dann hätte ich wahrscheinlich alles anders gemacht. Mein Gott«, sagte er kopfschüttelnd, »kein Wunder, daß du so verängstigt und mißtrauisch bist. Mir wird jetzt so vieles klar. Ich kann verstehen, warum du mir gegenüber die ganze Zeit so argwöhnisch warst.«

»Du gibst also zu, daß du mich belogen hast?«

Michael zog sich den Stuhl ihr gegenüber heraus und setzte sich. »Ich wollte dir Kummer ersparen, Jane. Ich hoffte, deine Erinnerungen würden von selbst zurückkehren, sobald du fähig seist, der Realität ins Auge zu sehen. Ich wollte nicht der sein, der dir alles wieder ins Gedächtnis ruft. Vertrau mir, Jane. Ich wollte dir nicht weh tun.«

»Dann erzähl mir jetzt alles.«

»Ich weiß nicht, wie ich anfangen soll.«

»Ist es so schwierig?«

Er nickte.

»Sag mir alles«, beharrte sie, ihr Ton eine Mischung aus Ungeduld und Furcht.

»Ich muß mindestens ein Jahr zurückgehen«, begann er und hielt einen Moment inne. »Bis zu dem Unfall, bei dem deine Mutter ums Leben kam.«

Jane merkte, daß sie den Atem anhielt.

»Du hast sehr an deiner Mutter gehangen«, setzte er von neuem an. »Du konntest ihren Tod nicht akzeptieren. Du warst voller Zorn und Bitterkeit. Du warst immer schon aufbrausend, daran hast du dich ja schon erinnern können, aber nach dem Unfall neigtest du noch viel stärker zu heftigen Ausbrüchen. Nichts Ernstes«, versicherte er hastig. »Du hast Teller zerschmissen, Haarbürsten durchs Zimmer geschleudert; solche Dinge. Ich wollte dich überreden, eine Therapie zu machen, aber davon wolltest du nichts wissen. Du sagtest, du könntest mit deinem Schmerz allein fertig werden, und basta. Ich insistierte nicht. Ich beschloß, abzuwarten und Geduld zu haben. Und nach einer Weile wurde es tatsächlich besser. Du schienst wieder gelassener zu werden. Wir nahmen unser normales Leben wieder auf. Wir gingen wieder aus, trafen uns mit Freunden, gaben Einladungen. Ungefähr sechs Monate lang sah es aus, als würde alles wieder in Ordnung kommen.«

»Und dann?«

Michael schluckte. »Je näher der Jahrestag des Unfalls rückte, desto erregter wurdest du. Du warst wie besessen, konntest von nichts anderem sprechen als von dem Unfall, maltest dir immer wieder alles in schrecklichen Einzelheiten aus. Du hast dich fast wahnsinnig gemacht. Es war beinahe so, als wäre der Unfall gerade erst geschehen. Du konntest nicht schlafen, und wenn du mal schliefst, hattest du furchtbare Alpträume. Du konntest dich nicht konzentrieren. Du quältest dich mit Schuldgefühlen. Das Schuldgefühl des Überlebenden, würde man es in Büchern vermutlich nennen.« Er sah sich suchend im Zimmer um, offenkundig nicht sicher, wie er fortfahren sollte.

»Was meinst du mit Schuldgefühl des Überlebenden?« fragte Jane.

»Dann wolltest du auf den Friedhof«, sagte er, ohne auf ihre Frage einzugehen. Sein Blick kehrte langsam zu ihr zurück. »Ich versuchte, dich davon abzubringen. Es war ein sehr kalter Tag, viel zu kalt für die Jahreszeit, und du warst so elend, so niedergedrückter Stimmung, daß ich dich nicht allein gehen lassen wollte. Du hattest die ganze Nacht nicht geschlafen; du hattest seit Tagen kaum etwas gegessen. Du warst wirklich kurz vor einem Zusammenbruch.« Er schwieg einen Moment. »Ich bat dich, wenigstens bis zum Wochenende zu warten. Dann hätte ich mit dir gehen können. Dann wärst du nicht allein gewesen. Aber du wolltest nicht auf mich hören. Du sagtest, du wärst lieber allein, du wolltest nicht bis zum Wochenende warten, dies sei der Jahrestag des Todes deiner Mutter und an diesem Tag müßtest du gehen. Schluß, aus, keine weitere Debatte. Ich schlug vor, meine Termine abzusagen, aber das machte dich nur wütend. ›Ich schaff das schon allein‹, hast du mich angeschrien. ›Ich bin kein kleines Kind, das du an die Hand nehmen mußt!‹ Was hätte ich da noch tun können? Ich fuhr ins Krankenhaus. Ich wollte nicht, aber ich hatte ja keine Wahl. Ich fuhr ins Krankenhaus, und du fuhrst zum Friedhof. Ich rief im Lauf des Morgens ein paarmal an, um zu sehen, ob du wieder gut nach Hause gekommen warst, aber ich erreichte dich nie. Ich begann, unruhig zu werden. Dann rief Carole bei mir an.«

»Carole Bishop?«

»Ja. Sie war sehr erregt. Sie sagte, sie hätte dich vorfahren sehen und sei hinübergegangen, um dich etwas zu fragen, und du seist völlig außer dir gewesen. Du hast nicht ein Wort mit ihr gesprochen. Sie sagte, sie hätte den Eindruck gehabt, du hättest gar nicht sprechen *können*, so außer dir warst du. Als sie dich beruhigen wollte, hast du sie einfach weggestoßen und bist ins Haus gerannt. Sie war natürlich sehr beunruhigt über dein Verhalten und rief mich deshalb im Krankenhaus an. Daraufhin bin ich sofort nach Hause gefahren.

Als ich ankam – ich bin gefahren wie der Teufel, ich habe bestimmt nicht länger als eine Viertelstunde gebraucht –, warst du im Schlafzimmer beim Packen. Du hattest nicht einmal deinen Mantel ausgezogen. Ich wollte mit dir reden und fragte dich, was passiert sei, aber du hast mir gar nicht geantwortet. Du warst völlig hysterisch. Du hast mich angebrüllt und nach mir geschlagen. Ich habe dich festgehalten, vielleicht auch geschüttelt. Ich weiß es nicht mehr. Ich weiß nur, daß ich unbedingt wissen wollte, was eigentlich passiert war. Aber du warst wie wahnsinnig. Du müßtest weg, hast du geschrien, das wäre der größte Gefallen, den du mir tun könntest. Du wärst nur eine Last für mich und würdest mich am Ende genauso kaputtmachen wie alles andere, was du je geliebt hast.«

Michael schüttelte den Kopf, als könnte er das alles auch jetzt noch nicht begreifen.

»Aber warum sollte ich so was sagen?«

Michael senkte den Kopf.

»Vielleicht sollten wir uns fürs erste darauf beschränken, was geschehen ist, und uns das Warum für später aufheben«, schlug er mit leiser Stimme vor.

»Warum habe ich gesagt, ich würde dich genauso kaputtmachen wie alles andere, was ich je geliebt habe?« beharrte Jane.

Michaels Gesicht spannte sich. Als er endlich sprach, klang seine Stimme heiser, wie erstickt. »Nach dem Unfall warst du lange Zeit von deinem Schmerz völlig überwältigt. Wie gelähmt. Du hast Dinge getan, die überhaupt nicht deine Art waren. Ich meine jetzt nicht die Wutanfälle und die Temperamentsausbrüche«, fügte er erklärend hinzu und schwieg dann.

»Was meinst du dann?«

Unwillkürlich ballte er die Hände, die auf dem Tisch ruhten, zu Fäusten. »Du bist ein paarmal in der Woche mit Daniel Bishop joggen gegangen.« Wieder schwieg er. »Plötzlich fingst du an, jeden Morgen zu laufen. Erst fand ich das großartig. Ich dachte, es wäre genau das Richtige für dich, um mit dem Aufruhr deiner Gefühle fertig zu werden. Aber irgendwann fandest du anscheinend, daß Jogging nicht genügt. Du und Daniel...«

»Wir hatten ein Verhältnis«, ergänzte Jane. »Wie bist du dahintergekommen?«

Michael lachte bitter. »Du selbst hast es mir gesagt. Ganz beiläufig eines Nachts, als wir im Bett lagen.« Er hob abwehrend die Hände. »Ich will das jetzt nicht alles noch einmal aufwärmen.«

»Aber ich muß es wissen. Was hast du getan?«

»Das weiß ich wirklich nicht mehr.« Wieder lachte er. »Du siehst, du bist nicht die einzige, die Dinge verdrängt, an die sie sich lieber nicht erinnern möchte.«

»Ich habe dir sehr weh getan, nicht wahr?«

»Ja, aber du warst ja nicht du selbst. Das war mir klar. Zumindest sagte ich mir das. Damals schlug ich dir zum ersten Mal eine Therapie vor, aber du wolltest, wie gesagt, nichts davon hören. Also beschloß ich, mich in Geduld zu fassen und abzuwarten. Was hätte ich anderes tun können? Ich liebte dich. Ich wollte dich nicht verlieren.«

»Ich war also beim Packen, als du nach Hause kamst...«

»Ich versuchte, mit dir zu reden, aber das hatte überhaupt keinen Sinn. Du bist aus dem Zimmer gestürmt wie eine Wahnsinnige und nach unten in den Wintergarten gerannt. Ich lief dir nach. Du ranntest herum wie ein Tier im Käfig, und als ich noch einmal versuchte, mit dir zu reden, fingst du an auf mich einzuschlagen und schriest, ich wäre ein Idiot, so an dir zu hängen, ich wäre dümmer als dumm, wenn ich allen Ernstes glaubte, Daniel wäre der einzige Mann gewesen, mit dem du etwas gehabt hättest. Seit Daniel hättest du x andere gehabt und gerade eben kämst du aus dem Bett deines letzten Liebhabers.«

Pat Rutherford, dachte Jane, die sich an den Namen auf dem Zettel erinnerte, den sie in ihrer Manteltasche gefunden hatte. Ihr war übel. Pat Rutherford, Z. 31, 12 Uhr 30. Hatte sie sich nach dem Besuch auf dem Friedhof mit Pat Rutherford in Zimmer 31 irgendeiner Absteige getroffen? Hatte diese heimliche Zusammenkunft sie so erschüttert, daß sie danach geglaubt hatte, ihren Mann verlassen zu müssen, mehr um seinet- als um ihrer selbst willen?

»Ich nehme an, ich habe die Beherrschung verloren«, sagte Michael. »Ich packte dich und schüttelte dich. Du hast nach mir getreten. Es gab ein Handgemenge. Dann spürte ich plötzlich einen fürchterlichen Schmerz, als hätte man mir mit einem einzigen Ruck die ganze Kopfhaut abgerissen. Ich kippte um, das Blut strömte mir übers Gesicht, ich wollte mich an dir festhalten, und dann habe ich anscheinend das Bewußtsein verloren. Als ich ein paar Minuten später aufwachte, lag ich in einer Blutlache neben der Hollywoodschaukel, und du warst weg. Du hattest den Koffer, deine Handtasche, alles zurückgelassen. Später entdeckte ich, daß du unser Girokonto bereits vorher abgeräumt hattest. Knapp zehntausend Dollar.«

Sekundenlang war es ganz still. Dann fragte Jane: »Warum hast du mein Verschwinden nicht der Polizei gemeldet?«

Er schüttelte den Kopf. »Ich hatte doch keine Ahnung, was geschehen war. Ich dachte, du wärst mit deinem Liebhaber durchgebrannt. Ich war verletzt und wütend dazu. Ich hielt es für das Beste, abzuwarten, bis du dich meldest.«

Jane hatte Mühe, alles, was sie hörte, im Kopf zu behalten und mit dem zu vereinbaren, was sie schon wußte. »Aber als die Polizei bei dir anrief, hast du gelogen. Du sagtest, ich wäre zu Besuch bei meinem Bruder.«

»Ich kann das nicht erklären, das gebe ich zu. Ich weiß nicht, was ich mir dabei gedacht habe, es war mir einfach peinlich. Ich wollte diese ganze häßliche Geschichte nicht mit wildfremden Menschen erörtern. Es ging mir, ehrlich gesagt, auch um meinen guten Ruf. Aber als sie mir sagten, du seist im Krankenhaus und könntest dich nicht erinnern, wer du bist, wurde mir klar, wie ernst die Lage war, und ich wußte, daß ich alles tun mußte, um dir zu helfen.«

»Und die Tabletten?«

Jane sah, daß Michael ihrem eindringlichen Blick am liebsten ausgewichen wäre, und sah auch, daß er es nicht konnte.

»In den Monaten nach dem Unfall hattest du schwere Depressionen. Dein Arzt verordnete Haldol. Ich habe es Dr. Meloff gesagt. Als das Ativan keine Wirkung zeigte und du wieder in diese tiefe Depression rutschtest, meinte er, wir sollten es noch einmal mit Haldol versuchen.«

Jane stand auf. Schwankend, immer wieder an Tisch und Stühle stoßend, ging sie auf und ab, nicht bereit, sich von Michael stützen zu lassen. »Da stimmt etwas nicht. Da fehlt etwas«, murmelte sie, hielt plötzlich inne und blieb reglos stehen. »Was verschweigst du mir?«

»Nichts. Glaub mir, Jane, ich habe dir alles gesagt.«

»Nein, das hast du nicht. Ich kenne dich gut genug, um zu merken, daß du mir etwas verschweigst. Sag es mir.«

»Jane, bitte, ich habe genug gesagt.«

»Sag es mir, Michael!« schrie sie. »Du hast gesagt, nach dem Tod meiner Mutter hätte ich Schuldgefühle gehabt. Du hast vom Schuldgefühl der Überlebenden gesprochen. Was soll das heißen? Weshalb sollte ich mich schuldig fühlen, wenn ich gar nicht mit im Auto saß? Wenn es nicht so war, daß ich bei dem Unfall davonkam und sie nicht.« Sie senkte die Stimme zu einem Flüstern. »War es so, Michael? Saß ich mit im Auto?«

Michael neigte den Kopf. »Du bist gefahren.«

Janes Knie gaben nach. Einen Moment taumelte sie, dann brach sie zusammen. Michael fiel vor ihr auf die Knie.

»Ich bin gefahren?« stammelte sie. »Ich war schuld an dem Unfall, bei dem meine Mutter ums Leben kam?«

Michael sprach langsam und wählte seine Worte mit Sorgfalt. »Du hattest ihr versprochen, an diesem Morgen mit ihr zum Einkaufen zu fahren. Am Nachmittag mußtest du zu irgendeiner Veranstaltung in Emilys Schule. Ich denke, du kamst ein bißchen in Hetze. Wie dem auch sei, vielleicht bist du etwas zu schnell gefahren, vielleicht hast du beim Abbiegen nicht richtig aufgepaßt, ich weiß nicht genau, wie es passierte. Zeugen zufolge bogst du links ab, ohne geblinkt zu haben. Ein Auto, das aus der entgegengesetzten Richtung kam, prallte voll in deinen Wagen. Auf der Beifahrerseite.« Michael rutschte an ihre Seite und nahm sie in die Arme. »Deine Mutter war auf der Stelle tot.«

»O mein Gott! Wie furchtbar!«

»Natürlich machtest du dir schreckliche Vorwürfe. Auch noch, nachdem die Polizei festgestellt hatte, daß der andere Fahrer die Schuld trug. Du quältest dich mit Selbstvorwürfen. ›Ich hätte warten sollen‹, sagtest du immer wieder. ›Ich hätte nicht so ungeduldig sein dürfen.‹ Niemand konnte dich trösten.« Er sah sie an. »Aber das geht nun viel zu lange so, Jane. Du mußt aufhören, dir selbst die Schuld zu geben. Es war ein Unfall. Es war tragisch, gewiß, aber es ist geschehen, und es ist vorbei. Das Leben geht weiter. Ich weiß, du willst das nicht akzeptieren, aber du mußt es tun, sonst wird es bald für uns alle zu spät sein.«

Jane spürte seine Tränen auf ihrer Wange und entzog sich hastig seiner Umarmung. »Aber das ist noch immer nicht alles, nicht wahr?« fragte sie scharf und beobachtete dabei aufmerksam sein Gesicht. »Du verschweigst mir noch immer etwas.«

»Nein.«

»Doch! Lüg mich nicht an, Michael. Du mußt aufhören, mich zu belügen.«

»Bitte«, flehte er. »Hat der Rest nicht Zeit, bis du wieder etwas stärker bist? Deine seelischen Kräfte haben ihre Grenzen, Jane. Das wissen wir doch jetzt.«

»Was hast du mir verschwiegen?«

Sekundenlang kämpfte er mit dem Wort, das ihm nicht über die Lippen wollte. Als es sich schließlich von seiner Zunge löste, war es nur ein Hauch. »Emily...« Seine Augen wurden feucht.

Jane drückte die Hände auf ihren Magen. Der Name ihrer Tochter hatte sie wie ein Faustschlag getroffen. »Nein! Lieber Gott, nein!«

»Sie saß auf dem Rücksitz. Hinter deiner Mutter. Anscheinend hatte sie ihren Sicherheitsgurt aufgemacht. Die Wucht des Aufpralls ...« Seine Stimme brach. Er setzte von neuem an. »Sie starb in deinen Armen, während du auf den Rettungswagen wartetest. Als es den Sanitätern endlich gelang, sie aus deinen Armen zu lösen, war dein Kleid vorn voller Blut.«

Jane schrie auf.

»Danach warst du wie von Sinnen. Das Jahr, das folgte, war die Hölle. Die Wutausbrüche, die anderen Männer, all die Dinge eben, von denen ich schon erzählt habe. Aber außer mir wußte keiner, wie schlimm es war. Du warst wie Dr. Jekyll und Mr. Hyde, Freunden und Nachbarn gegenüber wie immer, aber zu Hause völlig verändert. Ich gab die Hoffnung nicht auf, daß es besser werden würde, daß du irgendwann wieder Boden unter die Füße bekommen und zu mir zurückfinden würdest.« Er schluchzte kurz auf. »Du warst alles, was mir geblieben war. Der Gedanke, ich könnte auch dich verlieren, war unerträglich.« Er wischte sich die Augen mit dem Handrücken. »Aber es wurde einfach zuviel, selbst für mich. Ich schäme mich, es einzugestehen.«

Er stand auf. »Als ich nach Hause kam und dich beim Packen vorfand, versuchte ich, vernünftig mit dir zu reden und dich aufzuhalten, und in dem ganzen Durcheinander schlugst du mir plötzlich die Vase auf den Kopf. Es war eine, die wir auf unserer Orientreise gekauft hatten. Sie war aus Messing und hatte lauter komische Buckel und Spitzen. Sie erwischte mich so, daß sie mich beinahe skalpiert hätte. Ich brach zusammen und fiel gegen dich. Als du das Blut sahst, kam bei dir wahrscheinlich die Erinnerung an den Unfall wieder hoch, und das war einfach zuviel. Du wurdest mit der Situation nicht mehr fertig. Und da bist du eben geflohen. Ich kann es dir nicht einmal übelnehmen.«

»Unsere Tochter ist tot«, sagte Jane. Es war halb Frage, halb Feststellung.

»Du kannst dich noch immer nicht erinnern?«

Jane schüttelte den Kopf. »Ich habe meine Mutter und meine Tochter getötet«, murmelte sie.

»Es war ein Unfall, Jane.«

»Aber sie sind beide tot.«

»Ja.«

»Und ich bin gefahren.«

»Ja. Aber es war nicht deine Schuld.«

»Ungeduldig und in Hetze, das hast du doch gesagt, nicht?«

»Das hast *du* gesagt. Nach dem Unfall.«

»Und ich muß es ja wissen. Ich habe überlebt.«

»Wirklich?« fragte Michael. »Wie viele Leben sollen durch diesen Unfall noch zerstört werden, Jane?«

Sie blickte in das tränennasse Gesicht ihres Mannes, sah die Güte in seinen Augen, fühlte die Zärtlichkeit seiner Berührung und sagte nichts mehr.

22

»Sie ist im Wintergarten.«

»Wie geht es ihr?«

»Nicht gut.«

»Ich versteh das nicht. Wie lange geht das denn schon so?«

»Es fing ungefähr Mitte Juni an. Seitdem hat sich ihr Zustand immer weiter verschlechtert.«

»Mitte Juni? Das ist mehr als ein Monat. Herrgott, Michael, wieso hat eure Haushälterin mir erzählt, sie wäre bei ihrem Bruder in San Diego?«

»Wir dachten, wir könnten so am besten mit der Situation fertig werden. Versteh doch, Diane, kein Mensch, nicht ich, nicht ihre Ärzte, konnte ahnen, daß dieser Zustand so lange anhalten und sich sogar noch verschlimmern würde.«

»Sie hat überhaupt keine Ahnung, wer sie ist?«

»Wir haben es ihr gesagt, aber sie erinnert sich nicht«, erklärte Michael. »Sie kennt ihr Leben bis ins Detail, aber sie erinnert sich nicht, es gelebt zu haben.«

»Mein Gott, ich kann das nicht glauben. Hast du eine Ahnung, wodurch das ausgelöst wurde?«

»Durch den Unfall«, sagte er kurz.

»Aber das ist doch mehr als ein Jahr her. Sie schien das Schlimmste überstanden zu haben.«

»Ich glaube, das Schlimmste steht uns noch bevor.«

Jane hörte ihre Stimmen wie durch Störfelder. Die Wörter bewegten sich auf sie zu, anfangs laut und kräftig, nur um vorzeitig zu verklingen; prallten schmerzhaft auf ihre Trommelfelle, nur um sich dann zurückzuziehen, ehe es ihr gelang, sie zu verstehen. Sie sprachen über sie, das wußte sie. Sie sprachen immer über sie. War es wichtig, was sie sagten?

Sie lag auf ihrer geliebten Hollywoodschaukel, von oben bis unten in Decken gehüllt, obwohl sie schwitzte. Ist es Schweiß oder Speichel? fragte sie sich, ohne sich die Mühe zu machen, das dünne Rinnsal an ihrem Mundwinkel abzuwischen. Sie ließ das die anderen tun – ihre Gäste, die vielen Menschen, die Michael in ihr Leben zurückgeholt hatte, seit er sie aus dem Krankenhaus nach Hause gebracht hatte. Wie lange war das her? Ein paar Tage? Eine Woche?

Sie lächelte, dankbar, daß die Zeit ihr nun wieder entglitt. Undenkbar, daß sie noch vor kurzem gegen dieses Phänomen gewütet hatte, daß sie zornig und voller Groll gewesen war, weil durch die Medikamente, die man ihr gab, die Tage miteinander zu verschmelzen schienen, so daß sie wie Pralinen, die in der Sonne zerlaufen, eine einzige formlose Masse bildeten. Undenkbar, daß sie versucht hatte, sich gegen das köstliche Vergessen, dem sie sich nun endlich überlassen konnte, aufzulehnen – wozu? Um sich an die häßlichen Einzelheiten eines vergeudeten Lebens zu erinnern, eines Lebens, an das sie sich sogar noch geklammert hatte, nachdem sie ihre Mutter und ihr Kind getötet hatte?

Nach der Szene im Krankenhaus hatte Michael sie nach Hause gebracht. Sie erinnerte sich, daß die Ärzte und die Schwestern sehr fürsorglich gewesen waren, daß Michael Dr. Klinger erklärt hatte, er habe alles unter Kontrolle und würde sich mit Dr. Meloff in Verbindung setzen, sobald dieser aus dem Urlaub zurück sei. Das beste für Jane, hatte er gesagt, sei seiner Meinung nach im Augenblick viel Ruhe.

Sie hatte sich willig gefügt. Der Gedanke an ihr warmes Bett war plötzlich sehr verlockend gewesen. Sie konnte es kaum erwarten, unter die Daunendecke zu kriechen. Am liebsten wäre sie für immer darunter verschwunden. Ihr wurde bewußt, daß sie nur noch sterben wollte, und sie zuckte innerlich gleichgültig mit den Schultern.

Sie wehrte sich nicht mehr gegen die Medikamente, sondern nahm brav alles, was man ihr gab. Die vertraute Taubheit stellte sich wieder ein, kroch ihr in Fingerspitzen und Zehen, verschloß ihre Poren, ließ sich schließlich irgendwo hinter ihren Augen nieder, wo sie eine Art Pufferzone zwischen ihrem Hirn und der Außenwelt schuf. Diesmal war ihr jede unangenehme Nebenwirkung willkommen, sie freute sich beinahe über die Muskelkrämpfe, die sie plagten, denn sie erschienen ihr als angemessene Bestrafung für den Schmerz, den sie verursacht hatte.

Alles hatte jetzt einen Sinn.

Das Geld. Das Blut. Pat Rutherford. Die Tatsache, daß sein Name auf einen losen Zettel in ihrer Manteltasche geschrieben und nicht in ihr Adreßbuch eingetragen war, wo Michael ihn vielleicht gesehen hätte. Anfangs hätte sie gern gewußt, ob er wohl versucht hatte, sie zu erreichen, ob es ihn überhaupt interessiert hatte, was aus ihr geworden war. Hatten sie vorgehabt, zusammen abzuhauen? Oder hatte sie an jenem Morgen ihr Verhältnis beendet?

Die Fragen verflüchtigten sich unter der Wirkung der Medikamente. Sie war erleichtert. Wozu sollte sie sich mit Fragen herumschlagen, die sie doch nicht beantworten konnte? Selbst Michael konnte ihr nicht sagen, was vor ihrem Streit geschehen war; ehe sie ausgerastet war und versucht hatte, ihn mit einer orientalischen Messingvase zu erschlagen. Daß sie ihrem Mann tatsächlich ans Leben gewollt hatte, war für sie nicht mehr schockierend. Schließlich hatte sie ja auch ihre Mutter und ihre Tochter getötet.

Jane versuchte, dem Tod ein Gesicht zu geben, rief sich die vielen Bilder des kleinen Mädchens ins Gedächtnis, das sie auf den Seiten ihrer Fotoalben hatte heranwachsen sehen; des süßen kleinen Mädchens mit dem scheuen Lächeln und dem wißbegierigen Blick. Emily ist nur noch eine Erinnerung, dachte sie – und nicht einmal das war sie mehr.

Wie oft hatte sie in den letzten Tagen die Ereignisse des vergangenen Monats durchgespielt? Während sie hier im Wintergarten saß und zusah, wie die schmalen Keile der morgendlichen Sonnenstrahlen sich allmählich verbreiterten, schließlich den ganzen Raum füllten, bis es wieder dunkel wurde, ging sie Tag für Tag noch einmal den ganzen Weg von dem Moment an, als Michael sie, nachdem sie die Erinnerung verloren hatte, das erste Mal aus dem Krankenhaus nach Hause gebracht hatte. Sie erinnerte sich, wie sie die Schwelle zu ihrem alten Leben überschritten und sich gefragt hatte, was sie dort wiederfinden würde. Und sie lachte spöttisch, mit zugeschnürter Kehle. In ihren wildesten Phantasien, ihren schlimmsten Alpträumen hätte sie sich ein so grausames, so hoffnungsloses Szenario nicht vorstellen können. Kein Wunder, daß sie geflohen war.

Sie sah sich ins Wohnzimmer treten, zum Klavier gehen, mit ungeschickten Fingern eine kleine Melodie von Chopin spielen; sah, wie sie verschiedene Fotografien in die Hand nahm, unter ihnen drei Klassenfotos kleiner Jungen und Mädchen, die nach

Größe geordnet in Reih und Glied vor der Kamera standen. Ein kleiner Junge in der vorderen Reihe hielt eine Tafel in die Höhe, auf der ›Arlington Private School‹ stand. Jane hatte lächelnd das zarte kleine Mädchen mit dem langen, hellbraunen Haar und den großen Augen betrachtet, das, ganz in Gelb gekleidet, in der letzten Reihe stand, und ihr Blick war weiter gewandert zu demselben kleinen Mädchen auf dem nächsten Foto, das das Haar diesmal zum Pferdeschwanz hochgebunden trug, und weiter zur nächsten Aufnahme, zu demselben kleinen Mädchen, diesmal mit offenem Haar, ganz in Schwarzweiß, das Lächeln nicht mehr ganz so vertrauensvoll, eher etwas vorsichtig. Kindergarten, Vorschule, erste Klasse. Klasse zwei fehlte. »Wir haben anscheinend kein Foto bekommen«, hatte Michael zu ihr gesagt. »Vielleicht war sie an dem Tag krank.«

Wieso war es ihr nicht aufgefallen, daß die jüngsten Bilder von Emily alle mindestens ein Jahr alt waren? Es hätte ihr doch seltsam erscheinen müssen, daß es in dieser Familie, die sonst alle kleinen und großen Ereignisse ihres Lebens im Bild festzuhalten schien, keinerlei Fotos aus dem vergangenen Jahr gab. Sie hatte es einfach nicht sehen wollen, sagte sie sich. Weil sie noch nicht bereit gewesen war, sich den Scherbenhaufen anzusehen, den sie aus ihrem Leben gemacht hatte; weil sie noch nicht bereit gewesen war, sich mit der Zerstörung, die sie angerichtet hatte, auseinanderzusetzen.

Ich bin es, die zerstört werden sollte, dachte sie, eingeschläfert wie ein toller Hund. Eine tödliche Spritze, sagte sie sich und spürte, als sie sich den Arm unter der Decke rieb, den feinen Schmerz an der Stelle, an der Michael erst an diesem Morgen eine weitere Spritze angesetzt hatte.

Sie erinnerte sich an ihr wachsendes Mißtrauen gegenüber Michael. Sie war wirklich überzeugt gewesen, daß er ihr schaden wollte, daß er es bewußt darauf anlegte, ihren Geist zu zerstören. Dabei hatte er einzig und allein versucht, ihn zu retten.

Und jetzt brachte er Besuch mit. Nachdem er ihr wochenlang jeden Kontakt selbst mit ihren engsten Freunden verweigert hatte, fand er es jetzt anscheinend an der Zeit, ihnen zu demonstrieren, was für ein Höllenleben er seit langem führte. Zuerst hatte er Sarah und Peter Tanenbaum angerufen, und sie waren sofort gekommen. Sarah war bei Janes Anblick in Tränen ausgebrochen, Peter hatte sich abgewandt und lieber mit Michael gesprochen.

Sie hatte die Arme nach ihnen ausstrecken und sie trösten, ihnen sagen wollen, daß es so gut war, daß sie sich für den Wahnsinn entschieden hatte, daß er ihr gefiel, daß man sich um sie nicht sorgen mußte. Aber ihre Arme ließen sich nicht bewegen, und die Stimme blieb ihr im Hals stecken. Mit trüben Augen, durch die sie ihre Umgebung wie hinter einem Schleier wahrnahm, starrte sie ihre Freunde an und sagte nichts, wünschte nur, daß sie gehen und sie ihrem Schicksal überlassen würden. Sie verdiente schließlich nichts anderes. Sie hatte versucht zu fliehen, aber sie war wieder eingefangen und zurückgebracht worden, um sich ihrer Verurteilung zu stellen.

Es war noch anderer Besuch gekommen. In den letzten Tagen hatte Michael beinahe alle ihre Freunde um sie versammelt, auch wenn er ihnen nicht erlaubte, länger als ein paar Minuten zu bleiben. Janet und Ian Hart, Lorraine Appleby, David und Susan Carney, Eve McDermott – Ross war zum Angeln gefahren, hörte sie Eve erklären –, alle kamen sie zu ihr in den Wintergarten und starrten sie an, als wäre sie eine der berühmten Wachsfiguren von Madame Tussaud.

»Sagt nichts von Emily«, warnte Michael sie alle, und keiner sagte auch nur ein Wort. Sie war dankbar dafür.

»Sag nichts von Emily«, hörte sie ihn auch jetzt mit gesenkter Stimme auf der anderen Seite des Raumes sagen, und einen Augenblick später kniete Diane Brewster vor ihr nieder.

»O Gott«, stöhnte Diane mit tränennassen Augen, gerade so

laut, daß Jane es hören konnte, und schwankte, als würde sie gleich ohnmächtig werden.

»Beruhige dich«, sagte Michael beschwichtigend und beugte sich zu Diane hinunter, um ihr die Schulter zu tätscheln. »Sie hat keine Schmerzen.«

»Kann sie mich hören?«

»Ja.« Michael trat zu Jane und strich ihr über das Haar. »Diane ist hier, Liebes. Kannst du Diane guten Tag sagen?«

Jane versuchte mit den Lippen die Worte zu formen, versuchte, den schwierigen Namen über ihre Zunge rollen zu lassen, aber sie brachte nur ein unkontrolliertes Zucken zustande und gab ihre Bemühungen auf. Wozu auch?

Diane sprang zornig auf. »Ich verstehe das nicht, Michael. Ich begreife nicht, was mit ihr geschehen ist. Ich weiß, du hast mir vorher gesagt, was ich zu erwarten habe. Ich weiß, daß sie ein seelisches Trauma...«

»Diane!« unterbrach er sie warnend, und Diane schnaufte ein paarmal tief, in dem Versuch, wieder ruhig zu werden.

»Aber Michael, sie ist meine älteste Freundin. Sie war immer so lebhaft, so temperamentvoll und klar. Ich kann einfach nicht glauben, daß das derselbe Mensch ist.«

Michael beschränkte sich darauf, zustimmend zu nicken.

»Können die Ärzte denn gar nichts tun?«

»Wir versuchen alles.«

»Aber sie ist so wahnsinnig dünn geworden.«

»Sie will nicht essen.«

Diane schlug sich mit beiden Händen an die Seiten und kniete wieder vor Jane nieder. »Es wird alles wieder gut, Janey. Du schaffst das schon. Wir helfen dir. Michael und ich und alle deine Freunde. Wir sorgen dafür, daß du bald wieder gesund wirst.«

»Lies ihr doch die Karte vor«, meinte Michael und reichte Diane eine bunte Ansichtskarte.

»Es ist eine Karte von Howard und Peggy Rose«, erklärte

Diane mit übertriebener Munterkeit. »Aus Frankreich.« Sie hielt Jane die Vorderseite der Karte vor die Augen, ein kleines Café an einem aquamarinblauen Meer. »Hm, das ist schlecht zu lesen. Die Schrift ist so klein. Also: ›Alle Jahre wieder – liebe Grüße aus Südfrankreich. Es ist so schön wie immer, und es geht uns prächtig...‹« Sie stockte. »›... wie Euch hoffentlich auch im langweiligen Boston. Packt doch einfach Eure Sachen und überrascht uns hier. Wir mögen Überraschungen. Und Euch mögen wir besonders. Hoffentlich geht's Euch gut. Also dann, bis zum September. Howard und Peggy.‹ Das war nett«, sagte Diane, und ihre Munterkeit löste sich in einer Tränenflut auf.

Ein Überraschungsbesuch, dachte Jane, und ihr fiel der Überraschungsbesuch ein, den sie angeblich ihrem Bruder gemacht hatte. Sie versuchte, ihn sich irgendwo in Spanien vorzustellen, aber es gelang ihr nicht, sein Gesicht heraufzubeschwören. Von ihrer Schwägerin hatte sie da schon ein klareres Bild. Gargamella, dachte sie und lachte laut.

»O Gott, Michael!« rief Diane. Sie streckte den Arm aus, um Jane das Gesicht zu streicheln. »Was war das für ein Laut? Das klang überhaupt nicht menschlich.«

»Jane, geht es dir gut?«

Es geht mir bestens, antwortete Jane stumm. Ich möchte nur, daß alle fortgehen und mich in Ruhe lassen, damit ich in Frieden sterben kann.

»Möchtest du ein Glas Ginger Ale?« fragte Michael fürsorglich. »Oder vielleicht etwas zu essen? Paula hat einen köstlichen Heidelbeerkuchen gebacken.«

Paulas Apfelkuchen ist mir lieber. Jane dachte an den Tag, als sie Paula mit dem Messer in Schach gehalten hatte, das sie benutzt hatte, um Äpfel zu schnitzeln. Die guten alten Zeiten, dachte Jane und wünschte jetzt, sie hätte sich selbst das Messer in den Bauch gestoßen und bis zum Herzen hinauf geschraubt.

Vielleicht war es noch nicht zu spät. Vielleicht war es immer noch einen Versuch wert. Vielleicht konnte sie ihrem Mann und ihrer Freundin klarmachen, daß sie wirklich gern ein Stück von Paulas Heidelbeerkuchen hätte, ihn aber lieber in der Küche essen würde. Und wenn sie dann alle gemütlich am Tisch saßen, eingelullt von einem falschen Gefühl der Sicherheit, würde sie das Messer packen und sich fein säuberlich durchbohren. Das Blut würde ihr über das Kleid strömen. Ihr eigenes Blut. So wie es sich gehörte.

Aber sie sagte nichts, sondern beobachtete sie nur stumm, wie sie sie mit angstvoll verwirrten Blicken anstarrten. Es wäre für alle Beteiligten viel besser gewesen, wenn sie einfach verschwunden wäre, wenn niemand sie gefunden, erkannt, nach Hause gebracht hätte. Michael hätte sich irgendwann von ihr scheiden lassen – Gründe hatte er weiß Gott genug. Ihre Freunde hätten noch eine Weile von ihr gesprochen und sich dann anderen, interessanteren Themen zugewandt. Nach einiger Zeit wäre sie wie Emily nur noch eine Erinnerung gewesen. Die Frau ohne Erinnerung nur noch eine Erinnerung. Sie lachte wieder.

Diesmal äußerte sich das Lachen in Form eines unterdrückten Seufzers. Diane faßte tröstend ihre Hand. »Bist du sicher, daß sie keine Schmerzen hat, Michael?«

»Ganz sicher.«

»Ich fühle mich so hilflos...«

»Das geht uns allen so.«

Jane hätte gern das Gesicht ihrer Freundin mit beiden Händen umfaßt und sie sachte auf beide Wangen geküßt, um ihr damit zu sagen, daß alles sich zum Guten wenden würde. Aber sie wußte, wenn sie etwas sagte oder tat, und sei es nur etwas so Unbedeutendes, wie der Freundin über das Haar zu streichen, würde sie falsche Signale aussenden, falsche Hoffnungen wecken. Es gab keine Hoffnung. Das wußte sie jetzt. Es gab keine Hoffnung, und es war sinnlos, so zu tun, als gäbe es welche.

Sie hoffte nicht mehr auf die Rückkehr ihrer Erinnerungen.

Im Gegenteil, sie ging jeden Abend mit dem verzweifelten Wunsch zu Bett, daß sie niemals wiederkehren würden. Sie wußte alles über sich, was sie wissen mußte. Wenn es einen Gott gab und er ein gnädiger Gott war, würde er sie nicht zwingen, noch einmal den Tod derer zu erleben, die ihr einst lieb und teuer gewesen waren. Er würde ihr erlauben, sich in einen Kokon stumpfsinniger Betäubung zurückzuziehen, bis sie wieder verschwand, und das für immer.

»Ich hab neulich einen fürchterlichen Film gesehen!« rief Diane unvermittelt in dem erneuten Versuch, Jane eine Reaktion zu entlocken. »Angeblich sehr erotisch. Du weißt ja, ich habe eine Schwäche für erotische Filme. Sie sind immer gut, auch wenn sie schlecht sind, stimmt's? Vergiß es! Da gab's zwar einen Haufen nacktes Fleisch und jede Menge Gegrunze, aber die Dialoge waren so schlecht, daß die Zuschauer laut gelacht haben. Tracy Ketchum.« Diane sah Jane abwartend an. Als keine Reaktion kam, fuhr sie fort.

»Also, wir saßen da und überlegten, ob wir abhauen sollten, als plötzlich einer von den Zuschauern anfing, laut seine Kommentare zu geben. Er war so witzig, daß wir einfach bleiben mußten. Weißt du, an einer Stelle sagte diese Frau, die von Arlene Bates gespielt wurde – weiß der Himmel, wo die jahrelang abgeblieben ist und wieso sie ausgerechnet in dem Schinken ihr Comeback feiert, aber sie sieht toll aus, meiner Ansicht nach hat sie sich liften lassen, ich meine, nicht ein einziges Fältchen im Gesicht dieser Frau, nur der Hals – der Hals, der war nicht mehr jung, eindeutig. Ich frag mich, warum diese Frauen sich das antun. Und die Männer genauso. Alle lassen sie hier was ziehen und da was strecken, und am Ende sehen sie ziemlich orientalisch aus, du weißt schon, wie Jack Nicholson und Richard Chamberlain und sogar Burt Reynolds. Und alle haben sie diese alte Haut. Trady sagt, wenn man erst mal die Vierzig erreicht hat, wird's ganz schlimm. Da geht so langsam alles aus dem Leim. Ich sagte, bei mir wäre das schon mit dreißig so, aber sie behauptete, daß sei überhaupt kein Vergleich. Zuerst kommt die Altersweitsichtigkeit, sagt sie. Man muß die Bücher beim Lesen immer weiter weghalten, und schließlich muß man sich eine Lesebrille zulegen und sieht aus wie die eigene Oma. Dann sackt der Hintern runter. Trady sagt, das Absacken hätte sie weniger gewundert als die Art, *wie* er absackt. Sie hat immer gedacht, er würde die Form behalten, wenn er runterfällt. Sie hatte keine Ahnung, daß er absackt, weil er flacher wird. Stell dir das mal vor! Ein platter Hintern!

Na ja, wie dem auch sei, zurück zu Arlene Bates und diesem Typ im Kino. Arlene sagt also zu dieser rehäugigen Schönen, einem ehemaligen Modell, die so schlecht spielt, daß einem Hören und Sehen vergeht, ich weiß nicht mal mehr ihren Namen ...«

Cindy Crawford? dachte Jane, der die Augen so schwer waren, daß sie sie am liebsten geschlossen hätte.

»Pamela Emm!« rief Diane. »So was Blödes! Ein einzelner Buchstabe als Nachname. Sie behauptet, er wäre echt. Na ja, wer weiß? Ich glaube nicht, daß wir den Namen in Zukunft noch oft hören werden. Die gute Pamela macht sich besser in *Vogue* oder *Cosmopolitan.*«

Michael unterbrach Dianes Monolog mit einem Hüsteln. »Jane sieht sehr müde aus, Diane. Vielleicht kannst du die Geschichte ein andermal fertig erzählen.«

»Bitte, Michael! Nur noch ein paar Minuten. Ich habe das Gefühl, daß ich zu ihr durchdringe.«

Jane sah, wie Michael nickte und dann zum Fenster ging, um in den Garten hinauszusehen. Wie hält er das aus? fragte sie sich. Wie hält er es aus, Tag für Tag um mich zu sein?

Mich zu versorgen und zu pflegen? Wie erträgt er es, mich auch nur anzusehen nach allem, was ich ihm angetan habe? O ja, ich bin schon eine tolle Nummer. Das Letzte. Der Abschuß.

»Also«, fuhr Diane fort, deren Stimme jetzt etwas gehetzt

klang, »Arlene, die eine knallharte Immobilienmaklerin spielt, sagt zu Pamela, die ein Haus kaufen will und die Wohnqualität prüft, indem sie erst mal in jedem Zimmer auf dem Fußboden bumst, sie soll doch den Zeitungsjungen fragen, ob er einspringen kann, da ihr Mann, der natürlich ein Senator ist, vor lauter Sorge um die hungernden Massen in Äthiopien keine Zeit für sie hat. Und inzwischen verhungert das arme Frauchen zu Hause, verstehst du? Arlene, die einen Feldstecher in ihrer Hermès-Tasche hat, damit wir gleich wissen, daß sie eine alte Spannerin ist, sagt zu Pamela: ›Rufen Sie ihn herein!‹ Pamela schwebt also zum Fenster rüber, im Schneckentempo, sag ich dir, und schaut zu diesem pickligen Jüngling runter, der munter seine Zeitungen vom Fahrrad in die Gegend schmeißt. Sie zieht einen Flunsch, aber sie traut sich nicht, bis Arlene ihr noch mal Mut macht und sagt: ›Rufen Sie ihn.‹ Und der Kerl im Zuschauerraum schreit: ›Aber bitte schnell, Schätzchen!‹ Ich sag dir, wir haben gebrüllt vor Lachen. Und ich mußte sofort an dich denken. ›Das hätte meine Freundin Jane sagen können‹, sagte ich zu Tracy. Gott, weißt du noch, wie du damals diesen Kerl in dem roten TransAm so auf die Palme gebracht hast, daß er uns beinahe umgefahren hätte?«

»Diane«, unterbrach Michael, diesmal mit einer Spur Ungeduld in der Stimme, »ich glaube, das ist wirklich nicht der Moment, so etwas zu erwähnen.«

Diane war zerknirscht. »Ich dachte nur, ich könnte vielleicht ihrem Gedächtnis einen Anstoß geben...«

»Glaubst du nicht, daß wir es seit Wochen praktisch Tag und Nacht versuchen? Ich weiß nicht. Vielleicht haben wir sie zu stark unter Druck gesetzt. Ich glaube, wir tun ihr jetzt den größten Gefallen, wenn wir sie in Ruhe lassen, damit sie sich in ihrem eigenen Tempo durch alles durcharbeiten kann.«

»Aber schau sie doch an, Michael. Glaubst du wirklich, sie kann ganz allein damit fertig werden?«

Michael blickte zu Boden. »Ich weiß es nicht. Ich weiß nicht, was ich noch tun soll. Ich bin nicht einmal sicher, ob es gut für sie ist, sie hier zu Hause zu behandeln.«

»Was soll das heißen?«

»Komm«, sagte Michael, ohne auf die Frage einzugehen, und half Diane auf die Beine. »Paula hat Kaffee gemacht, und sie ist bestimmt beleidigt, wenn du nicht wenigstens ein Stück von ihrem Heidelbeerkuchen probierst.«

»Michael, was wolltest du mit deiner Bemerkung eben sagen?«

»Ich habe mich erkundigt...«

»Wonach?«

»Nach der Möglichkeit, Jane in ein psychiatrisches Krankenhaus zu bringen.«

»Um Gottes willen, Michael. Du willst Jane in eine Anstalt bringen?«

»Herrgott noch mal, es ist doch nicht *so* schlimm, Diane. Willst du mir unbedingt Schuldgefühle einreden? Glaubst du vielleicht, ich hätte nicht alles versucht? Ich würde eine solche Möglichkeit nicht einmal in Betracht ziehen, wenn ich nicht mit meiner Weisheit am Ende wäre. Sieh sie dir doch an. Sie vegetiert ja nur noch dahin. Und es wird von Tag zu Tag schlimmer.«

»Vielleicht liegt es an den Medikamenten, die sie bekommt...«

»Ohne die Medikamente neigt sie zu Gewalttätigkeit und Wahnvorstellungen. So tut sie wenigstens weder sich selbst noch anderen etwas an. Sie kommt innerlich zur Ruhe und kann sich, so Gott will, langsam erholen. Schau mal, psychiatrische Kliniken sind nicht so, wie sie in Filmen immer dargestellt werden. Es gibt viele sehr gute Kliniken, in denen Jane die Betreuung und Hilfe bekommen würde, die sie braucht.«

»Ich verstehe ja, was du sagst, Michael. Aber ich kann es einfach nicht fassen.«

Diane sah zu Jane hinunter, als wolle sie sie durch ihre Willenskraft zum Aufstehen zwingen. Jane las den Ausdruck auf ihrem Gesicht. Steh auf, sagte er. Steh auf und wehr dich. Zeig diesem Mann, daß dir nichts fehlt, daß du nicht in eine Anstalt eingeliefert zu werden brauchst. Steh auf, verdammt noch mal, schrie Dianes Blick.

Jane spürte ein Kribbeln in den Beinen, prickelnde Nadelstiche an den Fußsohlen. Sie wollte gehorchen, sie wollte aufspringen und diese Frau umarmen, die ihre Freundin war, und ihr sagen, daß sie bald wieder gesund, daß alles wieder gut werden würde.

Aber wie konnte denn alles wieder gut werden? Sie hatte den Tod ihrer Mutter und ihres Kindes verschuldet, sie hatte ihren Mann betrogen, ihn beinahe getötet, sie hatte ihre Nachbarin hintergangen und sogar einige ihrer Freunde. Sie bekam, was sie verdiente.

»Ich komme wieder, Jane«, sagte Diane. Sie neigte sich zu ihr hinunter, wischte ihr den Speichel von den Lippen und küßte sie auf die Wange. »Du wolltest mich doch mit diesem netten Mann verkuppeln, den du auf einem eurer Umweltschutztreffen kennengelernt hast, weißt du noch? Ich zähl auf dich, Jane. Und ganz besonders zählt meine Mutter auf dich.« Sie hielt einen Moment inne. Ihre Tränen tropften auf Janes Decke. »Ich hab dich lieb.«

Jane ließ sich von Diane umarmen. Sie rührte sich nicht, weder um die Umarmung zu erwidern, noch um sich ihr zu entziehen. Ich verdiene eure Liebe nicht, dachte sie, während sie Michael und Diane nachsah, die in die Küche hinausgingen. Sie stellte sich vor, wie Paula ihnen jetzt Kaffee einschenkte und sie sich gemütlich an den Küchentisch setzten und Paulas frischen Heidelbeerkuchen lobten.

Das Leben würde ganz gut ohne sie weitergehen. Vielleicht würde Michael eines Tages Diane heiraten und Dianes Mutter damit glücklich machen. Oder vielleicht würde er Paula heiraten, sie und ihre kleine behinderte Tochter zu sich ins Haus holen, eine Fertigfamilie, um jene zu ersetzen, die er verloren, die sie ihm genommen hatte. Und Michael würde wieder glücklich sein. Und Jane würde – sie würde in einer Anstalt oder unter der Erde sein. Wo war da der Unterschied? Letztendlich kam es auf das gleiche heraus.

23

Sie saßen in Michaels Wagen auf einem großen Parkplatz in der St. James Avenue, gleich um die Ecke vom Greyhound-Busbahnhof.

»Alles in Ordnung, Jane? Fühlst du dich wirklich kräftig genug, das anzupacken?«

Warum fragte er sie das? Der Einfall, sich ins Auto zu setzen und auf Schatzsuche nach Boston hineinzufahren, stammte nicht von ihr. Michael hatte sich das ausgedacht. Michael hatte sie, als er sie am vergangenen Abend ins Bett gepackt hatte, ganz beiläufig gefragt, was aus den zehntausend Dollar geworden sei, die sie von ihrem gemeinsamen Konto abgehoben hatte.

Im ersten Moment konnte sie sich kaum erinnern, wovon er sprach – das alles schien vor langer, langer Zeit einer fremden Person geschehen zu sein –, aber nachdem er mehrmals vorsichtig nachgehakt hatte, konnte sie sich schließlich erinnern, wo sie das Geld versteckt hatte. Er hatte über ihre Listigkeit gelächelt, ganz besonders, als sie ihm sagte, daß sie den Schlüssel zu dem Schließfach unter der Innensohle eines ihrer Schuhe verborgen hatte. Sie hatte sich nicht entsinnen können, welche Schuhe es gewesen waren. Er hatte sie alle untersuchen müssen.

Sie hatte nicht erwartet, ihn begleiten zu müssen, aber sie hatte eben nicht daran gedacht, daß Samstag war und Paula an den Wochenenden frei hatte. Sarah und Diane hatten am Morgen angerufen und vorgeschlagen, sie zu besuchen, und er hatte beiden das gleiche gesagt. Daß er mit Jane nach Boston fahren wolle, um ihr endlich den Brillantring zu kaufen, den er ihr schon so lange versprochen hatte. Ja, er hoffe, das würde sie ein wenig aufmuntern. Er würde sich später wieder melden und berichten, wie Jane reagiert hatte. Von dem Abstecher zum Greyhound-Busbahnhof erwähnte er nichts. Eigentlich nicht weiter verwunderlich, dachte Jane. Was hätte er denn sagen sollen? Daß er sich das Geld wiederholen wollte, das sie vom gemeinsamen Konto gestohlen hatte, ehe sich ihr Gedächtnis ausgeklinkt hatte? Selbst gute Freunde wollten manches lieber nicht hören.

»Kann ich nicht im Wagen warten?« fragte Jane. Jedes Wort klang ihr so fremd in den Ohren, als spräche sie eine bekannte Sprache. Woher nahm sie überhaupt die Kraft zu sprechen, wo sie sich doch nur im weichen Ledersitz des Wagens zusammenrollen und schlafen wollte.

»Du brauchst ein bißchen Bewegung«, entgegnete Michael. »Komm, Jane. Der kleine Spaziergang wird dir guttun. Du kannst nicht Tag für Tag immer nur herumsitzen. Du mußt anfangen, wieder ein bißchen aktiv zu werden.«

Warum? wollte sie fragen, machte sich aber nicht die Mühe. Es war schon ein Witz – als sie gerne unter Menschen gegangen wäre, hatte Michael es ihr verweigert, und jetzt, als sie nur in ihrem Bett bleiben und in Ruhe gelassen werden wollte, bestand er darauf, mit ihr Spaziergänge zu machen und im Auto herumzukutschieren. Als sie sich verzweifelt gewünscht hatte, ihre Freunde zu sehen, mit ihnen am Telefon zu sprechen, hatte er behauptet, das wäre nicht gut; doch in den letzten Tagen, seitdem sie zu schwach und zu elend war, ihnen auch nur ins Gesicht zu sehen, wurde sie ständig wie auf dem Präsentierteller herumgereicht. Wo war da die Gerechtigkeit? Wo war die Logik?

»Komm«, sagte er wieder und diesmal stieg er aus. Er kam um den Wagen herum und öffnete ihr die Tür. Sie wußte, daß er sie nicht allein im Wagen zurücklassen wollte, weil er fürchtete, sie könnte wieder flüchten, davonlaufen und ihn allein zurücklassen. Wieso konnte er nicht begreifen, daß das ohne Zweifel die beste Lösung für alle ihre Probleme gewesen wäre?

Statt dessen half er ihr – nein, er zog sie aus dem Wagen auf die Straße, in ihrer dunkelblauen langen Hose und der weißen Bluse mit dem Matrosenkragen, die eher zu einer Zwölfjährigen gepaßt hätte, und mit dem ordentlich gebürsteten, straff zum Pferdeschwanz hochgebundenen Haar. Er lächelte ihr zu, während er sie mit viel gutem Zureden auf die Straße hinauslotste und ihr versicherte, daß sie es schaffen würde, er wüßte es genau. Und dann gingen sie, ja, sie gingen tatsächlich, obwohl sie ihre Füße gar nicht spürte, um die Ecke zum Greyhound-Busbahnhof.

Die Sonne schien. Die Temperatur betrug angenehme 24 Grad, wenn man dem Mann im Radio glauben sollte. Sie glaubte ihm nicht. Es schien heißer zu sein. Entschieden schwüler. Die Sonne brannte auf ihren Kopf hinunter, und die Hitze schloß ihn ein wie ein glühender Helm. Sie wollte schreien, um sich schlagen, sich aus der Umklammerung befreien. Aber die Sonne packte nur fester zu, senkte ihre Glut tiefer in sie hinein, und sie wußte, daß jeder Protest eine Verschwendung kostbarer Energie gewesen wäre. Vorsichtig wie ein Fisch, der nach Luft schnappt, öffnete sie den Mund, um Sauerstoff in ihre Lunge zu ziehen, aber sie schluckte nur glühende Hitze, so als stünde sie direkt über einem dampfenden Wasserkessel. Ihre Zunge brannte, und ihre Augen tränten.

»Alles in Ordnung? Möchtest du einen Moment ausruhen?«

Sie schüttelte den Kopf. Wozu rasten? Sie würden sich ja doch wieder in Bewegung setzen müssen. Der ganze blöde Ausflug würde nur um so länger dauern. Nein, je eher sie das Geld holten, das sie versteckt hatte, desto früher konnte sie sich wieder ins Auto setzen, desto früher würde sie nach Hause kommen, in ihr Bett, zu den erlösenden Medikamenten, die ihr Vergessen schenkten und ihr halfen, jeden Tag zu überstehen. Daß sie sich einmal gegen sie gewehrt hatte!

»Vorsichtig jetzt. Achte auf die Stufe.«

Jane senkte den Kopf und beobachtete ihre Füße, die einer nach dem anderen die Schwelle zur großen Wartehalle überquerten. Plötzlich wimmelte es von Menschen, solchen, die zu ihren Bussen rannten, anderen, die froh waren, den Bussen entronnen zu sein. Keiner schien sie zu bemerken wie beim ersten Mal, als sie hierher gekommen war. Die unsichtbare Frau, dachte sie, während sie sich von Michael weiterziehen ließ.

Wenig später stand sie schwitzend an eine Wand von Schließfächern gelehnt und sah zerstreut zu, wie Michael und die Schalterangestellte ihre Schlüssel in die entsprechenden Schlüssellöcher schoben. Sie sah, wie Michael die Schließfachtür aufzog, wie sein Lächeln breiter wurde, als er in das Fach hineingriff, um die Wäschetüte aus dem Lennox Hotel herauszuziehen. Während die Angestellte an ihren Platz hinter der Theke zurückkehrte, um die Nachzahlung zu errechnen, öffnete Michael die Plastiktüte, und Jane bemerkte den Ausdruck der Bestürzung, der über sein Gesicht flog, als sein Blick auf das zusammengeknüllte, blutverkrustete blaue Kleid fiel. Ihr schoß der Gedanke durch den Kopf, daß sie – abgesehen von allen anderen psychischen Defekten – offenbar an einem Identitätsproblem litt. Wie konnte ein und dieselbe Frau heute elegante Anne-Klein-Kleider tragen und am nächsten Tag im putzigen Matrosenanzug herumlaufen? Sie wartete, während Michael bezahlte, und ließ sich von ihm zum nächsten Abfalleimer schleppen, wo er vorsichtig das Kleid aus der Tüte nahm und in den Container fallen ließ. Er faltete die Tüte mit dem Geld, das sie ihm gestohlen hatte, zu einem säuberlichen kleinen Päckchen, das er so lässig unter den Arm klemmte, als wäre er es gewöhnt, große Barsummen auf diese Art und Weise zu befördern.

Dann drängten sie sich wieder durch das Menschengewimmel, Michael mit höflichem Nicken nach links und rechts, einem Lächeln für einen vorüberkommenden Polizisten, freundlicher Aufmerksamkeit für eine mit Koffern beladene ältere Frau, der er die Tür aufhielt.

Als sie wieder auf der Straße waren, glaubte sie, Michael würde sie zum Parkplatz zurückführen, mit der Selbstverständlichkeit, mit der ihm alles zu gelingen schien, ihren Wagen ausfindig machen und sie nach Hause fahren. Aber sie bogen nicht in die St. James Avenue ein, sondern gingen weiter, vorbei an der Bolyston Street zur Newbury Street.

»Wohin gehen wir?« fragte sie und versuchte, mit ihm Schritt zu halten.

»Ich habe meiner Frau doch einen Einkaufsbummel versprochen.«

»Ach, Michael, ich glaube, das wird mir zuviel.«

Er schien sie nicht gehört zu haben. Weiter ging es die elegante Einkaufsstraße hinunter. Michael pfiff vor sich hin, tat so, als bemerkte er ihre schlurfenden Schritte und ihr Unwohlsein überhaupt nicht, obwohl sie genau wußte, daß er nur versuchte, sie aus ihrer Lethargie zu reißen.

»Ich bin wirklich nicht in der Stimmung für einen Einkaufsbummel«, sagte sie, während er sie an den Schaufenstern teurer Läden vorbeiführte und sie die Situation nur absurd fand.

Die Straße war voller Menschen, viele mit Einkaufstüten beladen, und Jane überlegte, ob auch welche voller Hundert-Dollar-Scheine darunter waren. Sie sah Michael an, der gerade einer Frau auf der anderen Straßenseite zuwinkte. Die Frau erwiderte sein Winken, ehe sie die Straße überquerte, um ihn zu begrüßen.

»Michael, wie geht es Ihnen?«

»Glänzend. Und Ihnen?«

»Hervorragend. Ich bin restlos glücklich. Es geht doch nichts über eine Privatpraxis.«

Die Frau warf einen kurzen Blick auf Jane, und in ihren Augen erkannte Jane jenen Ausdruck, hinter dem Menschen sich zu verstecken versuchen, wenn sie etwas unerquicklich finden, es aber nicht zeigen wollen.

»Oh, verzeihen Sie«, sagte Michael sofort. »Thea Reynolds – das ist meine Frau, Jane.«

»Nett, Sie kennenzulernen«, sagte Thea Reynolds.

Jane sagte nichts, war nicht einmal sicher, ob ihre Lippen das Lächeln zustande brachten, das sie beabsichtigt hatte.

»Thea ist Spezialistin für Eßstörungen. Sie hat letztes Jahr im Krankenhaus aufgehört und ihre eigene Praxis aufgemacht.«

Jane nickte, aber die beiden waren schon wieder ganz aufeinander fixiert, und von ihr wurde nichts mehr verlangt. Das ist gut, dachte Jane und balancierte wie ein müdes, gelangweiltes Kind erst auf dem einen Bein, dann auf dem anderen, wobei sie an Michaels Arm zerrte und zog, um nicht aus dem Gleichgewicht zu geraten. Sie fand sie einschüchternd, diese Thea Reynolds mit dem perfekt gestylten schwarzen Haar, dem die Hitze nichts anhaben konnte, mit dem selbstsicheren, zähneblitzenden Lächeln, der erlesenen Kleidung und den geschmackvoll ausgewählten Accessoires, mit den gepflegten Fingern, an denen kein Nagel rissig oder angeknabbert war. Thea Reynolds war eine Frau mit Ausstrahlung, mit einem Selbstvertrauen, das einem gesunden Selbstgefühl entsprang, einer inneren Sicherheit, von der Jane sich kaum vorstellen konnte, daß sie selbst sie je besessen hatte. Hatte sie Frauen wie Thea Reynolds schon immer einschüchternd gefunden? Oder hatte sie vielleicht selbst einmal dieses ungezwungene Selbstvertrauen gehabt.

Zumindest ein bißchen was mußte sie davon gehabt haben, überlegte sie, als ihr einfiel, wie oft sie ihre Hitzköpfigkeit und ihre Wehrhaftigkeit in Schwierigkeiten gebracht hatten. Aber was war aus all dem Selbstvertrauen geworden?

Abgemurkst, dachte sie und bemerkte gleichzeitig den neugierigen Blick einer entgegenkommenden Frau, total verstümmelt bei einem Autounfall, noch ein Opfer meiner eigenen Unachtsamkeit. Die Frau starrte sie im Vorbeigehen ganz offen an. Jane drehte ein wenig den Kopf, um sie zu beobachten und sah, wie sie stehenblieb, zögerte, dann weiterging. Sie wollte mir wahrscheinlich ein Kompliment über meinen entzückenden Matrosenanzug machen, dachte Jane, während sie zusah, wie Thea Reynolds sich zu Michael neigte und ihn auf die Wange küßte. Aber wahrscheinlich hat sie nicht mich angesehen, sondern Michael. Michael war es, den sie wiederzuerkennen glaubte. Das nämlich hatte der Blick der Frau gesagt – ich glaube, ich kenne Sie, aber ich bin mir nicht sicher, helfen Sie mir.

»Es hat mich gefreut, Sie kennenzulernen«, sagte Thea Reynolds und bemühte sich nicht einmal, Aufrichtigkeit vorzutäuschen.

»Ganz meinerseits«, murmelte Jane, den Blick auf die hellroten Lippen der Frau gerichtet. Sie sah ihr nach, wie sie wieder die Straße überquerte und in einem Restaurant verschwand. Ihr Gang war so selbstbewußt wie die ganze Person.

»Sie ist eine nette Person«, bemerkte Michael, der sich nun wieder in Bewegung setzte und Jane mit sich zog. Die Bemerkung bedurfte keines Kommentars, und Jane schwieg. »Und eine ausgezeichnete Ärztin«, fügte er hinzu, auf ihre Beteiligung am Gespräch offensichtlich nicht angewiesen. »Sie nahm Eßstörungen schon ernst, als die meisten Ärzte sie noch als typisch weibliches Zipperlein abtaten.«

Ein typisch weibliches Zipperlein, dachte Jane gekränkt und merkte, daß sie wieder stehengeblieben waren.

»So, da wären wir«, sagte Michael. »Komm, gehen wir rein.«

Jane blickte eine breite Treppe hinauf zu einer Fassade hoher blitzender Fenster, über denen in großen schwarzen Lettern der Name des Geschäfts angebracht war. ›Oliver's‹ stand dort, und darunter, kleiner, für sie kaum lesbar, weil die Buchstaben nicht aufhörten zu wackeln, ›Seit mehr als 50 Jahren Juweliere von Rang‹. Was, zum Teufel, hatten sie hier zu suchen?

»Michael, ich kann nicht.« Sie fühlte seine Hand auf ihrem Arm. Er begann, sie die Stufen hinaufzuziehen. »Ich bin todmüde. Ich schaff das nicht. Ich möchte mich nur hinlegen.«

»Nur noch ein paar Stufen.«

»Ich schaff das nicht.«

»Na komm, gleich sind wir oben. Siehst du? Bravo!«

Ihre Füße fanden die letzte Stufe, doch die Muskeln in ihren Beinen kletterten weiter, spannten und entspannten sich in dem Rhythmus, auf den sie sich eingespielt hatten.

»Was tun wir hier?« fragte sie, zu müde, die Wörter deutlich auszusprechen, so daß sie zu einem langgezogenen Lallen ineinanderflossen.

»Ich habe deinen Freundinnen erzählt, daß ich dir einen neuen Ehering kaufe, und genau das werde ich tun«, sagte er und tippte dabei auf die Geldtüte unter seinem Arm. »Ich hab zufällig ein paar Dollar bei mir.«

»Michael, nein. Tu das nicht. Das ist nicht recht«, protestierte sie. Warum ließ er sich nicht einfach von ihr scheiden, und basta?

»Ich habe dir Brillanten versprochen, und ich halte meine Versprechen.«

»Brillanten?« Wozu brauchte sie Brillanten? Hatte er nicht erst gestern abend davon gesprochen, sie in eine Anstalt einweisen zu lassen? Und hatte sie nicht ernsthaft daran gedacht, ihm die Mühe zu ersparen?

Selbstmord, dachte sie, und das Wort schallte in vielfältigem Echo durch ihren Kopf. Selbstmordselbstmordselbstmordselbstmord. Wann war ihr der Gedanke zum ersten Mal gekommen? Wann war ihr zum ersten Mal eingefallen, daß dies die naheliegende Lösung aller Probleme war?

Ihr wurde immer klarer, daß Michael sie niemals aufgeben

würde. Selbst wenn er sie in eine Anstalt bringen sollte, würde er sie regelmäßig besuchen, sie weiterhin seine Frau nennen. Und jetzt, in diesem Moment, führte er sie zu einem Juwelier, entschlossen, ihr einen neuen Ehering zu kaufen, wie zur Bekräftigung seiner Bindung an sie.

Nein, solange sie lebte, würde Michael niemals von ihr frei sein. Er würde immer in der Hoffnung leben, daß sie eines Tages wieder gesund werden, daß ihre Ehe gerettet werden könnte. Frei sein konnte er nur, wenn sie tot war. So einfach war das. Es war das mindeste, was sie tun konnte.

Und es war ja auch ganz einfach. Sie wußte, wo er die Medikamente aufbewahrte. Sie brauchte nur ein paar Tabletten zuviel zu nehmen. Und wenn das nicht klappte, gab es immer noch den treuen Freund und Helfer, das Küchenmesser. Oder sie konnte sich aus einem der Buntglasfenster im ersten Stockwerk ihres Hauses stürzen, sich auf dem spitzen Horn des Einhorns aufspießen. Oh, Möglichkeiten gab es genug. Wo ein Wille ist, ist auch ein Weg, erinnerte sie sich eines Spruchs aus vergangenen Zeiten.

»Jane!« Michael winkte sie zum Ladentisch und zog sie fest an seine Seite. »Siehst du etwas, das dir gefällt?«

»Michael, ich brauche kein...«

»Tu es für mich«, sagte er, und der Mann hinter dem Ladentisch lachte. Die Brille mit dem Schildpattrand und das wellige blonde Haar hüpften bei seinem Lachen auf und ab.

»Das höre ich wirklich zum ersten Mal«, erklärte er und neigte, um Jane anzusehen, den Kopf zur Seite, als fiele es ihm schwer, sie direkt von vorn zu betrachten. »Die meisten Männer lassen sich nur heulend und zähneknirschend von ihren Frauen hier hereinschleppen. Also – was darf ich Ihnen zeigen?« fragte der Mann, der sich als Joseph vorgestellt hatte.

»Wir suchen einen Trauring«, sagte Michael.

»Ah, eine Hochzeit. Wie schön.«

Jane sah ihm an, daß er die Klugheit von Michaels Wahl stark anzweifelte.

»Wir haben eine große Auswahl an Trauringen. Dachten Sie an etwas Bestimmtes?«

»Brillanten«, sagte Michael schlicht.

»Brillanten.« Der Juwelier wiederholte das Wort beinahe ehrfürchtig. »Ein schönes Wort, finden Sie nicht?« Er lachte, und wieder hüpften Haar und Brille fröhlich auf und nieder. Michael stimmte in das Gelächter ein, aber Jane lachte nicht, lächelte nicht einmal. Kein Humor. Sie wußte, daß Joseph das dachte. Wieso will dieser gutaussehende, offensichtlich intelligente Mann diese humorlose Langweilerin heiraten, die Matrosenblusen trägt und die edlen Dinge des Lebens nicht zu schätzen weiß?

»Dachten Sie an einen Solitär oder einen Memory-Ring?«

»Tja, wir sind schon elf Jahre verheiratet«, sagte Michael, und der Juwelier bezeigte nickend sein Beileid, »da wäre ein Memory-Ring wohl das Richtige. Was meinst du, Liebes?«

Memory, dachte Jane. Inmemoriaminmemoriam.

»Können Sie uns etwas zeigen?«

»Aber selbstverständlich.« Joseph sperrte die Glasvitrine auf und präsentierte ihnen auf dem Ladentisch eine Auswahl Brillantringe. »Möchten Sie sich setzen?« fragte er und schnalzte mit den Fingern laut nach seinem Verkäufer. Der trug gehorsam einen Stuhl herbei, auf den sich Jane sofort niederfallen ließ. »Geht es Ihrer Frau nicht gut, Mr....?«

»Whittaker. Dr. Whittaker. Meine Frau war in den letzten Tagen nicht ganz auf der Höhe«, erklärte Michael, »aber jetzt geht es ihr langsam besser.«

»Tut mir leid, daß sie krank war«, sagte Joseph. »Schön, daß es wieder besser geht«, fügte er hinzu, sich plötzlich an Jane selbst wendend, die über den Ausdruck ›nicht auf der Höhe‹ nachdachte, ihn sehr passend fand und überlegte, woher er wohl kommen mochte.

»Wie gefallen dir die Ringe, Jane?«

Sie zwang sich, den hoffnungsvollen Glanz auf dem schwarzen Samttablett zu betrachten. Die Brillanten zwinkerten ihr glitzernd zu wie winzige Sterne, die in Platin und Gold gefangen und gefesselt waren. Bei manchen sah man das Metall gar nicht, sie schienen wie durch Zauber zusammengeschweißt. Aber bei ihr war es selbst für Wunder und Zauberei zu spät.

»Sehr hübsch«, murmelte sie.

»Das will ich doch hoffen«, sagte Joseph, offensichtlich irritiert von ihrer Lustlosigkeit. »Das sind alles erstklassige Steine.«

»Wie wär's mit dem?« fragte Michael. Er zog einen Ring mit mittelgroßen rundgeschliffenen Diamanten heraus. »Der gefällt mir gut.«

»Sie haben einen guten Blick«, bemerkte der Juwelier. »Das ist eines unserer schönsten Stücke.«

»Probier ihn an«, drängte Michael.

»Ach nein, Michael.«

»Vielleicht gefällt ihr dieser hier besser«, meinte Joseph. Er hielt einen Ring mit herzförmigen Brillanten hoch.

»Welcher gefällt dir besser, Jane?«

Jane sagte gar nichts. Wozu auch? Sie bot Michael lediglich die Hand, so daß er ihr den Ring über den Finger schieben konnte. Was spielte es schon für eine Rolle, welchen Ring er aussuchte? Es war doch egal. Würde er ihr den Ring mit ins Grab geben?

»Er ist ein bißchen groß«, bemerkte Michael, während er den Ring an ihrem Finger auf und ab schob.

»Das läßt sich leicht beheben. Wir werden mal sehen, welche Größe Sie haben.«

Er nahm Janes Hand, um Maß zu nehmen. »Fünfeinhalb!« rief er. »Das ist sehr klein.« Er musterte prüfend seinen Bestand. »Mir scheint, da haben wir gar nichts da, jedenfalls nicht mit Brillanten in der Größe, die Sie sich bisher angesehen haben. Wir haben etwas mit kleineren Steinen...«

»Ich hätte gern die größeren«, unterbrach Michael. »Wenn die Qualität wirklich gut ist.«

»Wir verkaufen nur Steine von erster Qualität, Dr. Whittaker.«

»Tja, ich denke, wir nehmen einen von diesen beiden, nicht wahr, Liebes?« Michael hielt ihr die beiden Ringe vor das Gesicht. »Welcher gefällt dir besser?«

Jane machte die Augen zu und drehte den Kopf weg.

»Vielleicht hätte Ihre Frau lieber einen anderen Stein. Ich habe sehr schöne Smaragde und Rubine...«

»Nein, Brillanten«, entgegnete Michael. »Ich denke, wir nehmen die Herzen. Aber in der richtigen Größe.«

»Das ist leicht zu machen.«

»Wann können wir den Ring haben?«

»Sagen wir, in einer Woche?«

»In Ordnung. Na, was meinst du, Schatz? Ist dir das recht, in einer Woche?«

»Ich muß an die frische Luft«, flüsterte Jane, obwohl es in Wahrheit in dem klimatisierten Laden weit angenehmer war als draußen. Aber sie mußte hinaus, weg von diesen grau tapezierten Wänden und schwarz gefliesten Böden, weg von dem welligen blonden Haar und der Schildpattbrille, weg von den erstklassigen Steinen, die sie an Glühwürmchen in einer Streichholzschachtel erinnerten.

»Warte doch draußen auf der Treppe auf mich«, schlug Michael vor. Natürlich, dachte Jane, er weiß, daß ich viel zu schwach bin, um davonzulaufen. »Dann erledige ich das hier.«

»Der Verkäufer hilft Ihnen«, sagte Joseph, und schon kam der langhaarige junge Mann, um Jane zur Tür zu führen. »Er wird sich um sie kümmern«, hörte Jane den Juwelier sagen, als sie hinausging. Und: »Ich brauche allerdings eine Anzahlung.«

»Kein Problem«, hörte sie Michael antworten, dann fiel die Tür hinter ihr zu.

Sie hockte sich auf die oberste Stufe und stützte den Kopf in die Hände. Der arme Michael. Der arme, liebe Michael. Unermüdlich bemühte er sich, sie aufzumuntern, unermüdlich versuchte er, alles wieder in Ordnung zu bringen. Ging sogar so weit, das Geld, das sie von ihrem gemeinsamen Konto gestohlen hatte, für einen Brillantring für sie auszugeben. Für einen Memory-Ring. Wie passend. Brillantglitzernde Erinnerung für die Frau ohne Erinnerung. Nächste Woche sollte der Ring fertig sein. Aber da würde sie keine Erinnerung mehr brauchen. Da würde sie schon selbst in die Erinnerung eingegangen sein. In Memoriam Jane Whittaker.

Sie blickte auf, als sie spürte, daß am Fuß der Treppe jemand stand und sie anstarrte.

Es war dieselbe Frau, die ihr auf der Straße begegnet war und sie mit so unsicherem Blick angesehen hatte, als sie an ihr vorübergegangen war.

»Entschuldigen Sie«, sagte die Frau und stieg ein paar Stufen höher, ehe sie erneut stehen blieb. »Sind Sie nicht Mrs. Whittaker? Emilys Mutter?«

Bei dem Namen schrie Jane leise auf.

»Oh, entschuldigen Sie«, wiederholte die Frau, »ich wollte Sie nicht erschrecken. Ich dachte vorhin schon, daß ich Sie kenne, aber ich war mir nicht sicher. Sie sehen ein bißchen anders aus. Sind Sie Mrs. Whittaker?«

Jane nickte stumm.

»Ich bin Anne Halloren-Gimblet«, sagte die Frau, und Jane versuchte, eine Verbindung zu dem Namen herzustellen. »Sie erinnern sich wahrscheinlich nicht an mich, aber unsere Töchter waren in derselben Klasse. Ich war auf dem Ausflug mit, als Sie diesem unverschämten alten Kerl Ihre Handtasche auf den Kopf donnerten.«

Halloren-Gimblet, wiederholte Jane stumm und fragte sich, wie Leute zu solchen Namen kamen.

»Ich hatte immer vor, Sie anzurufen und Ihnen zu sagen, wie sehr ich Ihre Courage bewundere. Ich hatte damals ein ganz schlechtes Gewissen. Ich stand genau wie alle anderen nur untätig dabei, während dieser Mensch unsere Kinder herumstieß, und hatte nicht den Mut, etwas zu tun. Sie waren die einzige, die sich das nicht gefallen ließ. Und dann dankten wir anderen Ihnen nicht einmal. Ich wollte Sie anrufen, aber irgendwie kam immer etwas dazwischen. Sie kennen das ja sicher – man nimmt sich etwas vor, aber wenn man es nicht gleich tut, wird nie mehr was daraus.« Sie hielt inne, als warte sie auf Janes Absolution.

Aber Jane sagte nichts. Halloren-Gimblet, dachte sie.

»Und darum«, fuhr die Frau fort und streckte sich, um Jane die schlaffe Hand zu schütteln, »möchte ich Ihnen wenigstens jetzt sagen, daß ich Sie großartig fand. Wenn so etwas noch einmal vorkommen sollte, warte ich nicht wieder sechs Monate, ehe ich mich melde.«

Sie ließ Janes Hand los und stieg rückwärts die wenigen Stufen zur Straße hinunter. »Auf Wiedersehen«, sagte sie, blieb noch einen Moment unschlüssig stehen und ging, als Michael oben aus dem Laden trat.

»Wer war das?« fragte er.

»Ach, irgendeine Frau mit einem komischen Namen, die meinte, mich zu kennen«, antwortete Jane matt.

»Und – kannte sie dich?«

Jane zuckte nur mit den Achseln. Michael half ihr auf und führte sie die Treppe zur Straße hinunter. Eine Bemerkung, die die Frau gemacht hatte, geisterte durch ihren Kopf, aber sie wußte, es würde sie ihre ganze Konzentration kosten, sich an das Gespräch zu erinnern, und sie war viel zu müde. Und was machte es schon für einen Unterschied? Sie konzentrierte sich statt dessen darauf, einen Fuß vor den anderen zu setzen, während der Name der Frau bei jedem Schritt in ihrem Kopf widerhallte wie das rhythmische Geräusch eines langsam fahrenden Zugs. Anne

Halloren-Gimblet, ratterte es. Anne Halloren-Gimblet. Anne Halloren-Gimblet.

Annehallorengimbletannehallorengimbletannehalloren-gimblet.

24

Jane fuhr aus einem Traum hoch, in dem sie Emily durch ein endloses Labyrinth grüner Hecken nachgejagt war. Michael, der neben ihr lag, seufzte, aber er erwachte nicht. Jane legte ihren Kopf wieder auf das Kissen und wartete auf die Wiederkehr des Schlafs, das vertraute Gefühl, in weiche Tiefen zu sinken.

Plötzlich befand sie sich in einem großen Kaufhaus. Emily war bei ihr. Zusammen gingen sie zu einer Verkaufstheke. Jane trug eine Wäschetüte aus Plastik mit einem Kleid, das sie zurückgeben wollte. »Dieses Kleid hat Flecken«, teilte sie der Verkäuferin mit, die eine rosarote Schleife im flammend roten Haar trug.

»Blutflecken nehmen wir nicht zurück«, sagte die junge Frau und rieb den blauen Stoff zwischen den Fingern. »Außerdem haben Sie das Kleid schon vor sechs Monaten gekauft.«

»Aber es hat doch Garantie auf Lebenszeit.«

»Es gibt überhaupt keine Garantie.«

Jane sah sich suchend nach ihrer Tochter um und entdeckte, daß sie verschwunden war. »Emily!« rief sie laut. »Wo bist du?«

Und plötzlich stand sie vor einem offenen Grab und starrte durch die Dunkelheit zu Emily hinunter. Das Kind hockte angstgelähmt in der Grube, und vor ihm wiegten sich Kobras mit hochaufgerichteten Vorderleibern und drohend entblößten Giftzähnen. Als Jane sah, daß sie ihr Kind angreifen wollten, stürzte sie sich in die Grube hinunter, direkt auf die Schlangen.

»Nein!« schrie sie so laut, daß Michael erwachte. Er nahm sie sofort in die Arme und begann, sie sachte zu wiegen.

»Es ist ja gut«, sagte er leise und beschwichtigend. »Es ist ja gut. Es war nur ein Traum.«

Jane sagte nichts. Die sachte Wiegebewegung, mit der Michael sie zu beruhigen suchte, machte das Bild der Schlangen, die sich in der Grube gewiegt hatten, nur noch lebendiger.

»Möchtest du darüber sprechen?«

Jane schüttelte den Kopf. Was gab es da groß zu sagen? Sie hatte ihre Tochter verloren und in einem Grab voller Giftschlangen wiedergefunden. Abèr das war nicht alles, erkannte Jane. Sie beugte sich vor und stützte die Arme auf die Knie. Da war noch etwas gewesen.

»Ich hole deine Tabletten«, sagte Michael. Er stand auf, um ins Bad zu gehen.

Da war noch etwas gewesen. Aber was?

Jane bemühte sich, die Traumbilder festzuhalten, ehe sie verblaßten. Im Kaufhaus fing sie an, dachte weiter zu dem Gespräch mit der Verkäuferin, hörte wieder ihren Protest, daß das Kleid schon vor sechs Monaten gekauft worden sei. Sechs Monate, dachte Jane. Was ist daran so wichtig?

Plötzlich fiel ihr die Frau auf der Treppe vor dem Juweliergeschäft in der Newbury Street ein. Anne Halloren-Gimblet sagte sie sich stumm vor. Anne Halloren-Gimblet hatte etwas von sechs Monaten gesagt. Was war es gewesen?

»Hier. Nimm sie.« Michael hielt ihr zwei kleine weiße Tabletten hin, die etwas anders geformt waren als das Haldol, das sie sonst immer bekam. Seit wann gaben sie ihr etwas anderes? Sie nahm ihm die Tabletten ab und musterte den feinen Glanz ihrer Umhüllung. Wenn nicht Haldol, was dann? Thorazin? Na und, was spielt es schon für eine Rolle? fragte sie sich, wie es ihr in letzter Zeit zur Gewohnheit geworden war. Mit der anderen Hand nahm sie das Glas, das Michael ihr reichte.

Was hatte Anne Halloren-Gimblet zu ihr gesagt? Sie hatte etwas von dem Ausflug erzählt, bei dem Jane diesem rücksichtslosen Mann eins mit der Handtasche übergebraten hatte. Sie hatte gesagt, sie bewunderte Jane und hätte ein schlechtes Gewissen, weil sie es ihr nicht schon viel früher gesagt hatte. ›Wenn so etwas noch einmal vorkommt, warte ich nicht wieder sechs Monate, ehe ich mich melde.‹ Ja, das war es gewesen. ›Ich warte nicht wieder sechs Monate, ehe ich mich melde.‹ Sechs Monate? Was hatte sie damit sagen wollen? Hatte sie überhaupt etwas damit sagen wollen, oder war es nur eine Redewendung?

»Nimm die Tabletten, Jane. Wir können noch ein paar Stunden schlafen, ehe wir aufstehen müssen.«

Sie brauchte mehr Zeit. Wenn sie die Tabletten nahm, würde sie innerhalb von Minuten wieder total weggetreten sein. Sie brauchte diese Minuten aber, um die Sache durchzudenken. Ihr Unterbewußtsein wollte ihr etwas mitteilen. Es hatte sich durch Stumpfsinn und Betäubung gekämpft und sich in ihre Träume geschlichen, weil es ihr etwas Wichtiges mitzuteilen hatte. Und jetzt brauchte sie Zeit, um herauszubekommen, was das für eine Botschaft war.

Jane legte die Tabletten auf ihre Zunge und hob das Glas Wasser zum Mund. Doch als es sich ihren Lippen näherte, kippte sie es nach vorn, so daß sich das Wasser über ihr Nachthemd ergoß. Sie spürte, wie die klatschnasse Baumwolle sich auf ihre Brüste klebte.

»Herrgott, Jane, paß doch auf, was du tust!« Michael riß ihr das Glas aus der Hand und wischte ihr das nasse Nachthemd mit einem Zipfel des Bettlakens ab. »Ist schon gut«, sagte er und ging wieder ins Badezimmer, während sie stumm die Bescherung betrachtete, die sie angerichtet hatte. »Ich hole dir ein neues Glas.«

Kaum war er weg, spie Jane die beiden Tabletten in ihre Hand und schob sie unter die Matratze. ›Das nächste Mal warte ich nicht wieder sechs Monate, ehe ich mich melde.‹

Sechs Monate.

Michael kehrte mit einem frischen Glas Wasser zurück. Jane

führte es vorsichtig zum Mund, neigte den Kopf in den Nacken, als schlucke sie die Tabletten, und spülte das Wasser hinunter. Michael stellte das leere Glas auf den Nachttisch, kroch wieder ins Bett und schmiegte sich schützend an sie.

Jane lag wach. Sie bemühte sich, ruhig zu atmen. Was hatte es zu bedeuten? Was hatte Anne Halloren-Gimblet gemeint, als sie gesagt hatte, das nächste Mal würde sie nicht wieder sechs Monate warten? Wenn seit ihrem letzten Zusammentreffen nur sechs Monate vergangen waren, dann hatte der Ausflug, von dem sie gesprochen hatte, im letzten Schuljahr stattgefunden. Aber das war ausgeschlossen, wenn Emily vor mehr als einem Jahr bei einem Autounfall ums Leben gekommen war.

Es sei denn, Emily war gar nicht umgekommen. Es sei denn, Emily war noch am Leben.

Janes ganzer Körper zuckte vor Erregung. Sie fühlte, wie Michaels Hände ihre Taille fester umfaßten. Wenn aber Emily gar nicht umgekommen war, wenn sie irgendwo noch am Leben war, weshalb hatte Michael ihr dann erzählt, sie wäre tot? Wenn Emily am Leben war, so hieß das, daß *alles*, was Michael ihr erzählt hatte, gelogen war.

Es gab nur ein Mittel, die Wahrheit herauszufinden. »Michael«, flüsterte sie und entwand sich seiner Umarmung, »wenn wir aufstehen, möchte ich auf den Friedhof fahren.«

Der Friedhof war nicht weit, in jenem Teil Newtons gelegen, der Oak Hill hieß. Michael hatte protestiert, er sähe keinen Sinn darin, auf den Friedhof zu gehen, das würde sie zweifellos nur noch mehr aus dem Gleichgewicht bringen, aber sie war hart geblieben, und schließlich hatte er nachgegeben. Na, wenn schon, hatte seine Miene gesagt, es spielt im Grunde keine Rolle.

Doch, hatte sie stumm entgegnet, es spielt eine große Rolle. Es spielt eine entscheidende Rolle. Der Besuch auf dem Friedhof wird darüber entscheiden, ob ich mich lebendig begraben lasse oder anfange, mich zu wehren, um dahinterzukommen, was hier vorgeht, und um meine Tochter wiederzubekommen.

Michael steuerte den Wagen durch das offene Tor des Mount Pleasant Friedhofs und hielt auf dem kleinen gekiesten Parkplatz an. Er schaltete den Motor aus und blieb einen Moment reglos sitzen. Jane, die spürte, daß er sie forschend ansah, senkte den Kopf und täuschte Müdigkeit vor. Keinesfalls durfte sie jetzt seinen Verdacht erregen, aber sie war im übrigen tatsächlich müde und hätte mühelos auf der Stelle einschlafen können.

»Bist du sicher, daß du dir das antun willst?« fragte er.

»Ich muß es tun«, antwortete sie wahrheitsgemäß.

»Okay. Wenn es dir zuviel wird, dann sag es mir. Dann kehren wir sofort wieder um.«

Er öffnete seine Tür und stieg aus. Dann kam er um den Wagen herum, um ihr herauszuhelfen, und führte sie, seinen Schritt ihrem schleppendem angleichend, auf den richtigen Weg. Wozu das alles? fragte sie sich plötzlich und mußte den Impuls niederringen, zum Wagen zurückzulaufen. Michael erfüllte bereitwillig ihren Wunsch; er hatte offensichtlich nichts zu verbergen. Worin also lag der Zweck dieser Übung? Anne Halloren-Gimblet legte eben ihre Worte nicht auf die Goldwaage, das war alles. Sechs Monate, das war schlicht und einfach eine Redewendung. Ebensogut hätte sie sechs Jahre sagen können.

»Es ist in der Richtung«, sagte Michael und wies über die geordneten Reihen von Grabsteinen hinweg, vor denen in halbmondförmigen Beeten bunte Sommerblumen blühten. Jane ging langsam zwischen den Reihen hindurch und las die fremden Namen, registrierte automatisch Geburts- und Todesdaten.

GELIEBTE FRAU; LIEBENDER VATER; IHN KENNEN HEISST IHN LIEBEN; GELIEBT VON ALLEN, DIE SIE KANNTEN; GELIEBTER SOHN, DER UNS ZU FRÜH GENOMMEN WURDE; ein schlichtes UNVERGESSEN.

Vor einem Grabstein aus rotem Granit blieb Michael stehen. »Hier ist es.«

Jane hielt unwillkürlich den Atem an. EVELYN LAWRENCE, lautete die Inschrift. LIEBEVOLLE FRAU, GELIEBTE MUTTER UND GROSSMUTTER, GEBOREN AM 16. MÄRZ 1926, GESTORBEN AM 12. JUNI 1989. IN UNSEREN HERZEN WIRST DU WEITERLEBEN.

Ihre Mutter war also wirklich tot. Sie kniete nieder und strich mit den Fingern über den gemeißelten Stein. Gestorben mit dreiundsechzig Jahren. Langsam zeichnete sie die tief eingegrabenen Buchstaben nach. Sie schloß die Augen und lehnte den Kopf an den Stein, der trotz der morgendlichen Hitze kühl war, und wünschte sich, ihre Mutter würde aus der Tiefe des Grabes die Arme emporstrecken und sie zu sich hinunterziehen, sie trösten und beruhigen und nie wieder loslassen.

GESTORBEN AM 12. JUNI 1989. Jane riß die Augen auf und starrte die Buchstaben an, um sich zu vergewissern, daß sie richtig gelesen hatte. Es war nicht der 12. Juni gewesen, der Todestag ihrer Mutter, an dem sie sich erinnerungslos mitten in Boston wiedergefunden hatte; es war der 18. gewesen, fast genau eine Woche später. Was hatte das zu bedeuten?

Michael hatte ihr erzählt, sie wäre nicht davon abzubringen gewesen, das Grab ihrer Mutter genau am ersten Todestag zu besuchen; sie wäre nicht einmal bereit gewesen, bis zum Wochenende zu warten, obwohl er sie da hätte begleiten können. Das konnte nur bedeuten, daß sie entweder eine ganze Woche früher verschwunden war, als Michael behauptete, oder daß er den tragischen Tod ihrer Mutter einfach als fruchtbare Grundlage für all seine anderen Lügen ausgenutzt hatte.

Beklommen drehte Jane den Kopf nach dem Grab zu ihrer Rechten und atmete auf, als sie den fremden Namen las: KAREN LANDELLA. GELIEBTE FRAU UND MUTTER, GROSSMUTTER UND URGROSSMUTTER. GEBOREN AM 17. FEBRUAR 1900, GESTORBEN AM 27. APRIL 1989. GELIEBT VON ALLEN, DIE SIE KANNTEN. Mit einem stummen Gebet wandte Jane den Kopf langsam nach links: WILLIAM BESTER, LIEBEVOLLER EHEMANN, GELIEBTER VATER, GROSSVAter und Bruder. Geboren am 22. Juni 1921, gestorben am 5. Juni 1989.

»Wo liegt Emily?« fragte sie, kaum fähig zu sprechen.

Michael schwieg. Er half ihr auf, wandte sich dann ab und schritt rasch zwischen den Reihen schweigender Gräber hindurch. Jane folgte ihm widerstrebend, wagte nicht, nach rechts oder links zu sehen, voller Angst, sie könnte auf einem dieser kalten stummen Steine den Namen ihrer Tochter entdecken. War es möglich, daß ihre finsteren Vermutungen nur Wahnvorstellungen waren? Daß Emily wirklich hier auf diesem Friedhof lag?

»Michael?« rief sie. Sie blieb stehen und lehnte sich mit zitternden Knien an ein hohes graues Grabmal. Ihr Blick vollendete die Frage: Wo liegt sie? Wie weit müssen wir noch gehen?

»Emily ist nicht hier begraben«, sagte er nach einer langen Pause. Jane mußte sich mit beiden Händen an dem Grabmal festhalten.

»Sie ist nicht hier?«

»Sie wurde eingeäschert.«

»Eingeäschert?«

»Du konntest die Vorstellung, sie in die Erde zu legen, nicht ertragen«, erklärte er. Seine Stimme brach, und er konnte sekundenlang nicht weitersprechen. »Du wolltest auf keinen Fall eine Erdbestattung. Deshalb ließen wir sie einäschern und verstreuten ihre Asche im Hafen von Woods Hole.«

»Woods Hole?«

»Da steht das Sommerhaus meiner Eltern.« Er blickte in die Sonne, dann hinunter zu seinen Füßen. »Emily hat die Gegend dort geliebt.«

Jane leistete keinen Widerstand, als Michael sie in die Arme nahm. Sie fühlte den ruhigen Schlag seines Herzens und fragte sich, ob er spürte, wie erregt das ihre klopfte. Sagte er die Wahrheit? Konnte ein Mensch so leicht, so skrupellos lügen? Konnte er sich so gut verstellen? Was war das für ein Ungeheuer, von dem sie sich da in den Armen halten ließ.

Sie erinnerte sich an den Alptraum in ihrer ersten Nacht zu Hause: Sie und Michael am Rand einer weiten Wiese voller Giftschlangen. Als sie bei ihm Hilfe gesucht hatte, hatte an seiner Stelle eine riesige Kobra gewartet. Sie fröstelte, und Michael zog sie fester an sich.

Es überlief sie eiskalt.

»Du solltest dich jetzt ein Weilchen hinlegen«, meinte er, als er ihr die Treppe hinauf half.

»Ist es schon Zeit für meine Tabletten?« fragte Jane. Sie setzte sich auf der Bettkante nieder.

Michael sah auf die Uhr. »Noch eine halbe Stunde. Warum?«

»Ich würde sie gern jetzt schon nehmen. Mir ist hundeelend, und ich habe das Gefühl, daß ich sonst nicht schlafen kann.«

Er neigte sich zu ihr hinunter und küßte sie auf die Stirn. »Eine halbe Stunde hin oder her, das spielt sicher keine Rolle.«

Er zog sich das von der Hitze schweißfeuchte Hemd über den Kopf und warf es auf dem Weg in sein Arbeitszimmer in den Wäschekorb. Jane blickte ihm nach, dann begann sie zu überlegen. Sie brauchte einen Plan, und sie mußte schnell handeln. Sie hatte nicht viel Zeit. Denk nach, befahl sie ihrem wirren Hirn. Was willst du tun?

Sie hörte, wie Michael drüben in seiner Arzttasche kramte. Als erstes mußte sie sich mit Anne Halloren-Gimblet in Verbindung setzen, das war klar. Sie sah zu dem weißen Telefon hinüber, das auf dem Nachttisch neben dem Bett stand. Irgendwann im Lauf der letzten Wochen hatte Michael sich sicher genug gefühlt, es wieder an seinen Platz zu stellen. Und sie mußte darauf achten, daß er sich auch weiterhin sicher fühlte. Sie durfte nichts tun, was seinen Verdacht erregen könnte. Der Besuch auf dem Friedhof war riskant genug gewesen. Aber sie hatte ihre Rolie auf der Heimfahrt gut gespielt. Sie hatte so getan, als wäre ihr die Diskrepanz der Daten überhaupt nicht aufgefallen, hatte nur das schreckliche Schicksal ihrer Tochter beklagt, an den richtigen Stellen geweint, sich mit Selbstvorwürfen überschüttet, ihn immer wieder um Verzeihung gebeten, daß sie sein Leben ruiniert hatte. Sie hatte ihn so richtig in seiner Lieblingsrolle als verständnisvoller Heiliger glänzen lassen.

Sie sah Michael aus dem Arbeitszimmer treten und durch den Flur auf sie zukommen, sein Oberkörper nackt, die Schultern leicht nach vorn gekrümmt. Konnte dieser gutaussehende Mann, dieser allseits geschätzte Arzt, wirklich so teuflisch sein, ihr sowohl die Tochter als auch den Verstand rauben zu wollen? Warum? Was wußte sie, das so gefährlich war? Verdammt noch mal, was hatte sie herausbekommen, nur um es sofort wieder zu verdrängen?

»Hier«, sagte er, als er ins Zimmer kam und an das Bett trat. Sie nahm die Tabletten entgegen und schob sie in den Mund, während er ins Bad ging, um ihr ein Glas Wasser zu holen.

Sobald er draußen war, spie sie die Tabletten in ihre Hand und schob sie in die Brusttasche des weißen T-Shirts, das sie anhatte. Michael war sehr schnell wieder bei ihr, blieb direkt vor ihr stehen, seine Hüften auf einer Höhe mit ihrem Kopf. Sie nahm das Glas aus seiner Hand, tat, als schlucke sie die Tabletten, reichte ihm das Glas wieder und erwartete, daß er sich zurückziehen würde. Aber er blieb, wo er war, blieb sachte schwankend vor ihr stehen. Plötzlich griff er ihr ins Haar und zog ihren Kopf langsam an sich. Mit einem Stöhnen drückte er ihn an seinen Unterleib.

»Michael, bitte«, flüsterte sie. »Ich bin so müde.«

»Ist ja gut«, sagte er. »Ist ja gut.« Seine Hände glitten zum Saum ihres T-Shirts.

»Nein«, protestierte sie schwach, als er es ihr über den Kopf zog.

»Es ist ja gut, Jane«, wiederholte er. »Es wird alles gut.«

Er warf ihr Hemd zu Boden und ließ sich auf die Knie sinken, um ihre nackten Brüste zu küssen. Jane schrie erschrocken auf, als sie eine der Tabletten aus der Tasche des T-Shirts fallen und Michael fast direkt vor die Füße rollen sah.

»Ist ja gut, Liebes«, flüsterte er, den Aufschrei als ein Zeichen der Leidenschaft nehmend. Er drückte sie sachte auf das Bett nieder und streckte sich neben ihr aus.

Das darf nicht wahr sein, dachte Jane unablässig, während er sie ganz entkleidete und dann ihre Hand dorthin führte, wo er sie haben wollte.

»Das ist gut«, sagte er. »Ja, streichle mich da. Das ist schön. Das machst du wunderbar.«

Er drückte ihr die Beine auseinander, um in sie einzudringen, und sie spürte seine behutsamen Bewegungen in ihrem Schoß. Nein, das ist nicht wahr, dachte sie wieder, das Gewicht seines Körpers auf ihrem verleugnend. Es ist nicht wahr.

Er küßte ihr Gesicht, ihre Augen, ihren Mund, ihren Hals und ihre Brüste, ohne in der rhythmischen Bewegung innezuhalten. Seine Stöße wurden allmählich drängender, beinahe roh. Er begann mit solcher Raserei in sie hineinzustoßen, daß sein Körper hart auf ihren klatschte. Und wieder griff seine Hand zu ihrem Kopf, nur war diesmal jede Spur von Zärtlichkeit und Behutsamkeit verschwunden. Er riß mit solcher Gewalt an ihrem Haar, daß es ihr den Kopf vom Kissen hob und sie erschrocken die Augen aufriß. Er starrte ihr mit einem Ausdruck unverhüllter Wut ins Gesicht. »Du verdammtes Stück«, keuchte er, während sein Körper im Orgasmus zitterte. »Du verdammtes Stück, was hast du getan!«

Janes erster Gedanke war, daß er die Tabletten aus der Hemdtasche hatte rollen sehen und nun wußte, daß sie versucht hatte, ihn zu täuschen. Aber er wälzte sich von ihr hinunter und stand auf, um ins Bad zu gehen, ohne auch nur einen Blick zu Boden zu werfen. Sie sprang sofort auf, stieß die Tabletten unter das Bett und fiel dann nach Luft schnappend wieder auf ihr Kissen. Das ganze Zimmer drehte sich um sie. Es dauerte Sekunden, ehe sich alles beruhigt und sie aus dem Bad das Rauschen der Dusche hörte.

»Jetzt!« sagte sie laut. Sie mußte ihre eigene Stimme hören, um sicher zu sein, daß sie dies alles wirklich erlebte und es nicht irgendein schrecklicher Alptraum, ein Trugbild aus der Vergangenheit war. Sie griff zum Telefon und wählte hastig die Nummer der Auskunft.

»Welchen Ort wünschen Sie?«

»Newton«, flüsterte Jane und lauschte dabei dem Rauschen der Dusche. Erst würde sie es in Newton versuchen. Wenn Anne Halloren-Gimblets Tochter die Arlington Private School besuchte, war anzunehmen, daß die Familie in der näheren Umgebung wohnte.

»Der Name bitte.«

»Halloren-Gimblet. Mit Bindestrich.« Jane sprach den Namen deutlich aus und buchstabierte ihn dann, während ihr Blick an der Badezimmertür klebte und ihr Ohr sich auf das Geräusch der Dusche konzentrierte.

»Haben Sie eine Adresse?«

»Nein. Tut mir leid.«

»Ich habe unter diesem Namen keinen Eintrag.«

»Aber Sie müssen einen haben.«

»Ich kann unter den Neuanschlüssen nachsehen, wenn Sie wollen.«

»Nein, warten Sie – warten Sie...«

»Ja?«

»Schauen Sie unter Gimblet nach«, schlug Jane vor.

»Haben Sie einen Vornamen?«

»Nein.« O verdammt, dachte Jane und hörte wieder Michaels Stimme. ›Verdammtes Stück‹, hatte er gesagt. ›Du verdammtes

Stück, was hast du getan!‹ Was meinte er damit? Wenn ihre Tochter noch am Leben war, was hatte sie denn dann getan?

»Ich habe die Nummer, die Sie suchen«, sagte die Telefonistin, und schon schaltete sich die Automatenstimme ein.

»Ihre Nummer ist fünf-fünf-fünf – sechs-eins-eins-sieben«, teilte ihr der Automat gleichgültig mit und wiederholte die Information, während sie sich die Nummer einprägte.

Sie konzentrierte ihre ganze Energie darauf, die richtige Nummer zu wählen, achtete nicht auf die klebrige Feuchtigkeit zwischen ihren Beinen, nicht auf den Schmerz über ihrer Schläfe, wo Michael sie bei den Haaren gepackt hatte. Wieso hatte er sich ausgerechnet diesen Moment ausgesucht, um mit ihr zu schlafen? Er hatte sie seit Wochen nicht angerührt. Warum gerade jetzt? Hatte sein Schmerz über besseres Wissen gesiegt? Hatte er einfach das Bedürfnis gehabt, mit ihr zusammenzusein?

War das sein Lebewohl gewesen?

Sie hörte das Läuten des Telefons und drückte den Hörer fest ans Ohr, überzeugt, daß Michael das Signal trotz des Wasserrauschens hören konnte.

»Bitte geh ran«, flüsterte sie in die Sprechmuschel. »Bitte melde dich. Schnell!«

Das Telefon läutete weiter. Drei-, vier-, fünfmal.

»Lieber Gott, gib, daß sie zu Hause ist.«

Aber wenn Anne Halloren-Gimblet zu Hause war, so ging sie nicht ans Telefon. Es läutete zum achten und zum neunten Mal. Beim zehnten Mal gab Jane sich geschlagen und legte auf. Sie würde es später noch einmal versuchen müssen.

Aber dann sprang sie hoch und packte den Hörer noch einmal mit solcher Hast, daß sie beinahe den ganzen Apparat vom Tisch gerissen hätte. Wieder wählte sie 411.

»Welchen Ort wünschen Sie?«

»Newton. Der Name ist Gimblet.» Sie buchstabierte. »Können Sie mir sagen, ob die richtige Adresse Forest Street 15 ist?«

»Ich habe niemanden mit diesem Namen in der Forest Street«, antwortete die Telefonistin, wie Jane bereits vorher gewußt hatte. In der Forest Street 15 wohnten Michael und Jane Whittaker. »Ich habe nur einen Gimblet in der Roundwood Street 112.«

»Richtig, das ist es. Danke.« Jane hätte den Hörer am liebsten geküßt, ehe sie ihn wieder auflegte. Ihre Hand lag noch am Telefon, als sie merkte, daß im Bad das Wasser nicht mehr lief. Wie lange schon nicht mehr? Hatte Michael sie vielleicht am Telefon gehört? Hatte er mitgehört, was sie gesagt hatte?

Sie riß die Hand vom Apparat, als wäre er kochend heiß. Hastig kroch sie unter die Decke, schloß die Augen, und im selben Moment öffnete sich die Badezimmertür, und Michael trat ins Schlafzimmer.

Sie hörte, wie er zum Bett kam. Er beugte sich über sie und strich ihr eine Haarsträhne aus der Stirn. »Schlaf schön, Liebes«, sagte er.

25

Jane lag die ganze Nacht wach und zählte die Stunden bis zum Morgen. Als Michael um halb sieben aufstand, stellte sie sich schlafend und überlegte, ob sie noch einmal versuchen sollte, Anne Halloren-Gimblet anzurufen, während er duschte. Doch sie verwarf den Gedanken. Das wäre ein unnötiges Risiko gewesen. Sie hatte ja jetzt die Adresse. Wenn Michael aus dem Haus war, würde sie Paulas wachsamen Augen irgendwie entwischen und sehen, daß sie in die Roundwood Street hinüberkam. Wie genau sie das anstellen wollte, darüber würde sie sich den Kopf zerbrechen, wenn es soweit war.

»Jane«, sagte Michael, und sie wurde sich mit einer Mischung aus Erschrecken und Bestürzung bewußt, daß sie eingenickt sein mußte. »Ich fahre jetzt in die Klinik. Paula ist unten. Sie bringt dir gleich das Frühstück und deine Tabletten.«

Sie nickte stumm und öffnete die Augen nur einen winzigen Spalt.

»Ich operiere heute den ganzen Tag«, sagte er zu ihr, »aber ich hab für uns einen Termin bei einem Dr. Louis Gurney beim Edward Gurney Institut vereinbart. Wir müssen um halb sechs dort sein. Jane, hörst du mich?«

Sie murmelte etwas Unverständliches. Ihr Herz raste. Das Edward Gurney Institut war eine private psychiatrische Klinik, das wußte sie. Irgendwo weit draußen.

»Ich habe Paula gebeten, dir zu helfen, ein paar Sachen zu pakken, falls Dr. Gurney dich ein paar Tage dabehalten möchte. Jane, hörst du mich?«

»Ich soll packen«, nuschelte sie, ohne den Kopf vom Kissen zu heben.

»Nein, Paula packt für dich. Du brauchst ihr nur zu sagen, was du mitnehmen möchtest.« Er beugte sich über sie und küßte sie auf die Wange. »Ich werde pünktlich zu Hause sein, damit ich selbst mit dir hinausfahren kann.«

»Arbeite nicht zuviel«, sagte Jane und sah ihm nach, als er zur Tür ging. Mein lieber Freund, dachte sie, dieses Spiel können auch zwei spielen. »Ich liebe dich!« rief sie ihm mit schwacher Stimme nach und sah, daß er abrupt stehenblieb.

Und wie ist dir jetzt zumute? fragte sie stumm. Was ist das für ein Gefühl, wenn die Frau, die du mit deinen Drogen und deinen Lügen zu Gemüse reduziert hast, die Frau, die du in eine private psychiatrische Klinik irgendwo im Niemandsland einsperren willst, dir sagt, daß sie dich liebt? Macht es dich traurig, oder macht es dich vielleicht zufrieden? Ruft es überhaupt irgendwelche Gefühle bei dir hervor?

Michael drehte sich um, kam zum Bett zurück und drückte sein Gesicht in ihr Haar. »Ich liebe dich auch«, sagte er, und Jane fühlte seine Tränen an ihrer Wange. »Ich habe dich immer geliebt.«

Dann war er fort, und Paula trat zu ihr ans Bett.

»Möchten Sie jetzt ihr Frühstück haben?«

Jane setzte sich im Bett auf. Was für eine Rolle spielte diese strenge junge Frau in der ganzen Geschichte? War sie ahnungslose Einfalt oder willige Komplizin? Jane entschied sich für die ahnungslose Einfalt. Sie spürte, daß Paula blind glaubte, was immer Michael ihr weismachte, und alles tat, was er von ihr verlangte. O ja, wenn Michael das Wort ergriff, hörten alle zu. Und alle glaubten ihm. Er war schließlich der Mann; sie nur das kleine Frauchen. Er war der angesehene Chirurg; sie war seine unbeherrschte Frau, die ständig für irgend etwas auf die Barrikaden ging und seit einem tragischen Unfall, der sich vor mehr als einem Jahr ereignet hatte, einen Dachschaden hatte, von dem sie sich immer noch nicht erholt hatte. Arme Jane. Armer Michael. Es war für alle Betroffenen besser, wenn man sie ins Gurney Institut brachte, wo sie zweifellos die Betreuung und Pflege erhalten würde, die sie verdiente.

War es so? Würde sie bekommen, was sie verdiente? Oder würde vielleicht Michael bekommen, was er verdiente?

»Ich bin nicht besonders hungrig«, sagte Jane zu Paula. »Ich möchte nur Kaffee.«

»Michael hat gesagt, heute keinen Kaffee.«

»Warum nicht?«

»Er sagte, Orangensaft sei besser für Sie.«

»Also gut, dann Orangensaft«, sagte Jane, in Gedanken bereits bei anderen Dingen. »Ach, Paula, könnten Sie mir wohl aus dem anderen Zimmer einen Stuhl mit einer geraden Lehne holen? Mein Rücken bringt mich noch um.«

»Aber sicher.«

Paula machte auf dem Absatz kehrt und ging hinaus. Ihr beigefarbener Rock wirbelte ihr beim Gehen um die stämmigen

Beine, und der lange Zopf wippte. Jane schwang die Beine aus dem Bett, stellte fest, daß sie ein altes Hemd von Michael anhatte, erinnerte sich verschwommen, daß Michael es ihr irgendwann in der Nacht übergezogen hatte. Es machte ihr angst, daß die Wirkung der Tabletten, obwohl sie seit vierundzwanzig Stunden keine mehr genommen hatte, offenkundig immer noch anhielt. Sie mußte ständig gegen die Lethargie kämpfen, die sie zu überwältigen drohte, um nicht im nächsten Moment einzuschlafen. Bitte, laß mich wach bleiben. Bitte gib, daß ich halbwegs bei Sinn und Verstand hier rauskomme und es zu Anne Halloren-Gimblet schaffe.

Paula kam mit einem hochlehnigen Stuhl aus dem Gästezimmer zurück. »Wo soll ich ihn hinstellen?«

»Gleich hier«, sagte Jane, und Paula stellte den Stuhl vor den Spiegelschränken ab, ehe sie nach unten lief, um Jane den Orangensaft zu holen.

Als sie zurückkehrte, saß Jane kerzengerade auf dem hochlehnigen Stuhl.

»Sie sind heute ja richtig unternehmungslustig.«

»Michael meinte, ich sollte aufstehen.«

»Ja, er hat mir gesagt, daß ich heute ein bißchen mit Ihnen hinausgehen soll. Sie brauchen Bewegung.«

»Damit ich richtig müde werde.«

»Bitte?«

»Wenn ich nur nicht zu müde werde«, korrigierte sich Jane.

»Hier.« Paula reichte Jane den Orangensaft und drei kleine weiße Tabletten.

»Gleich drei?«

»Das hat Michael gesagt, ja.«

Jane legte die drei Tabletten auf ihre Zungenspitze und wartete, bis Paula gehen würde. Doch das tat sie nicht.

»Michael hat gesagt, ich soll aufpassen, daß Sie sie auch wirklich nehmen.«

Jane spürte, wie sich die Tabletten auf ihrer Zunge aufzulösen begannen. Hatte Michael Verdacht geschöpft, oder wollte er nur ganz auf Nummer sicher gehen? Verstohlen schob sie die Tabletten in eine Backentasche und hob das Glas mit dem Saft zum Mund.

»Nein, nein«, sagte Paula, legte Jane die Hand um den Mund und drückte ihr die Kiefer auseinander, um nachzusehen, ob sie die Tabletten geschluckt hatte. »Schlucken Sie die Tabletten, Jane. Keine Dummheiten.«

Jane hatte keine Wahl. Sie schluckte die Tabletten. Danach sah Paula ihr nochmals in den Mund.

»Gut so.«

Jane geriet in Panik. Drei Tabletten! Und sie hatte sie hinuntergeschluckt. Wie lange würde es dauern, bis sie zu wirken begannen? Bestenfalls blieben ihr noch ein paar Minuten geistiger Klarheit. Sie mußte aus dem Haus. Sie mußte diese Tabletten irgendwie loswerden, ehe sie zu wirken begannen.

»Mir ist schlecht!« schrie sie so jämmerlich, daß Paula sofort zu ihr kam.

»Müssen Sie sich übergeben?« fragte Paula, während sie Jane aufhalf und sie zum Badezimmer führte.

»Oh, mein Gott, was ist das nur?« rief Jane. »Sie müssen mir helfen. Sie müssen mir helfen. Lassen Sie mich nicht allein.«

»Ich bin ja da.«

Jane wartete, bis Paula sich neben ihr über die Toilette beugte, ehe sie sich mit einem Ruck aufrichtete und Paula gegen die Badewanne stieß. Paula stolperte, verlor das Gleichgewicht und fiel rückwärts in die Wanne.

»Verdammt noch mal, nicht schon wieder!« schimpfte sie laut, aber da rannte Jane schon aus dem Bad, knallte die Tür hinter sich zu und packte den hochlehnigen Stuhl, den sie sich extra zu diesem Zweck hatte bringen lassen. Sie schob ihn genau unter die Türklinke.

»Was, zum Teufel, tun Sie da?« Paula trommelte wütend gegen die Tür. »Das ist doch verrückt, Jane. Wo wollen Sie denn hin?«

Von Paulas Protesten gefolgt, rannte Jane durch den Flur zur Gästetoilette. Sie stürzte zum Klosett, beugte sich tief über die Schüssel und steckte sich die Finger in den Hals. Sie würgte, ihr Körper krümmte sich in Krämpfen, die Augen tränten, und die Kehle brannte vom sauren Geschmack frisch gepreßten Orangensafts. Hatte sie es geschafft, die Tabletten auszuspeien? Sie war sich nicht sicher. Sie mußte schnell machen.

Sie rannte ins Schlafzimmer zurück und schlüpfte, ohne Paulas lautstarke Forderungen nach Freilassung zu beachten, in eine dunkelgrüne Hose. Dann hetzte sie aus dem Zimmer, jagte die Treppe hinunter in die Küche und suchte Paulas Handtasche. Sie fand sie schließlich im Garderobenschrank im Flur. Sie öffnete sie und nahm sich die Schlüssel zu Paulas Wagen. Dann stopfte sie die wenigen Scheine, die Paulas Geldbörse enthielt, in eine der Hosentaschen und lief hinaus zu dem rostigen alten Buick, der in der Einfahrt stand.

Der Wagen war nicht abgeschlossen. Jane rutschte hinter das Steuer und schlug sich das Knie am Armaturenbrett an, als sie den Zündschlüssel einsteckte. Mit einem Aufatmen der Erleichterung hörte sie den Motor anspringen, steuerte den Wagen rückwärts zur Straße hinaus, bog auf gut Glück nach rechts ab und kramte dann, als sie zum ersten Stopplicht kam, im Handschuhfach nach einem Stadtplan.

Der Plan war genau wie das Auto nur noch ein Wrack. Er war verdreckt, an vielen Stellen zerrissen, und eines seiner Teilstücke fehlte ganz. Doch die Liste mit den Straßennamen war vollständig, und Jane fand mit wenig Mühe das Planquadrat C3, in dem die Roundwood Street zu suchen war. Die Straße selbst war weit schwieriger zu finden. Sie verbarg sich in einem Gewirr roter und blauer Linien, schwarzer Buchstaben und einer Vielfalt befremdlicher Symbole, die, wie die Legende unten auf der Karte erläuterte, für solche Dinge wie Gemeindegrenzen, Ortsgrenzen, Aquädukte und Verkehrsverbindungen standen. Als sie die dünne gebogene Linie, die mit ›Roundwood‹ markiert war, endlich gefunden hatte, fingen die Buchstaben an zu verschwimmen, und ihr Mund begann trocken zu werden. Sie sagte sich, das seien nur die Nerven, und trat energisch aufs Gas. Der Wagen bockte, hustete und blieb stehen. »Nein!« schrie sie, ließ den Motor von neuem an, hörte ihn wieder brummen. »Danke«, flüsterte sie.

Die Roundwood Street war in der anderen Richtung, in der Gemeinde Newton Upper Falls, einige Kilometer entfernt. Dem Plan folgend, fand Jane sie ohne große Mühe, atmete aber dennoch auf, als sie endlich das Straßenschild mit der Aufschrift ›Roundwood Street‹ erblickte. Langsam tuckerte sie die Straße entlang und hielt nach der richtigen Nummer Ausschau. »Da ist es!« rief sie laut und trat viel zu hart auf die Bremse. Der Wagen hielt mit einem Ruck an, stieß einen letzten Seufzer aus und gab seinen Geist auf. »Auch recht«, murmelte Jane. Sie machte sich nicht die Mühe, den Motor nochmals anzulassen, um den Wagen näher an den Bordstein heranzufahren, sondern ließ das Fahrzeug einfach stehen.

Anne Halloren-Gimblet, bitte sei zu Hause.

Stolpernd rannte sie den Gartenweg zu dem großen weißen Haus hinauf, das dem ihren nicht unähnlich war, und lehnte sich an die Tür, um einen Moment zu verschnaufen und ihre Kräfte zu sammeln. Minuten vergingen, ehe ihr einfiel, daß sie vergessen hatte zu läuten. Sie holte es nach, läutete Sturm und schlug gleichzeitig mit der Faust gegen die Tür.

»Augenblick!« rief von drinnen eine Frau. »Ich komme.«

Die weißgestrichene Tür wurde einen Spalt aufgezogen. Anne Halloren-Gimblett spähte heraus. »Ja?«

»Anne Halloren-Gimblet?« fragte Jane und kam sich vor wie eine Polizeibeamtin.

»Ja.« Die Stimme der Frau war zaghaft, als sei sie sich nicht sicher.

»Ich bin's, Jane Whittaker. Wir haben uns neulich in der Newbury Street getroffen. Unsere Töchter waren in derselben Klasse.« Sie spürte das Widerstreben der Frau, sie hineinzulassen. »Kann ich einen Moment hereinkommen. Ich hätte Sie gern gesprochen.«

»Mein Gott, ich habe Sie gar nicht erkannt!« rief Anne Halloren-Gimblet. Sie zog die Tür ein Stück weiter auf, trat zurück und bedeutete Jane einzutreten.

»Ich hatte es heute morgen sehr eilig«, sagte Jane, der plötzlich einfiel, daß sie in Michaels altem Hemd und der dunkelgrünen Hose, ungewaschen und mit schlafwirrem Haar wie eine Pennerin aussehen mußte. »Ich sehe wahrscheinlich fürchterlich aus.«

»Möchten Sie eine Tasse Kaffee? Ich glaube, es ist noch welcher da.«

»Oh, sehr gern.«

Jane folgte der Frau, die sehr adrett gekleidet und tadellos geschminkt war, in die rot-weiße Küche. Anne Halloren-Gimblet war groß und schlank und vielleicht ein paar Jahre älter als Jane. Sie hatte blondes Haar, um das sie einen schwarzen Haarreif trug. Sie gab sich alle Mühe, Jane nicht anzustarren, aber es war offensichtlich, daß dieser unerwartete Besuch sie verwunderte, vielleicht sogar ein wenig beunruhigte.

»Wie trinken Sie ihn?«

»Schwarz. Koffein pur.«

Anne Halloren-Gimblet lächelte, schenkte Jane eine große Tasse ein und bat sie, sich zu setzen. Jane zog einen der Stühle am Küchentisch heraus, setzte sich und spülte den Kaffee mit einem Zug hinunter. Sie bat um eine zweite Tasse.

»Ich hab gar nicht gemerkt, wie durstig ich bin«, sagte sie, während die Frau ihr ein zweites Mal einschenkte.

»Jane – ich darf Sie doch Jane nennen?«

»Natürlich, gern. Anne«, sagte sie, und die Frau lächelte wieder.

Sie hatte keine Ahnung, was ich hier will, dachte Jane. Sie weiß nicht, was sie von meinem Erscheinen halten soll, und sie ist zu höflich, um zu fragen. Es wäre ihr lieb, wenn ich mein Anliegen vorbringen, meinen Kaffee austrinken und wieder verschwinden würde.

»Jane, ist Ihnen nicht gut? Sie sahen schon neulich nicht besonders gut aus, und...«

»Jetzt sehe ich noch übler aus, ich weiß.«

»Es ist nur – so kenne ich Sie gar nicht. Auch wenn wir uns natürlich nicht besonders gut kennen.«

Was soll ich ihr sagen? fragte Jane, die sah, wie die Frau vor Konzentration die blaßgrünen Augen zusammenkniff. Soll ich es riskieren, ihr die Wahrheit zu sagen? Daß sie mich wahrscheinlich besser kennt als ich selbst; daß ich keine Ahnung habe, wer ich bin; daß mein Mann mich belogen, mich mit Drogen vollgepumpt hat und mich jetzt in eine Anstalt bringen will? Daß ich zu Hause entwischt bin, indem ich die Haushälterin ins Badezimmer gesperrt und dann ihren Wagen gestohlen habe? Daß ich wegen einer unbedachten Bemerkung hergekommen bin, die sie auf der Treppe eines Juwelierladens in der Newbury Street gemacht hat; daß ich wissen muß, ob meine Tochter am Leben ist, und daß sie, die mich nicht besonders gut kennt, die einzige ist, bei der ich darauf vertrauen kann, daß sie mir die Wahrheit sagt?

»Haben Sie vielleicht noch einen Schluck Kaffee für mich?« fragte Jane verlegen, und Anne Halloren-Gimblet goß ihr den letzten Rest des Frühstückskaffees in die Tasse. Jane sah, wie sie die Stirn runzelte.

»Sie müssen entschuldigen«, sagte die Frau schließlich. »Sie halten mich hoffentlich nicht für unhöflich, aber vielleicht können Sie mir sagen, warum Sie hergekommen sind.«

»Ich wollte mich entschuldigen«, sagte Jane rasch, die beschlossen hatte, vorläufig lieber doch nicht den wahren Grund ihres Besuchs zu nennen. »Dafür, daß ich neulich so abweisend war.«

»Sie waren nicht abweisend.«

»Doch, und es tut mir leid. Es geht mir in letzter Zeit nicht sehr gut.«

»Das tut mir leid.«

»Es ist irgendein komischer Virus. Nichts Ansteckendes«, versicherte Jane schnell.

»Zur Zeit fliegen alle möglichen komischen Viren herum«, bemerkte Anne, und Jane nickte mit Nachdruck. »Aber Sie brauchten sich doch nicht extra die Mühe zu machen und hierher zu fahren. Schon gar nicht, wenn Sie krank sind.«

»Ach, im Moment geht es mir ganz gut.« Jane sah sich in der blitzblanken Küche um und gab sich Mühe, einen gesunden Eindruck zu machen. »Wo ist denn Ihre Tochter?« erkundigte sie sich bemüht beiläufig.

»Ich habe zwei Töchter«, klärte Anne sie auf. »Sie sind tagsüber im Ferienlager. Der Bus hat sie abgeholt, kurz bevor Sie kamen. Nach Bayview Glen. Kennen Sie es?«

Jane schüttelte den Kopf. Sie hatte das Gefühl, als säße er nur ganz provisorisch auf ihrem Hals, und hoffte verzweifelt, die drei Tassen Kaffee würden sie eine Weile wach halten.

»Und Emily?« fragte Anne.

Beim Klang dieses Namens geriet Jane aus der Fassung. »Sie ist bei ihren Großeltern. Die haben ein Sommerhäuschen auf dem Land«, stammelte sie und fragte sich, ob das wahr sei.

»Wir hatten auch ein Sommerhaus, als ich klein war. Ich habe es geliebt. Da habe ich immer Kaulquappen und Ringelnattern gefangen.«

»Schlangen?«

»Ich war ein richtiger Wildfang, auch wenn man mir das heute nicht mehr ansieht.« Anne lachte, aber es war mehr aus Nervosität als aus Erheiterung.

Ich mache sie nervös, dachte Jane.

»O ja«, fuhr Anne fort, »ich habe den ganzen Tag mit den Jungens draußen herumgetobt. Meine arme Mutter, sie hätte mir so gern niedliche kleine Kleidchen angezogen! Aber da war bei mir nichts zu machen. Sie hatte eine Heidenangst, daß aus mir niemals etwas Ordentliches werden würde. Können Sie sich – besonders aus heutiger Sicht – eine Mutter vorstellen, die *nicht* wollte, daß ihre Tochter studiert? Deren höchstes Ziel es war, daß ihre Tochter Stenotypistin wird? Gibt's heutzutage überhaupt noch Stenotypistinnen?« Anne schüttelte den Kopf und fuhr dann, da ihr das Schweigen sichtlich Unbehagen bereitete, fort: »Als ich heiratete, war meine Mutter entsetzt, weil ich ihr sagte, daß ich meinen Mädchennamen beibehalten wolle. Sie behauptete, das wäre nichts anderes, als lebte ich in wilder Ehe. Ich habe ihr zuliebe dann einen Kompromiß geschlossen und den Namen meines Mannes angehängt. Leider paßt Gimblet nicht sehr gut zu Halloren. Ist ein bißchen schwerfällig das Ganze.«

Jane lachte, aber das schien die Frau nur noch nervöser zu machen. Sie stand auf. »Es tut mir wirklich leid, aber ich habe nicht viel Zeit. Ich habe in einer halben Stunde einen Termin«, sagte sie.

Offensichtlich eine Lüge, dachte Jane und sagte: »Ich weiß, ich hätte vorher anrufen wollen, aber ich war zufällig in der Gegend und dachte, ich probier's einfach mal.«

»Sie waren aber früh auf den Beinen.« Anne warf einen Blick auf ihre Uhr.

Jane sah zur Uhr am Küchenherd hinüber. Es war gerade halb neun. Kein Wunder, daß die Frau nervös ist, dachte sie.

»Ich wollte an die frische Luft«, erklärte Jane. Sie stand auf und ging mit unsicheren Beinen zu einem Korkbrett an der Wand, an dem mehrere Fotos zweier sehr blonder kleiner Mädchen hingen. Die beiden sahen sich zum Verwechseln ähnlich, wenn auch die eine etwas größer war als die andere. »Sie könnten Zwillinge sein«, bemerkte Jane.

»Das sagt jeder. Sehr zu Melanies Ärger. Sie weist dann jedesmal mit Nachdruck daraufhin, daß sie drei Jahre älter ist als Shannon und ungefähr zehn Zentimeter größer.«

Shannon war also die Jüngere von beiden, sicher war sie es, die mit Emily in eine Klasse gegangen war. »Geht Shannon gern zur Schule?«

»Ach, sie macht sich nicht viel daraus. Ich glaube, wenn sie tun könnte, was sie wollte, würde sie überhaupt nicht aus dem Haus gehen. Sie ist ein richtiges Heimchen. Und Emily?«

»Sie geht gern zur Schule«, antwortete Jane mit klopfendem Herzen. War es möglich, daß Anne Halloren-Gimblet einfach nichts von Emilys Tod gehört hatte? »Waren Sie in letzter Zeit mal wieder auf einem Ausflug mit der Klasse?«

»Ich war bei einer Besichtigung der Feuerwehr dabei, aber alle waren so schrecklich artig, daß es überhaupt keinen Spaß gemacht hat. Sie haben mir gefehlt.« Verlegen spielte sie mit den Händen. »Es tut mir leid, aber ich muß mich jetzt wirklich fertigmachen...«

Jane folgte ihr in den Flur. Sie hatte noch immer keinen schlüssigen Beweis. Was sollte sie tun oder sagen? Sie mußte mit Sicherheit wissen, ob Shannon und Emily auch dieses Jahr zusammen in der Schule gewesen waren; ob der Ausflug nach Boston, an dem sie selbst teilgenommen hatte, wirklich erst vor sechs Monaten stattgefunden hatte und nicht schon im vergangenen Jahr. Sie mußte mit Sicherheit wissen, ob Emily noch am Leben war.

»Glauben Sie, die Mädchen kommen im nächsten Jahr auch wieder in eine Klasse?« fragte sie und spähte ins Wohnzimmer hinein.

»Na ja, sie sind doch seit der Vorschule in einer Gruppe«, antwortete Anne. Sie öffnete die Haustür. »Da werden sie sie jetzt sicher nicht auseinanderreißen.«

Jane ignorierte die geöffnete Haustür und ging schnurstracks ins Wohnzimmer. Den Familienfotos auf dem Kaminsims schenkte sie keine Beachtung, sondern konzentrierte sich nur auf die vertrauten Klassenfotos, die auf dem Klavier standen.

»Unglaublich, wie schnell sie wachsen, nicht wahr«, bemerkte Anne, die hinter sie getreten war und ihr über die Schulter sah.

Jane musterte die Klassenfotos, entdeckte ohne Mühe ihre Tochter – Kindergarten, Vorschule, erste Grundschulklasse. Das vierte Foto, das auf dem Klavier stand, kannte sie noch nicht.

»Das ist mir das liebste«, sagte Anne und nahm die Aufnahme aus der zweiten Klasse vom Klavier. »All diese strahlenden Gesichter und die herrlichen Zahnlücken.«

Jane riß der Frau das Foto aus der Hand.

»Was ist denn?« rief Anne erschrocken und pikiert.

Aber Jane achtete gar nicht auf sie. Ihr Blick flog über die Gesichter der Kinder, bis sie ihre Tochter gefunden hatte, die wie auf den anderen Bildern in der letzten Reihe stand, die Schultern leicht nach vorn gekrümmt wie ihr Vater, ihr Lächeln scheu und zurückhaltend.

»O Gott, o Gott!« rief Jane weinend. »Sie lebt! Sie lebt!«

»Mrs. Whittaker«, sagte Anne und benutzte sicherheitshalber die förmliche Anrede, »soll ich Ihren Mann anrufen?«

»Meinen Mann?« Jane starrte sie an. »Nein! Nein! Auf keinen Fall. Rufen Sie bitte nicht meinen Mann an.«

Anne legte ihr beruhigend die Hand auf den Arm. »Okay, okay, ich ruf ihn nicht an. Aber ich mache mir Sorgen. Ich verstehe immer noch nicht, warum Sie hierher gekommen sind, aber ich habe den Eindruck, daß etwas nicht in Ordnung ist. Können Sie es mir nicht sagen?«

Jane konnte kaum sprechen. »Jetzt ist alles gut. Emily lebt. Mein Kind lebt.«

»Aber natürlich lebt sie.«

»Sie lebt. Ich habe sie nicht umgebracht.«

»Umgebracht? Mrs. Whittaker, ich glaube, es ist doch besser, wenn ich Ihren Mann anrufe...«

»Er hat zu mir gesagt, sie wäre bei einem Autounfall ums Leben gekommen. Ich hätte den Wagen gefahren, und sie wäre in meinen Armen gestorben...«

»Was? Wann? Großer Gott, wann ist das passiert?«

»Aber sie ist ja gar nicht tot. Sie lebt. Da ist sie ja.« Sie stocherte mit dem Finger auf dem Foto herum. »Sie war bei Shannon in der Klasse.«

»Ja, sie lebt«, sagte Anne, und Jane fiel eine merkwürdige Nachsicht im Ton der Frau auf, als wäre sie zu dem Schluß gekommen, daß Janes Gestammel ohnehin nicht zu verstehen war und es daher sinnlos war, es zu versuchen. »Sie lebt und sie ist ein entzückendes Mädchen. Sehr groß. Sie ist in den letzten Monaten unglaublich gewachsen. Bald wird sie Miß Rutherford über den Kopf wachsen.«

Eine Sekunde war es völlig still.

»Was haben Sie gesagt?« fragte Jane dann.

Anne Halloren-Gimblet sprach so leise, daß ihre Worte kaum zu hören waren. »Ich sagte, sie wird ihrer Lehrerin bald über den Kopf wachsen.«

»Die Lehrerin heißt Rutherford?«

Ein Unterton der Beunruhigung schlich sich wieder in Annes Stimme. »Wußten Sie das nicht?«

»Pat Rutherford?«

»Ja, ich glaube.«

»Ich war mit Emilys Lehrerin verabredet!« flüsterte Jane erstaunt.

»Ja, natürlich. Am Ende des Schuljahrs gibt es immer noch mal einen Elternsprechtag.«

»Ich hatte kein Verhältnis mit Pat Rutherford.«

»Wie bitte?«

»Pat Rutherford ist Emilys Lehrerin.«

»Mrs. Whittaker, ehrlich gesagt – ich fühle mich überfordert. Ich glaube, Sie brauchen Hilfe.«

»Ich muß unbedingt telefonieren.«

Jane drängte sich an der Frau vorbei und lief in die Küche. Sie riß den Telefonhörer von der Wand. Anne war ihr gefolgt, hielt jedoch einen Sicherheitsabstand. Jane sah die Furcht in ihren Augen und wünschte, sie könnte ihr ein Wort der Beruhigung sagen. Aber sie wußte, ganz gleich, was sie sagte, sie würde es nur schlimmer machen.

»Ich muß unbedingt mit Pat Rutherford sprechen. Haben Sie ihre Privatnummer?«

Anne schüttelte den Kopf. »Und die Schule ist während der Sommerferien geschlossen«, fügte sie hinzu, Janes nächste Frage vorwegnehmend.

Jane drückte den Telefonhörer fest an die Brust. ›Pat Rutherford, Z. 31, 12 Uhr 30‹. Sie sah den Zettel vor sich. Pat Rutherford, wiederholte sie lautlos. Emilys Lehrerin. Kein Mann, mit dem sie eine schmutzige kleine Affäre gehabt hatte.

Hatte sie überhaupt Affären gehabt?

Hastig tippte sie 411, verlangte Boston auf die obligatorische Frage nach dem Ort und sagte: »Die Nummer von Daniel Bishop bitte.«

Sie schrieb Daniels Privatnummer und die Praxisnummer auf einen rosaroten Zettel, sah auf die Uhr am Herd und beschloß, es zuerst bei Daniel zu Hause zu versuchen.

»Sie haben doch nichts dagegen?« fragte sie Anne, die wie zur Flucht bereit, an der Tür stand.

Daniel meldete sich beim vierten Läuten, gerade als Jane auflegen wollte. »Ja?« Kein ›Hallo‹, ein einfaches ›Ja‹, als hätte er sie erwartet, als befänden sie sich bereits mitten im Gespräch.

»Daniel?«

»Ja?« Ein etwas ungeduldiger Unterton, als hätte sie ihn bei einer wichtigen Tätigkeit gestört.

»Hier ist Jane Whittaker.«

»Jane! Ach, entschuldige, ich habe deine Stimme nicht erkannt. Ich war gerade auf dem Weg in die Praxis. Was gibt's denn? Ist was nicht in Ordnung? Ich habe ein paarmal bei dir angerufen, aber eure Haushälterin...«

»Daniel«, unterbrach sie ihn und hielt inne. Aber zum Teufel, es gab keine Möglichkeit, die Frage diskret zu stellen; »Daniel, hatten wir ein Verhältnis miteinander?«

Jane hörte, wie die Frau an der Tür nach Luft schnappte und stellte sich vor, daß Anne Halloren-Gimblet ein genauso fassungsloses Gesicht machte wie Daniel.

»Was?« In Daniels Stimme klang ein Lachen.

»Es ist mir ernst, Daniel. Hatten wir ein Verhältnis?«

Einen Moment blieb es still. »Was soll das, Jane? Hört Carole am Nebenapparat mit?«

»Nein. Ich bin allein, Daniel, und ich muß es wissen.«

»Das versteh ich nicht. Wovon redest du?«

»Ich kann dir jetzt nicht die ganze Geschichte in allen Einzelheiten erzählen. Ich erklär dir das alles später. Jetzt brauche ich ein einfaches Ja oder Nein. Also – hatten wir ein Verhältnis miteinander?«

»Aber nein, natürlich nicht.«

Jane drückte die Augen zu und hielt den Telefonhörer beinahe zärtlich fest.

»Ich kann nicht behaupten, daß ich es nicht gewollt hätte«, fuhr Daniel fort. »Ich glaube, das wußtest du auch, aber es war nie ein Thema. Jane, hör mal«, sagte er, als würde ihm plötzlich bewußt, daß es eigentlich nicht notwendig sein sollte, ihr das alles zu erklären, »dieses Gespräch ist völlig verrückt. Steckst du in Schwierigkeiten?«

»Danny«, sagte Jane, »weißt du, wo Emily ist?«

»Emily? Nein. Warum?«

»Michael hält sie vor mir versteckt.«

»Was?«

»Bitte, sag jetzt nichts. Dir erscheint das alles sicher völlig unsinnig, aber ich hab jetzt keine Zeit für Erklärungen. Ich muß Emily finden.«

»Aber Jane...«

»Wenn etwas schiefgeht, wenn sie mich erwischen, ehe ich Emily gefunden habe, und sie mich in eine Anstalt stecken, dann mußt du wissen, daß ich nicht verrückt bin, Daniel. Dann versuch bitte, mir zu helfen. Ich bin nicht verrückt, das weißt du.«

»Jane...«

Jane legte auf und wandte sich der verwirrten Anne Halloren-Gimblet zu. Ehe Jane etwas sagen konnte, sagte diese: »Ich habe keine Ahnung, was hier vorgeht. Und, um ehrlich zu sein, ich will es auch gar nicht wissen. Ich möchte Sie nur bitten, jetzt zu gehen.«

Jane lächelte zum Zeichen ihres Verständnisses und ihrer Dankbarkeit und wollte Anne beruhigend den Arm tätscheln, aber diese wich zurück, und Jane ließ den ausgestreckten Arm sinken. Ohne ein weiteres Wort eilte sie aus der Küche und durch die noch immer offene Haustür in den Garten hinaus. Sie hörte, wie die Tür hinter ihr geschlossen wurde, und fühlte Annes Blick in ihrem Rücken, als sie zu Paulas Wagen lief und einstieg.

Sie mußte Emily finden. Michael hielt sie irgendwo versteckt. Aber wo? In einem Ferienlager? Im Sommerhaus seiner Eltern? Bei Freunden? Wo? Und warum? Warum, um Gottes willen?

An wen konnte sie sich wenden? Wen konnte sie fragen?

Sie hatte Freunde: die Tanenbaums, Diane Brewster, Lorraine Appleby, Eve und Ross McDermott und andere. Sie wußte ihre Namen, aber weder ihre Telefonnummern noch ihre Adressen. Sie herauszufinden, war zu umständlich. Soviel Zeit hatte sie nicht. Paula würde es früher oder später schaffen, aus dem Badezimmer herauszukommen. Sie würde Michael informieren, und er würde dafür sorgen, daß Emily für sie unauffindbar blieb.

Es gab nur eine Person, die ihr vielleicht sagen konnte, wo Emily versteckt war. Das wurde ihr klar, während sie mit dem widerspenstigen Motor kämpfte, der nicht anspringen wollte. Und diese Person haßte Jane wie die Pest, weil sie überzeugt war, daß sie mit ihrem Mann ein Verhältnis gehabt hatte.

Sie mußte mit Carole sprechen.

»Ich finde dich, Emily«, murmelte Jane mit zusammengebissenen Zähnen und drehte wieder den Zündschlüssel. »Ich finde dich«, sagte sie entschlossen, als der Motor endlich ansprang und sie aufs Gas trat.

26

Paulas Wagen blieb ihr einmal vor einem Stoplicht stehen und ein zweites Mal vor einer roten Ampel, ehe er in der Mitte der Glenmore Terrace, noch ein ganzes Stück von der Forest Street entfernt, endgültig den Dienst verweigerte. »Nein, bitte nicht jetzt. Laß mich jetzt nicht im Stich. Ich brauch dich doch. Du mußt mir helfen, mein Kind zu finden.«

Aber das Auto reagierte nicht auf ihre flehentlichen Bitten. Sie drehte immer wieder den Zündschlüssel und trat aufs Gas, bis es anfing, durchdringend nach Benzin zu riechen und ihr klar war, daß der Motor endgültig abgesoffen war und nun überhaupt nicht mehr anspringen würde.

»Ach, verdammtes Ding!« Sie schlug mit der Faust auf das Steuerrad, dann sprang sie aus dem Wagen und ließ ihn einfach stehen, wo er stand.

Ein Autofahrer hinter ihr hupte wütend, aber Jane lief weiter in Richtung Forest Street, ohne auch nur den Kopf zu drehen. Wahrscheinlich war es sogar gut, daß sie nicht in Paulas Wagen vorfuhr. Zu Fuß war sie nicht so leicht zu entdecken. Vorausgesetzt natürlich, daß überhaupt jemand nach ihr Ausschau hielt. War es Paula gelungen, sich aus dem Badezimmer zu befreien? Hatte sie vielleicht schon bei Michael angerufen und ihn aus dem OP holen lassen? Lauerten sie ihr vielleicht jetzt irgendwo auf?

Jane überquerte die Straße unter der nun schon heißen Sonne und bog in die Forest Street ein. Sie konnte sich zwischen den Häusern hindurchschleichen, überlegte sie, und auf diese Weise in den Garten hinter Caroles Haus gelangen, ohne gesehen zu werden. Das mußte doch klappen. Ihr wurde plötzlich übel. An den dicken Stamm einer alten Trauerweide gestützt, übergab sie sich und spie den Kaffee wieder aus, den sie bei Anne Halloren-Gimblet in sich hineingeschüttet hatte.

Ihre Beine wurden zu Gummi, und sie glitt am Stamm des Baumes hinunter ins Gras. Nein, nein! Nicht jetzt. Ich darf jetzt nicht zusammenbrechen. Ich bin doch schon so nahe dran. So nahe dran, mein Kind wiederzufinden und die Wahrheit aufzudecken. Ich darf jetzt nicht zusammenbrechen.

Sie stellte sich vor, daß Michael und Paula die Straße zu ihr heruntergelaufen kämen. Die Ärmste, hörte sie Michael zu einer Gruppe erschrockener Passanten sagen. Sie ist verrückt, wissen Sie. Ja, sie hat den Verstand verloren, bestätigte Paula. Sie fühlte die Hände auf ihren Armen, fühlte, wie sie in eine Zwangsjacke eingebunden und zu einem anonymen weißen Wagen geschleppt wurde, der sie fortbringen sollte. Sie sah ihre kleine Tochter für immer verschwinden.

Mit neuer Willenskraft rappelte sich Jane in die Höhe. Sie achtete nicht auf die Magenkrämpfe, das Kribbeln in Armen und Beinen, die Taubheit, die ihren Nacken hinaufkroch. Wenn hier jemand aus dem Fenster schaut, dachte sie, hält er mich wahrscheinlich für betrunken. Der arme Dr. Whittaker! Sie hörte förmlich das bedauernde Zungenschnalzen. So ein Kreuz mit dieser Frau!

Beobachtete sie jemand? Sie hielt nach einem neugierigen Gesicht hinter vorsichtig geteilten Vorhängen Ausschau, aber sie sah niemanden, spürte keine fremden Blicke auf sich gerichtet. Ich bin unsichtbar, stellte sie fest und klammerte sich an Kinderphantasien, um sich zu beruhigen. Wenn ich sie nicht sehen kann, können auch sie mich nicht sehen, wiederholte sie immer wieder, während sie sich Caroles Haus näherte. Sie duckte sich hinter ein schwarzes Auto, das auf der Straße stand, für den Fall, daß sie doch nicht unsichtbar sein sollte.

Ihr eigenes Haus wirkte still. Die Haustür war geschlossen. An keinem der Fenster bewegte sich etwas. In der Einfahrt stand kein Auto. Alles sah friedlich, ja, fast freundlich aus.

Zwei Grundstücke von Caroles Haus entfernt, begann Jane zu laufen. Als sie die Garage erreichte, rannte sie geduckt nach hinten in Caroles Garten. Ihr Herz raste, ihr Magen flatterte wie ein wildgewordener Schmetterling. Sie drückte sich an die Hauswand, den Rücken an die Holzleisten gepreßt, und ließ sich schließlich neben einem Spalier voll pfirsichfarbener Rosen zu Boden fallen.

Und was würde sie zu Carole sagen? Daß Michael sie belogen, sie *beide* aufs gemeinste belogen hatte, daß sie niemals ein Verhältnis mit Daniel gehabt hatte, daß sie wissen mußte, was unmittelbar vor ihrem Verschwinden geschehen war, daß sie wissen mußte, wo Michael Emily versteckt hielt.

»Wer sind Sie, und was tun Sie in meinem Garten?«

Die Stimme war scharf und durchdringend. Jane blickte auf. Caroles Vater stand vor ihr. Seine bleichen dünnen Beine sahen unter rosaroten Bermudashorts hervor, die wahrscheinlich einmal Carole gehört hatten.

»Ich bin's, Jane Whittaker«, flüsterte sie und wurde sich bewußt, daß sie seinen Namen gar nicht kannte. »Ihre Nachbarin.«

»Was tun Sie da in meinen Rosenbüschen?«

Jane schob sich an dem Spalier hoch, bis sie beinahe aufrecht stand. Sie fühlte sich von etwas festgehalten und drehte den Kopf in der Erwartung, Michael oder Paula zu sehen, entdeckte statt dessen jedoch, daß ein Dorn sich in Michaels Hemd verfangen hatte. Vorsichtig machte sie es los, stach sich dennoch in den Finger und sah fasziniert zu, wie sich an ihrer Fingerspitze ein kleiner, kreisrunder Blutstropfen bildete.

»Haben Sie sich weh getan?«

»Nein, nein.«

»Ich bin Fred Cobb«, sagte der alte Mann, als wären sie gerade dabei, sich miteinander bekannt zu machen. Er gab ihr die Hand, wobei er sorgfältig vermied, das Blut an ihrem Finger zu berühren. »Wollen Sie mir was verkaufen?«

Jane sah sich prüfend um, um festzustellen, ob sie beobachtet wurden. »Nein, Mr. Cobb«, sagte sie dann. »Ich will Ihnen nichts verkaufen. Ich möchte gern mit Carole sprechen.«

»Worüber?«

»Über meine Tochter Emily.«

»Kenn ich nicht.«

»Sie ist sieben Jahre alt. Ein sehr hübsches kleines Mädchen mit langem braunem Haar. Sie haben sie sicher öfter im Garten spielen sehen. Ihre Enkelkinder sind manchmal zum Babysitten zu uns gekommen.«

»Wie heißt sie gleich wieder?«

»Emily.«

»Kenn ich nicht«, wiederholte er, und Jane fragte sich, weshalb sie ihre kostbare Zeit mit ihm vergeudete.

»Dann wissen Sie wohl auch nicht zufällig, wo sie jetzt ist«, meinte Jane versuchsweise.

»Oh, ich weiß, wo sie ist.«

»Wirklich?«

»Klar. Sie ist im Haus.«

»Emily ist im Haus?«

»Emily? Ich kenne keine Emily. Carole ist im Haus.«

»Ach so.« Jane seufzte. »Carole ist im Haus?«

»Wo soll sie sonst sein? Was tun Sie hier? Wollen Sie was verkaufen?«

»Mr. Cobb«, begann Jane und trat näher zu ihm, worauf er sofort einige Schritte zurückwich, »können Sie mir sagen, ob sonst noch jemand im Haus ist? Hat Carole vielleicht Besuch?«

»Carole hat fast überhaupt keinen Besuch mehr, seit Daniel weg ist. Sie hat nie viele Freunde gehabt.«

Jane nickte nur, es lag auf der Hand, daß von Fred Cobb keine Hilfe zu erwarten war.

»Ich hab Hunger«, sagte der Alte abrupt. »Ich werd Carole sagen, sie soll mir das Mittagessen machen.« Aber gleich schüttelte er den Kopf. »Nein, dann behauptet sie nur, ich hätte gerade erst gefrühstückt.«

»Ich kann sie gern für Sie fragen, Mr. Cobb.« Jane sah, wie sein Mund sich zu einem breiten Lächeln verzog.

»Wirklich? Das ist sehr nett von Ihnen. Carole haßt es, wenn ich was von ihr will. Sie wird immer wütend. Und manchmal droht sie mir damit, mich in ein Heim zu stecken.«

»Das meint sie bestimmt nicht so, Mr. Cobb.«

»Doch, doch. Aber mir ist das egal. Soll sie mich doch in ein Heim stecken, wenn sie das will. Mir ist das wurscht.« Er machte eine wegwerfende Handbewegung. »Ach, was wißt ihr jungen Leute schon vom Alter? Ihr seid ja alle überzeugt, daß ihr ewig jung bleibt.« Er lachte. »Ich wollte, ich könnte in fünfzig Jahren hier sein und zuschauen, wie ihr euch abstrampelt. Da gäb's bestimmt was zu lachen. Aber jetzt hab ich Hunger.«

»Ich werde Carole bitten, Ihnen etwas zu machen.«

»Warum überläßt du ihm das nicht selbst?« Caroles Stimme schnitt messerscharf durch die warme Luft. J. R., der sie begleitete, begann zu bellen. »Ach, halt die Klappe, J. R.«

»Der verdammte Köter. Den kannst du auch gleich in ein Heim stecken«, sagte Fred Cobb.

»Im Kühlschrank liegt noch Käse, wenn du den willst, Vater.«

»Was für welcher denn?«

»Die Sorte, die du magst.«

»Na gut«, sagte er gnädig, entschuldigte sich umständlich und ging ins Haus.

Carole wandte sich wieder Jane zu.

Jane stand immer noch an das Spalier gedrückt, und die Rosendornen bohrten sich durch Michaels Hemd in ihr Fleisch. Sie stellte sich vor, daß ihr ganzer Rücken mit kleinen Blutflecken gesprenkelt sei, sah die winzigen roten Punkte wachsen und ineinander fließen, bis sie einen riesigen roten Tropfen bildeten, der das Hemd durchtränkte.

»Ich muß wissen«, sagte sie ruhig zu Carole, »was an dem Tag passierte, an dem ich verschwunden bin.«

»Komm mit rein«, forderte Carole sie auf. »Da können wir ungestört reden.«

»Wie fühlst du dich?« fragte Carole, als sie im Wohnzimmer waren.

»Ich weiß selbst nicht«, antwortete Jane aufrichtig, während sie sich aufmerksam in dem weißgestrichenen Zimmer mit dem blauen Teppichboden umsah. Niemand war hinter den Möbelstücken versteckt. Nur ein paar Staubflusen schauten unter einem alten Ohrensessel hervor. Eine große Kristallvase mit verwelkten Iris stand auf dem Couchtisch, dessen Glasplatte verschmiert war.

»Meine Putzfrau hat gekündigt«, sagte Carole, die Janes Blicke bemerkte. »Irgendwie bringe ich nicht die Energie auf, mir eine neue zu suchen. Kannst du vielleicht eine empfehlen?«

Jane dachte an Paula, die im Bad eingesperrt war, und fragte sich, ob Carole das irgendwie mitbekommen hatte. Sie schüttelte den Kopf. »Ich muß dir so vieles sagen, daß ich nicht weiß, wo ich anfangen soll.«

»Ich wüßte nicht, ob wir einander überhaupt etwas zu sagen haben.«

»Ich weiß, du glaubst, Daniel und ich hätten was miteinander gehabt...«

»Und du willst mir weismachen, das sei nicht wahr. Verschone mich. Daniel hat schon angerufen.«

»Daniel hat angerufen? Wann denn?«

»Gerade eben. Er sagte, er hätte einen sehr merkwürdigen Anruf von dir bekommen. Du hättest ihn gefragt, ob ihr beide was miteinander gehabt hättet. Da er von deinem äußerst labilen Zustand keine Ahnung hat«, fuhr sie sarkastisch fort, »hatte er große Mühe, deine Frage zu verstehen. Ich habe ihm gesagt, daß ich mir zwar vorstellen kann, wie kränkend es für ihn sein muß, seine Liebeskünste so schnell vergessen zu sehen, daß ich es aber dennoch für das Beste halte, wenn wir alle uns diese schmutzige Geschichte möglichst schnell aus dem Kopf schlagen, wie es dir selbst ja so hervorragend gelungen ist.«

»Aber Daniel und ich hatten kein Verhältnis.«

»Ja, das hat er mir auch gesagt.«

»Und du glaubst ihm nicht?«

»Weshalb sollte ich diesem Mann noch irgendwas glauben?«

»Weshalb solltest du Michael glauben?« konterte Jane. »Er war doch derjenige, der dir erzählt hat, Daniel und ich hätten eine Affäre gehabt, nicht wahr?«

»Was spielt das für eine Rolle?«

»Das spielt deshalb eine Rolle, weil Michael der Lügner ist.«

»Weshalb sollte Michael mich anlügen?«

»Er hat uns alle angelogen.«

»Ich frage noch einmal, warum?«

Jane schüttelte den Kopf. Ihr war schwindlig. Sie ließ sich in den cremefarbenen Ohrensessel fallen. »Um einen Keil zwischen uns zu treiben. Um uns zu entzweien. Um zu verhindern, daß ich der Wahrheit auf die Spur komme.«

Carole drehte sich halb herum, als wolle sie aus dem Zimmer gehen, setzte sich dann aber auf das Sofa Jane gegenüber. »Welcher Wahrheit?«

»Das weiß ich nicht.«

»Natürlich nicht.«

»Unmittelbar vor meinem Verschwinden muß etwas geschehen sein. Es muß so schlimm gewesen sein, daß ich nur damit fertig werden konnte, indem ich es vergaß. Indem ich einfach mein ganzes bisheriges Leben vergaß.« Sie sah zur Zimmerdecke hinauf. »Carole, wie ist meine Mutter ums Leben gekommen?«

»Was? Moment mal, Jane. Das geht mir zu schnell. Da komm ich nicht mehr mit.«

»Wie ist meine Mutter ums Leben gekommen?«

Carole atmete einmal tief durch und hob die Hände, als hätte sie beschlossen, nachzugeben und Jane ihren Willen zu lassen. »Sie ist letztes Jahr bei einem Autounfall verunglückt.«

»Lüg mich nicht an«, sagte Jane scharf.

Carole war schockiert. »Ich bin doch hier nicht diejenige, die lügt, Jane. Herrgott noch mal, warum sollte ich dir nicht die Wahrheit sagen?«

»Meine Mutter ist also bei einem Autounfall umgekommen?«

»Ich dachte, Michael hätte dir das alles erzählt.«

»Ja, das hat er getan.«

»Aber du glaubst ihm nicht?«

»Du glaubst Daniel ja auch nicht«, erinnerte Jane sie.

»Das ist was anderes.«

»Wo ist der Unfall passiert?«

»Nicht weit von hier. Deine Mutter wollte nach Boston fahren. Irgendein Verrückter hat ein Stoppschild mißachtet und ist voll in sie reingeknallt. Du warst vollkommen fertig. Du hast sehr an deiner Mutter gehangen.«

»Wer war noch im Wagen?«

»Was soll das heißen?«

»Wer hat den Wagen gefahren?«

»Deine Mutter. Ursprünglich wolltest du mit ihr nach Boston fahren, soviel ich weiß, aber dann mußtest du zu irgendeiner Veranstaltung in Emilys Schule und konntest nicht.«

»Ich bin nicht gefahren?«

»Nein. Ich sagte doch gerade, du mußtest zu einer Veranstaltung in die Schule.«

»Michael hat mir aber gesagt, ich hätte am Steuer gesessen.«

»Was?! Sei nicht albern, Jane. Weshalb sollte Michael so etwas sagen?«

»Er sagte, ich hätte am Steuer gesessen, und Emily wäre auch im Wagen gewesen.«

»Emily?«

»Er hat gesagt, sie wäre tot. Sie wäre in meinen Armen gestorben.«

»Jane, das ist doch verrückt!«

»Aber meine Tochter ist gar nicht tot, nicht wahr, Carole?«

»Natürlich nicht. Natürlich ist sie nicht tot.«

»Wo ist sie, Carole?«

Carole stand auf. Jane bemerkte einen neuen Ausdruck in ihren Augen, den sie noch nie zuvor bei ihr gesehen hatte. Es war der gleiche Ausdruck, der ihr bei Anne Halloren-Gimblet aufgefallen war. Es war Furcht.

Sie stand auf und versperrte Carole den Weg aus dem Zimmer.

»Wo ist sie, Carole?« fragte sie wieder.

»Ich weiß es nicht.«

»Ich glaube dir nicht.«

»Ich weiß nicht, wo sie ist.«

»Wo hält Michael Emily versteckt?«

»Jane, hör dir doch mal selbst zu. Was du da redest, ist ja total verrückt. Daniel hat schon so was erzählt, daß du glaubst, Michael hielte Emily versteckt. Aber warum sollte Michael das Kind verstecken? So wie ich dich jetzt erlebte, kann ich nur sagen, wenn er sie versteckt hält, dann zu ihrem eigenen Besten, um sie zu schützen.«

»Nein. Um sich selbst zu schützen.«

»Jane...«

»Mir hat er gesagt, sie wäre tot, Carole. Er hat gesagt, ich hätte sie getötet, sie wäre in meinen Armen gestorben. Wie erklärst du dir das? Versucht er vielleicht, auch *mich* zu schützen?«

»Ja, er möchte dich schützen, Jane. Nur darum geht es ihm.«

»Indem er mich belügt, will er mich schützen? Indem er mir erzählt, meine Tochter sei tot und ich sei schuld daran? Mein Gott, Carole, glaubst du denn, ich habe das alles erfunden?«

»Ich glaube, du hast Wahnvorstellungen...«

»Wahnvorstellungen?«

»Ich denke, du selbst glaubst wirklich alles, was du sagst...«

»Wahnvorstellungen! Das Wort hast du von Michael, nicht wahr? Wahnvorstellungen!« Sie spie das Wort aus, als wäre es Gift. »Michael hat dir erzählt, ich hätte Wahnvorstellungen, stimmt's?«

»Jane...«

»Ich will wissen, ob es stimmt?« Ein Blick in Caroles Gesicht genügte ihr, um zu sehen, daß sie recht hatte. Sie schüttelte ungläubig den Kopf. »Er hat sich wirklich nach allen Seiten abgesichert. Er hat alle davon überzeugt, daß ich verrückt bin, daß ich nach dem Tod meiner Mutter eine Art Nervenzusammenbruch erlitten habe. Meinen Freunden erschien ich zwar ganz normal, aber zu Hause sah es völlig anders aus. Da hatte ich Wutausbrüche am laufenden Band; ich schmiß Sachen durch die Gegend; ich war gewalttätig.«

Jane bemühte sich, alles, was sie erfahren hatte, in einen Zusammenhang zu bringen. »Und es klingt ja auch alles ganz einleuchtend, weil jeder weiß, wie furchtbar jähzornig ich bin. Jeder kann ein Lied davon singen und hat eine entsprechende Story parat. Und wie soll ich mich gegen ihn wehren, wenn mir die Betäubungsmittel zu den Ohren rauskommen und ich morgens kaum noch aus dem Bett finde und vor lauter Sabbern kaum noch ein Wort herausbringe und außerdem so deprimiert bin, daß Selbstmordgedanken der einzige Trost sind?

Begreifst du jetzt? Er hat mich belogen; er hat euch alle belogen. Dir hat er erzählt, ich hätte mit deinem Mann geschlafen; mir hat er erzählt, es wäre nur eine von vielen schmutzigen Affären gewesen. Und wie raffiniert er es angestellt hat! Selbst als ich anfing, mir einiges zusammenzureimen, als ich hinter seine Lügen kam, konnte er sich bei den Leuten damit herausreden, daß er sagte, ich hätte Wahnvorstellungen. Um Gottes willen, *er* hat kein Wort davon gesagt, daß unsere Tochter tot sei! Das habe ich mir nur eingebildet. Ich bin eben leider noch verrückter, als er gedacht hat.

Mann, das ist wirklich perfekt. Absolut wasserdicht. Wer wird ihm unter diesen Umständen widersprechen, wenn er behauptet, er müsse mich in eine Anstalt bringen? Und wenn ich da mal drin bin – das ist das Tollste an dem ganzen Plan –, wenn ich erst mal in irgendeiner Klapsmühle mit einem hübschen Namen hocke, wird mir kein Mensch mehr glauben, selbst wenn meine Erinnerungen wiederkehren, wenn mir die Wahrheit wieder einfallen sollte. Man wird das nur für einen weiteren Beweis meines Wahnsinns halten. Weitere Wahnvorstellungen, die sie in ihre Berichte eintragen können.«

Carole begann zu weinen. »Aber warum das alles, Jane? Warum sollte Michael so etwas tun?«

»Weil ich irgend etwas weiß. Weil etwas geschehen ist, das ich entweder gesehen oder gehört habe. Etwas, das ich nicht wissen darf. Woran ich mich auf keinen Fall erinnern darf.«

»Aber was denn?«

»Sag du es mir.«

Carole schloß einen Moment die Augen. »Ich weiß nichts, Jane.«

»Erzähl mir, was an dem Nachmittag passierte, bevor ich wegging. Erzähl mir, was an dem Tag los war.«

Carole überlegte einen Moment, ehe sie zu sprechen begann. »Michael sagte, du wärst sehr erregt gewesen...«

»Erzähl mir nicht, was Michael gesagt hat«, unterbrach Jane zornig. »Erzähl mir nur das, was du selbst erlebt hast.«

»Also – ich sah dich nach Hause kommen«, begann Carole widerstrebend. »Es war am frühen Nachmittag. Mein Vater hatte sich hingelegt und schlief. Es war ziemlich kalt an dem Tag. Ich pusselte im Garten herum, nur um etwas zu tun zu haben. Als ich dich kommen sah, dachte ich mir, ach, gehst mal rüber und fragst, ob sie eine Tasse Tee mit dir trinken will. Ich brauchte ein bißchen Gesellschaft. Aber gleich, als du aus dem Auto stiegst, sah ich, daß etwas passiert sein mußte. Du warst völlig außer dir. Richtig hysterisch. Du hast vor dich hin gemurmelt und geschrien, aber ich habe kein Wort verstanden. Ich war nicht einmal sicher, ob du mich überhaupt gesehen hast, obwohl du mir direkt ins Gesicht schautest. Ich fragte dich, was los sei, aber du hast mir gar nicht geantwortet. Du bist einfach an mir vorbei ins Haus gerannt und hast die Tür zugeknallt.

So hatte ich dich noch nie erlebt. Ich hatte dich natürlich ab und zu zornig gesehen, aber das war etwas ganz anderes. Du warst nicht du selbst. Ich wußte nicht, was ich tun sollte. Ein paar Minuten stand ich ratlos herum, dann beschloß ich, Michael anzurufen. Ich erzählte ihm, was los war, und er sagte, er würde sofort nach Hause kommen.

Ungefähr fünfzehn oder zwanzig Minuten später sah ich Michaels Wagen vorfahren. Michael stieg aus und lief ins Haus. Ich muß zugeben, ich war inzwischen sehr neugierig geworden. Ich wollte unbedingt wissen, was bei euch los war. Ich blieb am Fenster stehen und schaute hinaus. Und es dauerte gar nicht lange, da flog bei euch die Haustür auf, und du kamst rausgeschossen wie ein Pfeil. Du hast nicht mal die Tür hinter dir zugemacht. Aber du hast nicht deinen Wagen genommen, sondern bist die Straße runtergelaufen.

Ich wartete ein Weilchen, dann ging ich zu euch hinüber. Die Tür stand offen, aber ich klopfte trotzdem. Als sich nichts rührte, wurde ich ein bißchen unruhig. Ich rief ein paarmal nach Michael, und dann hörte ich ihn stöhnen. Ich lief in den Wintergarten. Michael lag noch auf dem Boden und versuchte gerade aufzustehen. Er blutete am Kopf, und auf dem Boden war auch alles voll Blut.

Ich half ihm ins Bad und tupfte ihm das Blut ab, so gut es ging, und dann fuhr ich ihn ins Newton-Wellesley-Krankenhaus. Auf der Fahrt mußte ich ihm versprechen, den Ärzten zu sagen, er sei gestürzt und hätte sich den Kopf aufgeschlagen. Er erklärte mir, du hättest einen Zusammenbruch gehabt, es hätte sich schon seit längerer Zeit angekündigt, und er würde mir später alles erklären.«

»Und weiter?«

»Das ist alles, den Rest weißt du. Du bist nicht nach Hause gekommen. Er meinte, du schämtest dich wahrscheinlich und brauchtest ein paar Tage Zeit, um dich zu beruhigen und wieder klar zu werden. Er war überzeugt, du würdest wieder nach Hause kommen, wenn du ein paar Tage Ruhe gehabt hättest. Er rief mich an, nachdem er von der Polizei gehört hatte, und erzählte mir, was passiert war, daß du dich an nichts erinnern könntest. Er sagte, er würde dich nach Hause holen.«

»Wann hat er dir das mit Daniel erzählt?«

»Erst später. Und ich mußte ihm versprechen, daß ich erst mit dir darüber rede, wenn es dir wieder besser geht. Daran hab ich mich allerdings nicht gehalten, wie du weißt.«

Jane atmete mehrmals tief durch in der Hoffnung, daß der

Schwindel, der sie schwach und elend machte, dadurch vorbeigehen würde.

»Carole, bitte, du mußt mir sagen, wo Michael Emily versteckt hält.«

»Ich habe keine Ahnung«, antwortete Carole, und Jane glaubte ihr. »Ich nahm an, sie sei bei Michaels Eltern.«

»Sie haben also wirklich ein Sommerhaus?«

»Ja. In Woods Hole.«

Jane wußte, daß Woods Hole ein kleiner Streifen Land an der Spitze von Cape Cod war, aber sie konnte sich nicht erinnern, je dort gewesen zu sein. Es war eine Fahrt von mehreren Stunden, aber Jane war schon entschlossen hinzufahren, auf gut Glück und mit verbundenen Augen, wenn es sein mußte. Das Haus der Whittakers würde sie schon irgendwie finden, wenn sie erst einmal dort war.

»Du mußt mir dein Auto leihen«, sagte sie, obwohl sie stark bezweifelte, daß sie in ihrer Verfassung eine so lange Fahrt überhaupt durchstehen konnte.

»Wie?«

»Gib mir die Schlüssel zu deinem Wagen.«

»Jane, sei nicht albern. Ich kann dir meinen Wagen nicht geben.«

Jane sah, wie Caroles Blick zu einer Stelle hinter ihrem Kopf schweifte. Sie sah, wie Carole erstarrte und den Mund in einem lautlosen Aufschrei öffnete. Im selben Moment spürte sie hinter sich Bewegung.

»Wer ist diese Frau?« fragte Caroles Vater von der Tür her. Im ersten Moment glaubte Jane, er spreche von ihr, aber als kräftige Hände ihre Arme packten, war ihr klar, daß Fred Cobb Paula gemeint hatte, die irgendwie aus ihrem Gefängnis ausgebrochen und herübergekommen war. Oder nein, wahrscheinlich war sie schon die ganze Zeit hier gewesen.

»Nach Daniels Anruf heute morgen bin ich zu euch rübergegangen«, erklärte Carole, während Paula Jane die Arme fest an die Seiten preßte, »weil ich fürchtete, es könnte etwas passiert sein. Ich fand Paula im Badezimmer.«

»Was geht hier vor?« fragte Caroles Vater scharf. »Carole, was sind das für Leute? Wollen sie uns was verkaufen?«

»Nein, Vater. Geh doch rauf und leg dich ein Weilchen hin.«

»Ich will mich nicht hinlegen. Ich bin eben erst aufgestanden.«

Jane ließ ihren ganzen Körper erschlaffen. »So ist es gut«, sagte Paula, ohne ihren Griff zu lockern. »Es hat doch keinen Sinn, um sich zu schlagen.«

»Haben Sie Michael angerufen?« fragte Jane.

»Er operiert. Ich habe ihm eine Nachricht hinterlassen.«

Es ist also noch Zeit, dachte Jane und knickte die Knie ein, als wären ihre Beine nicht mehr stark genug, ihr Gewicht zu tragen. Paula folgte mit dem Körper ihrer Bewegung und neigte sich leicht vornüber, um ihre Arme nicht loslassen zu müssen. Im selben Moment riß Jane die Schultern so heftig nach rückwärts, daß Paula das Gleichgewicht verlor und sie sich, während Paula noch schwankend nach Halt suchte, aus ihrer Umklammerung befreien konnte.

»Nein!« rief sie schrill und hörte den erschrockenen Aufschrei des alten Mannes, als sie die große Kristallvase auf dem Couchtisch packte und in die Höhe schwang. Die verdorrten Blumen flogen durch die Luft; Wasser rann auf ihre Schultern und den Teppich darunter. Paula wich zurück. Carole schüttelte den Kopf. Der alte Cobb drückte wimmernd die Hände auf die Augen.

Und in dieser Sekunde erinnerte sich Jane, wer sie war und was sie unbedingt hatte vergessen wollen.

27

Jane erlebte die Rückkehr ihrer Erinnerungen wie einen Film, als säße sie in der Mitte der ersten Reihe eines Privatkinos, in dem sie die einzige Zuschauerin war. Sie sah, wie der Vorhang sich teilte und die Leinwand sich mit Bildern füllte, die so klar und leuchtend waren, daß ihre Augen sie kaum aushalten konnten. Ohne sich dessen bewußt zu sein, begann sie zu sprechen und ließ Carole und Paula so an ihrem einsamen Erleben teilhaben.

Es war früher Morgen. Michael und Emily saßen am Küchentisch. Michael las die Zeitung, während er seinen Kaffee trank, und Emily stocherte ziemlich lustlos in ihren Corn Flakes herum, ohne darauf zu achten, daß die Milch von ihrem Löffel auf den Tisch tropfte. Michael warf einen Blick über den Rand der Zeitung und schimpfte gutmütig. Jane sah sich selbst, wie sie die Milch abwischte und das Frühstücksgeschirr zur Spülmaschine trug.

»Und was hast du heute vor?« fragte Michael, als Jane mit dem Bild, das sie vor sich sah, eins wurde.

»Ich hab um halb eins einen Termin bei Emilys Lehrerin«, erinnerte sie ihn.

»Gibt's Probleme?«

»Das glaube ich nicht. Es sind nur die Einzelgespräche, die sie am Schuljahrsende immer mit den Eltern führen. Man wird mir wahrscheinlich sagen, wie Emilys Leistungen waren, was im nächsten Jahr zu erwarten ist und so weiter.« Sie tätschelte Emily den Kopf, und Emily antwortete mit einem scheuen Lächeln. »In welchem Zimmer seid ihr gleich wieder, Herzchen?«

»Zimmer einunddreißig.« Emilys Stimme war leise. Jane fiel auf, daß sie mit jedem Wort, das sie sprach, leiser zu werden schien.

»Ich versteh gar nicht, wieso ich das nicht behalten kann. Ich schreib's mir lieber auf.«

Sie riß ein Blatt von dem kleinen Block neben dem Telefon und schrieb auf ›Pat Rutherford, Z. 31, 12 Uhr 30‹.

»Weißt du was, wenn ich heimkomme, backe ich dir einen Schokoladenkuchen«, sagte sie in der Hoffnung, ihrer Tochter ein Lächeln zu entlocken, und war lächerlich stolz, als es ihr gelang.

»Darf ich dir helfen?« fragte Emily.

»Aber klar.« Jane öffnete den Kühlschrank und sah hinein. »Ich muß auf jeden Fall noch Milch und Eier besorgen.« Sie schrieb ›Milch, Eier‹ auf den Zettel. »Also, bist du soweit?«

»Ich kann sie heute zur Schule fahren«, erbot sich Michael.

»Wunderbar.«

»Zieh dir eine warme Jacke an!« rief Michael, als Emily in den Flur hinauslief. »Es soll kühl werden heute. Und das gilt auch für die Mama«, fügte er hinzu und gab Jane einen Kuß auf die Nasenspitze.

»Ja, Papa. Danke, Papa.«

»War mir ein Vergnügen, freches Ding du.«

»Ich liebe dich.«

»Ich liebe dich auch. Ruf mich nach dem Gespräch mit der Lehrerin an.«

»Okay.«

Jane folgte Michael in den Vorsaal und half Emily in ihren rosaroten Anorak. »Viel Spaß, Schätzchen.« Sie kniete nieder, und Emily schlang ihr die Arme um den Hals. »Wir sehn uns dann in der Schule«, sagte Jane und stand auf, obwohl sie ihre kleine Tochter gern noch einen Moment so gehalten hätte.

Aber da nahm Michael sie schon in die Arme. »Das kann ich mir doch nicht entgehen lassen.«

Sie küßte ihn. »Arbeite nicht zuviel.«

»Ruf mich an.«

Sie blieb an der Tür stehen, bis Michaels Wagen um die Ecke verschwand. Sie fühlte sich unglaublich glücklich. Das einzige, was ihnen fehlte, war ein zweites Kind. Es war schon komisch: Nach Emilys Geburt hatte sie zwei Jahre lang die Pille genommen, um sicherzugehen, daß das zweite Kind nicht zu früh kommen würde, aber als sie sie abgesetzt hatte, war gar nichts geschehen. Untersuchungen hatten ergeben, daß Michaels Samenzählung sehr niedrig war, daß Emily ein noch viel größeres Wunder war, als sie geahnt hatten. Es war unwahrscheinlich, daß ein solches Wunder ein zweites Mal geschehen würde. Also würde es eben bei einem Kind bleiben. Welch ein Glück, dachte Jane wie sooft, daß ihnen dieses süße, aufgeweckte kleine Mädchen geschenkt worden war.

Die Lehrerin hatte einen etwas nervösen Eindruck gemacht. Oder nein, nicht direkt nervös, sagte sich Jane, auf dem Weg nach oben, um sich umzuziehen. »Es ist wahrscheinlich nichts, worüber man sich Sorgen machen muß«, hatte Pat Rutherford zu ihr gesagt, und natürlich war Jane gleich besorgt gewesen. Michael hatte sie nichts von dem Gespräch erzählt. Warum sollten sie sich alle beide über etwas den Kopf zerbrechen, worüber man sich wahrscheinlich keine Sorgen zu machen brauchte.

Jane öffnete ihren Schrank und überlegte, was sie anziehen sollte. Sie entschied sich für ein schlichtes Anne-Klein-Kleid. Diese mit Bändern und Schleifen garnierten Kleider, die Michael immer für sie aussuchte, wenn sie zusammen einkauften, mochte sie nicht besonders. Er mag ein glänzender Chirurg sein, dachte sie, während sie in das blaue Kleid schlüpfte, aber von Mode hat er keine Ahnung. Selbst bei Negligés ließ sein Geschmack eine Menge zu wünschen übrig. Sie schob das weiße Baumwollnachthemd, das er ihr zum letzten Muttertag geschenkt hatte, wieder in die Tiefen des Schranks zurück.

Sie bürstete sich das Haar, zog es nach hinten und steckte es mit einer straßbesetzten Spange zusammen. Zufrieden betrachtete sie ihr Spiegelbild. Ganz die arrivierte junge Akademikergattin, wie Michael neckend zu sagen pflegte, der sie lieber mit offenem Haar sah. Sie legte die goldene Armbanduhr um, die er ihr zum zehnten Hochzeitstag geschenkt hatte, und drehte zerstreut den einfachen goldenen Trauring an ihrem Finger, während sie überlegte, ob sie noch aufräumen sollte, ehe sie aus dem Haus ging. Nein, das konnte Paula tun.

Bei dem Gedanken an die junge Frau, die Michael als Haushaltshilfe engagiert hatte, runzelte sie ein wenig die Stirn. Paula hatte keinen Humor und konnte Jane nicht besonders gut leiden. Jane wußte, daß sie in ihren Augen ein verwöhntes und verhätscheltes Luxusweibchen war, dem das Leben alles in den Schoß gelegt hatte, was es Paula verweigert hatte. Und Paula war vernarrt in Michael. Obwohl Jane die so bitterernste junge Frau nur selten sah, hatte sie das sofort gespürt. Michael allerdings war von einer rührenden Ahnungslosigkeit.

Wie würde es mir gehen, wenn ich entdecken sollte, daß die beiden ein Verhältnis haben? dachte sie flüchtig und lachte den Gedanken weg. Er war zu absurd. Außerdem würde Michael sie niemals betrügen, davon war sie überzeugt. Wozu sich also mit so unerfreulichen Gedanken belasten? Damit tat sie sich und Michael Unrecht.

Jane ging nach unten, nahm ihre Handtasche aus dem Garderobenschrank und wollte schon gehen, als ihr Michaels Ermahnung, einen Mantel anzuziehen, einfiel. »Ach was«, sagte sie laut. »Es ist doch Sommer.« Ein kalter Windstoß fuhr ihr ins Gesicht, als sie die Tür öffnete. »Von wegen! Es ist eiskalt«, prustete sie, rannte in den Flur zurück und hängte sich ihren Trenchcoat über die Schultern. »Papa weiß es eben doch am besten.«

Den ganzen Morgen bummelte sie in Newton herum und machte Einkäufe. Sie dachte daran, Diane anzurufen und sich mit ihr zum Mittagessen zu verabreden, aber da sie nicht wußte, wie lange ihr Gespräch mit Pat Rutherford dauern würde, beschloß sie, lieber schnell allein eine Kleinigkeit zu essen, ehe sie zur Arlington Private School hinüberfuhr. Weshalb hatte Pat Rutherford dieses Gespräch zur Mittagszeit anberaumt? Und warum gerade heute? Hatte es in dem Rundschreiben nicht geheißen, Elternsprechtag sei Freitag, den 22. Juni?

Wahrscheinlich schafft sie nicht alle an einem Tag, überlegte Jane, als sie den Wagen auf den Parkplatz neben der Schule steuerte. Nachdem sie ausgestiegen war, holte sie den Zettel, auf dem sie sich die Zimmernummer aufgeschrieben hatte, aus der Manteltasche. »Zimmer 31. Wieso kann ich das nicht behalten? Ach verflixt, ich hab die Milch und die Eier vergessen. Was ist heute eigentlich mit mir los?« Sie merkte, daß sie nervös war. »Was für einen Grund habe ich, nervös zu sein?« fragte sie sich ungeduldig und schob den Zettel wieder in die Manteltasche. »Und wieso halte ich plötzlich Selbstgespräche. Wenn mich einer hört, muß er mich für meschugge halten.«

Sie betrat das Schulhaus durch die Seitentür und ging schnell die drei Treppen hinauf. Zimmer 31 war am Ende des mit Fotografien dekorierten Korridors. Die Tür war offen. Sie schaute hinein. Kinderzeichnungen und große, aus Buntpapier ausgeschnittene Buchstaben schmückten die Wände. Von der Decke hingen Mobiles aus Papier, und in dem Käfig auf dem Fensterbrett amüsierte sich unermüdlich ein Hamster auf seinem Laufrad. Es war ein helles, freundliches Zimmer. Und es war leer. Jane sah auf ihre Uhr. Fünf vor halb eins.

Sie kam immer zu früh. Von Kindesbeinen an hatte ihre Mutter ihr eingebleut, wie wichtig es sei, pünktlich zu sein. ›Pünktlichkeit ist das Vorrecht der Könige‹, hatte sie immer gesagt, obwohl sie selbst fast immer zu spät gekommen war.

An der mit Bildern geschmückten Wand entdeckte Jane eine Zeichnung von Emily – eine Blumenwiese, auf die eine lachende Sonne hinuntersah.

Wenn ihre Mutter sich nur an ihre eigenen guten Ratschläge gehalten hätte. Dann hätte sie es auf ihrer Fahrt zum Einkaufen nach Boston nicht so eilig gehabt. Wenn sie nicht erst in letzter Minute losgefahren wäre, wenn sie ein wenig langsamer gefahren wäre...

»Hallo, Mrs. Whittaker.« Pat Rutherford hatte eine zarte, dünne Stimme, die zu ihrer zierlichen Gestalt paßte. »Warten Sie schon lange?« Sie schien nervös zu sein.

»Nein, nein, ich bin eben erst gekommen.«

»Gut.« Pat Rutherford strich sich mit einer Hand das lange blonde Haar hinter das Ohr, und ein großer silberner Ohrring kam zum Vorschein. »Ich danke Ihnen, daß Sie gekommen sind. Ich hoffe, der Termin kam Ihnen nicht ungelegen.«

»Nein, nein. Gibt es denn Probleme mit Emily?«

Sie erwartete eine rasche Verneinung und war bestürzt, als die Lehrerin zögerte.

»Ist etwas nicht in Ordnung?«

Wieder zögerte Pat Rutherford, dann sagte sie: »Ich weiß es nicht genau. Deswegen wollte ich mit Ihnen sprechen. Deshalb bat ich Sie, heute zu kommen und nicht mit den anderen Eltern zusammen am Freitag.«

»Worum geht es?«

»Bitte nehmen Sie doch Platz.«

Jane versuchte, es sich in einer der kleinen Schulbänke vor Pat Rutherfords Pult bequem zu machen. Die Lehrerin setzte sich nicht. Sie ging hin und her, blieb gelegentlich stehen und lehnte sich an ihr Pult. Ihre dunklen Augen verrieten Unsicherheit.

»Sie machen mich richtig nervös«, gestand Jane, die sich fragte, was die Frau ihr zu sagen haben könnte.

»Das tut mir leid. Ich bin sonst nicht so zögernd, aber ich weiß ganz einfach nicht, wie ich Ihnen das sagen soll.«

»Direktheit ist meistens die beste Methode.«

»Hoffentlich haben Sie recht.« Sie schwieg einen Moment.

»Wissen Sie, ich bin mir nicht einmal sicher, ob es richtig ist, mit Ihnen zu sprechen.«

»Ich verstehe nicht, was Sie meinen.«

»Ich unterrichte im ersten Jahr«, erklärte Pat Rutherford. »Ich hatte nie mit so etwas zu tun und bin mir nicht im klaren über das korrekte Verfahren.«

»Was für ein Verfahren?«

»Ich glaube, normalerweise müßte ich meine Vermutungen den Behörden mitteilen...«

»Den Behörden? Mein Gott, was vermuten Sie denn?«

»Aber eine Freundin von mir hat damit schlechte Erfahrungen gemacht – da kreuzten zwei Kriminalbeamte auf, schüchterten das Kind völlig ein, in der Schule kursierten die wildesten Gerüchte, die Eltern waren fuchsteufelswild, und meine Freundin hätte beinahe ihren Posten verloren. Und geändert hat sich gar nichts.«

»Wovon sprechen Sie?« Jane saß bis aufs Äußerste angespannt auf der Kante des kleinen Stuhls.

»Ich bin gern Lehrerin. Ich möchte meine Stellung nicht verlieren. Darum hielt ich es für besser, nicht gleich zu den Behörden zu gehen, sondern zuerst mit dem Direktor zu sprechen.«

»Mit Mr. Secord, meinen Sie?«

»Ja.«

»Aber worüber haben Sie denn nun mit ihm gesprochen?«

»Ich glaube, daß Emily sexuell mißbraucht wird.«

Die Worte trafen Jane wie Dolchstöße. Im ersten Moment fuhr sie zurück, dann krümmte sie sich so heftig zusammen, daß sie beinahe von dem kleinen Stuhl gestürzt wäre. Nur die Kante der Schulbank, die schmerzhaft ihre Rippen traf, hielt sie auf. Ich muß mich verhört haben, dachte sie, während sie um Fassung rang. Das kann sie nicht gesagt haben.

»Was sagten Sie?«

Pat Rutherford ließ sich auf den Stuhl hinter ihrem Pult sinken. »Ich glaube, Emily wird sexuell mißbraucht«, wiederholte sie.

Jane stockte der Atem. Sie meinte zu ersticken. Das kann nicht sein, dachte sie. Nein, das ist ganz ausgeschlossen. Das gibt es nicht.

»Wie kommen Sie denn darauf?« fragte sie, als sie wieder sprechen konnte.

»Ich habe keine konkreten Beweise, das ist einer der Gründe, weshalb Mr. Secord mir dringend abriet, die Behörden einzuschalten. Er machte mich mehrmals darauf aufmerksam, daß ich kaum Erfahrung besitze. Es könnte alle möglichen Gründe für Emilys verändertes Verhalten geben. Aber irgend etwas sagt mir, daß das der Grund ist. Alles, was ich darüber gelesen habe...«

»Hat Emily Ihnen gesagt, daß sie...«, die Worte blieben Jane im Hals stecken, »daß sie sexuell mißbraucht wird«, flüsterte sie.

»Nein«, antwortete Pat Rutherford, und Jane atmete erleichtert auf. Die Frau mußte sich getäuscht haben, hatte sich von Dingen, die sie gelesen hatte, zu voreiligen Schlüssen verleiten lassen. »Aber das Verhalten, das sie in letzter Zeit zeigt, entspricht dem eines sexuell mißbrauchten Kindes.«

»Inwiefern? Was ist das für ein Verhalten?«

Wieder zögerte Pat Rutherford. »Nun ja, sie ist in letzter Zeit auffallend still. Sie war immer sehr lebhaft und aufgeweckt, voller Begeisterung, immer vergnügt. In letzter Zeit ist sie, wie gesagt, auffallend still und in sich gekehrt. Beinahe traurig. Ist Ihnen das zu Hause auch aufgefallen?«

Jane mußte zugeben, daß das der Fall war. »Aber trotzdem«, protestierte sie, »heißt da doch wohl noch lange nicht, daß Emily sexuell mißbraucht wird.«

»Sicher, wenn es nur das wäre, würde ich mir keine Gedanken machen«, stimmte Pat Rutherford zu. »Aber das ist eben nicht alles.«

Jane sagte nichts, bedeutete der Lehrerin nur mit einem Nikken fortzufahren.

»Eines Tages habe ich sie in der Pause beim Puppenspielen im Vorschulzimmer beobachtet. Das ist an sich nichts Besonderes. Viele Kinder gehen gern mal zum Spielen dorthin. Solange sie alles wieder aufräumen, ist das kein Problem. Aber die Art und Weise, wie Emily mit den beiden Puppen spielte, veranlaßte mich, ihr genauer zuzusehen. Sie war völlig absorbiert von ihrem Spiel.«

»Was war das für ein Spiel?«

»Sie berührte die Puppen an der Brust und zwischen den Beinen und rieb sie aneinander.«

»Kann das nicht ganz normale kindliche Neugier sein?« unterbrauch Jane mit wachsendem Zorn. Wie kam diese unerfahrene Person dazu, aus kindlicher Neugier und Experimentierfreude einen Fall von sexuellem Mißbrauch zu konstruieren!

»Sicher, das ist möglich. Daran habe ich auch gedacht. Ich habe selbstverständlich nicht gleich angenommen, daß hier ein Mißbrauch vorliegt. Ich hielt es für ebenso wahrscheinlich, daß sie einfach Verhaltensweisen nachahmt, die sie im Fernsehen oder im Kino gesehen hat.«

Jane schüttelte den Kopf. Sie achtete genau darauf, was Emily sich im Fernsehen ansah, und ließ sie niemals allein ins Kino gehen. Weder im Fernsehen noch im Kino konnte sie so etwas gesehen haben. Aber sie hatte natürlich Augen im Kopf. Sie interessierte sich zweifellos für ihren eigenen Körper. Und es gab immer Kinder, die weiter waren und alles mögliche erzählten.

»Sie hat wahrscheinlich von irgendeinem anderen Kind etwas aufgeschnappt«, meinte Jane, eisern beherrscht, obwohl sie Pat Rutherford am liebsten an die Gurgel gesprungen wäre für ihre unbegründeten Anschuldigungen.

»Mrs. Whittaker, glauben Sie mir, ich sage das alles nicht leichtfertig«, bemerkte Emilys Lehrerin, als hätte sie Janes Gedanken gelesen. »Ich denke seit Monaten darüber nach, wie ich diese Sache am besten anpacken kann. Mr. Secord hat mich viele Male daran erinnert, daß Ihr Mann ein hochangesehener Mann ist, daß er zu den Mäzenen der Schule gehört. Und ich weiß, wie sehr Sie selbst sich für die Belange der Schule einsetzen. Das ist der Grund, weshalb ich es Ihnen nicht schwerer machen wollte als unbedingt nötig. Es kann gut sein, daß es für alles eine logische Erklärung gibt.«

»Für alles? Bis jetzt habe ich kaum etwas gehört. Jedenfalls nichts, was mich zu der Schlußfolgerung veranlassen würde, daß mein Kind das Opfer eines sexuellen Mißbrauchs ist.«

»Ich bin noch nicht fertig.«

Jane schwieg. Sie saß wie auf Kohlen.

»Ich hätte die ganze Geschichte vielleicht fallenlassen, wenn nicht die Sache letzte Woche gewesen wäre.«

»Was war denn letzte Woche?«

»Als ich ins Klassenzimmer kam, sah ich hinten Emily mit einem anderen kleinen Mädchen. Sie hatte eine Hand auf der Schulter des Mädchens und die andere auf ihrer Brust...«

»Das ist doch lächerlich! Zwei kleine Mädchen, die sich gegenseitig...«

»Es war weniger das, was Emily tat, als das, was sie sagte, was mich stutzig machte.«

»Wieso? Was sagte sie denn?«

»Sie flüsterte: ›Du bist so schön. Du bist so weich und süß, daß ich dich einfach anfassen muß.‹«

»Was?«

»Ich weiß, daß das ihre genauen Worte waren. Ich habe sie aufgeschrieben. Ich meine, so etwas sagt doch normalerweise ein Kind nicht zum anderen. Es hört sich eher so an, als plapperte sie etwas nach, das sie von einem Erwachsenen gehört hat. Entweder hat sie es zufällig belauscht, oder es hat jemand zu ihr selbst gesagt. Ich weiß es nicht. Mir ist klar, daß das für Sie ein großer

Schock ist, Mrs. Whittaker, und daß Sie wahrscheinlich sehr böse auf mich sind. Ich weiß, daß ich im Grund keinerlei Beweise habe. Aber ich habe mir wirklich den Kopf darüber zerbrochen, was ein normalerweise fröhliches und kontaktfreudiges Kind so still und in sich gekehrt machen könnte; was eine Siebenjährige so stark sexualisieren könnte. Mir fallen einfach keine anderen Möglichkeiten ein. Es sei denn...«

»Ja? Was?«

»Es sei denn, sie hat vielleicht ihre Babysitterin mit ihrem Freund beobachtet. Ist das möglich? Vielleicht kam sie unvermutet aus ihrem Zimmer und ertappte die Babysitterin mit ihrem Freund auf dem Sofa. Vielleicht hat sie gehört, was die beiden sagten.«

Jane überlegte, ob das möglich sei. Caroles Kinder kamen ziemlich regelmäßig zum Babysitten. Konnte es sein, daß Celine abends einmal ihren Freund ins Haus geholt hatte, als sie und Michael aus gewesen waren?

»Gibt es bei Ihnen in der Nachbarschaft halbwüchsige Jungen?« fragte Pat Rutherford. »Vielleicht hat sich von ihnen einer an Emily herangemacht und versucht, sie zu irgend welchen Dummheiten zu überreden...«

Andrew Bishop, hochaufgeschossen und schlaksig, kam ihr in den Sinn. War es möglich, daß Caroles Sohn ihr kleines Mädchen belästigt hatte?

Sie sprang mit solcher Entschlossenheit von ihrem Platz auf, daß der Stuhl beinahe umgestürzt wäre. »Ich muß mit Emily sprechen.«

»Ich hoffte, daß Sie das sagen würden.« Pat Rutherford war sichtlich erleichtert. »Emily ist beim Mittagessen. Ich kann in den Saal hinuntergehen und sie heraufholen, wenn Sie das möchten.«

»Bitte.

Ohne ein weiteres Wort ging Pat Rutherford hinaus. Sobald

sie weg war, schlug Jane mit der Faust krachend auf das Pult der Lehrerin. Einige lose Papiere flatterten zu Boden. »Verdammt, verdammt, es kann nicht wahr sein«, sagte sie immer wieder. »Es kann einfach nicht wahr sein.«

Sie begann, vor dem Pult hin und her zu gehen, wie Pat Rutherford das noch vor wenigen Minuten getan hatte. Wie ist das möglich? fragte sie sich. Wie kann das sein? Es gab nur eine Antwort – es konnte nicht sein. Pat Rutherford hatte auf eine Situation, die sich in ein paar Minuten zweifellos als völlig harmlos erweisen würde, übertrieben reagiert.

In ein paar Minuten, dachte sie, in ein paar Minuten kann sich ein ganzes Leben verändern. Eben noch war sie wunschlos glücklich gewesen, fühlte sich vom Schicksal verwöhnt, und im nächsten Moment – im nächsten Moment lag ihre ganze Welt in Trümmern. Und alles wegen eines einzigen Satzes: Ich glaube, Emily wird sexuell mißbraucht.

Nein, es konnte nicht sein.

Oder doch? War es möglich, daß Caroles Kinder, vielleicht ganz unwissentlich, an Emilys verändertem Verhalten schuld waren? Hatte Celine vielleicht eines Abends, als sie zum Babysitten im Haus gewesen war, ihren Freund kommen lassen? Möglich, dachte Jane, aber unwahrscheinlich. Wenn man Carole glauben durfte, ging Celine selten aus und hatte keinen festen Freund, sehr zu ihrem eigenen Kummer. Und Andrew? Konnte der sich wirklich ihrem Kind aufgedrängt haben? Der Junge machte immer den Eindruck, als wären Mädchen das Letzte, was ihn interessierte. Er schien nur Basketball und Baseball im Kopf zu haben. Emily pflegte er kaum zu beachten. Dennoch war es naheliegend, ihn zu verdächtigen. Lieber Gott, jammerte Jane im stillen. Ich bring ihn um. Ich bring diesen verdammten Kerl mit eigenen Händen um.

»Mami? Hallo, Mami!« Emily lief ihr entgegen. Jane ging in die Knie und nahm sie in die Arme. »Aua!« protestierte Emily, und Jane wurde sich bewußt, wie fest sie die Kleine an sich gedrückt hatte. Sie ließ sofort locker.

»Wie geht's dir, Frosch?«

»Gut. Ich hab Jodie meinen Apfel geschenkt. Das durfte ich doch, oder?«

»Aber natürlich.« Jane strich Emily einige Härchen aus dem süßen Gesicht und führte sie zu einer der Schulbänke. »Komm, unterhalten wir uns ein Weilchen.«

Pat Rutherford, die an der Tür stehengeblieben war, bedeutete ihr, daß sie im Korridor warten würde.

»Aber das ist nicht meine Bank, Mami«, sagte Emily. Sie führte Jane in die zweite Reihe und zeigte ihr stolz die Bank, in der sie saß.

Jane schob sich mühsam auf den kleinen Sitz. »Ich muß dich was fragen, Emily«, begann sie und bemühte sich, ruhig zu sprechen. »Und du mußt mir die Wahrheit sagen. In Ordnung?«

Emily nickte.

»Ich werde nicht böse, ganz gleich, was du mir sagst. Okay? Du brauchst überhaupt keine Angst zu haben. Du kannst mir alles sagen. Es ist sehr wichtig, daß du mir genau erzählst, was geschehen ist.«

»Ja, Mami.«

»Emily, wenn Celine zum Babysitten kommt, bekommt sie dann manchmal Besuch?«

Emily schüttelte den Kopf, und die Härchen, die Jane ihr aus dem Gesicht gestrichen hatte, fielen ihr wieder in die Stirn.

»Sie hat nie von einem Freund Besuch bekommen, wenn wir aus waren?«

»Nein. Sie spielt immer mit mir.«

»Und Andrew?«

»Der kommt doch gar nie zum Babysitten.«

»Aber letztes Jahr war er ein paarmal da.«

»Ach ja, stimmt.«

»Aber er hatte auch nie Besuch«, sagte Jane.

»Nein. Ich glaub nicht.«

»Hat – hat Andrew mal etwas zu dir gesagt, das dir – unangenehm war?«

»Was meinst du?«

»Hat er dir vielleicht einmal vorgeschlagen – etwas zu tun – was du nicht tun wolltest?«

»Mami, ich versteh nicht, was du meinst.«

»Hat er dich mal irgendwo angefaßt, wo du es nicht wolltest?«

Emily sagte nichts.

»Emily? Hat Andrew dich mal irgendwo angefaßt, wo du es nicht wolltest?«

Emily blickte zu Boden. Jane kämpfte um Beherrschung. Innerlich tobte sie. Ich bring das Schwein um! Ich bring das Schwein eigenhändig um!

»Emily, Schatz, du mußt mir die Wahrheit sagen. Bitte. Es ist sehr wichtig. Ich weiß, daß es nicht deine Schuld ist, ganz gleich, was geschehen ist. Und ich verspreche dir, daß ich nicht böse werde. Ich weiß, wie lieb du bist. Du würdest niemals etwas Unrechtes tun. Darum weiß ich, daß das, was passiert ist, nicht deine Schuld ist. Aber es ist sehr wichtig, Liebes. Ich muß die Wahrheit wissen. Hat Andrew dich einmal irgendwo angefaßt, wo du es nicht wolltest? Hat er dich an Stellen berührt, die eigentlich niemand berühren darf?«

Jane war fast übel. Sie konnte kaum glauben, daß sie diese Worte sprach. Vielleicht tat sie es ja auch gar nicht. Vielleicht, dachte sie, sich an eine plötzliche, unrealistische Hoffnung klammernd, war das alles nichts als ein böser Traum.

Eine Ewigkeit schien zu vergehen, ehe Emily sprach.

»Andrew nicht«, sagte sie.

»Was?«

»Andrew nicht«, wiederholte Emily, ohne ihre Mutter anzusehen.

»Andrew nicht? Wer dann?« Im Geist ging Jane alle Alternativen durch. Wenn nicht Andrew, dann vielleicht einer seiner Freunde. Oder vielleicht einer der größeren Jungen hier an der Schule. Vielleicht sogar einer der Lehrer. Vielleicht der Zahnarzt, den sie vor einigen Monaten mit Emily aufgesucht hatte. Vielleicht auch ein Wildfremder.

»Emily, wer war es? Bitte! Du mußt es mir sagen. Wer hat dich auf eine Weise angefaßt, die du nicht mochtest? Bitte, Kind, du kannst es mir sagen, das weißt du doch.«

Emily hob langsam den Blick und sah ihrer Mutter in die Augen. »Daddy«, sagte sie.

Alles stand still; ihr Herz; die Uhr; ihr Atem. Alle Geräusche verstummten unter dem lauten Dröhnen in ihren Ohren. Bestimmt hatte sie sich verhört. Bestimmt hatte Emily gelogen und einfach irgendeinen Namen genannt, weil ihre Mutter sie in diese schwierige Situation gedrängt hatte. Sie hatte sich etwas ausgedacht, um ihre Mutter zu beschwichtigen. Bestimmt war das alles gar nicht wahr.

Es war unmöglich. Undenkbar, daß der Mann, mit dem sie seit elf Jahren verheiratet war, dieser liebevolle Ehemann und angesehene Kinderchirurg, diese Stütze der Gesellschaft, der unzähligen wohltätigen Vereinen angehörte, der von allen, die ihn kannten, verehrt und geliebt wurde, daß dieser Mann sich an seiner eigenen Tochter vergriffen haben sollte – nein, das war einfach unmöglich. Und es war absolut lächerlich. Diesem Mann gehörte seit fast zwölf Jahren ihr ganzes Vertrauen; er hatte in guten und auch in schlechten Tagen immer zu ihr gestanden; er war immer da, sie zu trösten und zu beruhigen, wenn sie die Beherrschung verlor und ihre Gefühle mit ihr durchgingen. Und dieser Mann sollte ihre gemeinsame Tochter belästigt haben? Unmöglich. Das konnte nicht wahr sein. Es war nicht wahr.

Wenn es wirklich wahr sein sollte, fragte sie sich, den Blick starr auf Emily gerichtet, die lautlos weinte, hinter was für

Scheuklappen hatte sie selbst sich dann all die Jahre versteckt? Wer war sie überhaupt, daß sie sich so hatte täuschen lassen? Was sagte es über sie, daß ihr Mann keineswegs der Mensch war, für den sie ihn gehalten hatte? Was sagte es über sie als Mutter, wenn sie einen solchen Mißbrauch nicht einmal geahnt hatte? Wenn erst die Lehrerin des Kindes sie hatte darauf stoßen müssen. Was war sie für ein Mensch? Wer war Jane Whittaker, die für den Umweltschutz kämpfte, aber nicht fähig war, ihr eigenes Kind zu schützen? Wer war sie?

»Bist du mir böse, Mami?«

Jane hatte Mühe zu sprechen. »Aber nein, natürlich nicht. Ich bin dir nicht böse, Liebes.«

»Ich mußte Daddy versprechen, daß ich dir nichts sage«, fuhr das Kind ganz von selbst fort. Jane hätte sich am liebsten die Hände auf die Ohren gedrückt und geschrien ›genug!‹ Aber dazu war es jetzt zu spät. Sie würde alles zu hören bekommen, was Emily zu sagen hatte, ob sie wollte oder nicht. »Er hat gesagt, es muß unser Geheimnis bleiben.«

»Ich weiß, Kind«, sagte Jane stöhnend. »Ich weiß.« Aber was weiß ich denn wirklich? fragte sie sich bitter und zornig. Überhaupt nichts weiß ich! Gar nichts. Sie schluckte die aufsteigenden Gefühle hinunter und zwang sich, ruhig zu fragen, auch wenn ihre Lippen bebten: »Wo hat Daddy dich angefaßt, Liebes?«

Bitte sag es mir nicht, flehte sie lautlos. Sag es mir nicht. Ich will es nicht wissen. Ich werde nicht damit fertig. Ich halte das nicht aus.

»Hier«, sagte Emily zaghaft und griff sich an die Brust. »Und hier.« Verlegen senkte sie die Hand zwischen ihre Beine. »Und manchmal am Popo«, schloß sie leise.

»Wann hat er dich angefaßt?« Jane hörte ihre Stimme, als gehöre sie einer anderen. Sie konnte diese Fragen ja gar nicht stellen. Das alles war ja nur ein Traum.

»Manchmal, wenn ich gebadet hab. Dann ist Daddy reingekommen und hat mich abgetrocknet.«

»Wenn du gebadet hattest?« Jane hörte die Erleichterung in ihrer Stimme. Natürlich! Das Ganze war ein Riesenmißverständnis. Michael hatte Emily nur nach dem Baden abgetrocknet, wie das jeder Vater tun würde. Und eine übereifrige Lehrerin und eine Mutter, die sich allzu leicht ins Bockshorn jagen ließ, hatten diese Harmlosigkeit zu riesigen Dimensionen aufgebauscht.

»Manchmal, wenn du abends weggegangen bist, ist Daddy zu mir ins Bett gekommen«, fuhr Emily fort, und Janes Rationalisierungen zerplatzten wie Seifenblasen. »Er sagte, er wäre froh, daß er so ein schönes kleines Mädchen gemacht hat.« Emily brach in lautes, verzweifeltes Schluchzen aus. »Er hat gesagt, es wäre ganz in Ordnung. Er hat gesagt, daß alle Väter ihre kleinen Mädchen so liebhaben.«

Jane nahm ihre kleine Tochter in die Arme. Die nächste Frage lag ihr auf der Zunge, aber sie brachte sie nicht über die Lippen. Erst als sie fast daran erstickte, würgte sie sie hervor. »Hat Daddy – mußtest du Daddy auch anfassen?«

»Ja, manchmal. Aber ich hab's nicht gemocht.«

»Wo – wo mußtest du ihn anfassen?«

Emily wand sich aus Janes Umarmung. Sie senkte den Kopf und deutete zwischen ihre Beine.

»Am Penis?« flüsterte Jane.

Emily nickte. »Ich wollte nicht. Ich fand's scheußlich, wenn meine Hände hinterher immer ganz naß und klebrig waren.«

Jane schwankte. Sie hatte Angst, sie würde ohnmächtig werden. »Hat er...« Sie brach ab. Wollte sie die nächste Frage wirklich stellen? Was für Obszönitäten würde sie sich noch anhören müssen? »Hat Daddy noch andere Dinge mit dir getan?«

Emily schüttelte den Kopf.

»Hat er dir je weh getan?«

»Nein.«

Jane schloß die Augen. Gott sei Dank.

»Ich mußte ihm versprechen, daß ich es dir nicht verrate, und jetzt ist er mir bestimmt böse, weil ich mein Versprechen nicht gehalten habe.«

»Da mach dir keine Sorgen. Ich erledige das schon mit Daddy«, hörte Jane sich sagen und fragte sich, was sie damit eigentlich meinte. »Hör zu, Liebes, ich fahre jetzt nach Hause und packe ein paar Sachen, und nach der Schule komme ich wieder und hole dich ab. Und dann fahren wir beide ganz allein ein paar Tage weg. Na, wie wär das?«

»Ohne Daddy?«

»Ja, diesmal ohne Daddy.« Sagte sie das alles wirklich? »Nur wir zwei Frauen. Okay?«

Emily nickte. Sie wischte sich die Tränen mit dem Handrükken vom Gesicht. »Bring meine Decke mit.«

»Natürlich. Die würde ich nie vergessen. Verlaß dich auf mich, ich erledige schon alles.« Jane schwieg, unsicher, ob sie überhaupt würde aufstehen können, ohne zusammenzubrechen. »Inzwischen gehst du und spielst mit den anderen Kindern wie immer, hm? Du weißt, daß ich dich liebhabe.«

»Ich habe dich auch lieb, Mami.«

Jane bedeckte die Wangen ihrer Tochter mit Küssen. »Und Daddy faßt dich nie wieder so an. Das verspreche ich dir, Liebes. Okay?«

Emily sagte nichts. Jane begriff, daß sie ihren Vater liebte und das Gefühl hatte, ihn verraten zu haben.

»Du hast ganz richtig gehandelt, Liebes. Es war richtig, daß du mir alles erzählt hast. Mach dir keine Sorgen. So, und jetzt gehst du wieder runter und ißt dein Mittagessen fertig, und wenn die Schule heute nachmittag aus ist, bin ich da.«

Sie sah Emily nach, die durch den Korridor rannte und die Treppe hinunter verschwand.

»Hat sie Ihnen etwas gesagt?« Pat Rutherford war hinter Jane getreten.

Jane ging den Korridor entlang. »Ich erledige das schon«, sagte sie, ohne zurückzublicken, und begann zu laufen.

28

»Du dreckiges, gemeines Schwein! Ich bring dich um! Ich bring dich um, verdammt noch mal!« Jane schlug mit beiden Fäusten auf das Steuerrad, und ihre wütenden Schreie hallten im Inneren des Wagens wider. »Wie konntest du so was tun, du elendes Schwein? Wie konntest du deiner eigenen Tochter so was antun? Wie konntest du nur?«

Sie saß im Auto auf dem Schulparkplatz und wußte nicht, was sie tun sollte. Sie hatte es kaum bis zum Auto geschafft, ohne loszubrüllen und ihren Gefühlen freien Lauf zu lassen. Sie hatte sich von Emily trennen müssen. Das Kind durfte das Ausmaß ihrer Wut nicht zu sehen bekommen. Sie brauchte Zeit, um sich abzureagieren, um ruhiger zu werden, ihre Gefühle in den Griff zu bekommen. Sie brauchte Zeit, um einen Plan zu fassen, einen Entschluß, was sie tun sollte.

Sollte sie eine Konfrontation herbeiführen? Sollte sie einfach zu Michael in die Praxis stürmen und Emilys Beschuldigungen vor aller Welt herausschreien, ihm die Maske der Ehrbarkeit vom Gesicht reißen und diesen angeblichen Helfer und Beschützer kleiner Kinder als das entlarven, was er in Wirklichkeit war – ein Kinderschänder?

War es möglich, daß er auch andere Kinder belästigt hatte? Gelegenheit dazu bot sich ihm zweifellos genug. Es war sein Beruf, die Kranken und Verletzlichen zu betreuen. Wer war verletzlicher als ein krankes Kind? Und er war der heilige Dr. Michael Whittaker, ein Mann in einer Position der Macht und des Vertrauens. Man verehrte und liebte ihn, betete ihn an. Konnte dieser Mann, dieser zärtliche und sanfte Liebhaber, wirklich solcher Gemeinheit und Niedrigkeit fähig sein?

Und was sagte das über sie? Wie hatte sie elf Jahre lang mit einem solchen Mann zusammenleben können, ohne auch nur den geringsten Verdacht zu schöpfen? Was sagte es über sie, daß sie sich so hatte täuschen lassen? Daß es ihm gelungen war, Kollegen, Bekannte und Freunde, die Patienten und die Arbeitgeber zu täuschen, war verständlich; keiner dieser Menschen hatte mit ihm zusammengelebt, das Bett mit ihm geteilt, in seinen Armen geschlafen.

Jane sah sich in seinen Armen liegen und sah sogleich ihre siebenjährige Tochter an ihrer Stelle. Ihr drehte sich der Magen um. Sie riß die Wagentür auf und übergab sich auf den schwarzen Asphalt des Schulparkplatzes. »Du Schwein! Du gottverdammtes Schwein!« schrie sie und versuchte vergeblich, ihre Wut zu bändigen. »Was soll ich jetzt tun?« rief sie verzweifelt und schlug auf die Hupe.

Sie wischte sich den Mund mit einem Papiertuch ab, das sie in ihrer Manteltasche fand, und warf es zur Tür hinaus. Umweltverschmutzung, dachte sie ironisch und beschloß, es auf eine direkte Konfrontation mit Michael nicht ankommen zu lassen. Sie würde die Auseinandersetzung ihren Anwälten überlassen, sobald sie und Emily irgendwo in Sicherheit waren. Jetzt mußte sie erst einmal ihre Wut beherrschen, damit sie einen vernünftigen Plan fassen konnte. Sie mußte nach Hause fahren, packen, nicht viel, nur das Notwendigste, und sich darüber klarwerden, wohin sie mit Emily wollte. Nach Boston, sagte sie sich. Wir gehen für ein paar Tage in ein Hotel, das Lennox vielleicht. Das Lennox hatte ihr immer gefallen. Von dort aus konnte sie mit ihren Freunden Verbindung aufnehmen, sich einen guten Anwalt empfehlen lassen.

Aber zuerst brauchte sie Geld. Sie mußte zur Bank. Sie hatten neun-, vielleicht zehntausend Dollar auf ihrem gemeinsamen Girokonto. Eine Unterschrift reichte, um Geld abzuheben. Okay, da fährst du jetzt hin, sagte sie sich, schlug die Wagentür zu, ließ den Motor an und fuhr auf die Straße hinaus.

Sie würde das ganze Geld vom Konto abheben. Bis Michael es merkte, würden sie und Emily längst fort sein. Mit Michael würde sie nur noch über Anwälte verkehren. Das war zweifellos für alle Beteiligten die beste Lösung. Wenn er ihr je wieder unter die Augen treten sollte, würde sie ihn womöglich umbringen.

Sie fuhr schnell, erreichte die Center Street in knapp zehn Minuten und parkte den Wagen unter einem Halteverbotsschild direkt vor der Bank. Sie stieß beinahe eine weißhaarige alte Frau um, als sie hineinrannte, und hörte die alte Dame derbe fluchen. Sie war nur wenig erstaunt. Nichts konnte sie jetzt mehr überraschen.

Sie kam häufig in diese kleine Bankfiliale. Sie kannte alle Angestellten mit Namen, und diese bildeten sich wahrscheinlich ein, sie zu kennen. Jane lachte laut, sah, wie alle die Köpfe nach ihr drehten, senkte den Kopf und wischte sich eine unerwartete Träne weg. Wie lange würde sie warten müssen? Warum ging es so verdammt langsam vorwärts?

»Ist etwas nicht in Ordnung, Mrs. Whittaker?« fragte die Schalterangestellte, als sie schließlich an die Reihe kam.

Jane starrte die junge Schwarze, die Samantha hieß, wortlos an. Sie konnte nicht sprechen. Die Tränen rannen ihr über das Gesicht.

»Kann ich Ihnen irgendwie helfen, Mrs. Whittaker?«

»Ich möchte dieses Konto schließen.« Jane griff in ihre Handtasche, zog ihr Scheckbuch heraus und schob es über die Theke.

Samantha suchte ihre Karte heraus. »Soll ich das Geld auf eines Ihrer anderen Konten überweisen?«

»Nein. Ich möchte es bar abheben.«

»Das sind aber fast zehntausend Dollar.«

»Ich weiß. Ich brauche das Geld.« Jane wischte sich die Nase mit dem Handrücken. Verdammte Heulerei!

»Mrs. Whittaker, ich weiß, es geht mich nichts an, aber Sie sind offenbar sehr erregt, und...«

Zum zweiten Mal lachte Jane laut heraus. Jetzt gafften alle sie an, auch Trudy Caplan, die Filialleiterin. Jane ignorierte die beunruhigten Blicke. »Ich möchte nur mein Geld haben.«

»Mrs. Whittaker«, sagte Trudy Caplan und schob Samantha zur Seite. »Wollen Sie nicht in mein Büro kommen und eine Tasse Kaffee trinken?« Trudy Caplan war groß, mit einem üppigen Busen. Das blondgesträhnte Haar trug sie in einem altmodischen Knoten.

»Ich brauche keinen Kaffee. Ich brauche mein Geld. Und ich habe es ziemlich eilig, darum möchte ich es gern gleich haben, wenn es Ihnen nichts ausmacht.« Wieso kümmerte sie sich darum, ob es der Frau etwas ausmachte? Es war doch ihr Geld.

»Wenn Sie in irgendeiner Weise mit unserer Arbeit nicht zufrieden sind...« begann die Filialleiterin.

Wieso glaubten Frauen immer, alles sei ihre Schuld?

»Darum geht es nicht«, versicherte Jane eilig. »Eine Freundin von mir ist in Schwierigkeiten, und ich habe versprochen, ihr zu helfen. Das ist alles. Wahrscheinlich kann ich das Geld schon in ein, zwei Tagen wieder aufs Konto legen.«

Das schien Trudy Caplan zufriedenzustellen. Sie überließ Jane wieder Samanthas Betreuung und kehrte in ihr Büro zurück.

»Sie müssen uns nur ein paar Formulare ausfüllen«, sagte Samantha.

»Wozu das denn?«

»Wenn das Konto geschlossen werden soll...«

»Ich habe keine Zeit, jetzt Formulare auszufüllen. Wieviel Geld muß ich auf dem Konto lassen, damit es bestehen bleibt?«

»Fünf Dollar.«

»Schön, dann lassen Sie fünf Dollar drauf.«

»Und den Rest wollen Sie bar haben?«

»Ja.«

»In Hundertern?«

»Ja.«

Samantha verschwand zum Tresor und kehrte mit mehreren Bündeln Hundert-Dollar-Noten zurück, die sie vor Jane abzählte und dann zu ordentlichen kleinen Stapeln zusammenheftete. »Und vierundsiebzig Dollar und dreiundzwanzig Cents.« Sie drückte Jane die losen Scheine und Münzen in die Hand und schob die Notenbündel über den Tisch.

Jane stopfte das Geld in die tiefen Taschen ihres Trenchcoats. Im stillen dankte sie Michael voll bitteren Spotts dafür, daß er sie ermahnt hatte, sich warm anzuziehen. Ihre Handtasche war immer zum Brechen vollgestopft. So war es viel einfacher, zumindest vorläufig. Zu Hause würde sie die Tasche wechseln, eine größere nehmen, die zum Transport dieser Geldberge besser geeignet war.

Auf der Windschutzscheibe ihres Wagens klebte ein Strafzettel. Sie zerriß ihn und ließ die Schnipsel auf die Straße fallen. Noch mehr Umweltverschmutzung. Ein hoffnungsloser Fall, dachte sie, genau wie du. Eine Versagerin als Frau und als Geliebte. Warum hätte Michael sich sonst einem Kind zuwenden sollen? War sie so unzulänglich auf diesem Gebiet, daß sie ihn ihrer Tochter in die Arme getrieben hatte? O Gott, war es vielleicht ihre Schuld?

Sie fuhr nach Hause, fast blind vor Tränen. Keiner der Menschen, die sie je geliebt hatte, hatte sich auf sie verlassen können. Sie hatte ihren Vater nicht vor dem Herzinfarkt geschützt, der ihn getötet hatte, als sie gerade dreizehn war; sie hatte ihre Mutter nicht beschützt, die zweifelsohne heute noch am Leben wäre, wenn Jane auf die Veranstaltung an Emilys Schule verzichtet hätte und mit ihr nach Boston gefahren wäre; sie hatte es nicht geschafft, ihren Mann glücklich zu machen, ihm eine Frau zu sein, wie er es erwartete und verdiente; und sie hatte es nicht geschafft, ihr einziges Kind zu behüten und zu beschützen.

»Ich bin total unfähig«, schluchzte sie und knallte die Autotür zu. »Ich bin nichts wert. Zu nichts zu gebrauchen.«

»Jane? Jane, was ist denn los? Was ist denn passiert?«

»Was?« Jane starrte in Caroles besorgtes Gesicht.

»Was ist denn los? Weinst du?«

»Ich habe jetzt keine Zeit!« rief Jane, stieß Carole zur Seite und rannte ins Haus. Jeder Versuch, etwas zu erklären, wäre sinnlos gewesen. Niemals hätte sie Carole davon überzeugen können, daß Michael Emily belästigt hatte. Wer würde ihr so etwas glauben? Nein, jetzt mußte sie als erstes packen und verschwinden. Für Erklärungen war später noch Zeit genug.

Jane warf die Handtasche im Flur auf den Boden und rannte die Treppe hinauf ins Schlafzimmer. Sie hatte das Gefühl, in den Privatbereich einer fremden Person einzudringen. Hast du wirklich hier gelebt? Warst du hier wirklich glücklich? Hatte sie dieses Zimmer, dieses Bett mit einem Mann geteilt, den sie offensichtlich nie gekannt hatte?

Sie sah sich in der Spiegelwand der Schranktüren. Ihr Gesicht war verschwollen und voller Tränenspuren. Kein Wunder, daß alle erschraken, wenn sie sie sahen. Sie sah ja wirklich zum Fürchten aus.

Keinesfalls durfte Emily sie in dieser Verfassung sehen. Sie ging ins Bad, wusch sich Schminke und Tränen vom Gesicht und drückte sich einen kalten Waschlappen auf die geschwollenen Augen. Dann kehrte sie ins Schlafzimmer zurück und zog die Schranktüren auf.

»Hast du mir darum immer diese blöden Kleinmädchenkleider gekauft?« schrie sie, während sie die Sachen von den Bügeln riß und auf ihnen herumtrampelte. »Hast du mich darum so gern in Schleifchen und Rüschen gesehen?«

Sie holte die zwei schwarzen Koffer aus dem Schrank im Gästezimmer, einen Koffer für sie, den anderen für Emily. Sie würde nur wenige Sachen mitnehmen. Wenn sie mehr brauchen sollte, hatte sie ja immerhin fast zehntausend Dollar in den Taschen. Lieber ganz neu anfangen. Die Vergangenheit auslöschen. Reinen Tisch machen.

Sie packte nur das, was sie für unbedingt notwendig hielt. Dann ließ sie sich erschöpft aufs Bett fallen, das Bett, das sie seit elf Jahren mit Michael teilte. Sie spürte seine Nähe, fühlte sich so fest in seine Umarmung eingeschlossen, daß sie kaum noch Luft bekam. Sie fühlte seine Lippen an ihrem Hals, seine Hände auf ihren Brüsten, seine Zunge, die ihren Bauch abwärts wanderte. Er hüllte sie in sich ein, in seinen Geruch, seine Berührung, sein Wesen. Fast zwölf Jahre lang bin ich nun ein Teil von dir, flüsterte seine Stimme. Ich bin für immer ein Teil von dir.

»Nein!« schrie Jane und sprang vom Bett auf. Sie stieß ihren Koffer um, und die eingepackten Kleidungsstücke fielen auf den blaßgrünen Teppich. »Du bist kein Teil von mir. Niemals!« Hastig kniete sie nieder, stopfte die Sachen wieder in den Koffer, zog den Reißverschluß zu und schloß ab. Sie trug diesen und den anderen, noch leeren Koffer, hinüber in Emilys Zimmer.

Den fertig gepackten Koffer ließ sie an der Tür stehen und trug den anderen zu Emilys Bett. Zuerst zog sie die Schubladen der Kommode auf, nahm Emilys Unterwäsche und Strümpfe heraus, ihre Schlafanzüge und Nachthemden, die T-Shirts und Shorts. Dann ging sie zum Schrank, warf ein paar Hosen und Röcke in den Koffer, suchte die wenigen Kleider heraus, die Michael nicht gekauft hatte. Sie nahm nur die Sachen, die sie allein für Emily ausgesucht hatte. Sie wollte nichts mitnehmen, was sie und Emily an Michael erinnern würde, nichts, was Zeugnis ihrer früheren Zusammengehörigkeit war.

Ich bin seit fast zwölf Jahren ein Teil von dir, hörte sie ihn wieder sagen. Ich bin für immer ein Teil von dir.

»Nein!« schrie sie wie vorher. Sie mußte weg hier, sich von dieser Lüge befreien, die sie gelebt hatte. Sie sah auf die Uhr. Eine halbe Stunde war vergangen. Du lieber Gott, wieviel Zeit hatte sie mit sinnlosem Nachdenken vertan? Sie mußte los, sich in Bewegung setzen, dieses Haus hinter sich lassen.

Sie hob den Koffer vom Bett, lief mit ihm zur Tür, hob den zweiten Koffer auf und wollte zur Treppe, als ihr Emilys Decke einfiel, die Babydecke, mit der sie immer schlief. Es war das einzige, worum Emily gebeten hatte. Sie mußte sie mitnehmen.

Sie stellte die Koffer ab und lief zum Bett zurück, riß die Tagesdecke herunter und suchte unter den Kissen nach der kleinen weißen Wolldecke mit den blauen Blümchen, mit der Emily sich immer an der Nase kitzelte. Wohin hatte sie sie getan, als sie am Morgen das Bett gemacht hatte?

»Ach, Mist, ich hab keine Zeit!« schrie sie und fand die Decke endlich unter dem Kopfkissen.

»Jane, was geht hier vor?«

Beim Klang von Michaels Stimme erstarrte Jane, keiner Reaktion fähig. Was tat er um diese Zeit zu Hause?

»Jane, was ist los? Erst bekomme ich einen reichlich merkwürdigen Anruf von der Bank, du hättest das ganze Geld von unserem Konto abgehoben, und ein paar Minuten später ruft Carole an und erzählt mir, du seist völlig aufgelöst nach Hause gekommen, es sei bestimmt etwas passiert, aber du hättest ihr nichts sagen wollen. Ich hab mich natürlich sofort in den Wagen gesetzt. Ich habe wahrscheinlich sämtliche Geschwindigkeitsgrenzen überschritten vor lauter Sorge. Jane – hörst du mir eigentlich zu? Hörst du mich, Jane?«

Jane wirbelte herum, eiskalte Wut im Blick, »O ja, ich höre dich.«

»Jane, steckst du in irgendwelchen Schwierigkeiten?«

»Schwierigkeiten?«

»Sag mir doch, was passiert ist. Hast du wieder einen mit der

Handtasche niedergeschlagen?« Er lachte beinahe. »Was ist denn, Liebes? In was für ein Schlamassel hast du dich denn jetzt wieder reinbugsiert, hm?«

»Du mieses Schwein!« kreischte Jane und stürzte sich auf ihn, schlug ihm die Hände wie Klauen in die Haare und krallte nach seinen Augen.

Michael packte ihre Hände, hielt sie an den Handgelenken fest und schob sie zurück. »Um Gottes willen, Jane, was ist denn in dich gefahren?«

»Du Schwein, du dreckiges Schwein! Wie konntest du das nur tun?«

»Was denn? Jane, was redest du da?«

»Ich war heute bei Emilys Lehrerin, Michael. Sie machte sich Sorgen, weil Emilys Verhalten sich in letzter Zeit auffallend verändert hat.« Jane hörte auf, sich zu wehren und wurde sehr ruhig. Michael sah sie erwartungsvoll an. »Sie sagte, ihrer Meinung nach bestünde die Möglichkeit, daß Emily das Opfer eines sexuellen Mißbrauchs ist.«

Der Ausdruck des Entsetzens, der über sein Gesicht flog, schien echt zu sein. War es Entsetzen über das, was Emily angetan worden war, oder Entsetzen darüber, ertappt worden zu sein.

»Was? Von wem? Hat sie eine Ahnung, wer es sein kann?«

»Du brauchst mir nichts vorzumachen, Michael.« Janes Stimme war kalt. »Es ist zu spät. Das zieht bei mir nicht...«

»O Gott, du glaubst, daß ich...«

»Hör endlich auf, Michael. Ich habe mit Emily gesprochen. Sie hat mir alles gesagt.«

Es blieb einen Moment still. Dann sagte Michael: »Da hat ihr offensichtlich jemand etwas eingeblasen.«

»Kein Mensch hat ihr etwas eingeblasen, du gemeiner Hund!« Jane wollte erneut auf ihn losgehen, und wieder gelang es Michael, sie abzuwehren. »Du mieses, perverses Schwein! Wie konntest du so was tun? Dein eigenes Kind belästigen!«

Jane trat mit den Füßen nach ihm, und er wich zurück, ließ ihre Arme plötzlich los, als ekle ihn die bloße Berührung an. Jane hob die Hände vors Gesicht, als könne sie sich so vor dem Entsetzlichen abschirmen, das sie sah. Im Dunkel ihrer hohlen Hände blitzte ihr Ehering auf. Sie riß ihn sich vom Finger und schleuderte ihn quer durchs Zimmer. Er schlug an die gegenüberliegende Wand und fiel in die Ecke.

»Herrgott noch mal, Jane, was tust du da?«

»Umbringen könnte ich dich!«

»Du bist verrückt, Jane. Ich liebe dich, aber ich habe schon lange den Eindruck, daß du völlig aus dem Gleichgewicht bist.«

Jane stand wie angewurzelt. Wenn sie jetzt auch nur eine Bewegung machte, dachte sie, würde sie ihn tatsächlich umbringen.

»*Ich* bin verrückt?«

»Du brauchst dir nur selbst zuzuhören. Hör dir doch an, was du sagst. Glaubst du im Ernst, ich wäre fähig, meiner eigenen Tochter zu nahe zu treten?«

»Ich glaube Emily.«

»Emily ist ein Kind. Kinder haben eine blühende Phantasie.«

»Emily würde so etwas niemals sagen, wenn es nicht wahr wäre.«

»Ach? Willst du behaupten, daß Kinder niemals lügen?«

»Natürlich nicht.«

»Willst du behaupten, daß Emily nie gelogen hat? Wenn ja, darf ich dich vielleicht an einige Gelegenheiten erinnern...«

»Ich weiß, daß sie manchmal schwindelt.«

»Aber du bist sicher, daß sie jetzt nicht lügt.«

»Ja.«

»Und wieso bist du da so sicher?«

Ja, wieso? Jane wurde einen Moment schwankend. Aber dann sah sie Emily vor sich, die innere Qual auf ihrem süßen kleinen Gesicht, als sie den Namen ihres Vaters geflüstert hatte.

»Weil Emily dich liebt. Weil es ihr fast das Herz zerrissen hat, als sie das Versprechen brach, das sie dir gegeben hat. Weil ich weiß, wenn mein Kind mich belügt.«

»Natürlich, genau wie du alles andere weißt. Wie du weißt, daß du immer recht hast und alle anderen unrecht haben. Wie zum Beispiel, wenn du irgendeinen Kerl auf der Straße so in Rage bringst, daß er dich beinahe mit seinem Auto umfährt; wenn du einen armen Hund, der nur seine Arbeit tut, solange beschimpfst, bis er dich beinahe niederschlägt; wenn du einem verrückten alten Kerl im U-Bahnhof mit der Handtasche eins über den Schädel gibst, nur weil er so unverschämt war zu glauben, er dürfte auch ein bißchen Platz beanspruchen.«

»Du verdrehst alles.«

»Ach ja? Das sehe ich ganz anders. Ich sehe, daß es mit dir im Lauf der Zeit immer schlimmer geworden ist. Am Anfang war es amüsant. Wir fanden es alle amüsant. Jane, der Hitzkopf. Da gab's bei Einladungen doch immer was zu lachen. Aber dann war es auf einmal nicht mehr so amüsant. Es wurde lästig, beinahe beängstigend. Was läßt Jane sich als nächstes einfallen? Hoffentlich bringt sie nicht mal einer um. Ich habe versucht, mit dir zu reden. Ich wollte dich warnen. Aber Jane läßt sich von niemandem sagen, was sie zu tun oder zu lassen hat. Jane Whittaker setzt sich über alle Regeln hinweg. Jane Whittaker ist unberechenbar, und mittlerweile weiß leider keiner mehr, wer diese Frau eigentlich ist. Ich bin seit elf Jahren mit ihr verheiratet, aber ich kenne sie heute kaum wieder. Wer sind Sie, meine Dame?«

»Ich verstehe überhaupt nicht, was du da redest. Das hat mit all dem nichts zu tun.«

»Findest du? Was meinst du denn, wer dir diese absurde Geschichte, die du dir da zusammengebraut hast, abnehmen wird? Glaubst du, diese Beschuldigungen werden mir allein schaden? Bildest du dir ein, ich werde untätig zusehen, wie du meine Karriere und meinen guten Ruf zerstörst?«

»Ach, ich pfeife auf deinen kostbaren guten Ruf. Mir geht es um meine Tochter.«

»Muß ich dich erst daran erinnern, daß sie auch meine Tochter ist?«

»Daran sollte ich *dich* erinnern! Wie konntest du es wagen!«

»Ach, jetzt fang nicht wieder mit dem Quatsch an, Jane. Wenn du unbedingt einem leicht beeinflußbaren Kind glauben willst, dem dieser ganze Unsinn wahrscheinlich von seiner neurotischen Lehrerin eingeblasen wurde, kann ich dich nicht daran hindern. Aber ich warne dich! Geh mit diesen Anschuldigungen ja nicht an die Öffentlichkeit. Denn dann werd ich dich fertigmachen. Und wenn ich mit dir fertig bin, werden sie vor dem Gerichtssaal mit der Zwangsjacke auf dich warten.«

Jane biß die Zähne zusammen, um nicht loszuschreien. Sie wußte, daß Michaels Worte keine leere Drohung waren. Wenn sie mit ihren Anschuldigungen an die Öffentlichkeit ging, verlangte sie von ihrer siebenjährigen Tochter, daß sie sich gegen ihren Vater stellte, den sie liebte; verlangte von den Leuten, daß sie einem kleinen Mädchen und nicht ihrem bekannten und allseits geschätzten Vater glauben sollten. Wem würde man da wohl eher Glauben schenken?

Was für eine Chance hatte sie überhaupt? Und was für eine Chance hatte Emily?

»Also gut«, sagte Jane und wurde sich ihrer Überlegungen erst bewußt, als sie sie in Worte faßte. »Ich gehe nicht an die Öffentlichkeit. Ich gehe nicht zur Polizei. Ich sage keinem Menschen auch nur ein Wort von dieser Sache. Du kannst deine Karriere und deinen guten Ruf behalten. Und dafür...«

»Und dafür?« fragte er listig und selbstzufrieden.

»Dafür ziehst du aus. Auf der Stelle.«

»Und Emily?«

»Emily? Emily bleibt selbstverständlich bei mir. Ich bekomme das alleinige Sorgerecht.«

»Ja, glaubst du denn im Ernst, ich verzichte auf das Sorgerecht für das einzige Kind, das ich je haben werde?«

»Ich glaube ganz einfach, daß du keine Wahl hast.«

»Ach ja? Glaubst du das? Du gestattest, daß ich das anders sehe.«

»Wenn du einen Sorgerechtsprozeß anstrengen solltest, zeige ich dich wegen Kindesmißbrauchs an. Dann verlierst du alles.«

»Das glaube ich nicht. Ich denke, die Gerichte wissen genau, wie rachsüchtig manche Frauen sein können, wenn die Scheidung ansteht. Sie wissen, daß manche Frauen vor nichts zurückschrecken und alle möglichen gemeinen und unerhörten Beschuldigungen erfinden. Nach allem, was ich gelesen habe, haben die Gerichte für hysterische Frauen, die mit ungerechtfertigten Beschuldigungen wegen sexuellen Mißbrauchs hausieren gehen, nicht viel übrig.«

»Die Beschuldigungen sind nicht ungerechtfertigt.«

»Wer sagt das? Ist Emily von einem Arzt untersucht worden? Hat irgend jemand an ihr körperliche Spuren sexuellen Mißbrauchs festgestellt? Hast du irgend etwas anderes vorzuweisen als die Phantasien deiner Tochter und den Verdacht irgendeiner frustrierten, altjüngferlichen Lehrerin?« Er legte eine Pause ein, um seine Worte wirken zu lassen. »Willst du Emily endlosen ärztlichen Untersuchungen aussetzen, sie den manipulativen Fragen wohlmeinender Sozialarbeiter und dem zweifellos äußerst unangenehmen Verhör durch einen erstklassigen Verteidiger unterwerfen? Wozu? Damit der Richter dann feststellen muß, daß er mich auf der Grundlage des vorgebrachten Beweismaterials höchstens dafür verurteilen kann, daß ich einer gefährlich labilen Frau ein allzu nachsichtiger Ehemann war? Eins kannst du mir glauben, Jane: Ich werde mit Leichtigkeit nachweisen können, daß du eine unfähige Mutter bist. Aber du wirst niemals beweisen können, daß ich pervers bin.«

»Du bist wirklich das Letzte.«

»Nein. Aber ich habe recht, und ich denke, das weißt du auch.« Er sah nachdenklich zur Decke hinauf. »Ich werde dir sagen, worauf ich mich einlassen würde.«

Jane fragte sich, an welcher Stelle sie sich die Kontrolle über das Gespräch hatte aus der Hand nehmen lassen. »Ja?« fragte sie mit brüchiger Stimme. »Worauf würdest du dich einlassen?«

»Auf eine Scheidung, wenn du sie wirklich willst, obwohl es das Letzte ist, das *ich* will. Ich liebe dich, Jane.«

»Aber warum dann? Wie konntest du...?«

»Wie konnte ich was?«

»Mein Gott, Michael!« rief Jane zornig. »Du hast in ihre Hand ejakuliert. Willst du das wirklich leugnen?«

»Bis zu meinem letzten Atemzug.« Er lächelte. »Oder deinem.«

Jane zwang sich, ihm ins Gesicht zu sehen. »Ist das eine Drohung?«

»Ich drohe nicht, Jane. Ich bemühe mich nur, Frieden zu schließen.«

»Ach so. Da hab ich doch wieder etwas falsch verstanden.«

»Anscheinend.«

»Also gut, was genau willst du? Nur damit ich dich nicht wieder mißverstehe.«

»Ich will das gemeinsame Sorgerecht für unsere Tochter.«

»Was? Wie kannst du auch nur einen Moment lang glauben, daß ich dem zustimmen würde?«

»Selbst wenn das Gericht dir das alleinige Sorgerecht zusprechen sollte, könntest du mich nicht daran hindern, sie zu sehen. Das weißt du. Ich habe als Vater gewisse Rechte.«

»Du hast alle Rechte, die du vielleicht gehabt hättest, verwirkt.«

»Ich denke nicht, daß du viele Menschen finden wirst, die dir zustimmen. Ich denke, sogar Emily würde dem Gericht sagen, daß sie ihren Daddy sehen möchte.«

Jane sah sich verzweifelt im Zimmer um, als hoffe sie, dort eine Antwort zu finden, nur eine kleine Tatsache, die sie als schlüssigen Beweis vorbringen konnte. Sie fand nichts.

»Wärst du mit Besuchen unter Aufsicht einverstanden?«

»Niemals. Das käme einem Schuldeingeständnis gleich. Ich habe nichts verbrochen.«

Jane hätte am liebsten laut geschrien vor Verzweiflung. »Ich kann das alles nicht fassen. Was ist mit uns geschehen? Du bist mir völlig fremd?«

Michael trat mit ausgestreckten Armen einen Schritt auf sie zu. »Ich liebe dich, Jane.«

»Nein!«

»Ich liebe dich. Selbst jetzt noch, nach all den furchtbaren Dingen, die du gesagt hast, liebe ich dich. Du bist so schön. Ich möchte dich nur in die Arme nehmen und festhalten.«

»Hast du's mit dieser Masche auch bei unserer Tochter probiert, Michael? Ja, hast du das? Hast du das getan, du Dreckskerl?«

Sie begann zu schreien, unartikulierte, wilde Schreie, und rannte aus dem Zimmer. Sie vergaß die Koffer, rannte, von Michael gefolgt, die Treppe hinunter. Er überholte sie und versperrte ihr den Weg zur Haustür. Sofort wirbelte sie herum und stürzte zur Hintertür. Aber Michael war vor ihr da und ließ sie nicht hinaus. Sie rannte in den Wintergarten, diesen schönen Raum, den sie immer geliebt hatte, den Michael extra für sie hatte bauen lassen. Ihre Zuflucht. Ihr Gefängnis, dachte sie jetzt, nahe daran, sich durch eines der großen Fenster zu stürzen.

Er kam auf sie zu, und sie wich zurück, stieß gegen die Hollywoodschaukel, die nach rückwärts wegschwang. Haltsuchend fuchtelte sie mit den Händen in der Luft herum, bekam eine Messingvase zu fassen, die sie aus dem Orient mitgebracht hatten, und schwang sie hoch über ihren Kopf, während sie mit den Füßen noch festen Stand suchte.

»Du bist wirklich total verrückt«, sagte er lachend. »Ich denke, ich werde das alleinige Sorgerecht für mich beantragen.«

Sie schwang den Arm abwärts, all ihre Wut und Enttäuschung in der Bewegung, und schlug Michael die Vase an den Kopf, noch bevor er zur Seite springen konnte. Eine dolchähnliche Spitze riß ihm das Fleisch auf. Es sah aus, als würde sie ihm die ganze Kopfhaut abschälen.

Jane ließ die Vase los und hörte sie krachend zu Boden fallen, während sie mit entsetzt aufgerissenen Augen, das Blut von Michaels Kopf herabströmen sah. Er torkelte ihr entgegen, sein Gesicht eine totenbleiche Maske voll Ungläubigkeit und Schmerz. »Mein Gott, Jane, du hast mich umgebracht.«

Er fiel gegen sie, suchte Zuflucht an ihrer Brust, und als sie zurückfuhr, rutschten langsam seine Füße unter ihm weg, und er glitt zu Boden.

»Nein!« schrie sie, als sie ihr Kleid sah, das vorn von Blut getränkt war. Fest zog sie den Trenchcoat um sich und knöpfte ihn mit zitternden Händen zu. »Das ist nicht wahr!« Sie lief zur Tür. »Das ist nicht wahr.« Sie ging aus dem Zimmer nach vorn, ohne sich umzudrehen. »Es ist ein schöner Tag. Ich muß an die frische Luft. Einen Spaziergang machen. Milch und Eier besorgen. Ich habe Emily ja versprochen, einen Schokoladenkuchen zu backen. Ja, das ist eine gute Idee.« Sie riß die Haustür auf und rannte hinaus, ohne die Tür hinter sich zu schließen. »Ja, es ist ein schöner Tag«, wiederholte sie, während sie die Straße hinunterlief zur nächsten Bushaltestelle. Es war ein schöner Tag. Es wäre eine Schande gewesen, ihn drinnen zu vertrödeln.

29

Jane senkte die Kristallvase, die sie noch immer in den Händen hielt, und stellte sie wieder auf den Couchtisch. Paula ließ sich auf das Sofa sinken. Carole starrte Jane ungläubig an.

»Das ist ja eine tolle Geschichte«, sagte sie nach einer ziemlich langen Pause.

Jane sagte nichts. Sie war noch zu überwältigt von der Person, die sie einmal gewesen war. Es war, als hätte sie sich ihr Leben lang für eine Waise gehalten, nur um sich plötzlich den Eltern und einer Vielzahl von Geschwistern gegenüberzusehen, die sie nie gekannt hatte. Alles, was sie einmal gewesen war, woran sie geglaubt hatte, alle, die sie je geliebt hatte – alle waren sie plötzlich präsent und kämpften um ihre Aufmerksamkeit. Ihre Mutter war da, sogar ihr Vater. Ihr Bruder Tommy. Gargamella. Die Kinder der beiden. Ihre Freunde. Die gemeinsamen Erlebnisse. Die Schulen, die sie besucht hatte. Ihr erster Abend mit Michael, fast so, wie er ihn beschrieben hatte. Ihre Hochzeit. Die Jahre ihres gemeinsamen Lebens. Ihre Schwangerschaft. Die Geburt ihrer Tochter. Emilys erster Geburtstag. Ihr erster Schultag. Der letzte, an dem sie Emily versprochen hatte, sie nach der Schule abzuholen.

Vermutlich hatte Michael sie an ihrer Stelle abgeholt. Jane wollte sich nicht vorstellen, wie Emily zumute gewesen sein mußte, als sie nach der Schule ihren Vater und nicht ihre Mutter gesehen hatte, aber sie zwang sich, das Bild anzusehen. Wer die Realität verleugnet, riskiert sie ganz zu verlieren. Das wenigstens mußte sie doch gelernt haben.

Ihr dröhnte der Kopf, ob vom Schock der plötzlichen Erinnerungsglut oder von der anhaltenden Wirkung der Betäubungsmittel in ihrem Körper, konnte sie nicht sagen. Sie hielt sich an dem Ohrensessel fest, um nicht zu stürzen, und ignorierte Paula, die immer noch wie versteinert auf dem Sofa saß, um sich ganz auf Carole zu konzentrieren.

»Du mußt mich nach Woods Hole fahren«, sagte sie.

Carole schüttelte den Kopf. »Das kann ich nicht.«

»Du glaubst mir immer noch nicht?«

»Ich weiß nicht mehr, was ich glauben soll.«

»Carole, wir kennen uns schon ziemlich lange. Ich dachte, wir wären gute Freundinnen.«

»Das dachte ich auch.«

»Aber du glaubst lieber Michael.«

»Es fällt mir schwer zu glauben, was du da eben erzählt hast.«

»Daß er seine Tochter belästigt hat?«

»Er ist Kinderarzt! Sein Beruf ist es, Kindern zu helfen.«

»Ich weiß, es ist schwer zu glauben.«

»Nicht schwer. Unmöglich«, erklärte Carole.

»Du glaubst also lieber, daß ich verrückt bin.«

»Ehrlich gesagt ja. Auf diese Weise bleibt die Welt um einiges freundlicher.« Carole fuhr sich mit der Hand durch die zerzausten Locken. »Und du mußt zugeben, Jane – zu vergessen, wer man ist, zeugt nicht gerade von einem gesunden Verstand.«

Jane lächelte, lachte beinahe. »Da kann ich nicht widersprechen. Aber ich weiß jetzt, wer ich bin. Ich weiß, was an dem Tag geschehen ist. Ich weiß, wie dringend Emily mich braucht. Ich weiß jetzt auch wieder, wie ich nach Woods Hole komme. Ich bin nur nicht sicher, ob ich die Fahrt alleine schaffen kann. Ich bitte dich, mir zu helfen.«

Wieder schüttelte Carole den Kopf. »Ich kann nicht.«

Eine Welle der Übelkeit überschwemmte Jane. Sie schwankte unsicher. »Dann leih mir wenigstens deinen Wagen.«

»Was hast du mit Paulas Wagen angestellt?« fragte Carole.

Paula selbst sagte kein Wort. Sie hielt die Augen zu Boden gesenkt und saß so starr, als hätte die Wucht von Janes Worten ihr alle Bewegungsfähigkeit geraubt.

»Der ist mir stehengeblieben. Bitte gib mir doch deine Wagenschlüssel.«

»Warum rufst du nicht die Polizei an?« fragte Carole statt einer Antwort. »Wenn das alles stimmt, was du gesagt hast, solltest du dort Hilfe suchen.«

»Ich werde zur Polizei gehen – aber erst, wenn ich Emily gefunden habe. Wenn ich jetzt dort anrufe, werden sie nur mit Michael sprechen wollen. Es hat es geschafft, *dich* davon zu überzeugen, daß ich verrückt bin; was glaubst du wohl, wie schwer es ihm fallen wird, auch die Polizei davon zu überzeugen? Bestenfalls werden sie mich stundenlang verhören, und in dieser Zeit kann Michael Emily ungehindert wegbringen, und ich werde sie nie wiederfinden. Das kann ich nicht riskieren. Ich muß mein Kind wiederfinden. Ich muß wissen, daß Emily nichts passieren kann. Bitte, Carole! Gib mir die Schlüssel zu deinem Wagen.«

»Suchen Sie die?« fragte plötzlich Caroles Vater. Er stand an der Tür, in der einen Hand Caroles offene Handtasche, in der anderen die Autoschlüssel.

»Vater! Gib sofort die Schlüssel her!« Mit einem Satz war Carole bei ihrem Vater. Aber als sie die Hände nach den Schlüsseln ausstreckte, warf der alte Cobb sie in hohem Bogen über ihren Kopf hinweg in Janes erhobene Hände.

»Eins, zwei, drei, wer hat den Ball?« rief er freudestrahlend.

Jane griff die Schlüssel aus der Luft und rannte zur Haustür, während der alte Cobb vor seiner schimpfenden Tochter hin und her sprang und sie nicht zur Tür hinausließ. Sie schloß den pflaumenfarbenen Chrysler auf, sprang hinein, ließ den Motor an und gab Gas.

Im Rückspiegel sah sie Carole, die wild gestikulierend aus dem Haus stürzte, aber gleich wieder umkehrte, als sie erkannte, daß sie zu spät kam. Jetzt ruft sie Michael an, dachte Jane. Sie sah auf ihre Uhr. Um diese Zeit war er normalerweise noch im Operationssaal, und da durfte man ihn nicht stören. Aber vielleicht würden sie ihn doch herausholen, wenn die Angelegenheit sehr dringend war. Sie trat das Gaspedal weiter durch, warf automatisch einen Blick auf die Tankanzeige und stellte erleichtert fest, daß der Tank voll war. Würde Carole ihren Wagen als gestohlen melden? Würde vielleicht schon an der nächsten Kreuzung die Polizei sie erwarten?

Sie wollte lachen und merkte, daß sie dem Weinen viel näher war. Aber nein! Sie würde nicht weinen. Jetzt nicht! Sie hatte genug geweint. Jetzt hatte sie Wichtigeres zu tun. Vor allem mußte sie unbedingt wach bleiben, auch wenn ihr die Lider noch so schwer waren.

Sie schaltete das Radio ein und hörte sich ein paar Sekunden lang den schleppenden Gesang irgendeines tieftraurigen Country-Sängers an. Dann schaltete sie auf einen anderen Sender. So etwas Einschläferndes konnte sie nicht gebrauchen. Jetzt mußt Hardrock her, etwas, das sie aufmöbelte und richtig auf Touren brachte.

Befriedigt hörte sie den Ansager den neuesten Song einer Hardrock Gruppe namens *Rush* ankündigen. Das war gut. Die Jungs würden ihr die Ohren so volldröhnen, daß sie gewiß nicht einschlafen würde. Sie stellte das Radio noch ein wenig lauter und nahm das Gas weg, als sie sich auf dem Weg zum Highway 30 dem Zentrum von Newton näherte. Nur jetzt nicht wegen zu schnellen Fahrens angehalten werden!

Das fehlte gerade noch, dachte sie, während sie die Walnut Street in nördlicher Richtung hinauftuckerte. Erstens hatte sie ihren Führerschein nicht dabei, und zweitens fuhr sie einen gestohlenen Wagen. Wenn die Bullen sie erwischten, würden sie sie bestimmt nicht weiterfahren lassen, und ein solcher Zwischenfall, dachte sie bitter, käme Michael nur zugute. Ein weiterer Beweis dafür, daß sie eine untaugliche Mutter war.

Auf dem Highway fuhr sie nach Osten, in Richtung Boston. Danach würde es ein bißchen kompliziert werden; sie würde aufpassen müssen, daß sie sich nicht verfranste. Sonst war immer Michael gefahren, wenn sie seine Eltern besucht hatten. Sie kannte zwar den Weg, aber es war doch etwas anderes, die Strecke selbst fahren zu müssen. Außerdem wußte sie nicht einmal, ob sie durchhalten würde. Sie konnte nur hoffen, daß Mutterinstinkt und Adrenalin ihr die nötige Kraft geben würden.

Von Boston aus würde sie noch ungefähr anderthalb Stunden Fahrt vor sich haben, vielleicht auch ein wenig mehr, es kam ganz auf den Verkehr an. Jetzt war es zehn. Sie würde um die Mittagszeit ankommen, wenn alles gut ging. Ob Michaels Eltern sie wohl zum Essen einladen würden? Sie kicherte vor sich hin, wurde aber gleich wieder ernst. Nur jetzt nicht durchdrehen.

Aber was für ein Empfang würde sie tatsächlich erwarten? Was hatte Michael seinen Eltern erzählt? Was wußten sie?

Die guten alten Whittakers. Jane sah sie vor sich, Mr. und Mrs. Whittaker, Seite an Seite, aber immer auf Distanz, immer darauf bedacht, einander nur ja nicht zu berühren. Die Intimitäten haben Sie sich für Ihren Sohn aufgehoben, nicht wahr, Mrs. W.? Das gemeinsame Planschen in der Badewanne zu einer Zeit, als Michael das längst nicht mehr guttat. Nicht daß sie Mrs. W. verdächtigte, ihren Sohn belästigt zu haben. Jane war sicher, daß ihre Schwiegermutter über eine solche Vorstellung ehrlich entsetzt gewesen wäre. Aber selbst wenn diese gemeinsamen Badevergnügen völlig harmlos gewesen waren, hatte Michaels Mutter doch versäumt, Grenzen zu setzen, und es damit ihrem Sohn schwer, wenn nicht unmöglich gemacht, einzusehen, daß es Grenzen gab.

Whittaker senior, promovierter Naturwissenschaftler, gab sich zwar durchaus umgänglich, war in Wirklichkeit aber ein kühler und unnahbarer Mann. Er war ein meist ferner Vater gewesen, auch wenn er seinem einzigen Enkelkind gegenüber heute weit zugänglicher war. Jane nannte ihn Bert, aber sie hatte stets den Eindruck gehabt, daß eine förmliche Anrede ihm lieber gewesen wäre. Seine Frau war für sie immer Mrs. Whittaker geblieben. Nie wäre es ihr eingefallen, sie Mutter zu nennen, wie Doris Whittaker sich das gewünscht hatte. Sie hatte einen Kompromiß geschlossen und nannte sie Doris, aber seitdem war die Beziehung zwischen den beiden Frauen so steif wie Doris Whittakers Frisur.

Bestenfalls würde man ihr einen lauwarmen Empfang bereiten. Schlimmstenfalls einen feindseligen.

Jane atmete erleichtert auf, als sie den Highway erreichte. Sie hatte es bis hierher geschafft, da würde sie den Rest der Fahrt wohl auch noch schaffen. Die Straße war nicht voll, und sie kam gut vorwärts. Sie nahm sich vor, nicht schneller zu fahren als erlaubt; lieber mit Verspätung ankommen als gar nicht. Sie mußte eben ausnahmsweise einmal Geduld haben.

Und wie war das eigentlich mit meinen eigenen Eltern? fragte sie sich.

Sie erinnerte sich an ihren Vater: Ein nicht sehr großer, recht fülliger Mann mit weicher, sanfter Stimme, die dennoch Autorität besaß. Er war der Leiter einer Highschool in Hartford gewesen, ein Mann mit Zivilcourage, der sich zusammen mit seinen Lehrern in die Streikpostenkette gestellt hatte, als diese gegen die Schulbehörde in Streik getreten waren. Als er mit vierundvierzig Jahren plötzlich an einem Herzinfarkt gestorben war, hatte Jane ihren eigenen Schmerz verdrängt, um ihre Mutter trösten zu können, die selbst in den besten Zeiten zur Hysterie neigte.

Ihre Mutter war eine witzige und temperamentvolle Frau gewesen, aber auch launisch und anspruchsvoll. Erst als Jane von zu Hause weggegangen war, hatte sie ihre Mutter mit all ihren Schwächen und Fehlern akzeptieren können. Zur Zeit ihres Todes hatte eine tiefere Verbindung zwischen ihnen bestanden als je zuvor. Jane hatte nach dem tödlichen Unfall um ihre Mutter und um ihren Vater geweint und sich mehrere Tage lang ganz in ihren Schmerz hineinfallen lassen, bis er sich langsam in stille Trauer gewandelt hatte.

Wie hatte Michael es wagen können, dieses Unglück für seine gemeinen Ziele auszunutzen!

Jane ließ sich von ihrem Zorn nur so weit anstacheln, daß sie wach und aufmerksam blieb. Hatte Michael allen Ernstes erwartet, daß sein Plan, sie zur Verrückten zu stempeln, gelingen würde? Hatte er allen Ernstes erwartet, er würde alle, sie selbst eingeschlossen, davon überzeugen können, daß sie verrückt war und zu ihrem eigenen Schutz in eine Anstalt gebracht werden mußte? Oder hatte er gehofft, sie würde ihm die Mühe ersparen und sich freundlicherweise selbst das Leben nehmen? Hatte er sie jemals wirklich geliebt?

So merkwürdig es war, sie glaubte es; sie glaubte sogar, daß er sie immer noch liebte. Seine Liebesbezeigungen waren echt, nur war eben sein Selbsterhaltungstrieb stärker als seine Liebe. Er konnte nicht zulassen, daß sie ihre Beschuldigungen an die Öffentlichkeit brachte; er konnte nicht zulassen, daß sie ihm den Kontakt zu seinem Kind nahm, das schließlich ein Teil von ihm war.

Vor ihr tauchte ein Hinweisschild auf. Noch zweiundsechzig Meilen bis Sagamore. Von Sagamore waren es nochmals zwanzig Meilen bis Falmouth und danach nur noch wenige Meilen bis nach Woods Hole. Sie mußte sich konzentrieren. Sie durfte sich nicht von ihren Gedanken ablenken lassen.

Dennoch fragte sie sich, was Michael wohl durch den Kopf gegangen war, nachdem sie verschwunden war. Was hatte er geglaubt, wohin sie sich geflüchtet hatte? Was hatte er sich gedacht, als sie nicht zurückgekommen war, sich nicht gemeldet und keinen Versuch unternommen hatte, herauszufinden, wo Emily war? Hatte er angenommen, er hätte sie mit seinen Drohungen in die Flucht geschlagen? Oder hatte er geglaubt, sie würde zurückkehren, sobald sie sich beruhigt hätte? Wenn sie

Zeit gehabt hätte, alles zu überdenken und einzusehen, daß sie ihm unrecht getan hatte?

Was war in ihm vorgegangen, als die Polizei angerufen und ihm mitgeteilt hatte, daß seine Frau auf einem Untersuchungstisch im Städtischen Krankenhaus Boston saß und sich allem Anschein nach an nichts erinnern konnte? Hatte er da begonnen, seinen teuflischen Plan zu schmieden? Mit der Lüge, sie sei bei ihrem Bruder zu Besuch, erst einmal Zeit gewonnen, um seinen Plan auszuarbeiten und dann in Aktion zu setzen? Eine Leichtigkeit, die Leute mit seinem glänzenden Ruf und seinem Arztkoffer voll fauler Tricks hinters Licht zu führen. Eine Leichtigkeit, ein Medikament durch ein anderes zu ersetzen. Er hatte nur auf dem tragischen Tod ihrer Mutter und ihrer fatalen Neigung zum Jähzorn aufzubauen brauchen; alles andere hatte sich praktisch von selbst ergeben.

Aber wie lange hätte das geklappt? Wie lange hätte es gedauert, bis ihr Bruder gekommen wäre, erkannt hätte, was gespielt wurde, und sie gerettet hätte? Jane lachte bitter. Bis Tommy erschienen wäre, hätte sie längst irgendwo in der Klapsmühle Körbe geflochten und wäre von den Medikamenten viel zu benebelt gewesen, um auf seine Anwesenheit überhaupt zu reagieren. Tommy wäre besorgt, ja bestürzt gewesen, aber Michael hätte ihn gewiß bald davon überzeugt – so wie er zweifellos alle ihre Freunde überzeugt hätte –, daß es für ihn das Beste sei, sich um sein eigenes Leben zu kümmern; daß er – Michael – nach besten Kräften für Jane sorgen, daß er in Verbindung bleiben werde.

Und Emily? Was hätte Michael ihr erzählt? Daß ihre Mutter sie verlassen habe? Daß sie nun ganz auf sich gestellt seien, Vater und Tochter, und fest zusammenhalten müßten? Wahrscheinlich hätte er sie bei ihrer Loyalität gepackt und ihr eingebleut, daß gewisse Dinge geheimgehalten werden müßten. Wahrscheinlich hätte er sie weiterhin nach dem Baden abgetrocknet und sie, wenn die Sehnsucht nach ihrer Mutter sie gequält hätte, damit getröstet, daß er zu ihr ins Bett gekrochen wäre. Vielleicht hätte er sie auch zu sich ins Bett geholt, weil es da gemütlicher war. Und wahrscheinlich hätte er ihr immer wieder gesagt, wie schön sie sei, daß er ihrer Schönheit nicht widerstehen könne und daß darum alles, was er mit ihr tat, nur ihre Schuld sei.

Diese Gemeinheit! dachte Jane und bemerkte plötzlich am Straßenrand ein Polizeiauto. Automatisch bremste sie ab, um ja nicht in eine Radarfalle zu geraten.

Im Rückspiegel sah sie, daß das Polizeifahrzeug sie nicht verfolgte, und stieß einen Seufzer der Erleichterung aus. Sie mußte vorsichtiger sein, sich mehr auf das Fahren konzentrieren.

Sie bemerkte, daß die Landschaft sich zu verändern begann. Normalerweise liebte sie diese Fahrt hinunter nach Cape Cod, das Gefühl, endlich der Stadt entronnen zu sein und ein paar Tage ländliche Ruhe und frische Luft genießen zu können. Woods Hole war ein Dörfchen an der Spitze von Cape Cod, von Touristen und Sommergästen, die nur für die bekannten Orte Martha's Vineyard und Nantucket Augen hatten, meist übersehen. Für sie war Woods Hole nur der Ort, an dem man mit der Fähre ankam oder abfuhr. Sie schenkten dem kleinen Ort kaum Beachtung, und das war den Whittakers gerade recht. Jane hatte das Häuschen, das nicht weit vom Wasser hinter hohen alten Bäumen verborgen stand, immer geliebt.

Sie rieb sich die Augen und öffnete sie weit, während ihre Gedanken zu Michael zurückkehrten. Hatte er auch andere Kinder belästigt? Hatte er seine Machtstellung und das Vertrauen, das ihm von den Hilfesuchenden entgegengebracht wurde, dazu ausgenutzt, sich an seinen kleinen Patienten zu vergreifen?

Jane erinnerte sich an den Nachmittag, als sie Michael unangemeldet in seiner Praxis aufgesucht und im Wartezimmer gesessen hatte, bis er für sie Zeit gehabt hatte. Sie erinnerte sich an das kleine Mädchen, das weinend auf dem Schoß seiner Mutter gesessen und darum gebettelt hatte, nach Hause gehen zu dürfen. Wie leichtfertig hatten sie das Weinen des Kindes abgetan! Wie taub waren sie für seine Angst und seinen Schmerz gewesen!

War sie ihrem eigenen Kind gegenüber ebenso unsensibel gewesen?

Sie hatte sich bemüht, eine vollkommene Mutter zu sein, so wie sie sich ihr Leben lang um Perfektion bemüht hatte, als kleines Mädchen in der Schule, später beim Studium und im Berufsleben. Sie hatte sich gewissenhaft um Emilys Erziehung gekümmert und sogar Kurse belegt, um ihren Aufgaben als Mutter besser gerecht werden zu können. Aber auch wenn sie vielleicht eine tüchtige Mutter gewesen war, so hatte doch Michael von Anfang an Emilys Herz gewonnen. Manchmal war Jane sogar eifersüchtig gewesen auf die selbstverständliche Beziehung der beiden, die natürliche Wärme und Ungezwungenheit, mit der Michael seine Vaterrolle wahrgenommen hatte. Sie hatte sich selbst stets als gute Mutter betrachtet; Michael aber war der geborene Vater gewesen. So hatte es zumindest ausgesehen.

Jane fand die Abfahrt zum Highway 28 ohne Mühe. ›Falmouth, 20 Meilen‹, stand auf dem Schild. Sie umfaßte das Steuerrad fester und fuhr schneller. Die nächste halbe Stunde erschien ihr endlos. Jede Sekunde war eine Stunde; jede Minute ein ganzer Tag. Aber dann hatte sie plötzlich die Ausfahrt nach Woods Hole erreicht, und wenig später befand sie sich in einer rein ländlichen Gegend.

Sie konnte das Wasser der Bucht sehen und fragte sich, ob Emily jetzt dort unten beim Schwimmen war. Oder war sie vielleicht schon fort? War es Carole gelungen, Michael zu erreichen? Hatte er sich mit seinen Eltern in Verbindung gesetzt? Waren sie samt Emily bereits mit unbekanntem Ziel abgereist? Vielleicht waren sie auf dem Highway an ihr vorübergefahren, und sie hatte es nicht bemerkt. Vielleicht war es schon zu spät.

Sie lenkte den Wagen in eine kleine ungeteerte Straße unter dicht stehenden Bäumen, die es ihr ermöglichten, sich dem Haus relativ unauffällig zu nähern. In einer provisorischen Einfahrt aus kleinen weißen Steinen, mehrere Häuser von dem der Whittakers entfernt, stellte sie den Wagen ab. Das Häuschen der Whittakers hatte ihr immer gefallen. Beileibe kein Landsitz, sondern ein richtiges Sommerhaus, aus Holz gezimmert, einfach und ohne Luxus. Das Häuschen hatte fließendes Wasser und eine Toilette, aber das war auch schon alles, was es an modernem Komfort bieten konnte. Ein flüchtiges Lächeln huschte über Janes Gesicht, als sie an die vielen vergnügten Stunden dachte, die sie hier draußen mit Michael verbracht hatte. Aber sie wurde gleich wieder ernst, als sie lautlos die Tür öffnete, um auszusteigen.

Sobald ihre Füße den Boden berührten, gaben ihre Knie nach. Sie fiel auf den harten Belag aus kleinen weißen Steinen, eine Hand noch am Türgriff. Mehrere Sekunden lang blieb sie so auf der Erde hocken, kraftlos und unfähig aufzustehen. Nur eine kleine Verschnaufpause, sagte sie sich, während sie gegen den Schlaf kämpfte. Langsam sah sie sich um.

Sie war allein. Kein Mensch schien sie bemerkt zu haben. Die meisten Eigentümer der umliegenden Sommerhäuser waren wahrscheinlich in der Stadt, da es mitten in der Woche war. In der Ferne allerdings hörte sie Stimmen und Kindergelächter.

Ein Bild von Emily, wie sie nur Meter entfernt fröhlich im Wasser planschte, trieb Jane in die Höhe. Die gute Luft wird mir schon die nötige Kraft geben, dachte sie. Nachdem sie ein paarmal tief Luft geholt hatte, setzte sie sich vorsichtig in Bewegung.

Sie blieb auf dem Schotter und mied das Gras zu beiden Seiten der Straße, da sie wußte, daß dort gern kleine Schlangen in der Sonne schliefen. Sie erinnerte sich an einen Nachmittag, als sie alle zusammen hier draußen gewesen waren, drei Generationen von Whittakers, sie die einzige Außenseiterin. Sie hatte auf ein

Bad in der Bucht verzichtet, um sich im Liegestuhl in den Garten zu setzen und zu lesen. Kurz vor dem Einnicken hatte sie eine Bewegung neben ihrem Stuhl wahrgenommen und sofort gewußt, daß es eine Schlange war. Sie war schreiend aufgesprungen, beide Füße reichlich unsicher auf dem Liegestuhl. Sie hatte erwartet, daß die Schlange sich schleunigst verziehen würde, erschrockener als sie selbst. So jedenfalls hatten die Whittakers es immer geschildert. Aber die Schlange, eine gewöhnliche schwarze Ringelnatter mit einem gelben Streifen auf dem Rükken, hatte sich beinahe zu voller Höhe aufgerichtet und sie angestarrt wie hypnotisiert vom Klang ihrer Schreie.

Schlangen sind taub, hatte Michael ihr später erklärt, nachdem er vom Wasser heraufgelaufen war, um zu sehen, was es gab. Die Schlange war da schon längst verschwunden. Es muß ein Frosch gewesen sein, behauptete Michael beim Abendessen. Nein, es war eine Schlange, entgegnete Jane. Ich weiß doch, wie Schlangen aussehen. Michaels Eltern hatten gelacht und verständnisinnige Blicke getauscht. Es war klar, wem sie glaubten.

Jane senkte den Kopf und pirschte sich näher an das kleine Holzhaus heran. In der Einfahrt stand kein Wagen. Was hatte das zu bedeuten? Daß sie unterwegs waren? Vielleicht einen Ausflug machten? Daß ihr Sohn sie schon erreicht und ihnen befohlen hatte, Emily ins Auto zu packen und zu verschwinden?

Jane sah sich hastig nach allen Richtungen um, ehe sie die letzten Schritte zur Vorderveranda des Hauses hinaufrannte. Alles war still. Jane blieb einen Moment lauschend stehen, dann näherte sie sich vorsichtig dem Fenster. Von drinnen kam kein Laut. Mit angehaltenem Atem spähte sie durch das Fenster in den Wohnraum.

Alles war genauso, wie sie es in Erinnerung hatte: die Wände rohes Holz genau wie außen; die Möbel alt und gemütlich bis auf das ultramoderne Fernsehgerät, das rechts vom offenen Kamin stand. Der Wohnraum ging direkt in Eßnische und Küche über,

Türen gab es nur zu den drei kleinen Schlafzimmern und dem Badezimmer im hinteren Teil des Häuschens. Alles war still. Es war wie die Ruhe vor dem Sturm.

Waren sie vielleicht wirklich schon abgefahren? War sie zu spät gekommen?

Jane sah das frische Obst in dem Korb auf dem Eßtisch. Das mußte nicht unbedingt heißen, daß sie noch hier waren. Wenn Michael wirklich angerufen hatte, hatten sie wahrscheinlich alles stehen und liegen gelassen und waren Hals über Kopf abgefahren.

Sie mußte ins Haus und schauen, wie es drinnen aussah.

Die Tür war abgeschlossen. Es überraschte sie nicht. Die Whittakers sperrten immer ab, auch wenn sie nur zum Strand hinuntergingen. Man konnte nie vorsichtig genug sein; man konnte nie wissen, wer hier herumschlich und es vielleicht auf den ultramodernen Fernseher abgesehen hatte.

Jane lief um das Häuschen herum nach hinten, wo sich die drei Schlafzimmer befanden. Die Fenster waren offen, durch Fliegengitter geschützt. Sie suchte sich im Gras einen dicken Stock, den sie so oft gegen das Fliegengitter des Elternschlafzimmers rammte, bis das Gitter aus dem Rahmen sprang. Sie blickte sich hastig um, hoffte, daß niemand sie gesehen hatte, und stieg durch das Fenster ins Haus.

Als sie auf dem großen Doppelbett landete, hörte sie die Alarmanlage losbimmeln. O Gott, nein! Auch das noch, dachte sie entsetzt. Ihr war so flau, daß sie sich am liebsten einfach in das weiche Bett hätte sinken lassen. Dann hörte das Läuten einen Moment auf und setzte gleich wieder ein. Es war nicht die Alarmanlage, es war das Telefon.

War das Michael, der anrief? Hatte Carole ihn erreicht? Wollte er seine Eltern vor ihrer bevorstehenden Ankunft warnen? Oder war es einfach ein Bekannter aus der Stadt, der anrief, um seinen Besuch anzusagen? Oder vielleicht jemand aus der

Nachbarschaft, der melden wollte, daß er eine verdächtige Gestalt in der Nähe des Hauses gesichtet hatte?

Jane sprang vom Bett und zog die Schubladen der kleinen Kommode auf, die an der Wand stand. Im stillen zählte sie mit, wie oft das Telefon läutete. Fünf... sechs... sieben. Die Kommode war so vollgefüllt mit Kleidungsstücken wie der Schrank. Das bewies allerdings nicht, daß die Whittakers noch hier waren. Sie konnten mit der Überlegung abgefahren sein, daß sie später jederzeit noch etwas holen konnten.

Jane ging von Raum zu Raum. Im Bad hing ein noch feuchter Kinderbadeanzug über dem Wannenrand, und der Kühlschrank war, wenn auch nicht gerade übervoll, so doch wenigstens nicht ausgeräumt. Es war möglich, daß sie noch hier waren.

Das Telefon läutete zwanzigmal, ehe es endlich schwieg. Da mußte es jemand sehr dringend haben, die Whittakers zu erreichen. Jane sah auf ihre Uhr. Es war fast Mittag. Wo konnten sie sein? Sie ging in den Wohnraum und ließ sich in einen großen, orange-braun gestreiften Ohrensessel fallen. Trotz der Hitze war es im Haus angenehm kühl. Sie lehnte den Kopf zurück und schloß einen Moment die Augen, während sie überlegte, wie lange sie würde warten müssen.

Im nächsten Moment war sie eingeschlafen.

30

Sie erwachte vom Läuten des Telefons. Mit einem Sprung war sie auf den Beinen. Das Herz klopfte ihr bis zum Hals, und ihr war schwindlig. Sie sah auf die Uhr und stellte erschrocken fest, daß beinahe zwanzig Minuten vergangen waren, seit sie eingeschlafen war. Wie dumm sie war! Wie unglaublich leichtsinnig. Da hatte sie sich bis hierher durchgekämpft, nur um prompt einzuschlafen wie Dornröschen. Wenn die Whittakers inzwischen nach Hause gekommen waren und sie hier gefunden hatten, hatten sie bestimmt nichts Eiligeres zu tun gehabt, als Emily ins Auto zu setzen und mit ihr davonzubrausen.

Das Telefon läutete immer noch. Drei... vier. Dann hörte sie ein anderes Geräusch, das Knallen einer Autotür, die zugeschlagen wurde, danach die Stimme einer Frau. »Ist das unser Telefon, Bert?«

Einen Moment lang starrte Jane das Telefon an und überlegte, ob sie einfach das Kabel herausreißen sollte. Dann aber rannte sie in die Küche und zog eine der Schubladen im Küchenschrank auf, in der, wie sie sich erinnerte, Michaels Mutter Messer und Scheren aufbewahrte. Sie packte die große Schere wie eine Waffe, raste ins Wohnzimmer zurück und schnitt das Kabel mitten im sechsten Läuten durch.

»Ich höre nichts!« rief irgendwo draußen Bert Whittaker.

»Ach, wahrscheinlich haben sie schon aufgelegt. – He, wo willst du hin, mein Fräulein?« rief die Frau scharf. »Du mußt deinem Großvater tragen helfen. – Gib ihr die kleine Tüte da, Bert«, sagte Doris Whittaker. Der scharfe Klang ihrer Stimme reichte bis in die dunklen Winkel des Wohnzimmers, wo Jane wie angewurzelt stand.

»Hier, Emmy«, sagte Bert Whittaker. »Glaubst du, du schaffst das?«

»Ach, Großpapa! Das ist doch überhaupt nicht schwer.«

Jane stand immer noch reglos, die Schere umklammert, als sie das Knirschen des Schlüssels im Schloß der Haustür hörte. Sie wußte, daß sie die Küchenschublade offengelassen hatte, aber jetzt hatte sie keine Zeit mehr, sie zu schließen. Sie konnte sich nur noch hinter den hohen Ohrensessel in einer Ecke des Zimmers ducken, als die Tür geöffnet wurde. Wie lange würde es dauern, bis sie merkten, daß das Telefonkabel durchschnitten war? Wie lange, bis ihnen auffiel, daß die Küchenschublade offenstand und die große Schere fehlte? Wie lange, bis sie ihr Kind packen und mit ihm fliehen konnte?

»Wo soll ich die Tüte hinstellen, Großmama?«

»Stell einfach alles auf den Küchentisch!« rief Doris Whittaker, und Jane hörte Emily durch das Zimmer springen.

Am liebsten wäre sie einfach aufgesprungen und hätte das Kind in ihre Arme gerissen, ihr süßes kleines Mädchen, das sie fast zwei Monate nicht gesehen hatte, das sie tot geglaubt hatte. Ach Kind, dachte sie, wie soll ich dich hier herausbringen? Wie soll ich uns beide hier herausbringen?

»Also so was! Schau dir doch mal an, wie dieser dumme Junge an der Kasse die Sachen eingepackt hat!« rief Doris Whittaker empört, während sie, gefolgt von ihrem Mann, durch das Haus ging. »Das ganze Obst hat er nach unten gelegt. Da werden die Pfirsiche nur noch Matsch sein. Hast du denn nicht aufgepaßt, Bert?«

»Das ist doch deine Aufgabe«, gab ihr Mann zurück und stellte seine schwere Tüte prustend auf den Tisch. »Da hat jemand eine Schublade offengelassen«, bemerkte er und schob sie im Vorübergehen zu.

»Packen wir gleich mal aus, damit wir sehen, ob das Obst noch in Ordnung ist. Sonst müssen wir gleich noch einmal in den Supermarkt fahren.«

»Darf ich jetzt schwimmen gehen, Großmama?«

»Noch nicht. Bist du nicht hungrig?«

»Nein.«

»Aber ich. Magst du nicht wenigstens ein Wurstbrot?«

»Ja, okay. Krieg ich dann auch ein Eis?«

»Nur wenn du dein Brot aufißt.«

Was soll ich tun? dachte Jane und überlegte, ob sie einfach mit der Schere in der Hand aus ihrem Versteck hervortreten oder lieber warten sollte, bis Emily allein im Raum war und sie sie heimlich entführen konnte. Sie hörte das Knistern von Papier, das leise Knarren der Schranktüren, die geöffnet und geschlossen wurden, während draußen in der Küche die Einkäufe verstaut wurden, und ließ sich von der Atmosphäre häuslichen Friedens einlullen, bis Emily mit ihrer hellen Kinderstimme plötzlich fragte: »Was ist denn mit dem Telefon passiert?«

»Jetzt nicht, Emily. Laß mich erst mal die Sachen fertig auspacken.«

»Aber schau doch mal!« Jane stellte sich vor, wie Emily das abgeschnittene Kabel hochhielt.

»Wieso? Was ist denn?« Ungeduld in der Stimme. Eine kurze Pause. Dann Schritte. »Du lieber Gott, was hast du denn da angestellt?«

»Ich hab überhaupt nichts gemacht«, protestierte Emily.

»Das sieht ja aus wie durchgeschnitten!« rief Doris Whittaker, und in ihrer Stimme schwang ein deutlich hörbarer Ton der Beunruhigung. »Bert, komm doch mal her!«

»Ich bin im Bad«, kam es gedämpft zurück.

»Dann beeil dich. Hier geht irgendwas vor.«

Jane hörte das Rauschen der Toilettenspülung.

»Herrgott noch mal, Doris, kann man denn hier nicht mal in Ruhe aufs Klo gehen?« fragte Bert Whittaker gereizt, und das Wort ›Klo‹ klang sonderbar aus seinem Mund. »Was ist denn los?«

»Das Telefonkabel ist durchgeschnitten.«

»Aber ich war's nicht!« rief Emily sofort.

»Das ist wirklich komisch«, meinte Bert Whittaker nachdenklich. »Ist sonst etwas angerührt worden?«

Jane hörte sie umhergehen und schließlich mit Emily zusammen in den hinteren Zimmern nachsehen.

»Mir ist das nicht geheuer«, erklärte Doris Whittaker.

»Aber sonst scheint alles in Ordnung zu sein.«

»Nein, nein! Komm hierher, Bert. Sieh dir das an!«

Jetzt hatte sie vermutlich das aufgebrochene Fliegengitter an ihrem Schlafzimmerfenster entdeckt. Jane wußte, daß ihr nicht mehr viel Zeit blieb.

»Da hat anscheinend jemand eingebrochen!« rief Bert Whittaker.

Jane hörte, wie in den hinteren Zimmern Schubladen und Schränke geöffnet und wieder geschlossen wurden.

»Aber gestohlen haben sie nichts. Der Fernseher, das Radio – alles ist noch da. Von unseren Kleidern fehlt nichts. Nicht einmal das Sparschwein haben sie aufgeschlagen«, sagte Doris Whittaker, die in die Küche zurückgekehrt war. »Wieso sollte hier jemand einbrechen, nur um das Telefonkabel durchzuschneiden?«

»Meine Sachen sind alle da!« rief Emily, die nun auch in die Küche zurückkam.

»Wahrscheinlich war es nur ein dummer Streich«, meinte Bert Whittaker.

»Von wegen! So etwas nennt man Einbruch.«

»Doris, beruhige dich. Du ängstigst das Kind.«

»Ich hab keine Angst, Großpapa.«

»Nein! Das ist gut. Du bist eben ein kluges kleines Mädchen.«

»Hast du nicht vorhin gesagt, hier hätte jemand eine Schublade offengelassen?« fragte Doris Whittaker plötzlich.

»Doch.« Einen Moment Stille. Dann hörte Jade, wie eine Schublade aufgezogen wurde. »Die hier.«

»Mein Gott, die große Schere ist weg.«

»Mit der haben sie wahrscheinlich das Telefonkabel durchgeschnitten. Wir sollten zur Polizei gehen.«

»Bert...«

»Was?«

»Wenn es nun gar keine Einbrecher oder dummen Jungen waren...«

»Was soll das heißen?«

Wieder Stille.

»Emily, weißt du was? Du packst jetzt deine Sachen, dann fahren wir ein paar Tage nach Martha's Vineyard.«

»Aber Molly hat mir versprochen, daß sie heute nachmittag zum Spielen zu mir kommt.«

»Mit Molly kannst du auch ein andermal spielen. Tu jetzt, was ich dir sage. – Ja, so ist es lieb.«

»Also wirklich, Doris, findest du das nicht ein bißchen übertrieben?«

»Ich glaube nicht, daß wir von Einbrechern Besuch bekommen haben.« Doris Whittaker flüsterte jetzt. »Ich glaube, es ist Jane.«

»Jane!«

»Schsch! Leise! Das Kind!«

»Wie kommst du darauf, daß es – daß sie es ist?«

»Überleg doch mal. Es ist die einzig logische Erklärung. Wieso sollte jemand hier einbrechen und dann nichts mitnehmen? Sie hat das Telefonkabel durchgeschnitten, weil sie Angst hatte, Michael könnte uns anrufen und uns warnen. Denk nach, Bert. Es kann nur Jane sein. Sie will Emily holen.«

»Wenn sie es wirklich war, dann hat sie das Haus leer vorgefunden und ist wieder abgefahren.«

»Bestimmt nicht«, erklärte Doris Whittaker mit Nachdruck. »Wenn sie es ist, ist sie immer noch hier. Wir müssen weg, ehe sie zurückkommt. Emily! Emily!«

»Ich bin beim Packen, Großmama.«

»Laß es. Wir müssen sofort losfahren.«

»Ich brauch meinen Hasen.«

»Jetzt nicht.«

»Doch! Ich will ihn mitnehmen.«

»Wir kaufen dir einen neuen.«

»Ich will aber keinen neuen.«

Jane hörte, daß Emily den Tränen nahe war. Nicht weinen, Schatz, hätte sie am liebsten gerufen. Nicht weinen.

»Ich will meinen Hasen.«

»Hör jetzt endlich auf damit. Wir müssen fahren.«

»Das ist doch verrückt«, sagte Bert Whittaker, als sie durch das Zimmer zur Tür gingen. »Warum fahren wir nicht einfach zur Polizei?«

»Erst rufen wir Michael an. Er wird uns sagen können, was los ist. Und wenn ich mich getäuscht habe, um so besser.«

»Ich will nicht nach Martha's Vineyard!« rief Emily weinend. »Ich will heim. Ich will zu meiner Mami.«

Mit einem Ruck richtete Jane sich auf und trat hinter dem orange-braun gestreiften Ohrensessel hervor. Die Schere hinter ihrem Rücken versteckt, trat sie ihren Schwiegereltern direkt in den Weg.

»Ich bin ja da, mein Liebes.«

»Mami!«

Doris Whittaker schrie auf, und ihr Mann fuhr zurück, aber Jane achtete kaum auf die beiden. Sie sah nur Emily, die sich von ihrer Großmutter losriß und sich ihrer Mutter in die Arme warf. Jane umschlang sie mit dem linken Arm und überschüttete ihr kleines Gesicht mit Küssen.

»Ach, mein Süßes. Emily, mein Liebstes. Mein großes, schönes Mädchen.«

Emily umschlang den Hals ihrer Mutter mit aller Kraft. »Wo warst du, Mami? Wo warst du?«

»Das erklär ich dir alles später, Schatz. Ich verspreche es dir.«

Emily neigte den Kopf nach rückwärts, um ihrer Mutter in die Augen zu sehen. »Ich hab dich so lieb, Mami.«

»Ich dich auch, Kind.« Jane hatte nicht mehr die Kraft, ihre Tochter mit einem Arm hochzuhalten und mußte sie zum Boden hinunterlassen.

»Komm sofort hierher, Emily!« befahl Doris Whittaker und grapschte nach dem Arm des Kindes.

»Rühr sie nicht an!« schrie Jane. Sie riß die Schere hinter ihrem Rücken hervor. »Ich bringe euch um, wenn ihr sie anrührt.«

»Mami!«

»Du bist ja verrückt!« schrie Doris Whittaker. »Schau doch, was du mit dem Kind machst. Du jagst ihr ja Todesangst ein.«

»Das tut mir leid, Emily, Liebes. Das will ich wirklich nicht.«

»Leg die Schere weg, Jane«, sagte Bert Whittaker ruhig.

»Tut mir leid, Bert, das kann ich nicht.«

»Was willst du eigentlich?«

»Ich möchte meine Tochter mitnehmen und wieder abfahren.«

»Du weißt, daß wir dich hier nicht weglassen.« Doris Whittaker plusterte sich voll moralischer Entrüstung auf.

»Du hast mit dieser Sache nichts zu tun, Doris«, entgegnete Jane ruhig. »Halt dich also bitte raus.«

»Emily gehört zu uns.«

»Sie gehört zu ihrer Mutter.«

»Damit du ihr noch mehr Lügen erzählen kannst? Damit du noch mehr Gemeinheiten über ihren Vater erfinden und sie mit deinen krankhaften Phantasien völlig durcheinanderbringen kannst?«

Jane sah ihre Tochter an, sah die Furcht und die Verwirrung in ihren Kinderaugen. »Emily, hab Vertrauen zu mir, Liebes. Du weißt doch, daß ich niemals etwas tun würde, was dir schadet, nicht wahr?«

Emily nickte, ohne zu zögern.

»Hör nicht auf deine Mutter, Emmy«, warnte Bert Whittaker. »Sie ist krank. Sie ist nicht mehr so, wie du sie in Erinnerung hast.«

»Emily, setz dich draußen in den Chrysler, der ein paar Häuser von hier entfernt steht, und warte auf mich«, sagte Jane, ohne auf Bert Whittakers Einwurf zu achten.

»Meinst du den dunkelblauen, der bei den Stuarts vor dem Haus steht? Großmama hat sich schon gewundert, wem der gehört.«

»Ja, den meine ich.«

»Und wann kommst du?«

»In zwei Minuten.«

Emily blickte angstvoll zwischen ihrer Mutter und ihren Großeltern hin und her. »Ich habe Angst.«

»Du brauchst keine Angst zu haben, Liebes. Ich verspreche dir, daß ich in zwei Minuten nachkomme.«

Emily zögerte immer noch. Jane vermutete, daß sie sich an jenen Schultag erinnerte, an dem ihre Mutter versprochen hatte, sie abzuholen.

»Okay«, sagte das kleine Mädchen schließlich und rannte zur Tür. Doch als sie die scharfe Stimme ihrer Großmutter hörte, blieb sie abrupt stehen.

»Dein Vater möchte, daß du hier bei uns bleibst«, sagte Doris Whittaker mit Nachdruck. »Du willst doch deinem Daddy nicht weh tun, nicht wahr?«

Emily sagte gar nichts, sondern griff nach dem Türknauf.

»Willst du deiner Großmama und deinem Großpapa nicht wenigstens zum Abschied einen Kuß geben?«

Emily sah unsicher ihre Mutter an.

»Lieber nicht«, sagte Jane und fragte sich, was sie tun würde, wenn es tatächlich zu einer tätlichen Auseinandersetzung kommen sollte.

»Jetzt willst du sie wohl auch noch gegen uns aufhetzen?« fragte Doris Whittaker schneidend, während ihr Mann sich in das Schweigen hüllte, in dem er sich immer schon am wohlsten gefühlt hatte.

»Geh nur, Liebes«, sagte Jane. »Ich komme gleich nach.«

»Ich werf euch eine Kußhand zu«, sagte Emily als Kompromiß. Sie hob beide Hände zum Mund und schmatzte laut. Bert Whittaker hob automatisch die Hand, als wolle er den Kuß auffangen. »Tschüs.« Mit einem scheuen Lächeln zu ihrer Mutter, öffnete Emily die Haustür und lief hinaus.

Doris Whittaker riß die Schultern zurück und hob den Kopf. »Du wirst nicht weit kommen. Wir rufen sofort die Polizei an. Es sei denn, du hast vor, uns zu fesseln, ehe du hier verschwindest«, fügte sie sarkastisch hinzu.

Jane ließ die Schere sinken. »Ich glaube, ich weiß, was Michael euch erzählt hat«, begann sie, »und ich möchte eines klarstellen. Ich...«

»Deine Lügen interessieren uns nicht!« schrie Doris Whittaker und drückte beide Hände auf ihre Ohren. »Wie kommst du dazu, dir so grauenvolle Geschichten auszudenken! Wie kannst du dich unterstehen, den guten Namen unseres Sohnes in den Schmutz zu ziehen! Dazu ist doch nur eine Verrückte fähig.«

»Nicht ich, sondern euer Sohn hat euch belogen.«

»Diese Unverschämtheiten höre ich mir nicht an.«

»Habt ihr mit Emily gesprochen? Habt ihr sie einmal gefragt?«

Doris Whittaker schien die Frage gar nicht zu hören. »Bilde dir nur ja nicht ein, daß du damit durchkommst. Wir werden schon dafür sorgen. Du bist vollkommen verrückt. Wenn es daran je Zweifel gegeben hat, dann beweist diese Eskapade es eindeutig. Mein Sohn wird seinen guten Ruf *und* seine Tochter behalten. Wir sehen uns vor Gericht wieder, das verspreche ich dir.«

Jane ging zur Haustür und zog sie auf. »Ich freue mich darauf«, sagte sie.

31

»Hast du einen Buben?«

»Einen Buben?« Jane warf einen Blick auf die Karten in ihrer Hand und schüttelte den Kopf. »Nein. Keinen einzigen Buben«, sagte sie zu Emily. »Nimm dir eine Karte.«

»Du mußt sagen ›geh fischen‹.«

»Ach, entschuldige. Das hatte ich vergessen. Geh fischen.«

Emilys Gesicht zeigte Beunruhigung.

»Was ist denn, Liebes?«

»Fängst du jetzt wieder an, alles zu vergessen?« fragte das Kind.

Jane legte sofort ihre Karten auf den Tisch und drückte Emilys Hände. »Bestimmt nicht, Schatz. Mir geht es wieder gut. Ich bin wieder ganz gesund.«

»Wirklich?«

»Wirklich. Ehrenwort.«

»Manchmal vergeß ich auch was«, sagte Emily, als wolle sie ihre Mutter und sich selbst beschwichtigen.

»Jeder vergißt ab und zu mal was«, bemerkte Sarah Tanenbaum, die in diesem Moment im rosaroten Morgenrock und mit zerzaustem Haar in die Küche kam. »Aber deiner Mama geht's jetzt wieder ganz gut. Du brauchst dir keine Sorgen um sie zu machen. Also, wer hat Lust auf Frühstück?«

Emily lachte.

»Ich glaube, du meinst Mittagessen«, sagte Jane zu ihrer Freundin.

Sarah stöhnte übertrieben. »Warum hat mich denn keiner geweckt?«

»Wir wollten dich schlafen lassen. Du hast schließlich ganz schön zu tun mit uns beiden.«

»So ein Unsinn! Ich find's herrlich, euch hier zu haben.« Sarah schenkte sich Orangensaft ein und leerte das Glas mit einem Zug. »Es wäre schön, wenn ihr für immer bleiben würdet.«

»Da in der Kanne ist Kaffee. Ihr seid beide sehr lieb, du und Peter. Ich weiß wirklich nicht, wie ich euch danken soll.«

»Ach, hör doch auf. Wir genießen es, euch hier zu haben. Wir hatten noch nie ein kleines Mädchen im Haus.« Sarah kam mit ihrer Kaffeetasse an den Tisch und setzte sich. »Meine Jungs sind schon richtig erwachsen«, sagte sie zu Emily. »Zumindest bilden sie sich das ein.«

»Du kannst dich darauf verlassen, daß wir weg sind, ehe sie aus dem Ferienlager zurückkommen«, versicherte Jane.

»Ihr bleibt, bis alles geregelt ist, und basta.« Sarah trank ausgiebig von ihrem Kaffee. »Und was steht heute auf dem Programm?«

»Diane geht mit Emily ins Kino.«

»Und zu McDonald's«, fügte Emily enthusiastisch hinzu.

Jane fuhr leicht zusammen bei dem Namen und dachte flüchtig an ihr kurzes Gastspiel als Cindy McDonald.

»Sally Beddoes kommt in ungefähr einer Stunde, und Daniel sagte, er wollte vielleicht auf einen Sprung vorbeischauen«, bemerkte sie und bemühte sich, ruhig zu bleiben, da sie wußte, daß ihre Zukunft davon abhing, wie gefaßt und beherrscht sie auf ihre Umwelt wirkte.

Sarah trank hastig den letzten Schluck Kaffee. »Dann zieh ich mich jetzt mal lieber an. In diesem Aufzug braucht mich kein Mann zu sehen.«

»Und Peter?« fragte Emily. »Er ist doch auch ein Mann.«

»Mit Peter bin ich verheiratet. Der zählt nicht. Außerdem ist er beim Golfspielen. Kannst du dir das vorstellen – zieht schon vor acht zum Golfspielen los?« Sie schüttelte den Kopf. »Männer und ihr Sport!« Sie verdrehte die Augen, ehe sie hinausging, um sich anzukleiden.

Zwei Wochen waren vergangen, seit Jane sich ihre Tochter und ihr Leben zurückerobert hatte. Sarah und Peter hatten ihr angeboten, bei ihnen zu wohnen, da Michael sich geweigert hatte, das Haus in der Forest Street zu verlassen. Jane glaubte sowieso nicht, daß sie in dieses Haus hätte zurückkehren können. Zu viele Erinnerungen, dachte sie und lachte.

»Warum lachst du?« fragte Emily.

Jane zögerte und nahm ihre Karten vom Tisch auf. »Ich muß

lachen, weil ich doch einen Buben habe.« Sie reichte die Karte ihrer Tochter, der gar nicht aufzufallen schien, daß Jane schon gelacht hatte, bevor sie ihre Karten wieder aufgenommen hatte.

Emily zog sofort drei weitere Buben aus ihrem eigenen Blatt und legte die vier Karten als einen ordentlichen kleinen Stapel neben einige andere Häufchen gleicher Art.

Ordentliche kleine Häufchen von Hundert-Dollar-Scheinen, dachte Jane mit unwillkürlichem Schauder und ärgerte sich, daß sie es nicht lassen konnte, alles rundherum auf die Ereignisse ihrer jüngsten Vergangenheit zu beziehen. Würde ein Big Mac auf ewig die Schrecken jener Tage heraufbeschwören? Würde sie bei harmlosen Kinderspielen immer nur an Geldbündel denken können? Würde sie sich je ein Bild der schönen Cindy Crawford ansehen können, ohne in kalten Schweiß auszubrechen?

»Hast du eine Sechs?« fragte Emily.

Jane sah aufmerksam die Karten in ihrer Hand durch. »Geh fischen«, sagte sie mit Entschiedenheit.

Sie war von einem Heer von Ärzten untersucht worden, seit ihre Erinnerung zurückgekehrt war. Sie hielten sie unter ständiger Beobachtung, während sie ihr allmählich die Drogen entzogen, an die ihr Körper sich gewöhnt hatte. Außerdem ging sie zweimal wöchentlich zu einer Psychotherapie. Sie sei auf dem besten Weg zu völligen Genesung, hatte man ihr gesagt. Dank Sarahs Kochkünsten hatte sie sogar wieder ein wenig zugenommen, und ihre Haut hatte nicht mehr die Farbe von Asche. Sie sabberte nicht mehr und hatte die Beherrschung über ihre Gliedmaßen wiedergewonnen. Es kostete sie keine Anstrengung mehr, wach und aufmerksam zu bleiben, auch wenn sie noch immer rasch ermüdete und häufig zur selben Zeit wie Emily zu Bett ging. Und sie hatte sich das Haar schneiden lassen. Es reichte ihr jetzt nur noch knapp über die Ohren. Der Schnitt wirkte eleganter und stand ihr besser zu Gesicht als das lange Haar, das Michael so gern an ihr gesehen hatte.

Bei dem Gedanken an Michaels Vorlieben wurde ihr kalt. Wieso war ihr nie aufgefallen, daß er stets um so zärtlicher und liebevoller gewesen war, je kindlicher und hilfsbedürftiger sie gewirkt hatte? Diese gräßlichen Kleinmädchenkleider, die er ihr immer gekauft hatte; sein Wunsch, sie in zarten Pastelltönen zu sehen statt in kräftigen Farben oder gar in Schwarz; das scheußliche jungfräulich weiße Nachtgewand, von dem er behauptet hatte, es sei aufregender als alle Reizwäsche, die sie selbst sich gekauft hatte.

Es läutete.

Emily sprang von ihrem Stuhl. »Ich mach auf.«

»Nein, ich gehe.« Jane hielt Emily zurück. »Ich muß mich mal ein bißchen strecken.« Sie stand auf und ging mit zitternden Knien durch die moderne Glas- und Chrom-Küche hinaus zur Haustür.

Jedesmal, wenn jemand an der Tür war, jedesmal, wenn das Telefon läutete, hatte sie Angst, es könnte Michael sein, der ihr mitteilen wollte, daß er die Absicht habe, sich sein Kind wiederzuholen. Obwohl er durch seinen Anwalt hatte mitteilen lassen, daß er sich von ihr und Emily fernhalten würde, bis der Staatsanwalt darüber entschieden hatte, ob das Beweismaterial ausreichte, um Anklage zu erheben, hatte Jane ständig das Gefühl, er belauerte sie irgendwo aus dem Hintergrund. Sie wußte, daß Michael zu wütend war, um sie über längere Zeit in Frieden zu lassen. Wenn er sich in den vergangenen zwei Wochen relativ ruhig verhalten hatte, so bedeutete das zweifellos, daß er irgendeinen finsteren Plan ausheckte. Oder aber er war so sicher, daß keine Anklage erhoben und ihm das Sorgerecht für seine Tochter schließlich doch zugesprochen werden würde, daß er meinte, sich den Luxus leisten zu können, den Geduldigen und Kooperativen zu spielen.

Jane starrte den uniformierten Boten durch den Spion in der Haustür an. Langsam zog sie die Tür auf, musterte den jungen

Mann und war sich sicher, dieses Gesicht nie zuvor gesehen zu haben.

»Ein Päckchen für Jane Whittaker«, sagte er und schob ihr ein Formular zur Unterschrift hin. »Unterschreiben Sie bitte, und setzen Sie Ihren Namen in Druckbuchstaben daneben«, sagte er.

Jane folgte der Anweisung, obwohl sie das Päckchen am liebsten nicht in Empfang genommen hätte. »Danke«, sagte sie und zog sich in den Flur zurück, wobei sie das Päckchen auf Abstand hielt, als hätte sie Angst, es könnte explodieren.

»Ist das Diane?« rief Sarah von der Treppe. In einer hellen Hose und einem weißen T-Shirt kam sie in den Flur und spähte Jane über die Schulter. »Was ist das?«

Jane schüttelte nur den Kopf, und die beiden Frauen gingen in das helle Wohnzimmer. »Ticken tut es jedenfalls nicht«, bemerkte Jane und versuchte, ihr Unbehagen mit einem Lachen zu vertuschen.

»Du meinst, es ist von Michael?«

Jane nickte. »Von wem sonst?«

»Soll ich es aufmachen?«

Jane zögerte. »Nein«, sagte sie dann. »Ich werde doch nicht jedesmal in Panik geraten, wenn ich ein Päckchen bekomme. Ich lasse mein Leben nie wieder von Michael beherrschen.«

»Gut!« sagte Sarah, während Jane die Verpackung aufriß.

Unter dem braunen Packpapier kam ein in Silberfolie eingeschlagenes Päckchen zum Vorschein, das mit einem königsblauen Band verschnürt war. Eine kleine Karte war unter das Band geklemmt. ›Verzeih, daß ich Deinen Geburtstag vergessen habe‹, stand darauf, mit Maschine geschrieben und nicht unterzeichnet. Jane zog die Augenbrauen hoch, dann entfernte sie rasch Band und Silberpapier, öffnete die Schachtel darunter und stieß auf eine weitere, kleinere Schachtel.

»Na, ein Auto ist es jedenfalls nicht«, stellte Sarah trocken fest, als Jane die kleine Schmuckschachtel heraushob.

Jane hob vorsichtig den Deckel des kleinen Kästchens. »O Gott!« sagte sie und starrte auf den Memory-Ring aus herzförmig geschliffenen Brillanten. Sie sah sich wieder, schwach und von Medikamenten benebelt, in dem Juwelierladen in der Newbury Street, zu dem Michael sie geschleppt hatte. Dort war sie Anne Halloren-Gimblet begegnet. Dort hatte ihr das Schicksal die Hand gereicht. Die Newbury Street war ihre Rettung gewesen.

Schickte ihr Michael den Ring, um sie daran zu erinnern, daß er noch immer der Stärkere war? Um ihr seine Macht zu zeigen?

»Ich bin fertig!« Emily kam ins Wohnzimmer gelaufen und sah sich erstaunt um. »Wo ist denn Diane?«

»Sie ist noch nicht hier«, antwortete Sarah, und Jane klappte hastig das Schmuckschächtelchen zu.

»Wer hat dann vorhin geklingelt?«

»Ein Bote, der sich in der Hausnummer geirrt hat«, erklärte Jane, während sie das Kästchen in die größere Schachtel legte und beides auf den Couchtisch stellte.

Wieder läutete es draußen.

Keiner rührte sich.

»Macht denn keiner auf?« fragte Emily.

Sarah ging nach vorn und sah zur Tür hinaus. »Na, so eine Überraschung. Zwei Fliegen mit einer Klappe.« Sie zog die Tür auf, Diane und Daniel traten ein.

»Wir sind genau gleichzeitig angekommen«, erklärte Diane und eilte auf Jane zu, um sie zu umarmen. »Du siehst großartig aus. Die Frisur steht dir prima.«

Daniel hielt sich beinahe scheu im Hintergrund. »Wie geht es dir, Jane?« fragte er.

»Es geht mir gut«, antwortete sie wahrheitsgemäß.

Diane wandte sich Emily zu. »Also, bist du fertig zum großen Abenteuer?«

»Schon ewig.«

»Ehrlich?«

»Ja, seit dem Frühstück. Mami und ich haben Karten gespielt. Sarah ist eben erst aufgestanden.«

»Wie nett von dir, du Fratz«, sagte Sarah lachend. »Ich hatte ganz vergessen, daß man nichts geheimhalten kann, wenn kleine Kinder im Haus sind.«

Einen Moment lang trat unbehagliches Schweigen ein.

»Also, gib deiner Mutter einen Kuß, dann gehen wir.«

Emily umarmte ihre Mutter und konnte sich dann nicht von ihr trennen. »Geht's dir wirklich gut?« fragte sie.

»Aber klar, mir geht's gut, Schatz.«

»Mach dir keine Sorgen, Emily«, sagte Sarah. »Wir kümmern uns schon um deine Mami.«

»Bist du da, wenn ich heimkomme?« fragte Emily.

»Ja, ganz bestimmt.«

»Versprich mir, daß du nicht weggehst.«

»Ich verspreche es.«

»Ich habe eine Idee. Komm doch einfach mit«, meinte Emily. Sie packte Jane bei der Hand und sprang ungestüm auf und nieder. Jane warf Diane einen hilfesuchenden Blick zu.

»Deine Mama kommt das nächste Mal mit. Ich wollte gern mal mit dir allein losziehen.«

»Außerdem säße ich dann ganz allein mit Daniel da«, warf Sarah ein und schnitt eine Grimasse. Daniel lachte.

»Er kann ja auch mitkommen.«

Jane ging vor Emily in die Knie. »Nein, Schatz, das geht nicht. Ich erwarte jemanden, mit dem ich unbedingt sprechen muß. Aber geh du ruhig«, fuhr sie trotz der Proteste des Kindes fort. »Du hast dich doch so darauf gefreut, und Diane auch.«

»Aber...«

»Du brauchst dir um mich keine Sorgen zu machen. Ich gehe nicht weg. Ich verspreche dir, daß ich hier bin, wenn du wiederkommst. So, und jetzt ab mit euch, sonst kommt ihr zu spät.«

Emily küßte ihr Mutter und rückte sich noch einmal fest an sich, ehe sie sie losließ und Diane die Hand gab.

»Viel Vergnügen!« rief Jane den beiden nach und wartete, bis sie abgefahren waren.

»Ich mache uns frischen Kaffee«, sagte Sarah und schloß die Haustür.

»Kann ich was helfen?« fragte Jane.

»Du kannst dich um deinen Besuch kümmern.« Damit ging Sarah in die Küche.

Jane und Daniel setzten sich ins Wohnzimmer. »Fällt es ihr immer so schwer, sich von dir zu trennen?« fragte Daniel.

»Sie ist wie mein kleiner Schatten. Aber das ist nach allem, was geschehen ist, auch kein Wunder. Wir schlafen in einem Zimmer, und ich muß jeden Abend an ihrem Bett sitzen, bis sie eingeschlafen ist. Manchmal schlafe ich allerdings vor ihr ein.« Jane lächelte. »Ehrlich gesagt, ich weiß gar nicht, ob sie das braucht oder ich.«

»Stellt sie viele Fragen?«

»Anfangs, ja. Sie wollte ganz genau wissen, was passiert war, warum ich sie nicht abgeholt habe wie ausgemacht, wo ich gesteckt habe, wie es möglich ist, daß man einfach vergißt, wer man ist, und was das für ein Gefühl war.«

»Und was hast du ihr gesagt?«

»Die Wahrheit. Jedenfalls soweit ich es vertretbar fand. Ich verstehe ja selbst bis heute nicht alles, was sich da abgespielt hat.« Sie machte eine kurze Pause. »Wenn man mit einem Menschen so lange zusammenlebt, wie ich mit Michael zusammengelebt habe, nimmt man gewisse Dinge als gegeben an. Wenn sich dann herausstellt, daß diese Annahmen falsch sind, ist das ein Riesenschock. Es wirft einen völlig aus dem Gleichgewicht, und man beginnt, alles in Frage zu stellen.« Sie sah Daniel in die tiefblauen Augen. »Weißt du, was Michael Emily erzählt hat?«

Daniel schüttelte den Kopf.

»Er erklärte ihr, die Dinge, die sie mir gesagt hat, hätten mich so unglücklich gemacht, daß ich krank geworden wäre und ins Krankenhaus mußte. Kannst du dir das vorstellen – einem siebenjährigen Kind solche Schuld aufzubürden?« Sie lachte bitter. »Aber es ist wahrscheinlich nicht schlimmer als alles andere, was er ihr angetan hat.« Sie wischte sich eine Träne weg. »Aber wir kommen da schon durch. Wir sind beide in Therapie bei einer Frau, die uns Dr. Meloff empfohlen hat. Sie ist sehr gut. Ich bin überzeugt, daß sie uns helfen kann.« Sie schwieg und sah zur Küche hinüber, gewiß, daß Sarah absichtlich besonders lange mit dem Kaffee brauchte. »Und du? Wie geht es dir?«

»Gut. Das heißt, so ganz stimmt das nicht«, fügte er sogleich hinzu. »Ich habe mich ganz schön mit Schuldgefühlen herumgeschlagen. Ich hätte in Verbindung bleiben sollen, ich hätte schon an dem Morgen, als wir uns zufällig begegnet sind, spüren müssen, daß etwas nicht in Ordnung war, ich hätte Carole nicht anrufen sollen, nachdem du bei mir angerufen hattest...«

»Aber woher hättest du denn wissen sollen, daß etwas nicht in Ordnung war? Hast du vielleicht den sechsten Sinn? Du konntest das wirklich nicht ahnen. Es war ganz natürlich, daß du Carole angerufen hast...«

»Aber ich hätte dir beinahe alles verpfuscht.« Daniel sprang auf. Er ging zum Fenster und sah auf die Straße hinaus. »Nur weil ich angerufen hatte, fand Carole dann eure Haushälterin. Es war reines Glück, daß die beiden Michael nicht rechtzeitig erreichen konnten, so daß er dich hätte aufhalten können.«

»Kann schon sein. Aber die Hauptsache ist doch, daß alles gutgegangen ist. Er konnte mich nicht aufhalten. Und ich werde mich auch jetzt nicht von ihm aufhalten lassen.«

Daniel wandte sich vom Fenster ab und setzte sich in einen weißen Sessel. »Wie steht's denn im Moment?«

»Das ist schwer zu sagen«, antwortete Jane. »Die Staatsanwaltschaft ermittelt noch. Pat Rutherford war bis jetzt nicht auffindbar. Sie reist anscheinend irgendwo in Europa herum und kommt erst nächste Woche zurück. Secord, der Leiter von Emilys Schule, steht fest auf Michaels Seite. Er hatte ein langes Gespräch mit Michael, als der damals Emily von der Schule abholte.« Sie zuckte mit den Achseln. »Leicht wird es nicht werden.«

»Aber du bist zuversichtlich?«

»Wir haben eine Zeugin, die vielleicht bereit ist, mich durch ihre Aussage zu unterstützen.« Jane warf einen Blick auf ihre Uhr. »Sie heißt Sally Beddoes, und ihre Tochter war bei Michael in Behandlung. Sie kommt in knapp einer Stunde hierher.«

»Der Kaffee ist fertig«, meldete Sarah, die mit einem großen Tablett ins Zimmer trat. Sie stellte es auf dem Couchtisch ab und schob dabei die Schachtel mit dem Silberpapier und dem blauen Band zur Seite.

»Warte, ich mach das schon«, sagte Daniel und stellte das Päckchen auf einen Beistelltisch. »Oh, hatte jemand Geburtstag?« fragte er, nachdem er einen Blick auf die Karte geworfen hatte.

»Das sind Michaels kleine Witze«, erklärte Sarah und zeigte Daniel den Brillantring.

»Sehr humorvoll.« Daniel klappte das kleine Kästchen zu. »Will der Mann nicht begreifen, daß du die Scheidung eingereicht hast?«

»Ich glaube, das gehört alles zu seiner Strategie«, sagte Jane. »Der liebende Gatte bis zum bitteren Ende.«

»Aber um das Sorgerecht streitet er trotzdem mit dir«, stellte Daniel fest.

»Wir treffen uns am Montag mit unseren Anwälten, um zu sehen, ob es nicht möglich ist, zu einer Einigung zu kommen.« Jane nahm die Kaffeetasse, die Sarah ihr reichte.

»Daß du überhaupt noch bereit bist, dich mit diesem Kerl zu treffen nach allem, was er getan hat!«

»Aber was hat er denn getan?« Jane riß mit übertriebener Verwunderung die Augen auf. »Ich bin doch diejenige, die plötzlich ihr Gedächtnis verlegt hat und total ausgerastet ist. Ich bin doch die Gewalttätige. Ich wollte nicht nur ihn umbringen, ich habe außerdem unsere Haushälterin mit einem Messer bedroht und seine Eltern mit einer großen Schere. Das werden alle nur zu gern bezeugen.«

»Aber die Drogen, die er dir gegeben hat...«

»Die habe ich doch aus seiner Tasche gestohlen. Er hat mir nur Spritzen gegeben, wenn ich gewalttätig wurde.«

»Und die Ärzte...

»... werden aussagen, daß ich an einer hysterischen Amnesie litt, was mir beim Richter bestimmt keine Pluspunkte einbringen wird. Sie waren ja nicht dabei, als Michael mir die falschen Medikamente gab. Folglich steht sein Wort gegen meins. Die Ärzte kennen ihn nur als überaus fürsorglichen Ehemann. Außerdem gehört er zu ihrer Zunft, das darfst du nicht vergessen, und eine Krähe hackt der anderen nicht die Augen aus.«

»Und das gilt auch für Dr. Meloff?« fragte Sarah.

»Der war doch im Urlaub, als es kritisch wurde.«

»Mit anderen Worten, Michael könnte den Prozeß gewinnen?«

»Er hat jedenfalls eine gute Chance, wenn er es wirklich auf einen Prozeß ankommen lassen sollte.«

Das Läuten der Türglocke unterbrach das Gespräch.

»Ich gehe hin«, sagte Jane, tapfer gegen eine neue Welle der Furcht kämpfend. Kamen Diane und Emily schon zurück? War die Vorstellung, einen ganzen Nachmittag von ihrer Mutter getrennt zu sein, für Emily zuviel gewesen? Brachte Diane sie zurück, um ihr zu beweisen, daß ihre Mutter wirklich da war, so wie sie es versprochen hatte?

Oder hatte Michael sich eine weitere Überraschung ausgedacht?

Die Frau, die vor der Tür stand, war Sally Beddoes, die Mutter des verängstigten kleinen Mädchens, die sie in Michaels Wartezimmer kennengelernt hatte. Schnell machte Jane auf.

»Mrs. Beddoes«, sagte sie mit einem verstohlenen Blick auf ihre Uhr. »Ich habe Sie eigentlich erst in einer Stunde erwartet.«

Die Frau blickte nervös zur Straße hinaus. »Ich weiß, ich bin früh dran. Ich kann auch gar nicht lange bleiben. Mein Mann wartet draußen im Wagen.« Sie wies auf einen schwarzen Ford, der mit laufendem Motor am Bordstein stand.

»Er braucht doch nicht draußen zu warten...«

»Er will es so. Ich habe ihm gesagt, daß ich gleich wieder da bin.«

»Aber Mrs. Beddoes, wir haben eine Menge zu besprechen.«

»Kommen Sie doch herein, Mrs. Beddoes«, drängte Sarah, die in den Flur herauskam, als das Telefon zu läuten begann.

»Nein, danke. Ich kann wirklich nicht bleiben.« Es war klar, daß die Frau nicht bereit war, auch nur einen Schritt weiter ins Haus zu gehen.

»Ich glaube, ich geh mal lieber ans Telefon«, bemerkte Sarah und sah ins offene Wohnzimmer zu Daniel. »Danny, kommst du mal mit in die Küche?«

Daniel stand sofort auf und folgte ihr.

»Mrs. Beddoes, ich verstehe nicht...«

»Doch, ich glaube, Sie verstehen mich sehr wohl. Es tut mir wirklich leid, Mrs. Whittaker, ich weiß, daß Sie auf mich gezählt haben, und es fällt mir schwer, Sie zu enttäuschen.«

»Dann tun Sie es doch nicht. Bitte tun Sie es nicht«, sagte Jane leise und eindringlich.

»Mein Mann und ich haben gestern abend stundenlang darüber gestritten. Er ist nicht bereit, Lisa aussagen zu lassen.«

»Aber mein – Dr. Whittaker hat Ihre Tochter belästigt!«

»Wir haben keine Beweise dafür.«

»Glauben Sie ihr denn nicht, was sie Ihnen erzählt hat?«

Sally Beddoes senkte schuldbewußt den Blick. »Doch, *ich*

glaube ihr. Aber wer sonst wird ihr glauben? Wer wird einem vierjährigen Kind glauben, das bekanntermaßen vor allen Ärzten Angst hat?«

»Sie vergessen, daß sie nicht allein sein wird. Meine Tochter wird auch aussagen. Das Gericht wird die Beschuldigungen viel ernster nehmen, wenn wir zu zweit sind. Und der Staatsanwalt ist noch dabei, die Unterlagen meines Mannes durchzusehen, um festzustellen, ob er vielleicht noch andere Kinder belästigt haben könnte.« Jane hörte selbst den schrillen Ton der Hoffnungslosigkeit in ihrer Stimme. Sie wußte, daß der Staatsanwalt bisher niemanden gefunden hatte, der bereit war, eine Aussage zu machen.

»Lisa hat schon soviel durchgemacht.« Sally Beddoes kämpfte mit den Tränen. »In den letzten zwei Jahren mußte sie sechsmal operiert werden. Können Sie das nicht verstehen? Es wäre rücksichtslos, wenn wir sie jetzt neuen ärztlichen Untersuchungen aussetzen und sie endlosen Verhören durch den Staatsanwalt und die Anwälte preisgeben würden. Sie hat wahrhaftig schon genug gelitten. Wir können ihr nicht noch mehr zumuten.« Sie sah Jane flehend an. »Bitte versuchen Sie, das zu verstehen.«

»Ich verstehe es ja«, sagte Jane aufrichtig.

»Es tut mir so leid.« Sally Beddoes machte kehrt und lief durch den Vorgarten zum wartenden Wagen.

»O Gott«, stöhnte Jane, als der Wagen abfuhr. Sie hörte Sarah und Daniel hinter sich und ließ sich einfach in Daniels Arme fallen. »Ohne sie habe ich überhaupt keine Chance.«

»Du darfst jetzt nicht aufgeben, Jane«, drängte Sarah. »Du hast die Wahrheit auf deiner Seite.«

»Und die Wahrheit ist, daß ich meine Tochter verlieren werde.«

»Nein, Jane. Das werden wir nicht zulassen.«

»Ach nein? Was willst du denn sagen, wenn Michaels Anwalt dich unter Eid nimmt und nach unserer Ehe fragt? Du wirst ihm erzählen, daß du immer den Eindruck hattest, wir wären ausgesprochen glücklich miteinander, daß Michael immer liebevoll und aufmerksam war, daß ich dir im Lauf der Jahre mindestens tausendmal erzählt habe, ich hätte das große Los gezogen. Und was willst du sagen, wenn sie dich nach dem Abend fragen, als ihr zum Essen bei uns wart und ich zusammenklappte und ins Bett gebracht werden mußte? Was glaubst du wohl, wie das auf einen Richter wirken wird?«

»Wir werden ihm schon klarmachen, wie es wirklich war«, sagte Daniel, aber es klang nicht sehr überzeugend.

»Glaub ja nicht, daß Michael dich nicht auch einsetzen wird. Er wird alle meine Freunde gegen mich einsetzen.«

»Carole wird aussagen, daß Michael sie belogen hat, als er behauptete, wir hätten ein Verhältnis miteinander gehabt«, erinnerte Daniel sie.

»Hat Michael gelogen, oder hat er nur die Lügen weitergegeben, die ich ihm aufgetischt hatte?« konterte Jane. »Du kannst dich darauf verlassen, er hat sich nach allen Seiten abgesichert.«

»Aber irgend etwas mußt du doch tun können«, meinte Sarah.

»O ja.« Jane machte sich auf den Weg zum rückwärtigen Teil des großen Bungalows, in dem die Schlafzimmer lagen.

»Wohin willst du, Jane? Was hast du vor?«

»Es ist mal wieder Zeit zu verschwinden. Mit Emily.«

»Jane, das kannst du nicht tun!« Daniel lief ihr nach und hielt sie auf, ehe sie ihr Zimmer erreicht hatte. »Michael findet dich bestimmt. Er wird dich aufspüren und zurückbringen lassen, und dann bekommt er garantiert das Sorgerecht.«

»Das Risiko muß ich eingehen.«

»Jane, laß uns das doch erst einmal in Ruhe durchsprechen«, drängte Sarah.

»Du kannst doch nicht dein Leben lang vor ihm davonlaufen, ständig in Angst, daß er dich findet. Was für ein Leben wäre das für Emily«, sagte Daniel beschwörend.

»Was für ein Leben hätte sie, wenn Michael das Sorgerecht zugesprochen wird?«

»Aber wohin würdest du denn gehen?« fragte Sarah. »Wie würdest du leben?«

Jane senkte den Kopf. Ihr fiel keine befriedigende Antwort auf diese Frage ein.

Aus dem Flur hörten sie plötzlich lautes Klopfen. »Entschuldigen Sie, ist jemand zu Hause?«

»Wer, zum Teufel, ist denn das?« rief Sarah.

Jane war als erste im Flur, von der vertrauten Stimme angezogen wie von einem Magneten. Das kann nicht sein, dachte sie. Das kann einfach nicht sein.

Gleich hinter der Haustür stand Paula Marinelli, das Gesicht so ernst wie immer. »Die Tür war offen...« begann sie.

»Was tun Sie hier?« fragte Jane scharf.

»Michael sagte mir, daß Sie hier sind. Ich wollte mit Ihnen sprechen.«

»Ich habe Ihnen nichts zu sagen.« Woher nahm die Frau diese Unverschämtheit? Schreckte sie denn in ihrer blinden Verehrung Michaels vor nichts zurück?

»Ich denke, es ist besser, Sie gehen, ehe ich die Polizei rufe«, sagte Sarah. »Sie können Ihrem Chef melden, daß es Jane ausgezeichnet geht.«

»Das werde ich gern tun«, erwiderte Paula, »aber erst, wenn Sie mich angehört haben.«

»Na schön«, sagte Jane, wider Willen neugierig. »Dann kommen Sie erst mal rein und setzen Sie sich.«

32

Das erste, was Jane auffiel, als sie Michael in der Kanzlei seines Anwalts wiedersah, war, wie gut er aussah und wie selbstsicher er wirkte. Er hatte keine Ringe unter den Augen, die Schlaflosigkeit bezeugt hätten. Sein Ton war freundlich.

»Hallo, Jane«, sagte er unbefangen.

»Hallo«, erwiderte Jane abweisend. Sie hätte ihm am liebsten mitten ins Gesicht gespuckt. Du hättest nicht herkommen sollen, sagte sie sich und kämpfte den Impuls nieder, auf dem Absatz kehrt zu machen und aus dem nobel eingerichteten Zimmer zu laufen. Du hättest Emily nehmen und mit ihr verschwinden sollen, statt auf deine Freunde zu hören und alles aufs Spiel zu setzen. Glaubst du denn im Ernst, daß Michael kampflos aufgeben wird?

»Wie geht es dir?« fragte Michael und schaffte es, ehrlich besorgt zu wirken.

»Wesentlich besser«, antwortete sie zähneknirschend. Sie war sich bewußt, daß Michaels Anwalt, Tom Wadell, der ruhig an seinem breiten Marmorschreibtisch saß, sie scharf beobachtete. Er wartet nur darauf, daß ich einen Fauxpas begehe, vielleicht einen Wutanfall bekomme oder zu schreien anfange. Das gäbe ihnen im Fall eines Prozesses zusätzliche Munition gegen mich.

»Möchten Sie eine Tasse Kaffee, während wir auf Mrs. Bower warten?« fragte der Anwalt und strich sich mit langen, sorgfältig manikürten Fingern über den kahlen Schädel.

»Nein, danke.«

»Da sich die Anwältin meiner Frau leider verspätet hat«, bemerkte Michael, »könnten Jane und ich die Gelegenheit vielleicht zu einem Gespräch unter vier Augen nutzen.«

Jane schüttelte verblüfft den Kopf. Was hatte Michael jetzt wieder vor?

»Das ist doch gewiß kein unvernünftiges Verlangen«, fügte Michael mit einem Blick auf seinen Anwalt eilig hinzu.

»Mrs. Whittaker?« fragte Wadell.

»Ich möchte selbstverständlich nicht unvernünftig erscheinen«, sagte Jane mit offenem Sarkasmus.

Tom Wadell stand aus seinem hochlehnigen Ledersessel auf. »Ich warte im Besprechungszimmer. Meine Sekretärin ist gleich draußen im Vorzimmer – falls Sie etwas brauchen sollten.«

Falls diese Geisteskranke ihnen an die Gurgel springen sollte, meinte er wohl. Als er die Tür hinter sich schloß, trat Jane automatisch einen Schritt zurück.

Michael machte ein gekränktes Gesicht. »Was glaubst du denn, was ich dir tun will, Jane?«

»Was bleibt denn noch?« fragte Jane zurück.

»Ich dachte, wir könnten wie erwachsene Menschen miteinander sprechen...«

»Eine interessante Vorstellung bei einem Mann, der Kinder bevorzugt.«

Michael blickte zu Boden. »Du machst es mir nicht leicht.«

»Ich habe wahrscheinlich heute morgen vergessen, mein Haldol zu nehmen.«

Michael hob langsam den Blick und sah sie an. »Ich weiß, was du von mir hältst, Jane, aber...«

»Ach, verschone mich, Michael. Spar dir deine Lügen für das Gericht. Wenn du darüber mit mir sprechen wolltest...«

»Ich möchte meine Frau zurückhaben.«

»Was?!«

»Ich liebe dich, Jane. Ich weiß, du glaubst mir das nicht. Ich weiß, du hältst mich für ein Ungeheuer, aber du mußt mir glauben, daß ich dich liebe, daß ich nichts anderes möchte, als daß alles wieder so wird, wie es einmal war. Ich wünsche mir nur, daß dieser schreckliche Alptraum endlich vorübergeht und du mit Emily wieder nach Hause kommst, wohin ihr beide gehört.«

Jane ließ sich auf das burgunderrote Ledersofa an der Wand gegenüber von Tom Wadells Schreibtisch sinken. Sie wollte ihren Ohren nicht trauen.

Michael griff in seine Tasche und zog das kleine Schmuckkästchen heraus, das Jane ihm am Tag zuvor zurückgeschickt hatte. »Ich habe ihn für dich gekauft, Jane. Ich möchte, daß du ihn trägst.«

Jane ballte die Hände an ihren Seiten zu Fäusten. War das sein Plan? Hoffte er, sie würde versuchen, ihn zu schlagen?

»Du fehlst mir, Jane. Mir fehlt unser gemeinsames Leben. Mir fehlt unsere Tochter.«

»Die Tochter, von der du mir sagtest, sie wäre tot.«

Michael fuhr sich mit ruhiger Hand durch das Haar. »Ich weiß, du glaubst fest, ich hätte dir das gesagt...«

»Ich verstehe. Auch auf mein Gehör ist also kein Verlaß.«

»Jane, du warst völlig durcheinander. Du warst hysterisch. Wie kannst du sicher sein, wer dir was gesagt hat?«

Jane schloß die Augen und sagte nichts.

»Ich liebe dich, Jane.« Er setzte sich neben sie. »Ich weiß, was du glaubst, was ich dir und unserer Tochter angetan habe, aber ich weiß auch, daß du mit der Zeit und mit der richtigen Therapie schließlich einsehen wirst, daß nichts sich so abgespielt hat, wie du meinst; daß ich nichts von dem getan habe, was du mir vorwirfst.«

»Und Emily?« fragte Jane. »Wie lange wird es dauern, bis sie das einsieht?«

»Emily ist sieben Jahre alt«, erwiderte Michael geduldig. »Nichts würde sie glücklicher machen, als ihre Eltern wieder zusammen zu sehen.« Er neigte sich zu ihr und hob eine Hand.

Jane sah, wie seine langen, beweglichen Finger sich ihren Händen näherten. Sie hob den Blick zu seinem Gesicht. Sie musterte die eigenwillige Nase, die vollen Lippen, das helle Haar, die blaßgrünen Augen und versuchte, all diese Teile zu einem erkennbaren Ganzen zusammenzubringen. Aber er war ihr jetzt noch fremder als vor zwei Monaten, als er sie in Dr. Meloffs Praxis abgeholt hatte.

»Wenn du mich anrührst, bringe ich dich um«, sagte sie, ohne die Stimme zu erheben.

Michael zog sofort die Hand zurück und sprang auf. Er war offensichtlich betroffen. Jane hätte gern gewußt, ob es ihre Worte waren oder die Gelassenheit, mit der sie sie ausgesprochen hatte, die ihn so erschüttert hatten.

»Drohst du mir, Jane?« fragte er und schüttelte scheinbar ungläubig den Kopf.

In diesem Moment kam Jane der Gedanke, daß in dem Zimmer Abhörvorrichtungen versteckt sein könnten. Hatte sie jetzt alles verpfuscht? Lieber Gott, wo blieb nur ihre Anwältin? Wieso brauchte die Frau so lange?

»Das ist genau die Einstellung, durch die wir in dieses Schlamassel geraten sind«, sagte Michael. »In deinem Leben gibt es keinen Platz für Kompromisse. Weshalb solltest du Kompromisse schließen, wo du doch sowieso immer recht hast? Du weißt alles, nicht wahr, Jane? O nein, Jane Whittaker kann kein Mensch was Neues sagen. Sie weiß alles. Sie weiß, wo's lang geht, und sie bestimmt. Ohne ihre Genehmigung geht gar nichts. Du mußt immer die Oberhand haben, stimmt's, Jane? Du mußt die wichtigen Entscheidungen treffen: wohin wir gehen; wen wir besuchen; was wir tun; wann wir miteinander schlafen; wie wir miteinander schlafen...«

Jane versuchte, den Sinn hinter dieser plötzlichen Flut von Anschuldigungen zu entdecken. »Willst du behaupten, es sei meine Schuld, daß du unsere Tochter mißbraucht hast?«

»Himmelherrgott noch mal! Ich habe Emily niemals mißbraucht.« Er hob flehend die Hände. »Sie kam eines Abends ins Badezimmer, als ich pinkelte. Du warst bei irgendeiner deiner Veranstaltungen. Sie war neugierig, genau wie jedes normale

Kind. Sie fragte, ob sie mich anfassen dürfe. Ich sah nichts Schlimmes daran. Es war völlig harmlos. Ich hatte keine Ahnung, was daraus entstehen...«

»Ach, jetzt ist es also Emilys Schuld.«

»Wieso bist du so versessen darauf, Schuldzuweisungen zu machen?«

»Wieso gehst du nicht endlich zum Teufel!« fuhr Jane ihn an, lauter als beabsichtigt.

Prompt klopfte es an die Tür. »Alles in Ordnung?« erkundigte sich eine Frau auf der anderen Seite.

Michael ging zur Tür und öffnete sie mit einem Ausdruck tiefer Bekümmerung auf dem Gesicht. »Ich glaube, Sie können Mr. Wadell bitten, wieder hereinzukommen«, sagte er der Sekretärin in tief enttäuschtem Ton. »Es sieht nicht so aus, als könnten wir allein weiterkommen.«

»Sehr gekonnt, Michael«, sagte Jane ironisch.

Er sah sie an, als hätte er keine Ahnung, was sie meinte, und Jane fragte sich, ob sie vor Gericht auch nur die geringste Chance gegen ihn haben würde.

»Nun sehen Sie mal, wer inzwischen eingetroffen ist!« Tom Wadell führte Janes Anwältin ins Zimmer und forderte sie alle mit einer Handbewegung auf, in den vor seinem Schreibtisch gruppierten Sesseln Platz zu nehmen.

Renee Bower, die sich nach einem kurzen New Yorker Gastspiel in Boston niedergelassen hatte, war eine attraktive Frau, die ausgesprochen weich wirkte, jedoch als Anwältin eine Härte zeigen konnte, die bei ihren Gegnern gefürchtet war. Sie begrüßte Jane mit einem kurzen, beruhigenden Nicken, ehe sie es sich in einem der Sessel bequem machte, offensichtlich kaum beeindruckt von der sie umgebenden Opulenz.

»Tut mir leid, daß ich mich verspätet habe. Es hat bei der Staatsanwaltschaft doch länger gedauert, als ich erwartet hatte.«

»Ich finde, wir sollten gleich zur Sache kommen«, sagte Michael, nachdem Wadell ihn mit der Anwältin bekannt gemacht hatte.

»Wir sind für alle vernünftigen Vorschläge offen«, erklärte Renee Bower.

Tom Wadell räusperte sich. »Mein Mandant legt nicht den geringsten Wert auf eine langwierige und erbitterte gerichtliche Auseinandersetzung. Er hat als verantwortungsbewußter Vater auch nicht den Wunsch, seine Tochter gerade zur jetzigen Zeit, die für sie äußerst schwierig ist, von ihrer Mutter zu trennen. Er ist der Auffassung, daß dem Kind bereits genug Schaden zugefügt worden ist, und möchte keinesfalls, daß sie noch mehr leiden muß. Er ist daher bereit, Mrs. Whittaker das Sorgerecht für Emily zu überlassen.«

Janes Blick flog zu Michael. War es möglich, daß er endlich auf die Stimme des Gewissens hörte und ihnen die Qualen eines Prozesses ersparen wollte?

»Und die Gegenleistung?« fragte Renee Bower.

»Im Gegenzug nimmt Ihre Mandantin alle gegen Dr. Whittaker vorgebrachten Beschuldigungen des sexuellen Kindesmißbrauchs zurück.«

»Meine Mandantin erhält das alleinige Sorgerecht?«

»Dr. Whittaker wird ein großzügiges Besuchsrecht eingeräumt.«

»Was heißt das?« unterbrach Jane mißtrauisch.

»Mein Mandant erhält das Recht, seine Tochter jedes zweite Wochenende und jeden Mittwochabend zu sehen. Er wird außerdem jeden Sommer einen Monat und dazu zu Weihnachten und Ostern eine Woche mit dem Kind verbringen. Die restlichen Feier- und Ferientage werden zu gleichen Teilen zwischen den Eltern aufgeteilt.«

»Kommt nicht in Frage«, sagte Jane zornig. »Ich werde niemals zulassen, daß er Emily allein sieht.«

»Erwartest du im Ernst von mir, daß ich einwillige, meine

Tochter in den wenigen Stunden, die mir gegönnt sind, nur im Beisein irgendeiner Sozialarbeiterin zu sehen, die mich ständig mit Argusaugen beobachtet?« fragte Michael.

»Das ist das mindeste, was ich erwarte.«

»Aha. Du bist also bereit, alles zu riskieren? Denn das sage ich dir, Jane, wenn du mein Angebot nicht akzeptierst – und deine Anwältin wird dir sagen, daß es ein verdammt gutes Angebot ist –, werde ich kämpfen. Und wenn ich mit dir fertig bin, kannst du froh sein, wenn du unsere Tochter je wiedersehen wirst.«

Er schwieg, um seine Worte wirken zu lassen.

Jane sah Renee Bower an, doch diese hielt den Blick unverwandt auf Michael gerichtet.

»Bildest du dir wirklich ein, daß auch nur ein Mensch dir deine obszönen Anschuldigungen abnehmen wird?« fuhr Michael fort. Er stand auf und begann, im Zimmer umherzugehen. »Glaubst du, der Staatsanwalt wird dir mehr glauben als mir, wenn er erst von deiner hysterischen Amnesie hört? Glaubst du im Ernst, er wird dann noch Anklage erheben? Und glaubst du, wenn es zum Sorgerechtsprozeß kommen sollte, wird irgendein Richter dem Wort einer Frau Glauben schenken, die abgesehen davon, daß sie zeitweise völlig vergessen hatte, wer sie war, erwiesenermaßen zu Gewalttätigkeit neigt und nicht nur ihren eigenen Ehemann tätlich angegriffen hat, sondern auch völlig fremde Menschen? Glaubst du das wirklich?« Er hielt inne, aber er war offensichtlich noch nicht fertig. »Und hast du eigentlich auch an Emily gedacht?«

»An Emily?«

»Ja, an Emily. Begreifst du nicht, was du ihr antun würdest, wenn du sie zwingst, in einem Prozeß gegen ihren eigenen Vater auszusagen?«

Jane sprang so heftig auf, daß ihr Sessel ins Wanken geriet. Vergeblich versuchte ihre Anwältin ihn festzuhalten.

»Was *ich* ihr antue?«

»Wenn ich dir schon gleichgültig bin, Jane, wenn es dir schon egal ist, wie sich diese ungeheuerlichen Beschuldigungen auf *mein* Leben auswirken werden, kannst du dann nicht wenigstens an unsere kleine Tochter denken?«

»Du Schwein!«

»Jane!« mahnte Renee Bower.

»Du bist wirklich das Letzte!« zischte Jane und schlug mit der Faust auf die kalte Marmorplatte des Schreibtischs, daß Wadell erschrocken zurückfuhr. »Wie kannst du es wagen, alles so zu verdrehen!«

»So ist's richtig, Jane. Hau du nur auf den Tisch. Das ist schon mal ein guter Anfang. Ich bin gespannt, was als nächstes kommt.«

»Jane«, warnte Renee Bower wieder, »vergessen Sie sich nicht.«

»Vielleicht sollten wir diese Besprechung vertagen. Dann haben Sie Zeit, sich unseren Vorschlag durch den Kopf gehen zu lassen.« Tom Wadell stand auf.

»Augenblick, ich möchte mich doch vergewissern, daß ich das alles richtig verstanden habe«, sagte Jane und begann ihrerseits im Zimmer auf und ab zu gehen, während Michael sich hastig wieder setzte. »Du vermeidest das öffentliche Aufsehen und die unangenehmen Folgen eines unerquicklichen Prozesses. Du behältst deinen Posten im Krankenhaus und deinen tadellosen Ruf. Dafür erhalte ich das alleinige Sorgerecht für Emily. Ich darf täglich für sie sorgen; du darfst sie mittwochs abends und jedes zweite Wochenende belästigen...«

»Jane! Um Gottes willen!« rief Michael.

»...ganz zu schweigen von Ostern, Weihnachten und den Sommerferien, wenn du sie gleich eine ganze Woche, beziehungsweise einen ganzen Monat...«

»Ich glaube nicht, daß uns das weiterbringt«, unterbrach Tom Wadell und begann, seine Unterlagen zu ordnen.

»Hast du im Ernst erwartet, daß ich darauf eingehen würde?« Jane blieb direkt vor ihrem Mann stehen. Nichts hätte sie in diesem Moment lieber getan, als ihm ins Gesicht zu schlagen.

Michael streckte ihr herausfordernd den Kopf entgegen. »Ich habe dummerweise geglaubt, ein Vergleich wäre in unser aller Interesse.«

Jane hielt die Hände eisern an ihre Seiten gepreßt, um ihm nicht die Augen auszukratzen. Und plötzlich sah sie Emily in diesen Augen und begriff, daß ihre einzige Hoffnung zu siegen und Vergeltung zu üben, darin lag, die Ruhe zu bewahren.

»Oh, es ist zweifellos in *deinem* Interesse und vielleicht auch in meinem«, sagte sie, zu ihrem Sessel zurückkehrend, »aber es ist nicht in Emilys Interesse.« Sie sah Renee Bower an, die sich zu ihr neigte und ihr die Hand drückte. »Außerdem ist es für Vergleiche jetzt viel zu spät.«

Michael lachte bitter. »Was soll das heißen?«

Jane ließ ihre Anwältin für sich sprechen. »Ich komme eben von der Staatsanwaltschaft«, sagte Renee Bower. »Der Staatsanwalt ist bereit, Anklage gegen Sie zu erheben.«

Michael wandte sich seinem Anwalt zu.

»Der Staatsanwalt weiß, daß er mit einer solchen Anklage niemals durchkommen wird«, erklärte Tom Wadell im Brustton der Überzeugung. »Ich kann mir nicht vorstellen, daß er sich aufgrund der Aussage eines leicht beeinflußbaren Kindes und seiner – verzeihen Sie – gemütskranken Mutter auf einen Prozeß einlassen wird.« Er lächelte Jane an, als hätte er ihr gerade ein großes Kompliment gemacht.

»Wir stehen nicht mehr allein«, entgegnete Renee Bower, und Jane sah, wie das Lächeln auf seinem Gesicht gefror.

»Was soll das heißen?« fragte Michael.

»Entschuldigen Sie mich nur einen Augenblick«, sagte Renee Bower und stand auf. »Ich denke, ich kann Ihnen die gewünschte Aufklärung geben.« Sie eilte aus dem Zimmer.

»Was, zum Teufel, hat das zu bedeuten, Jane?« fragte Michael scharf.

»Regen Sie sich nicht auf«, riet ihm sein Anwalt. »Mrs. Bower ist für ihre Theatereffekte bekannt.«

Knapp eine Minute später erschien Renee Bower wieder. Sie wurde von Paula Marinelli begleitet.

»Paula! Gott sei Dank!« rief Michael. »Wir haben die ganze Woche versucht, Sie zu erreichen.« Er sprang auf, nahm sie bei der Hand und führte sie zum Schreibtisch. »Tom, das ist Paula Marinelli, meine Haushälterin. Sie hat mir bei der Betreuung meiner Frau geholfen. Sie weiß besser als jeder andere, in was für einer Verfassung Jane sich damals befunden hat.«

»Es wird Sie vielleicht interessieren, was Mrs. Marinelli zu sagen hat«, bemerkte Renee Bower und nickte Paula aufmunternd zu.

»Wie konnten Sie das tun, Dr. Whittaker?« fragte Paula leise, mit tonloser Stimme. »Ich habe Ihnen vertraut. Nein, für mich waren Sie ein Heiliger. Wie konnten Sie mich so hintergehen? Wie konnten Sie meine kleine Tochter so verletzen?«

Michaels Gesicht wurde aschfahl. »Verletzen? Mein Gott, ich habe ihr das Leben gerettet!«

»Ja, das ist wahr«, bestätigte Paula, »und dafür werde ich mein Leben lang dankbar sein.«

»Ich schlage vor, Sie erzählen uns jetzt, was Sie dem Staatsanwalt gesagt haben«, sagte Tom Wadell, dessen Blick verriet, daß er die Situation erfaßt hatte.

»Als meine Tochter Christine plötzlich Alpträume bekam«, begann Paula, den Blick auf Michaels Anwalt gerichtet, »dachte ich zuerst, das wäre ein Phase, die alle Kinder irgendwann einmal durchmachen. Ich habe die Träume nicht weiter beachtet, auch nicht, nachdem meine Mutter mir gesagt hatte, daß da ihrer Meinung nach mehr dahintersteckte. Als Christine mir sagte, sie wolle nicht zur Untersuchung, weil der Doktor sie ›immer so komisch anfaßte‹, dachte ich mir nichts dabei. Und als sie nicht lokkerließ, erklärte ich ihr, Dr. Whittaker fasse sie nur da an, wo er sie anfassen müsse, um sie wieder gesund zu machen. Ich hörte ihr einfach nicht zu. Einmal habe ich sie sogar dafür verhauen, daß sie sich so schlimme Geschichten ausdachte.«

»Tom, das ist absolut lächerlich!« fuhr Michael dazwischen. »Muß ich mir diesen Quatsch wirklich anhören?«

»Ich denke, es wäre gut, wenn Sie sich setzen«, riet ihm der Anwalt.

Michael sank in seinen Sessel wie eine Gummipuppe mit einem Loch in der Seite. Jane hörte förmlich, wie die Luft entwich.

»Als ich Janes Geschichte hörte«, fuhr Paula fort, »als ich hörte, was Dr. Whittaker mit seiner eigenen kleinen Tochter getan hat, wurde mir mit einem Schlag klar, daß alles, was Christine mir erzählt hatte, wahr war. Ich war so entsetzt, daß ich mich überhaupt nicht mehr rühren konnte. Es war so, als hätte mir jemand das Herz aus dem Leib gerissen.« Paula schüttelte noch immer fassungslos den Kopf. »Ich habe diesem Mann mehr als meinem Kind geglaubt. Ich habe die Hilferufe meiner Tochter überhört, weil ich ihm rückhaltlos vertraute. Immer habe ich alles, was er von mir verlangte, ohne Frage getan. Ich setzte seine Frau unter Drogen und hielt sie von ihrer Familie und ihren Freunden fern. Ich gab ihr Tabletten und Spritzen, manchmal rund um die Uhr, wenn er es angeordnet hatte. Ich sah zu, wie sie litt, und tat nichts, weil ich ihm geglaubt habe, wenn er erklärte, es wäre zu ihrem Besten. Jetzt weiß ich, daß er ein Lügner ist. Ich weiß, daß er seine eigene Tochter und daß er meine Tochter belästigt hat. Ich bin bereit, das unter Eid auszusagen. Ich freue mich darauf, aussagen zu können. Das ist es, was ich dem Staatsanwalt gesagt habe.«

Mehrere Sekunden lang blieb es völlig still.

Dann brach Renee Bower das Schweigen. »Ich denke, die Herren werden das alles erst einmal verarbeiten müssen.« Sie stand auf. »Ich schlage vor, wir lassen Ihnen Zeit zum Nachdenken.« Sie wandte sich an Michaels Anwalt. »Sie werden mich anrufen?«

Tom Wadell nickte stumm.

Michael vergrub den Kopf in den Händen, als Renee Bower Jane und Paula aus dem Zimmer geleitete. Schweigend fuhren die drei Frauen im Aufzug zum Foyer hinunter.

Erst als sie auf der Straße standen, wandte sich Jane zu Paula und sagte: »Wie kann ich Ihnen jemals danken?«

»Das kann doch nicht Ihr Ernst sein. Ich muß Ihnen danken.«

Jane nahm die junge Frau in die Arme. »Passen Sie gut auf ihr kleines Mädchen auf.«

»Sie auch«, sagte Paula leise, ehe sie davonging.

Jane sah ihr nach, bis sie um eine Ecke bog und verschwunden war. »Und wie geht's jetzt weiter?« fragte sie Renee Bower.

»Mit der Strafsache haben wir nichts mehr zu tun. Die liegt in den Händen der Staatsanwaltschaft.«

»Und Emily?«

»Ich glaube nicht, daß wir da noch auf Schwierigkeiten stoßen werden.« Renee sah auf ihre Uhr. »Es ist zwar noch ein bißchen früh fürs Mittagessen, aber irgendwie hab ich Hunger. Wie ist es mit Ihnen?«

Jane lächelte. »Im Zweifel erst mal was essen«, sagte sie. Dann warf sie den Kopf zurück und lachte. »Also, gehen wir. Ich bin völlig ausgehungert.«

ENDE